EL CODONY A L'INICI DEL SEGLE XVI

Paisatge, economia i societat
dels antics llocs i termes del Codony
a partir d'un capbreu de 1510

ELS LLIBRES DEL CONSELL

Tarragona 2011

Aquest llibre va obtenir el Premi Tarragonès Beca d'Investigació Lucius Licinius Sura 2009.

Formaven el jurat el president del Consell Comarcal del Tarragonès, Eudald Roca Gràcia; la presidenta de la comissió de cultura del Consell Comarcal del Tarragonès, Montserrat Muñoz Madueño; i Montserrat Palau Vergés, Jaume Massó Carballido, Jordi Roca Girona i Josep Sánchez Cervelló.

Editat amb el suport de:

Consell Comarcal del **Tarragonès**

Primera edició: maig del 2011
Edita: Arola Editors
Telèfon: 977 553 707 - Fax: 977 542 721
arola@arolaeditors.com
© Arola Editors s.l.
Pol. Francolí - parcel·la 3 • 43006 Tarragona
© dels textos: Hèctor Mir Llorente
Imatge de la coberta cedida per l'Arxiu Capitular de Tarragona
Maquetació: Arola Editors
Imprimeix: Gràfiques Arrels - Tarragona
ISBN: 978-84-15248-23-1
Dipòsit legal: T-681/2011

EL CODONY A L'INICI DEL SEGLE XVI

Paisatge, economia i societat
dels antics llocs i termes del Codony
a partir d'un capbreu de 1510

Hèctor Mir Llorente

AROLA EDITORS

A Ca Mir de la Pobla, la meva Nació.
Als qui hi són, als qui hi foren i als qui, si Déu vol, hi seran.

ÍNDEX

PRÒLEG

Als 40 anys d'edat, Hèctor Mir Llorente atresora una línia curricular ben notable. Llicenciat en Geografia i Història per la Universitat Rovira i Virgili i Màster en Arxivística per la mateixa universitat, ha pouat en tot tipus de documentació; no endebades suma a la seva actual condició de tècnic de l'Arxiu Municipal de la Pobla la de ser un arqueòleg que ha participat en excavacions importants. Centrat, també, en la investigació del carlisme, ha fet de la història rural un objectiu preferent d'anàlisi. Aquest llibre que tinc el gust de prologar n'és una excel·lent mostra.

Hèctor Mir ha dut a terme un treball científic amb el cor i amb el cap. És fill de la terra que estudia i se'n sent. Una zona, la de l'antic castell termenat del Codony, de més de 40 quilòmetres quadrats i poc coneguda des del punt de vista històric. Gravitar sobre un doble eix li ha permès de superar entrebancs diversos: a més d'un d'habitual per a l'historiador com és la insuficiència de la documentació, cal afegir-hi la pèrdua de la memòria que ha patit un espai sotmès a un extraordinari procés de canvi i de transformació des de mig segle ençà.

L'autor ha volgut conèixer la contrada, l'economia i la societat del terme del Codony a començaments del segle XVI. Es tractava d'una vasta extensió que agrupava la totalitat de sis termes municipals actuals (la Pobla de Mafumet tan estimada per l'Hèctor, Vilallonga, Perafort, els Pallaresos, el Morell, el Rourell) i una part d'uns altres tres (Tarragona, Constantí i la Masó).

El document mare que estructura la investigació és un capbreu de 1510 conservat a l'Arxiu Capitular de Tarragona. L'ús dels capbreus com a font per al coneixement del passat ha estat practicada per munió d'historiadors, alguns més conscients que altres de la validesa i les limitacions del fons informatiu. L'obligació de declarar per part dels emfiteutes d'un lloc o d'una contrada, convocada a toc de campana i sota pena de multa, havia d'amagar reticències i resistències que Hèctor Mir ha pogut just entrellucar. Com a investigador amb ofici, ha entrat en detall en el contingut del capbreu, l'ha interrogat per sadollar els objectius de la recerca i n'ha obtingut un bon nombre de respostes, la majoria de les quals ben versemblants.

La fesomia de l'antic castell termenat del Codony quedava configurada per una gran fragmentació de l'espai i una notable concentració de petits termes en poc espai. Era resultat indefugible de l'alta presència de masos i l'existència de només tres nuclis d'aglomeració (el Morell, Puigdelfí i Vilallonga). El punt central de trobada era la plaça de la vila del Codony, on hi havia l'església i la carnisseria. Aquests serveis cobrien una zona de poca densitat, amb uns 120 focs o 600 habitants en 44 quilòmetres quadrats. El fogatge de 1515, un document que mereix serioses reserves quant a l'acceptació, així ho informa. Un terme gran i una demografia exigua podien permetre als pagesos el control del domini útil d'un nombre de terres suficient, garantia teòrica d'una bona posició econòmica.

El paisatge agrari se'ns ofereix fragmentat, amb una terra molt repartida, gran nombre de parcel·les i gran varietat de superfícies. A les tinences grans, hi havia cereals (més ordi que blat, i cap altre esment documental); a les zones de regadiu, horta. La vinya i l'olivera mantenen un frec a frec a la banda occidental del Francolí i en desavantatge per a la primera al sector oriental. Els declarants no esmenten cànem, ni boscos, ni cabana ramadera, ni comunals. Només hi ha possibles reserves dominicals a Puigdelfí i Perafort.

Els emfiteutes de la senyoria eclesiàstica estan subjectes a firma, fadiga o dret de prelació, lluïsme al terç, empara, obligació de capbrevar, pagament de delmes i primícies. No sabem res de l'emfiteusi a nua percepció. Els censos majoritaris són a parts de fruits d'entre la desena i la dotzena part de la collita. Però a les millors terres o en el regadiu les urpes feudals es claven amb força fins a arribar a una detracció per via de cens que dobla l'habitual. Els censos sobre béns urbans són en espècie: volateria (gallines i pollastres). Hi ha prestacions personals: sobretot joves, però també batudes i tragines. La senyoria aprofita els destrets: el molí de Puigdelfí, el dret de llòssol i el de puja per a la ferreria i el forn de Vilallonga, la carnisseria del Codony… La transmissió del domini útil és intrafamiliar (herència o dot). Els capbrevants conserven arxius familiars, però la guerra civil de 1462-1472 ha deixat un rastre paorós i alguns hauran d'anar a carta de precari.

Hèctor Mir ha pouat en sis arxius —un dels quals, familiar, d'on ben segur que ha begut l'amor i la vinculació per la història i els papers: tres de la demarcació, un de nacional i un d'estatal. I desenes d'obres publicades li han proporcionat un context, han nodrit un marc de referència i han conferit ajut i escalf a la recerca.

És un plaer i una satisfacció poder prologar investigacions històriques que demostren com la ciència del coneixement del passat avança gràcies a treballs que pivoten sobre l'ús d'una metodologia correcta, el coneixement de les fonts documentals, hipòtesis suggerents i resultats idonis.

Valentí Gual Vilà
Universitat de Barcelona

INTRODUCCIÓ

Devia ser cap a l'any 1991 quan dos joves arqueòlegs acabats de llicenciar, la Marina Miquel i el Manel Güell Agramunt, juntament amb un estudiant de segon de carrera, vam presentar al cap del Departament de Medieval de la Facultat el projecte «*Estudi diacrònic del poblament de la conca baixa del Francolí*», un ambiciós projecte que pretenia analitzar les continuïtats i discontinuïtats de poblament i les seves possibles pautes en aquesta zona, des d'època romana fins a la baixa edat mitjana, tot combinant dades tant arqueològiques com documentals, fet que, malgrat que pugui sorprendre avui dia, en aquell moment encara no era gaire ben vist pels historiadors més «puristes». Malauradament, el projecte no reeixí. Amb tot, malgrat aquest primer entrebanc, el meu interès pel Codony no minvà. El repte científic que representa estudiar una àrea molt poc coneguda i treballada és, per ell mateix, un al·licient prou important. Però, a més, en aquest cas concret s'hi afegeix un factor podríem dir que personal. Una part important de les meves arrels es troben a les terres de l'antic Codony; no endebades un bon grapat dels protagonistes d'aquest treball són avantpassats directes meus.

Malgrat els incipients treballs del doctor Cortiella sobre el Codony, pioners i, per desgràcia, truncats per la seva mort, la història del Codony era encara una tasca pendent. És molt possible que aquest buit respongui, principalment, a dos greus problemes a què ha de fer front qualsevol investigador que vulgui estudiar aquesta àrea geogràfica. Per un costat, la dificultat que representa ubicar i delimitar un extens territori del qual pràcticament se n'ha perdut la memòria. Per l'altre, la gairebé endèmica manca de documentació, sobretot pel que fa al període medieval i bona part del segle XVI, amb què sovint ens trobem.

No és exagerat afirmar que, a data d'avui, gairebé ningú no recorda què era i on s'ubicava el Codony, ni tan sols els habitants dels municipis a partir del qual sorgiren. Actualment els vestigis del Codony es limiten a una partida de terra a la Pobla de Mafumet, un paratge amb unes minses restes al terme de Perafort i al nom d'una revista de Vilallonga. Res més. A més a més, per si això fos poc, les transformacions que ha sofert el territori en els darrers quaranta anys —implantació de la refineria i diversos polígons industrials, urbanitzacions, infraestructures viàries així com els efectes que el darrer boom immobiliari ha tingut sobre els nuclis antics de molts pobles— han contribuït poderosament a modificar de manera substancial la fesomia dels seus municipis, tot desdibuixant i alterant, quan no directament fent desaparèixer, bona part de les seves traces anteriors. I amb elles també la seva memòria. Crec que no és agosarat afirmar que el paisatge d'aquest territori s'ha vist més transformat en aquests darrers quaranta anys que en els cinc-cents anys que ens separen del moment de redacció del capbreu.

L'objectiu d'aquest treball és l'estudi del territori, l'economia i la societat dels antics llocs i termes que conformaven el territori del Codony (els actuals termes municipals de la Pobla de Mafumet, Vilallonga, Perafort, els Pallaresos, el Morell, el Rourell i part dels de la Masó, Constantí i Tarragona) a inicis de l'edat moderna, a partir de les dades provinents del Capbreu de les Comunes Distribucions del Capítol de la Seu de 1510, conservat a l'Arxiu Capitular de la Catedral de Tarragona. Aquest capbreu, tan sols utilitzat parcialment pel doctor Cortiella en el seu estudi històric de la Pobla de Mafumet, ha restat gairebé inèdit.

Un capbreu pot mostrar la situació d'un indret determinat en un moment determinat, el de la seva redacció, però forçosament ens revela també les traces del passat, del qual n'és hereu. Per tant, el primer pas és situar correctament sobre l'espai el territori del Codony, i, dins d'aquest, els límits dels llocs i termes que se'n desmembraren, els quals no necessàriament han de correspondre's amb els actuals. A partir d'aquí, el buidatge de les dades contingudes al capbreu, juntament amb l'ús de la cartografia o de tècniques pròpies de l'arqueologia de l'arquitectura i de l'arqueologia del paisatge, ens permetrà obtenir una força completa radiografia individuada dels llocs que formaven el Codony, i general de tot el conjunt, a inicis de l'època moderna.

Atès l'estadi incipient en què es troben els estudis històrics d'aquesta àrea del Tarragonès, de cara a futurs investigadors és important poder fixar un punt de partida suficientment documentat i que ens ofereixi una visió el més completa possible d'un territori i un moment històric determinats, a partir del qual es puguin desenvolupar amb més solidesa investigacions d'èpoques tant anteriors com posteriors. Considero que aquesta funció la compleix perfectament aquest capbreu de 1510, el document amb dades més completes i de més antiguitat que es conserva de tota l'àrea del Codony. Per tant, la intenció d'aquest treball —el lector jutjarà si reeixit— és servir com a punt d'inici, com una «cota zero», car, per una part, el mateix capbreu dóna algunes pinzellades per entendre el seu desenvolupament en època medieval, i, per altra part, permetrà fixar millor els paràmetres del seu desenvolupament posterior. Així, per exemple, si gràcies a les dades del capbreu podem arribar a determinar com era l'urbanisme d'una població l'any 1510, això ens pot permetre conèixer com devia haver estat la seva formació i desenvolupament al llarg de l'època medieval, de la mateixa manera que assentarà les bases per a successives ampliacions i alteracions en èpoques posteriors.

El treball s'inicia amb un primer apartat dedicat a conèixer l'espai on s'ubiquen els llocs i termes que apareixen al capbreu: el territori del Codony. Primer s'exposarà un breu estat de la qüestió per tal de conèixer qui ha tractat sobre el Codony i com l'ha delimitat i definit. A continuació, es passarà a estudiar el terme castral a partir, bàsicament, de fonts primàries per tal de poder determinar —en la mesura que la documentació existent ho ha permès— els seus orígens, els seus límits territorials, l'organització interna d'aquest territori així com les relacions feudovassallàtiques que se'n derivaren tant entre els detentadors de jurisdiccions o d'altres drets com entre aquests i els tinents a qui establiren terres en emfiteusi. També s'analitzarà la implantació de la xarxa parroquial sobre aquest territori. Amb aquest primer apartat, necessari a totes llums per poder ubicar i contextualitzar les dades del capbreu, no s'ha pretès escriure la història medieval del Codony. Més aviat s'ha intentat fer una exposició de dades i plantejar diversos interrogants i algunes hipòtesis de treball que puguin ajudar a qui es decideixi a enfrontar-se a l'estudi rigorós del Codony en aquest primer període.

Les fonts utilitzades en aquest apartat han estat principalment primàries, algunes força conegudes i referenciades, com el diplomatari de Santes Creus; d'altres menys conegudes i només parcialment utilitzades, malgrat la seva immensa riquesa de dades, com és el cas de l'anomenat *Índex Vell* de 1679 (del qual tan de bo aviat poguem veure publicat el seu segon volum) i de l'*Índice General* de 1787, ambdós servats a l'Arxiu Històric Arxidiocesà de Tarragona. També he tingut la fortuna de poder comptar amb els cartularis que recopilaren els monjos de Santes Creus referents a les possessions que el cenobi tenia dins dels castells termenats de Montoliu i de Montornès, i que actualment es conserven a l'Archivo Histórico Nacional, a Madrid. Ambdós cartularis, profusament utilitzats per Morera en la seva gran obra *Tarragona Cristiana*, s'havien considerat extraviats, per la qual cosa havien restat inèdits d'aleshores ençà.

El cos del treball se centra en l'estudi i anàlisi del capbreu. Es fa un estudi exhaustiu de les dades contingudes als capbreus dels diversos llocs i termes consignats al document (Puigdelfí, la Pobla de Mafumet, Perafort, els Pallaresos i el Codony, la quadra de Requesens, la quadra de Vilar de Baró i Vilallonga). Els estudis són individualitzats, i tots han estat redactats seguint una mateixa estructura. Cada estudi s'inicia amb una breu anàlisi del document, tot apuntant les dates extremes i llocs de les confessions, pàgines que ocupa, etc. A continuació, es procedeix a la descripció del terme. Mercès a les dades provinents de moltes de les afrontacions de les peces confessades, s'ha pogut reconstruir amb una certa precisió els límits territorials de cada terme. Així mateix, a partir d'aquesta delimitació, prenent la suma de jornals de terra confessats i contrastats amb la superfície del parcel·lari del terme original, s'han pogut obtenir dades força aproximades del grau d'error i/o d'ocultació que presenta cada capbreu. Es mostren després els topònims localitzats, tot incloent un llistat tant de termes i llocs, espais urbans, camins, cursos d'aigua, partides i trossos de terra o qualsevol altre element singularitzat que s'expressi a les confessions; quan ha estat possible, s'han descrit i ubicat. Un altre apartat important és el dels confessants de cada capbreu, amb una relació singularitzada de tots: indicació de nom, professió, procedència, així com un còmput total dels béns (tant rústics com urbans) capbrevats. Pel que fa als béns urbans, a partir de les pròpies confessions, juntament amb l'estudi de camp de les possibles restes actualment existents i una anàlisi acurada dels parcel·laris d'urbana de cada una de les poblacions, s'ha intentat establir una radiografia de l'urbanisme existent a cada lloc en el moment de realitzar-se el capbreu, possiblement molt semblant al que devia existir en època medieval i base per als desenvolupaments urbanístics posteriors. Dels béns rústics, per una part s'analitzen les parcel·les: nombre i superfície, quantitat de parcel·les per tinent, patrimonis resultants, etc., i per l'altra els cultius: tipologia de cultius quan s'expressa, superfícies dedicades a cada cultiu, etc. En un sistema feudal, conèixer quines servituds suportaven els pagesos del Codony és important: per tant, en aquest apartat s'estudien els censos que els tinents havien de satisfer al senyor directe, les seves tipologies i quanties, així com els serveis personals a què estaven obligats, com joves o tragines. El capbreu, en molts casos, ens permet conèixer la via per la qual s'efectuà la transmissió de les tinences. En aquest cas, s'estudia com passaren els béns capbrevats a mans dels confessants (herència, compra, dot...) i, quan el document ens ho permet, com fou la transmissió anterior, amb la qual cosa podem arribar a tenir notícies anteriors, en alguns casos del segle XIV, conèixer la procedència de comprador o venedor i copsar la possible vitalitat del mercat de la terra en aquest territori. Així mateix, s'estudia la ubicació de les notaries —laiques o eclesiàstiques— on es redactaren els instruments públics. Finalment, l'estudi de cada capbreu acaba amb unes conclusions, limitades, en cada cas, al terme estudiat.

La font principal d'aquest capítol és el capbreu. Així mateix, per tal de poder delimitar termes i parcel·les s'han utilitzat els cadastrons i les fitxes parcel·làries de rústica de l'any 1955 de l'Instituto Nacional de Estadística, servades a l'Arxiu Històric de Tarragona, de cadascun dels actuals termes municipals que conformen el Codony. Val a dir que, malgrat l'enorme esforç que ha representat haver de sumar cultius i parcel·les, així com d'estar contínuament fent conversions d'hectàrees a jornals i a l'inrevés, els resultats han estat molt satisfactoris, essent aquest feixuc procés pràcticament imprescindible per a l'aprofundiment en el coneixement d'un territori. De fet, en alguns pocs casos s'ha pogut copsar com una parcel·la ha restat inalterada des de la seva descripció al capbreu fins al 1955.

El capbreu dels diversos termes i llocs dibuixa un espai força compacte i homogeni, però que no abasta la totalitat de l'antic terme castral del Codony. Per això, i amb l'objectiu de poder conèixer millor la totalitat d'aquest espai, en el capítol següent s'apunten una sèrie de pinzellades sobre els termes que l'any 1510 no es trobaven sota senyoria del Capítol de la Seu tarragonina i que, per tant, no participaren en aquest capbreu.

Un cop estudiats tots els indrets individuadament, el següent capítol correspon a les conclusions generals. S'ha intentat oferir una visió general de tot aquest vast territori, veure quin és el paisatge resultant i, entre d'altres, establir paral·lels o diferències entre l'evolució dels diferents llocs que el conformen; establir les àrees dels diferents cultius o comparar els diferents tipus de propietat útil que es donen, així com les diferències o no que es poguessin produir a l'hora de satisfer els censos emfitèutics o els serveis personals en funció dels diferents llocs.

Dins dels molts agraïments que dec, el primer és per al Consell Comarcal del Tarragonès que, mercès a concedir-me el premi Lucius Licinius Sura, ha permès que aquest treball vegi la llum. També, i molt especialment, tinc un deute de gratitud amb en Valentí Gual i l'Antoni Virgili, les converses, observacions i comentaris dels quals han estat un veritable mestratge, així com amb en Jaume Massó per les seves revisions i aportacions, i amb l'Antoni Curull per la planimetria que il·lustra aquest treball. Estic molt agraït, també, als meus companys arxivers, especialment als de l'Arxiu Històric de Tarragona i de l'Arxidiocesà, que tanta paciència han tingut amb mi, així com amb en Josep Estivill, arxiver municipal de Constantí, que m'ha acompanyat en bona part de les visites de camp i ha suportat pacientment les meves «teories». També vull agrair a la Pilar Riera de Vilallonga i al senyor Joan Pere i Busquets de Perafort per haver compartit amb mi els seus amplis coneixements dels seus respectius municipis; tant de bo existissin persones com elles a tots els pobles, amatents de conèixer i divulgar la seva història. No puc deixar de mencionar a tots aquells que, d'una manera o altra, m'han precedit en l'estudi del Codony, i molt especialment al doctor Cortiella, gràcies al qual vaig poder conèixer l'existència d'aquest capbreu. Gràcies també a En Carles Hug pel seu exemple.

Capítol a banda mereix una altra persona. Malauradament, gairebé sempre, tota investigació presenta un «dany col·lateral» importantíssim que no és altre que la família de l'investigador. Per això, gràcies, Reyes, per fer-te càrrec de les tasques de la casa al llarg d'aquest any. Gràcies, Reyes, per la teva comprensió i paciència per les moltes ocasions en què he estat absent, ja sigui físicament o mental, davant l'ordinador. Gràcies, Reyes, per la teva ajuda i suport, que m'han permès remuntar en els moments en què, atabalat pel treball, he pogut defallir. El resultat és, en bona part, també obra teva.

UN TERRITORI: EL CODONY

L'EMPLAÇAMENT DEL CODONY SEGONS DIVERSOS AUTORS

De les darreries del segle XIX ençà, han estat diversos els autors que han intentat situar l'emplaçament del Codony. Aquesta preocupació, per contra, és inexistent en els estudiosos de Tarragona i el seu Camp d'èpoques anteriors, com Pons d'Icart, Blanc, Zurita o Villanueva. El perquè d'aquesta absència és força senzill: no els calia ubicar-ho, ja que, fins a la consolidació de l'Estat liberal, el terme del Codony era un ens viu, amb uns límits coneguts, un batlle i una cort. No fou fins al seu desmembrament i repartiment entre diversos municipis, durant la dècada dels anys quaranta del segle XIX, que se'n començà a perdre la memòria.

Cronològicament, el primer en intentar situar el Codony fou Emili Morera. Segons Morera, la comarca del Codony (seguint la terminologia sovint emprada per ell) es devia estendre a dreta i esquerra del Francolí, entre el terme d'Alcover i el riu Gaià i a tocar del terme de Constantí, i també en devien formar part, entre d'altres més, els termes de la Masó, el Milà, Vilallonga, Puigdelfí, el Morell i el Catllar. Tot aquest extens territori es correspon amb l'entregat per Ramon Berenguer I a Ponç de Montoliu el 1066, per la qual cosa era conegut indistintament com Montoliu o com el Codony, si bé el primer terme l'utilitza preferentment per referir-se a les terres a l'est del Francolí i el segon per a les situades a l'oest.[1]

Ja dins de la segona meitat del segle XX, Font i Rius ubica el Codony al nord de Constantí, a la riba dreta del riu Francolí, i argumenta que s'estenia fins als límits de la Selva i Alcover, tot donant peu a la creació dels actuals termes de la Pobla de Mafumet, el Morell, la Masó, el Milà i Vilallonga, mentre que el Rourell-Bellestar el situa com a lloc contigu, tot i

---

1. Morera Llauradó, Emilio: *Tarragona Cristiana* I. Institut d'Estudis Tarraconenses Ramon Berenguer IV, 1981, pàgs. 506 i 510-511. Morera y Llauradó, Emili: *Geografia General de Catalunya*, dirigida per Francesch Carreras y Candi. *Provincia de Tarragona*. Albert Martín, Barcelona, s/d, pàgs. 328, 338, 345 i 820.

que, tal vegada, integrant també del Codony.[2] Per contra, l'obra col·lectiva *Els castells catalans* es limita a fer un estudi conjunt del Codony, juntament amb Perafort i Puigdelfí.[3]

Mossèn Serra i Vilaró aportà una interessant però críptica descripció: «*El Codony amb tota la terra continguda des de Puig-baix a l'altra part del Francolí fins a Centcelles, i del torrent de Centcelles fins a una muntanya que està sobre el Molnar era de Berenguer de Cardona i de Guillem de Claramunt.*» La cita presenta determinats problemes quant a la dificultat de situar alguns topònims, però és interessant pel fet que es basa en una font primària. La descripció presentada per mossèn Serra es correspon completament amb la que apareix al regest que, de la concòrdia de 1175 entre l'arquebisbe i el rei i els Cardona i Claramunt, fa l'*Índice General* de 1787.[4] És de lamentar que mossèn Serra no hagués utilitzat el regest que, del mateix document, es fa a l'*Índex Vell* de 1679, molt més ric en detalls i que hagués permès una millor descripció.[5]

Eufemià Fort i Cogul fou un gran estudiós del monestir de Santes Creus i els seus dominis, entre els quals es trobava el que tenien al Codony. El 1973, Fort ubicava les terres del Codony a banda i banda del Francolí, per una part Perafort i per l'altra les terres situades entre el riu Glorieta i la riera de la Selva, o sigui els actuals termes del Morell i Vilallonga.[6] Pocs anys més tard, el 1978, en un mecanoscrit inèdit,[7] després d'analitzar les ubicacions donades per altres autors i de diversos documents, arriba a la conclusió que el Codony hauria estat format pels termes del Morell i la Pobla de Mafumet, Perafort, els Garidells i, potser, Puigdelfí, mentre que els que no n'haurien format part serien els del Rourell, la Masó, el Milà i, probablement, Vilallonga.

Ja durant els anys vuitanta, Francesca Español publicà un molt interessant article sobre les cartes de població de Vilallonga, dins del qual es feia ressò dels termes que haurien format el Codony.[8] Segons Español, hi estarien

2. FONT RIUS, José Mª: *Cartas de población y franquicias de Cataluña*. Madrid-Barcelona, 1969. Vol. II, pàgs. 734-735.

3. *Els castells catalans*. Vol. IV. Rafael Dalmau Editor, Barcelona, 1973, pàgs. 39-42.

4. Arxiu Històric Arxidiocesà de Tarragona (AHAT). Arxiu del Patrimoni de la Mitra, 90, *Índice General*, 121.

5. AHAT. Arxiu del Patrimoni de la Mitra, 89, *Índex Vell*, 452.

6. FORT I COGUL, Eufemià: *El senyoriu de Santes Creus*. Fundació Salvador Vives Casajuana, Barcelona, 1972, pàg. 352

7. FORT I COGUL, Eufemià: *El Codony del Camp de Tarragona. Ubicació, i unes quantes notícies de la Granja de Santes Creus*. AHT. Fons Eufemià Fort i Cogul, Sig. 434. Vull agrair a Jaume Massó que em posés rere la pista d'aquest treball inèdit.

8. ESPAÑOL BERTRAN, Francesca: «Les cartes de població de Vilallonga». A: *Acta Historica et Archaeologica Medievalia*, 4. Universitat de Barcelona, 1983, pàgs. 87-106.

compresos els actuals termes del Morell, la Pobla de Mafumet, Vilallonga, el Rourell, possiblement també la Masó, el Milà, i part de Perafort, amb la qual cosa les seves fites més extremes arribarien pel nord als actuals termes de la Selva i Alcover, i pel sud al de Constantí. Josep Maria Recasens, en el seu estudi de la senyoria del Morell, també parla del Codony, i arriba a la conclusió que aquest comprenia a l'esquerra del Francolí els actuals municipis de Perafort i el Catllar i, a la dreta, els del Milà, la Masó, el Rourell, Vilallonga, el Morell, la Pobla de Mafumet, part del de Constantí i la porció del de Perafort que queda en aquesta part del riu.[9]

Però qui potser ha dedicat més temps a l'estudi del Codony ha estat el professor Francesc Cortiella, gran coneixedor de la contrada i autor de diverses monografies d'història local de municipis de la zona.[10] En un interessant article, Cortiella delimita com a nucli originari del Codony els actuals termes municipals de Perafort (a excepció de la zona de Puigdelfí, la qual Cortiella la situa dins del territori de Montoliu), la Pobla de Mafumet, el Morell, els Garidells, la Secuita (a excepció de la zona de l'Argilaga), bona part del de Vilallonga, i les parts limítrofes dels Pallaresos, Constantí i el Rourell.[11]

Per tant, hom pot concloure que, a parer dels autors esmentats, el territori del Codony caldria situar-lo a banda i banda del riu Francolí. A la part de ponent estaria format amb seguretat pels termes municipals de la Pobla de Mafumet i el Morell, i amb divisió de parers apareixen Vilallonga, el Rourell, la Masó i el Milà. A la banda de llevant, amb seguretat, en formaria part Perafort, i, potser, Puigdelfí, els Garidells, la Secuita i, si fem cas a Morera, el Catllar.

L'EMPLAÇAMENT DEL CODONY SEGONS LES FONTS

El *castrum* o castell termenat del Codony, com es veurà amb més deteniment després, sorgí a partir del *castrum* d'Ullastrell, després conegut com de Montoliu, tal i com ja va palesar fa temps A. Virgili;[12] de fet, n'era el seu extrem occidental. A partir d'aquesta dada, si observem les afrontacions que presenta el castell de Montoliu a la donació que Ramon Berenguer I féu

9.   RECASENS I COMES, Josep M.: *El senyoriu del Morell 1173-1835 (Assaig sobre diversos aspectes del seu procés històric)*. Publicacions de la Diputació de Tarragona, 1985, pàgs. 24-26.

10. Entre d'altres: CORTIELLA I ÒDENA, Francesc: *Guia de Perafort (Tarragonès)*. «Els llibres de la Medusa» núm. 13. Institut d'Estudis Tarraconenses Ramon Berenguer IV. Tarragona, 1982; CORTIELLA I ÒDENA, Francesc: *Guia de la Secuita (Tarragonès)*. «Els llibres de la Medusa» núm. 14. Institut d'Estudis Tarraconenses Ramon Berenguer IV. Tarragona, 1982; CORTIELLA I ÒDENA, Francesc: *Història de la Pobla de Mafumet (Amb una informació toponímica original de Josep Veciana i Aguadé)*. Ajuntament de la Pobla de Mafumet, 1986.

11. CORTIELLA I ÒDENA, Francesc: «Notícies sobre el Codony». A: *Universitas Tarraconensis*, IV. Facultat de Filosofia i Lletres. Divisió Geografia i Història. Tarragona, 1981-1982, pàgs. 145-157.

12. VIRGILI, Antoni: *L'expansió i afermament del feudalisme al Baix Gaià (segles XI i XII)*. Centre d'Estudis d'Altafulla, 1991, pàgs. 47-50.

d'aquest a Bernat Amat de Claramunt el 1060, veiem que limitava «*a parte orientis in terminio de castro Altafolia; ex parte meridie affrontat in terminio de prescripto castro Tamarit et pervadit per serra de la Muga; de occidente in podio que vocant Lentisclel sive Monterols; ex parte circii affrontat ad Sancta Maria de Alcover vel ad castro d'Espinaversa sive in Monte Ferreo*».[13]

Per tant, deixant de banda la *serra de la Muga*, de la qual parlarem més endavant, i centrant-nos primer en el territori a l'oest del Francolí, veiem que limita amb el «*podio que vocant Lentisclel sive Monterols*»; aquest no és altre que el puig on avui dia s'assenta el nucli de Constantí. Així, l'u de desembre de 1177, l'arquebisbe Berenguer de Vilademuls «*muda lo seu castell y vila ques diu Constantins al puig ques diu Lentisclel*».[14] Pocs anys abans, el 1169, Drues d'Alançon va fer donació a l'Església de Tarragona de tota la terra culta i erma que tenia al territori de Tarragona, en el lloc dit la Guàrdia de Lentisclell, suficient fins a cent parells de bous, la qual terra termenava a l'orient amb el terme de Centcelles, a migdia amb el dels Mongons, a ponent amb el de Constantí (el primitiu nucli, no l'actual) i a cerç amb la muntanya, i d'allà baixa al torrent de Centcelles.[15]

Per tant, el castell de Montoliu, i posteriorment el del Codony, devia limitar en aquest sector amb el torrent de Centcelles, també conegut com de l'Almatella o del Mas Blanch. Continua la delimitació amb les terres de Santa Maria d'Alcover i cap al nord amb el castell d'Espinaversa, situat a la riba esquerra del Francolí, al sud-oest de l'actual terme de Valls. Dins d'aquest vast territori queden compresos els actuals termes de la Pobla de Mafumet, la part del de Constantí al nord del torrent del Mas Blanch, el Morell, Vilallonga, el Rourell, la Masó i el Milà. Ara bé, estigueren integrats tots aquests termes dins del Codony?

Pel que fa a la part de Constantí, sembla que no hi hauria dubte, car se situa al nord del torrent; a més, bona part d'aquestes terres es corresponien amb el mas de la Ferrerota, el qual formava part de les Franqueses del Codony.[16] Seguint cap al nord, les referències de què disposem de la quadra de la Camareria la situen dins del terme del Codony.[17] Igualment les terres que conformaran la quadra de Vilar de Baró s'especifica que són

13. Virgili: *L'expansió i afermament del feudalisme*, Apèndix II, pàg. 180.
14. AHAT. *Índex Vell*, 154v-155.
15. AHAT, *Índex Vell*, 166v-167.
16. Podeu trobar més informació sobre les Franqueses del Codony i la ubicació dels seus masos dins l'estudi del capbreu del lloc dels Pallaresos i el terme del Codony. Pel que fa a la resta de termes que apareixen, la seva ubicació es pot observar dins l'estudi del capbreu corresponent o bé a l'apartat *Els altres termes del Codony*.
17. Gort i Juanpere, Ezequiel: *La Cambreria de la Seu de Tarragona. Segles XII i XIII*. Associació d'Estudis Reusencs, 1990, pàg. 97.

al Codony.[18] El territori que posteriorment serà el Morell, a tenor de l'acta de donació que féu Alfons I i la seva muller Sança a Berenguer Desprats i la seva muller Dolça el febrer de 1173, era «*apud ipsum Coconnum, in territorio Terrachone*».[19] De la mateixa manera, l'acta de donació feta per l'arquebisbe Guillem de Torroja, el 21 de juliol de 1174, també especifica que aquesta terra era «*al Codony, o, Vilallonga*».[20] I de la mateixa manera pertanyien al territori del Codony la quadra de Danda o Danla,[21] la dels Hospitals,[22] o l'estudiadíssima terra entregada als monjos de Santes Creus, tant la de Sant Joan del Consell com la de la Casa Rodona.[23]

Pel que fa a Vilallonga, si bé no tenim cap referència directa, i a la carta de població del 1188 no se'n fa cap menció específica (només diu «*omnes populatores de Villalonga que est mea dominicatura*», per tant ni tan sols fa esment tampoc a la seva pertinença al territori de Tarragona),[24] el fet que, a la donació feta al cenobi de Valldaura de les terres de Sant Joan del Consell el 1160 —situades a l'est de Vilallonga—, s'indiqui que aquestes s'estenien «*de Franchulino in antea versus occasum*»,[25] sense especificar cap altra fita, ens mostraria que aquest alou s'hauria establert sobre un mateix territori. Així mateix, a l'acta de donació arquebisbal del lloc del Morell, com ja s'ha vist, es diu que aquest era «*al Codony, o, Vilallonga*», i per tant pertanyia al mateix territori.

Del Rourell disposem de molt poca informació, si bé el fet que l'alou de la Casa Rodona, situat igual com el Rourell al nord del riu Glorieta, estigués dins del territori del Codony, podria fer-nos pensar que aquest també en devia formar part. Aquesta adscripció se'ns confirma per una acta de venda d'un honor al Rourell el 1183, situat «en lo *terme del castell del Codony, al Rourell*».[26]

Al nord del Rourell es trobava el mas de Bellestar, el qual, amb el temps, donaria pas al nucli de la Masó. A tenor de l'acta de donació feta el 1160 per Ramon Berenguer IV a Berenguer de Munells, la terra de Bellestar era situada al territori de Tarragona, al terme del Codony.[27]

18. AHAT. *Índex Vell*, 454v-455.

19. Recasens: *El senyoriu del Morell*, Apèndix I, pàg. 159.

20. AHAT. *Índex Vell*, 400-400v.

21. AHAT. *Índex Vell*, 457v.

22. AHN. Biblioteca. Delaville le Roulx, J.: *Cartulaire General de l'Ordre des Hospitaliers de S. Jean de Jerusalem*. París, 1894-1897. Vol. I, doc. 837.

23. Papell i Tardiu, Joan: *Diplomatari del monestir de Santa Maria de Santes Creus (975-1225)*. Fundació Noguera. Col·lecció Diplomataris, 2005. Vol. I, docs. 87, 92, 93, 163, 180, 189 i 190, entre d'altres.

24. Español: «Les cartes de població de Vilallonga», Apèndix núm. 1, pàgs. 103-104.

25. Papell: *Diplomatari de Santes Creus*, doc. 87.

26. AHAT. *Índex Vell*, 453.

27. Sans i Travé, J. M.: «El Rourell, una Preceptoria del Temple al Camp de Tarragona (1162?-1248)». A: *Boletín Arqueológico*. Època IV, fasc. 133-140, anys 1976-1977, pàgs. 135-136.

Molt diferent se'ns presenta la situació del Milà i de Riba-roja, terme que ocupava la part més septentrional de l'actual terme de la Masó. Pel que fa al Milà, amb un abundant volum de regests conservats a l'*Índex Vell*, sembla prou clara la seva no adscripció al terme del Codony.[28] Així, la concessió del vilar de Milà feta a Sendred, sacerdot i notari de Tarragona, i germà de Pere de Vallmoll, el 1156, fou feta conjuntament pel comte de Barcelona, Ramon Berenguer IV, l'arquebisbe Bernat Tort, Agnès, vídua de Robert Bordet, i els seus fills, Guillem i Robert. A la confirmació que de l'esmentada donació va fer el rei Alfons el 1165 s'especifica que «*dit mas de Font olim nomenat vilar de Milans* […] *és dit mas en lo territori de Tarragona dejus la vila de Alcover*». En cap cas hem localitzat la més mínima referència al Codony, i, de fet, és simptomàtic que la concessió del 1156 fos signada pels tres senyors del territori de Tarragona, sense que hi participi en cap moment, ni signant ni confirmant, Guillem de Claramunt, senyor territorial, i en part jurisdiccional, del castell del Codony. Si bé sense disposar de tantes dades, el mas que el 1160 era tingut per Arnau Pere de Castellnou,[29] conegut per Riba-roja, sembla que devia estar en la mateixa situació que el Milà, ja que era de l'arquebisbe però el rei hi tenia certs drets i part en alguns honors del terme.[30]

La manca de suficients dades no ens permet establir amb seguretat l'adscripció o no al Codony dels termes de la Font de l'Astor i Carxol, els quals es trobaven a l'extrem més occidental del territori. Ara bé, el fet que a l'anteriorment esmentada concòrdia pel Codony a què arribaren el 1175 el rei i l'arquebisbe, per una part, i Berenguer de Cardona i Guillem de Claramunt, per l'altra, un dels acords presos sigui que dits Cardona i Claramunt «*tinguen en feu per lo Senyor Arquebisbe y sa Iglesia y per lo Senyor Rey dos masos de Carcoll y de Fontastor axi com son termenats*»,[31] sembla corroborar la pertinença dels dos termes al Codony.

La concòrdia de 1175, suara esmentada, hauria estat un document interessantíssim per tal de conèixer molts aspectes del Codony, sobretot pel que fa a la seva delimitació, si més no de la part que en restà en mans de Guillem de Claramunt i de Berenguer de Cardona. Malauradament, com tants d'altres, el document original s'ha perdut, i tan sols ens n'han pervingut dos regests, un dins l'*Índex Vell*, força extens i detallat, i l'altre a l'*Índice General* (el mateix que, com ja s'ha comentat, va consultar mossèn Serra i

---

28.   AHAT. *Índex Vell*, 397-405.
29.   Sans: «El Rourell», pàg. 136.
30.   AHAT. *Índex Vell*, 397.
31.   AHAT. *Índex Vell*, 452-452v.

Vilaró), molt més succint, i, en aquest cas concret, amb una descripció dels límits força matussera.[32]

La descripció que el regest de l'*Índex Vell* fa dels límits a la riba dreta del Francolí presenta alguns problemes d'interpretació, car alguns dels topònims que hi apareixen ens són coneguts, però n'hi ha d'altres dels quals se n'ha perdut la memòria, si bé en línies generals pot resseguir-se amb certa facilitat. Així, el text diu que «*dits Cardona i Claramunt tinguessin aquella terra que és des del puig dejus Danda dellà Francolí dejus desus Centcelles fins al torrent de Centcelles així com va al puig de Ciga* [l'honor de Danda o Danla es trobaria situat just al nord de l'aiguabarreig de la riera de la Selva amb el Francolí, per tant, les coordenades del límit oriental de la part del Codony situat a la dreta del Francolí —*dellà Francolí*— eren entre la riera de la Selva i el torrent de Centcelles, actualment conegut com de l'Almatella o del Mas Blanch; la llera d'aquest torrent en direcció a l'oest constituïa el seu límit meridional], *y a la* [el puig sota Danda] *dejus lo mas d'en Pere i d'en Lator Aliot que és inter dos torrents fins al torrent de Centcelles* [aquesta part és de més difícil interpretació, si bé considerem que aquesta part del text descriu el límit septentrional, el qual, partint del tram final de la riera de la Selva, podria arribar en línia recta cap a l'oest fins al mas Bellets, actualment dins del terme de la Pobla de Mafumet, o bé fins al mas d'Eimeric Desprats, els quals es troben entre el torrent del Mas Blanch i el torrent de Manyer, i des d'allà, devia tancar el recorregut anant fins a l'esmentat torrent de Centcelles, amb la qual cosa es definia el seu límit occidental]».

L'espai que delimita el text correspondria a la totalitat de l'actual terme de la Pobla de Mafumet, la part de l'actual terme de Constantí situada al nord del torrent del Mas Blanch, l'enclavament de Puigdelfí (actualment de Perafort), així com la part de l'actual terme del Morell que anteriorment havia format part de l'esmentat enclavament.[33]

La part del Codony situada a la riba esquerra del Francolí no compta, per desgràcia, amb tanta documentació; amb tot, hom pot aproximar-se als seus límits. La concòrdia de 1175 continua amb la descripció, i defineix part d'aquest espai: «*I tinguin* [Berenguer de Cardona i Guillem de Claramunt] *també la meitat dels molins i la terra que és dellà Francolí fins a Montoliu i arriba al grau de Mont Ventós i baixa en la vall passant per una pedra grossa i puja a com baixa per la serra fins al Molnar*».[34] La poca definició d'aquesta descripció

---

32. Per al regest de l'*Índex Vell*, vegeu la nota anterior. Per al de l'*Índice General*: AHAT. *Índice General*, 121-121v.
33. Una descripció més detallada de tots aquests espais es troba als estudis individuats dels capbreus, així com a l'apartat *Els altres termes del Codony*.
34. AHAT. *Índex Vell*, 452.

només ens permet establir que el Codony limitava amb el territori del castell de Montoliu i arribava fins a una muntanya sobre Monnars (*lo Molnar*); per tant, ens delimita la seva afrontació meridional, si bé no amb el grau de detall que desitjaríem.

Aquest major detall el trobem, però, en la delimitació dels dominis del seu immediat veí meridional. En un document coetani al fins ara descrit, la coneguda concòrdia *Ad perennem*, redactada el 1173, l'arquebisbe estableix que els dominis de l'Església de Tarragona limiten «*ab ipso Molnar sicuti ascendit ad ipsam Serram de Tapioles et descendit per ipsum torrentem de Ferrariis et transit per terminum Centumcellarum*».[35] La muntanya sobre Monnars cal ubicar-la a l'actualment coneguda com el Gurugú, al límit meridional de l'actual terme del Catllar amb Tarragona, als peus de la qual confluïen els límits de la ciutat de Tarragona amb els castells de Tamarit, Montoliu i del Codony, i es correspon amb la *serra de la Muga*, esmentada a la donació del 1060. Des d'aquest punt, el límit meridional del Codony es desenvolupava vers l'oest mitjançant el torrent de les Ferreres. Abans d'arribar a les terres del mas dels Arcs, el límit pren una direcció nord-oest, tot passant en línia recta per pujols i comellars fins a arribar al riu Francolí. Aquesta desviació és encara observable al parcel·lari del Polígon 1 de Rústica de Tarragona en el límit entre les terres del mas dels Arcs (situat dins del territori de Tarragona) i el mas d'en Garrot (situat ja dins del territori del Codony).

Un altre element de delimitació del territori del Codony el trobem a la donació que l'arquebisbe Bernat Tort féu a Guillem de Claramunt, el 1161, d'una part dels delmes del castell de Montoliu.[36] Segons el document, els límits del castell de Montoliu —recordem que veí del castell del Codony— es trobaven «*sicut ascenditur ab ipso Mulnare et pervenit in ipsam via que transit infra Gontard et Tapiolas, et per eandem viam et per ipsam serram sicut aque vergunt versus Gaianum, pervenitur sub ipsam Madrigeram altera et revertitur sub ipso manso de Renaldo et sic per directum vadit in Gaianum*». Com veiem, la delimitació s'inicia sobre Monnars, enllaça amb l'actual carretera de Tarragona a Santes Creus, la qual, efectivament, passa per Tapioles i per *Gontard* (topònim no localitzat, però, com es veurà més endavant, de gran interès), i arriba fins a les Madrigueres, topònim encara existent entre els termes de la Secuita i Nulles, des d'on derivaria vers Renau (*ipso manso de Renaldo*), fins al Gaià.

L'interès del document rau, en aquest cas, en el fet de mostrar-nos que l'element divisori entre els castells de Montoliu i el del Codony (si més no

35. BLANCH, Josep: *Arxiepiscopologi de la Santa Església Metropolitana i Primada de Tarragona*. Institut d'Estudis Tarraconenses Ramon Berenguer IV, 1985, vol. I, pàg. 108.

36. PAPELL: *Diplomatari de Santes Creus*, doc. 98.

d'una part, com es veurà més endavant) era el camí de Santes Creus, el mateix que actualment encara serveix de partió dels termes dels Pallaresos i la Secuita amb els del Catllar i Renau. Aquesta fitació coincideix i es reforça amb una notícia del 1183 corresponent a la venda d'un mas al territori de Tarragona, territori del Codony, a Tapioles, el qual termenava per l'est amb el camí que va de Tarragona a Santes Creus.[37] Per la seva situació i per diversos detalls que desenvoluparem posteriorment, som de l'opinió que aquest mas podria correspondre's amb el dels Pallaresos, amb la qual cosa aquest document és la primera referència coneguda de dita població.

Ja hem comentat la migradesa de referències directes de pertinença al Codony del territori del marge esquerre del Francolí. De fet, no hem pogut localitzar ni un sol document que indiqui de forma directa, a l'inrevés que en d'altres nuclis del marge dret, que Puigdelfí o Perafort en poguessin formar part. D'aquí rau la importància de poder delimitar, amb tanta precisió com ens permeten els escassos documents que s'hi refereixen, no ja els nuclis que s'hi desenvoluparen, sinó els contorns exteriors del territori del castell del Codony. Si ja hem pogut dibuixar el límit meridional i part de l'oriental (l'occidental, òbviament se situa al riu Francolí), una dada ens permet acostar-nos al límit septentrional. El 1275, Arnau de Ribes, castlà del Codony, establí a Bernat de Casesblanques i a sa muller Guillema mitja masia dita de na Clariana, la qual es troba al terme del Codony.[38] La masia de na Clariana es correspon amb la que, posteriorment, seria coneguda com a mas dels Quarts, el qual havia format part de les Franqueses del Codony fins a la seva inclusió al terme municipal de Perafort, ja al segle XIX. Aquesta masia es troba a l'extrem nord del terme, colindant amb el dels Garidells.

Aquestes són totes les dades de què hem pogut disposar per tal d'ubicar aquesta part del Codony. En aquest cas, amb una manca important de documentació, ens pot aportar tanta informació saber què formava part del Codony com fer una lectura en negatiu, intentar esbrinar què no en formava part. Per tant, cal veure què ens diu la documentació sobre les poblacions immediatament veïnes dels Garidells i la Secuita, les quals, tradicionalment, han estat també considerades com a part del Codony.

Pel que fa als Garidells, fins ara, la donació que el 1174 féu Guillem de Claramunt als germans Arnau i Berenguer Garidells del castell que dits germans havien construït en dit lloc, en què se n'assenyalaven les afrontacions, ens havia pervingut per una notícia donada per Morera,[39] si bé es considerava que el Cartulari de Santes Creus d'on ho havia extret s'havia

37. AHAT. *Índex Vell*, 453.
38. AHAT. *Índex Vell*, 455v.
39. Morera: *Tarragona Cristiana*, I, pàg. 509.

perdut.[40] Aquest cartulari, juntament amb d'altres, també de Santes Creus, es troba actualment a l'Archivo Histórico Nacional, a Madrid.[41] La còpia del cartulari coincideix amb les dades aportades per Morera, però ens forneix d'una dada molt interessant. Així, Guillem de Claramunt donà als germans Garidells «*castrum illud quod construxistis in Castlario de Nuzellis*».[42] Per tant, sembla que aquest territori no hauria format part originàriament ni del *castrum* del Codony ni del de Montoliu sinó del de *Nuzellis* o *Nuce*, el qual, si bé apareix mencionat en documents del segle XI, i àdhuc anteriors,[43] encara té pendent que, com a bona part dels *castra* fronterers, algú li'n dediqui una rigorosa investigació històrica.

Malgrat aquests orígens, el castell dels Garidells era considerat part integrant del terme del castell de Montoliu. Així, el 1279, Guillema de Claramunt, vídua de Guillem de Claramunt, va vendre a l'abat i al monestir de Santes Creus el castell de Montoliu amb tots els seus termes i drets, «*comprehendiéndose en dicho término Vespella y Garidells, siendo sus castellanos Beltrán de Montoliu i Raymundo de Tamarit, debiendo prestar por dicho feudo el Homagio y aquellos, y los caballeros del Castillo de Montoliu, como Armengol de Bañeras por el castillo y lugar de Virgili, Dalmao de Montoliu que tenia en feudo la mitad de la Dézima del Castillo del Catllar, Beltrán de Montoliu que tenía del Castillo de Peralta la mitad de las Dézimas, Berenguer de Montoliu que percibía la mitad de algunas taschas en los Mansos de Gayá que tenia en feudo de la vendedora, Beltrán de Montoliu el Castillo de Vespella, Ramón de Tamarit el Castillo de Garidells, Arnal de Montoliu el Lugar de la Nou; debiendo prestar por todos dichos Feudos el debido Sacramento y Homagio, pues todos ellos se comprendían dentro el término de Montoliu y eran sus Feudatarios*».[44] Dins d'aquest llistat no apareix la Secuita, car, en aquelles dates, aquesta ja pertanyia a Santes Creus, mercès a la donació que Guillem de Claramunt efectuà a dit cenobi en el seu testament, el 1229.[45]

Amb anterioritat a la donació a Santes Creus, la pertinença al castell de Montoliu, tant de la Secuita com dels diversos *honores* que en formaven part, ens ve avalada per la documentació. Malgrat que, per les delimitacions que dibuixa l'acta de donació d'una part dels delmes de Montoliu del 1161, sembla que la Secuita quedava exclosa de dit terme, al quedar a

40. FONT RIUS: *Cartas de población y franquícia*, vol. I, doc. 150.

41. AHN. *CÓDICES*, L. 842. Desconeixem les vicissituds per les quals passaren aquests documents, els quals es trobaven custodiats a la Biblioteca Pública de Tarragona a l'època en què Morera redactà la seva *Tarragona Cristiana*.

42. AHN. *CÓDICES*, L. 842, *Garidells*, doc. A.

43. URPÍ I CASALS, Rosa M. i RESINA NAVAS, Juan Antonio: *El castell i terme de Banyeres del Penedès. Dels seus orígens al segle XIV*. Ajuntament de Banyeres del Penedès, 1991, pàgs. 130-136.

44. AHAT. *Índice General*, 201v.

45. AHN. *CÓDICES*, L. 842, doc. 20.

ponent del camí de Santes Creus, som de l'opinió que dita escriptura, en realitat, delimitava més uns espais parroquials que no pas castrals, ja que, efectivament, la Secuita depenia de la parròquia del Codony i no de la de Tamarit (única parròquia existent en aquella àrea fins a l'aparició de la del Catllar), sense deixar, per això, de formar part del territori del castell de Montoliu. Respecte a això, les diverses escriptures de donació o venda conservades no semblen oferir cap dubte.

Així, la part més meridional de l'actual terme de la Secuita, la zona de Tapioles, fou també la més primerenca en ser feudalitzada. El 8 de setembre de 1155, els germans Deodat i Guillem de Claramunt donaren a Bernat Segarra i a la seva muller Maria «*ipsa terra erma, que vocatur Tapioles, et est ista hec omnia supra scripta in Comitatu Barchinone, vel in castro de Monte Olivo*».[46]

A l'altre extrem, al nord de l'actual terme de la Secuita, el 22 de juliol de 1165, Guillem de Claramunt feia donació a Guillem de Rexach i a Pereta, la seva muller, d'«*ipsos vilars de Pontarró cum ipso termino*», així com d'un molí, situat sobre el de Raimon de Cubelles, els quals eren situats «*in Comitatu Barchinone, et in termino Castri de Monte Olivi*».[47]

El 30 de gener de 1180 fou el torn de la mateix Secuita. En aquesta data Guillem de Claramunt i la seva muller Saurina feien donació a Pere de Lorach i a Belace, sa muller, de «*totum mansum et honorem de Cecuyta, sicut nos cum vobis terminavimus et fixuriavimus. Affrontat autem ab Oriente in termino de Castlar, a meridie in serra, et honore Bernardi Segarra* [Tapioles]. *Ab occidente in conjunctione aquarum. A circio sicut aqua vergunt, et dividunt, et ascendit usque ad fruticem, et laborationem Guillelmi de Valle Yconia*».[48] Malgrat que a l'escriptura no es fa menció expressa de la seva pertinença al castell de Montoliu, dos anys més tard, el 8 de maig de 1182, Berenguer de Tallada rebé de Guillem de Claramunt «*unam quadram terre*»,[49] i aquest cop s'especificava que la quadra era situada «*in territorio Tarracone in termino Castri de Monte Olivo in loco que vocatur Çacuita*».

L'u d'abril de 1186, Guillem de Claramunt i Saurina, sa muller, reconeixien a Arnau, dit Bord de Setma, i als seus germans tots els béns que el pare d'aquests, Guillem de Setma, ja difunt, tenia «*in termino Montis Olivi apud*

---

46. AHN. *CÓDICES*, L. 842, doc. M.
47. AHN. *CÓDICES*, L. 842, doc. Eee. En la mateixa data del document se'n redactà un altre que cal considerar anterior a aquest (AHN. *CÓDICES*, L. 842, doc. Ccc) entre els mateixos donador i donataris, pel qual el primer entregava als segons «*illum honorem que vocatur Nudilas et Pontarró, et ipsum Molnar*». La diferència entre ambdós rau en en el fet que, en el que podem considerar el segon document (doc. Eee), desapareix qualsevol referència a *Nudilas*, i, respecte al molí, els el dóna «*exceptam ipsam quartam partem de Raymundo Fulgo*». Igualment, en el segon document s'especifica la pertinença del Pontarró al castell de Montoliu, la qual no s'especificava en el primer.
48. AHN. *CÓDICES*, L. 842, doc. Rrr.
49. AHN. *CÓDICES*, L. 842, doc. 22.

Cechuitam».[50] Malgrat que el document no ho indica, per notícies posteriors sabem que dita heretat conformaria posteriorment el lloc de Vistabella.

Com es pot observar, en tots aquests casos l'adscripció al castell de Montoliu és manifesta. Aquesta uniformitat, però, sembla que es trenca en el cas de les terres del vilar de Maigllong, que posteriorment conformaria el lloc de les Gunyoles. En dos documents, un del 1185 i l'altre del 1190, ubiquen dit lloc dins del castell del Codony.[51] Val a dir que a cap dels dos documents hi consta la presència de Guillem de Claramunt. Per altra part, se'ns fa difícil acceptar aquesta pertinença al Codony d'un territori situat al nord-est de l'actual terme de la Secuita, tocant ja a Vallmoll i als Garidells, i envoltada per terres que, com hem vist, són compreses dins del terme del castell de Montoliu. Tal vegada una possible explicació a aquesta improbable illa del Codony dins del territori de Montoliu es podria deure al fet que, malgrat que en ambdós casos es parla del castell del Codony, es poguessin referir realment a la parròquia del Codony, a la qual sí que pertanyien les terres de la Secuita. De fet, en un altre document un xic posterior, del 1199, corresponent també al mas de Maigllong, aquest s'ubica «*in territorio Tarracona in Parrochia de Coctani in loco nuncupato Manso de Mag Long*».[52]

Per tant, i per concloure, un cop avaluada la documentació existent, tot sembla indicar que la part del territori del Codony situada a l'esquerra del riu Francolí estava formada pels actuals termes de Perafort, inclòs Puigdelfí, els Pallaresos i l'extrem nord de l'actual terme de Tarragona, el qual es correspon amb l'espai ocupat per la quadra del Torrell. La part dreta del Francolí la devien formar els actuals termes de la Pobla de Mafumet, el Morell, Vilallonga, el Rourell, els enclavaments de Perafort, així com les parts ja descrites dels termes de Constantí i de la Masó.

ORÍGENS I ANTECEDENTS DEL CODONY

Vestigis anteriors

Les terres del Codony es troben al bell mig de l'*ager Tarraconensis* romà. Per aquestes terres transitava també la important via romana que, des de *Tarraco*, anava fins a *Ilerda* i *Caesaragusta*, la via *De Italia in Hispanias*, fossilitzada en el camí ral de Tarragona a Montblanc. Aquesta privilegiada situació ha propiciat l'existència d'un gran nombre de jaciments d'època romana. Des d'Hernàndez Sanahuja, al segle XIX, fins a l'actualitat, molts d'aquests jaciments han pogut ser documentats en major o menor grau,

50.   AHN. *CÓDICES*, L. 842, doc. Lll.
51.   AHN. *CÓDICES*, L. 842, docs. Hhh i Bbb, respectivament.
52.   AHN. *CÓDICES*, L. 842, doc. Sss.

si bé pocs han pogut ser excavats. Fins i tot, en aquests darrers anys s'han pogut anar perfilant diferents trames de centuriacions d'època romana.

L'aclaparadora quantitat de dades arqueològiques del període romà en aquest territori (les quals, de per si, ja donarien per a un extens treball monogràfic), així com l'objectiu i cronologia plantejats en aquest treball, ens obliguen a remetre als treballs publicats.[53] Amb tot, hi ha un element que ha estat poc tractat pels investigadors: la descripció d'elements i estructures que, a la documentació del segle XII, eren, ja aleshores, considerats com a antics o vells. Els documents referents al Codony presenten força mostres d'aquestes referències, la qual cosa també ens permet constatar que, amb buit demogràfic o no, la reorganització feudal del territori no partia necessàriament de zero, i l'aprofitament d'estructures anteriors, ja fossin camins o divisions parcel·làries que encara es conservessin, o, més comunament, edificis, si més no la part que encara quedés dempeus, per tal de reutilitzar-los com a nous habitatges, o bé per reaprofitar els seus materials per bastir noves edificacions. Un exemple paradigmàtic d'això, malgrat no pertànyer al terme del Codony, el tindríem en l'aprofitament de les veïnes restes romanes de Centcelles.

Potser la referència més coneguda és la donació del rei Alfons I a Ramon de Montcada, i després d'aquest al monestir de Santes Creus, tot durant l'any 1176, de l'honor conegut com les Cases Rodones del Codony.[54] Per les afrontacions del document, dites Cases Rodones estarien situades a l'oest del nou honor santescreuí, possiblement a prop del Glorieta i del camí ral de Tarragona a Montblanc. El terme Cases Rodones creiem que cal entendre'l com un intent de descripció popular d'alguna estructura arquitectònica de forma absidial —com a les termes de la vil·la dels Munts, per exemple—, o bé coberta amb volta —com també apareix a l'anteriorment esmentada vil·la dels Munts o a la vil·la del Moro de Torredembarra. En aquest sentit cal consignar una notícia procedent de Tarragona, datada el 1181, en què es parla de «*la volta rodona antiga de la yglesia*».[55]

La referència a una altra volta la trobem el 1173 i 1174 a les respectives actes de donació reial i arquebisbal a Berenguer Desprats del territori que

53. Una acurada anàlisi i un resum dels jaciments de la zona i dels treballs realitzats es pot trobar a: MACIAS SOLÉ, Josep M., i MENCHON BES, Joan J.: *La vil·la romana dels Hospitals. El Morell, Tarragona. Un assentament de la via* De Italia in Hispanias. Institut Català d'Arqueologia Clàssica, Tarragona, 2007, pàgs. 11-16 i 143-151.

54. PAPELL: *Diplomatari de Santes Creus*, docs. 189 i 190.

55. MAR, Ricardo; MIR, Hèctor, i PIÑOL, Lluís: «La formación de la topografía urbana de la Tarragona medieval: Nuevas aportaciones». A: *Archivio Storico del Sannio. Attività economiche e sviluppo urbano nei secoli XIV e XV. Atti dell'Incontro di Studi-Barcellona, 19-21 ottobre 1995*. Edizioni Scientifiche Italiane, Nàpols, s/d, pàg. 189.

donà peu al Morell.[56] Segons dites escriptures, el territori del Morell estava situat al nord d'«*ipsam voltam perforatam*». Val a dir que al Morell, al lloc mencionat, o proper a aquest, es troba encara actualment una partida de terra coneguda com les Voltes. En aquests mateixos documents de donació es fa constar que el territori morellenc limitava al nord amb «*illos parietes antiquos Ville longe*». Aquesta dada, a més de permetre'ns ubicar el primitiu emplaçament de Vilallonga, ens indica també l'existència en aquell moment d'un assentament establert sobre restes antigues. També sembla indicar l'existència de restes preexistents la referència que hom fa a «*les parets altes de Danla*», al document de concessió de dit terme per Guillem de Claramunt a Berenguer de Vilafranca, el 1169.[57]

Un document de 1177 creiem que pot il·lustrar força quin seria el panorama amb què es trobaren els nous pobladors. Es tracta de la donació feta per Guillem de Claramunt a Bernat d'Albiol d'una masada de terra al Codony.[58] Segons el document termenava pel nord «*amb lo torrent que baixa del camí antic i va a una fita antiga*», per l'est «*en una paret antiga que va de aquesta fita a un torrent que baixa de les terres dels homes de Constantí* [entenem que es tracta de la Silva Constantina, l'actual Selva del Camp]»; dit torrent devia servir d'atermenament meridional. Finalment, per l'oest termenava «*amb un camí antic que passa sobre lo pou i va d'un torrent a l'altre*». Malgrat que no podem ubicar amb exactitud aquesta masada, les referències a dos torrents provinents de la Selva, així com la data de la donació, posterior a la concòrdia que repartia aquesta part del Codony entre l'arquebisbe i el rei i els Cardona i Claramunt, ens inclina a pensar que es podria tractar del mas d'Eimerich Desprats o del mas Ballets. Precisament el nom d'aquest darrer prové d'una deformació del seu nom original, els masos Vellets (*Mansos veteris*), la qual cosa ens indica l'antiguitat d'un mas, dins les terres del qual, a més, s'ha documentat l'existència d'una vil·la romana. Per altra part, les referències del document a un camí antic a l'oest, i una fita i una paret antigues a l'est, podria fer-nos pensar que el terreny entregat es podria correspondre amb els límits d'una explotació agrària anterior, els límits de la qual eren encara suficientment visibles al segle XII com per servir de fita de la nova explotació.

L'anterior esment a un camí antic ens permet parlar, encara que breument, de les vies de comunicació heretades. Com ja hem comentat, una de les principals vies cap a l'interior, la via *De Italia in Hispanias*, romania

---

56. Per a la donació reial: RECASENS: *El senyoriu del Morell*, Apèndix documental, doc. 1, pàg. 159. Per a la donació arquebisbal: AHAT. *Índex Vell*, 400-400v.
57. AHAT. *Índex Vell*, 457v.
58. AHAT. *Índex Vell*, 451v-452.

fossilitzada al camí ral de Tarragona a Montblanc. Si bé no disposem de cap més dada que ho avali, és possible que el camí antic abans comentat es correspongués amb el camí ral de Reus a Valls. Via romana o no, el cert és que aquest camí ja devia ser operatiu al tercer quart del segle XII, i que devia tenir certa importància o reconeixement des del moment en què aquest camí serví com a límit occidental no tan sols del Codony sinó també del terme de Constantí respecte del de la Selva. De la mateixa manera, caldria suposar una major antiguitat al camí ral que anava de Tarragona a Santes Creus, i, més enllà, cap als dominis dels Queralt i l'Anoia.

Referències més modernes a elements antics les trobem dins del mateix capbreu, aquí estudiat. Així, per exemple, al capbreu corresponent a Perafort trobem una finca dita «*L'antiguor*». Precisament aquesta finca es correspon amb l'actual mas de la Barquera, lloc on s'ha documentat l'existència d'una vil·la romana així com dos sepulcres monumentals.[59]

El castell de Montoliu

L'expansió territorial del comtat de Barcelona vers l'oest i el sud fou lenta i no mancada de problemes i vacil·lacions. L'afermament i consolidació dels nous territoris es portà a terme a partir dels castells termenats, els més extrems dels quals estendrien els seus límits fins al Gaià, i encara fins al Francolí, ja al segle X.[60] Així, en aquest sentit és molt interessant el document de permuta que va fer el 936 el comte Sunyer amb els germans Calabuig i Guadamir de la Guàrdia de Montserrat pel Castellvell de la Marca (*Castrum Vetulum Extremum in Marcha*).[61]

Les afrontacions d'aquest *castrum* donades per dit document ens mostren que pel sud i vers l'oest, tot deixant enrere les terres penedesenques i vorejant el castrum d'Albinyana, arribava a «*ipsius Lanciatos*», identificat per Urpí-Resina com el puig dels Llançats, al terme de Salomó. Des d'aquest

59. El topònim «antigó», així com el seu plural «antigons» és força comú i, com en aquest cas, acostuma a fer referència a terrenys amb restes romanes. A zones properes trobem, per exemple, una vil·la romana a la partida dels Antigons, situada al terme de Reus o l'homònima situada al de Cambrils. També a Alacant la partida on es trobaven les restes de la ciutat romana de Lucentum era coneguda com dels Antigons. Vegeu: Massó Carballido, J.: «Toponimia i arqueologia». A: *Cultura*, núm. 439, Valls, març 1985, pàgs. 21-22.

60. Per a una visió general de l'expansió comtal pel Penedès i part del Camp de Tarragona: *Catalunya Romànica*. Vol. XIX, Enciclopèdia Catalana, Barcelona, 1992, pàgs. 28-54 i Vol. XXI, Barcelona, 1995, pàgs. 28-47. Pel que fa a les zones més properes al Gaià i el Francolí, vegeu, per exemple: Virgili: *L'expansió i afermament del feudalisme al Baix Gaià*; Urpí-Resina: *El castell i terme de Banyeres del Penedès*, pàgs. 115-174; Miquel i Vives, Marina: «Ipsa Marcha Extrema. Les terres del Gaià als segles X-XI», a: *La Resclosa*, 1. Centre d'Estudis del Gaià, Vila-rodona, 1997, pàgs. 27-35; Pastor i Batalla, Isidre: «Els dominis occidentals del Castellvell de la Marca», a: *Miscel·lània Penedesenca*, 22. Institut d'Estudis Penedesencs, Vilafranca del Penedès, 1997.

61. Urpí-Resina: *El castell i terme de Banyeres del Penedès*, Apèndix II.

punt continua vers l'oest pel puig d'«*Aguilera*» i pel de «*Gontard*», tot seguint pel «*Chastelar de Nuzies*» i la «*Guardia de Danla*» i fins a la «*villa que dicunt Spina Versa*». D'occident, els seus límits es trobarien «*in rivo Galani sive in ipso Chastelar que dicunt de Vallibus*». Com ja hem vist anteriorment, molts d'aquests topònims ens són coneguts per documents del segle XII. Si bé no hem pogut identificar el puig d'«*Aguilera*», sabem que, el 1161, el camí de Tarragona a Santes Creus passava «*infra Gontard et Tapiolas*».[62] Pel que fa al «*Chastelar de Nuzies*», podria correspondre's amb el terme de la Nou del Gaià, si bé el fet d'aparèixer a l'oest de «*Gontard*» podria indicar-nos que, en realitat, es pogués tractar dels Garidells, el terme del qual, com hem vist, es trobava «*in Castlario de Nuzellis*».[63] Al segle XII documentem l'honor de Danla o Danda a l'altra riba del riu Francolí, al nord de l'aigua-barreig d'aquest amb la riera de la Selva,[64] de la mateixa manera que sabem que Spina Versa es localitzava al sud-oest de l'actual terme de Valls, entre aquesta població i el riu Francolí. Amb totes les cauteles, a partir d'aques-tes dades, hom pot col·legir que els límits occidentals del Castellvell de la Marca arribaven fins al Francolí.

Aquesta mateixa delimitació es mantenia un segle després, si bé amb algunes fites diferents. A la venda que feren el 1023 el comte Berenguer Ramon I de Barcelona i la seva muller Sança a Guillem Amat del Castellvell de la Marca, aquest limitava pel sud «[…] *et sic inde per ipsum pugium qui est super ipsos Lanciatos et adheret termino Nucis et vadit usque ad flumen Gallanum et sic inde usque in rivum Terracone, de occiduo in rivo prefato Terracone sive in rivo de Vallibus et revertitur per ipsum Castellare de Vallibus per ipsam planam usque in rivum Gallanum*».[65]

Al llarg d'aquest segle XI sembla que prenia embranzida la castra-lització de la part marítima, fins a arribar ben bé a les portes de la ciu-tat de Tarragona, o, si més no, tenim els primers reflexos documentals d'aquests *castra*. Castells com els de Bonastre, Albinyana, Calders, Berà o Puigperdiguers (Montornès) comencen a aparèixer a la documentació, tot bastint, a partir dels seus termes jurisdiccionals, una densa xarxa, sense que quedi cap espai sense enquadrar entre aquests *castra*.[66]

En aquest context, el 1049, Ramon Berenguer I comprà a Bernat Sendred de Gurb el *castrum* de Tamarit, el qual el tenia *per aprisionem*. Els seus límits es trobaven al castell d'Ullastrell (Montoliu) al nord, al sud el mar, el castell

62. Papell: *Diplomatari de Santes Creus*, doc. 98.
63. AHN. *CÓDICES*, L. 842, *Garidells*, doc. A.
64. AHAT. *Índex Vell*, 457v.
65. Urpí-Resina: *El castell i terme de Banyeres del Penedès*, Apèndix IV.
66. Virgili: *L'expansió i afermament del feudalisme al Baix Gaià*, pàgs. 46-47.

de Berà a llevant i la ciutat de Tarragona a ponent. Vers 1050-1053, el comte infeudà Tamarit a Sunyer, si bé sembla que aquest acte no acabà de reeixir.[67] El 30 de març de 1055 Ramon Berenguer I tornà a infeudar Tamarit, aquest cop a Bernat Amat de Claramunt. Malgrat que el document original s'ha perdut, en coneixem la data i la part més substanciosa mercès a un regest del segle XVIII, conservat a l'Arxiu Arxidiocesà de Tarragona.[68] Segons aquest, el comte li féu donació «*del Castillo y Término de Tamarit, y de los feudos de sus castellanos, y del Viz-Condado de Tarragona, y su Castillo que estava sobre la Puerta del Mar, y su ciudad, con todos sus términos y anejos haciéndose dicho Conde algunas retenciones, entre otras de toda la Partida de tierra llamada de Puig Bover dentro el Término de Tamarit. Fue firmada en 3 de las Calendas de Abril a los 25 años del Reynado de Enrique Rey de Francia, que corresponde a 1055 de Nuestra Redención*».

Poc temps més tard, el 13 de gener de 1060, Bernat Amat de Claramunt augmentà la seva àrea d'influència a la zona amb la donació que li féu el comte Ramon Berenguer I del contigu i extens territori del puig d'Ullastrell, el qual serà conegut posteriorment com a castell de Montoliu.[69] Com ja hem esmentat al principi d'aquest treball, les afrontacions que indica el document són a sol ixent amb el castell d'Altafulla, a migdia amb el de Tamarit, fins a la serra de la Muga (el Gurugú, terme del Catllar), a ponent fins al puig de Llentisclell i Monterols (actuals termes de Constantí i la Selva del Camp), i al nord amb el terme de Santa Maria d'Alcover, Espinaversa (actual partida al sud-oest de Valls) i el *Monte Ferreo* (aquest topònim, creiem, no pot correspondre's amb Montferri, car estava delimitant espais pertanyents al castell de Castellvell de la Marca, com Salomó; possiblement fa referència al Montferri, un puig situat al terme de Salomó, molt proper al de Vespella).

Deodat de Claramunt, dit de Tamarit, nét de Bernat Amat, infeudà els castells de Tamarit i de Montoliu a Guerau Pere de Banyeres, si bé cal suposar que, per mort d'aquest, el 9 de març de 1134, tornà a encomanar dits castells, aquest cop al seu fidel Ramon Pere de Banyeres, germà de Guerau Pere.[70] Dotze anys abans, el 2 de novembre de 1122, Deodat havia infeudat la castlania de Tamarit a Ponç Guerau, del qual només sabem que era fill

---

67. Virgili: *L'expansió i afermament del feudalisme al Baix Gaià*, pàgs. 78-82.
68. AHAT. *Índice General*, 194v.
69. Virgili: *L'expansió i afermament del feudalisme al Baix Gaià*, pàgs. 47-50 i Apèndix II.
70. Virgili: *L'expansió i afermament del feudalisme al Baix Gaià*, pàg. 88-93 i Apèndix III; Urpí-Resina: El castell i terme de Banyeres del Penedès, pàgs. 251-256. Un regest del document es troba també a: AHAT. *Índice General*, 195, si bé, en aquest cas, el text aporta molt poques dades i ni tan sols esmenta la infeudació de Montoliu; a més, transcriu correctament la data (a 7 dels Idus de març de l'any 26 del regnat de Lluís de França), però el regestador confon el regnat d'aquest Lluís amb el del seu fill, Lluís *el Jove*, i el data a l'any 1164.

d'Ermessenda.[71] Juntament amb Tamarit li encomanava el «*Castillo y Feudo de Tarragona, y de los feudos de San Cugad de Garrigas, y de Barcelona*». Desconeixem si aquest Ponç Guerau hauria estat també castlà de Montoliu, o si dita castlania hauria estat, molt possiblement, encomanada a una altra persona.

Ocupacions primerenques

Com veurem després, l'organització i ordenació feudal del territori del Codony i de bona part de Montoliu es portarà a terme al llarg de la segona meitat del segle XII, si més no el seu reflex documental s'emmarca en aquestes dates. Sense voler entrar en la polèmica d'un possible, o no, erm demogràfic al Camp de Tarragona, cal preguntar-se, si més no pel que fa al segle XII, si l'establiment al Codony de l'estructura feudal comportà l'arribada de colons que s'instal·lessin en un nou territori despoblat, o bé, sense deixar de banda aquesta possibilitat, per altra banda segura, que part d'aquesta mateixa estructura feudal servís per enquadrar i controlar els possibles aprissionadors i petites comunitats pageses que ja poguessin existir al territori. En aquest sentit, Virgili ha documentat per al Baix Gaià l'existència d'una colonització del territori prèvia a la seva feudalització.[72]

Pel que fa al territori del Codony i algunes zones properes disposem d'algunes dades, les quals, si bé no poden ser concloents, poden servir per indicar possibles ocupacions anteriors.

Un primer aspecte a destacar és el del manteniment de certs topònims al llarg del temps. No deixa de sobtar que topònims com Gontard, Nucies, Danla o Espinaversa, esmentats en un document del segle X, segueixin en plena vigència dos segles més tard (si bé no podem refusar la possibilitat d'alguna manipulació posterior del document, car el text en qüestió ens ha arribat per un trasllat del 1196).[73] En d'altres ocasions, espais suposadament erms són coneguts per un nom concret. Així, el 1155 trobem la donació d'«*ipsa terra erma, que vocatur Tapioles*».[74] En aquest cas, per altra part, la mateixa etimologia del topònim podria fer suposar l'existència d'alguna construcció en aquest indret.

No podem passar per alt la presència a la documentació de diverses referències a *villae* i a *villares* en diferents llocs propers al territori del Codony.[75] Així, per exemple, els primers documents referents al Milà l'es-

71. AHAT. *Índice General*, 195.

72. Virgili: *L'expansió i afermament del feudalisme al Baix Gaià*, pàgs. 130-145.

73. Urpí-Resina: *El castell i terme de Banyeres del Penedès*, pàg. 133.

74. AHN. *CÓDICES*, L. 842, doc. M.

75. Per a una visió general dels vilars catalans: Bolòs, Jordi: *Els orígens medievals del paisatge català. L'arqueologia del paisatge com a font per a conèixer la història de Catalunya*. Publicacions de l'Abadia de Montserrat, 2004, pàgs. 250-255.

menten com a «*vilar de Milà*», el 1156, i com a «*dit mas de Font olim nomenat vilar de Milans*», el 1165, si bé el nou nom no prosperà i restà com a mas de Milà.[76] Ja dins del territori del castell de Montoliu, un document del 1185 esmenta el «*loco vocato Magilongi ad ipsum vilar*», i cinc anys més tard, un altre document, fent referència al mateix indret s'hi refereix com «*in Villar de Maig Long*».[77] El 1165 Guillem de Claramunt feia donació d'«*ipsos Vilars de Pontarró cum ipso termino*».[78] Si bé no són gaires els exemples localitzats, creiem que són suficientment il·lustratius. Ara cal preguntar-se a què es refereix la documentació quan parla de «vilars». ¿Podria definir tal vegada un indret anteriorment ocupat, les restes del qual encara serien visibles, o bé, més versemblantment, es referia a un indret explotat per una o més famílies, amb un territori suficientment conegut i delimitat? Amb tot, les referències a aquests vilars desapareixen aviat, essent substituïdes en els casos del Milà i de Maigllong pel terme «mas» i en el del Pontarró per «lloc».

Un altre punt a considerar el trobem en la donació que, el 1174, va fer Guillem de Claramunt als germans Arnau i Berenguer Garidells del castell que dits germans havien construït.[79] Si la potestat de bastir fortaleses era del comte, i, en tot cas, subsidiàriament, del senyor del terme castral, no deixa de sobtar que algú pogués aixecar, no ja un mas o una casa, sinó un castell, sense coneixement i aquiescència del senyor, quan el procés habitual hauria estat que aquest els hagués donat un alou i després l'haguessin fortificat. Tot sembla indicar que dit document, en realitat, regularitzava i donava carta de naturalesa, per una part, a una ocupació preexistent (d'un espai que, recordem-ho, coincidència o no, ja era conegut d'antic com a «*Castlario de Nuzellis*»), i, per d'altra, al domini eminent dels Claramunt sobre aquest territori, que els legitimava com a senyors.

Pel que fa pròpiament al castell del Codony, amb la documentació de què disposem, no hem localitzat cap esment a cap *vilar*, però sí a una *villa*: Vilallonga.[80] Malgrat que disposem de poques dades, l'honor de Vilallonga apareix esmentat el 1174 com una de les afrontacions de la terra concedida, primer al monestir de Valldaura i després de Santes Creus, a l'indret conegut com Sant Joan del Consell.[81] També consta el 1173 com a afrontació

76. AHAT. *Índex Vell*, 397v.
77. AHN. *CÓDICES*, L. 842, docs. Hhh i Bbb, respectivament.
78. AHN. *CÓDICES*, L. 842, doc. Eee.
79. AHN. *CÓDICES*, L. 842, *Garidells*, doc. A.
80. Convé recordar que aquestes *villae* medievals, malgrat que en alguns casos poguessin haver-se establert reaprofitant les restes d'alguna vil·la romana, tindrien un sentit paral·lel al dels *villares*, que podríem definir, amb totes les cauteles, com un petit llogaret.
81. PAPELL: *Diplomatari de Santes Creus*, doc. 180.

septentrional i nord-occidental del terme del Morell.[82] Per aquests documents podem ubicar l'emplaçament original de Vilallonga al nord del terme del Morell i a l'oest del camí ral de Tarragona a Montblanc i de les terres de Santes Creus, corresponent a tota la part est de l'actual terme vilallonguí.

Si bé no disposem de gaires més dades, cal pensar que el poblament d'aquesta *villa* hauria estat bàsicament concentrat, aprofitant molt possiblement estructures anteriors, com es desprèn de l'esment a «*illos parietes antiquos Ville longe*» que fa el document de donació del Morell. Amb tot, no es pot refusar la possibilitat que dit assentament també coexistís amb poblament dispers, a tenor de la referència que el mateix document fa de la «*domum Ubettini* [?]», situada vora l'extrem nord-occidental dels límits del Morell. Tal i com ja va indicar Francesca Español,[83] aquesta *villa* l'hauríem de situar a l'estret passadís que forma el terme de Vilallonga en el seu extrem oriental, flanquejat al sud i al nord pels termes del Morell i de la Granja de Santes Creus, respectivament, i suficientment a prop del camí ral de Tarragona a Montblanc com per fer-lo passar pel mig del poblat, segons expressa la carta de població atorgada per Alfons I als homes de Vilallonga el 1188.

És interessant observar l'etimologia del topònim Vilallonga. ¿Què pot representar al segle XII un indret al qual hom, per referir-s'hi, l'anomena *villa longa*? No sembla gaire probable que, a mitjan segle XII, pogués existir una comunitat tan nombrosa en aquest lloc com perquè l'extensió de l'assentament donés peu a tal adjectiu. Potser aquests colons s'establiren sobre una vil·la romana de dimensions força importants, com a Centcelles. O, potser, l'adjectiu «llong» no hauria anat lligat a una percepció de superfície, sinó, més aviat, a una percepció temporal, de tal manera que el que descriurien els coetanis no seria un assentament de gran extensió sinó una comunitat instal·lada allí des d'antic. Sigui com sigui, la poca documentació de què disposem no permet anar més enllà del terreny de les hipòtesis i les conjectures. Només una intervenció arqueològica podria aportar una mica de llum. Només que l'arqueologia pogués corroborar alguna de les propostes aquí traçades ja convertiria l'indret en un dels jaciments més importants de la zona.

Encara hem localitzat una altra possible comunitat pagesa prèvia a la feudalització del Codony. A la ja esmentada concòrdia de 1175, per la qual es determina el territori del Codony que queda com a propi de Berenguer de Cardona i Guillem de Claramunt, s'indica dins d'aquests límits «*los honors dels homes de l'Arbós que tinguin* [els homes de l'Arbós] *per ells* [Cardona i

82. RECASENS: *El senyoriu del Morell*, Apèndix documental, doc. 1.
83. ESPAÑOL: «Les cartes de població de Vilallonga», pàgs. 96-98.

Claramunt] *dicte honors franques i liberes*».[84] Per aquestes fitacions, així com per un parell de documents del segle XIII que ja es comentaran més endavant, creiem que dits honors caldria situar-los a la riba dreta del Francolí, dins l'espai comprès entre l'enclavament original de Puigdelfí i el primitiu terme de la Pobla de Mafumet.

Finalment, un altre aspecte que pot semblar obvi, però molt il·lustratiu per tal d'intuir la presència d'un mínim contingent de persones a la zona, és que un punt fonamental per tal de constituir una parròquia és, forçosament, l'existència de parroquians. En aquest sentit, la butlla del papa Anastasi IV, del 1154, per la qual confirmava a l'arquebisbe Bernat Tort els béns que posseïa l'Església de Tarragona, esmenta les esglésies de Sant Joan del Consell, del Codony i de Tamarit.[85] Així, en aquesta data tan primerenca, si més no pel que fa a l'aparició de documentació escrita, mentre que els habitants del castell de Tamarit i bona part del de Montoliu només disposaven de l'església de Tamarit, els habitants del Codony de la riba esquerra del Francolí tenien la del Codony, i els de la riba dreta disposaven de la de Sant Joan del Consell.

Una possible línia de guaita al Francolí?

El 1989, Jordi López i Andreu Dasca plantejaren la possible existència d'una línia defensiva al Gaià, formada a partir dels diversos castells i per torres disposades de tal manera que permetien una perfecta connexió visual, des de Tamarit fins Gaià amunt.[86] Deu anys més tard, mossèn Fuentes donava a conèixer una línia que abastava des de Tamarit fins a Montferri, formada per set torres de guaita, sis castells o cases fortes i una espluga fortificada.[87] A data d'avui, la recerca ha continuat donant més fruits.[88] En tots els casos, per la tipologia constructiva que presenten dites fortificacions, així com per la seva situació geogràfica, la cronologia donada és d'aproximadament el segle XI.

---

84. AHAT. *Índex Vell*, 452-452v. Val a dir que, sense defugir d'un possible origen penedesenc, el cognom Arbós no és infreqüent a la documentació del segle XII de la zona. Així, per exemple, el 1185 trobem un Arnau d'Arbós al Rourell (AHAT, *Índex Vell*, 453), i el 1187 es documenta a Berenguer de Arbucio i a son fill Bernat, als quals l'arquebisbe els estableix «*una volta que té la Iglesia de Centcelles en la vila de Centcelles*» (AHAT, *Índex Vell*, 146).

85. *Catalunya Romànica*, vol. XXI, pàg. 50.

86. López, J, i Dasca, A.: «La torre d'Ardenya i la línia fronterera Medieval del Baix Gaià». A: *XXXV Assemblea Intercomarcal d'Estudiosos de Catalunya. Ponències i comunicacions*, I, Valls, 1989, pàgs. 383-394.

87. Fuentes i Gasó, Manuel Maria: *El castell, vila i terme del Catllar. Segles XII-XVIII*. Ajuntament del Catllar, 1999, pàgs. 42-47.

88. López, Jordi; Zaragoza, Josep; Vergès, Josep Maria, i Fontanals, Marta: «La torre d'Esblada (Querol, Alt Camp): una nova fortificació medieval a la conca del Gaià». A: *IV Congrés d'Arqueologia Medieval i Moderna a Catalunya. Tarragona, 10-13 de juny de 2010. Preactes*, pàg. 74.

Vistos aquests antecedents, hom podria plantejar-se si una estructura similar podria haver-se donat al Codony, tenint en compte que, en principi, i fins que Tarragona no fou ocupada plenament, el Codony hauria representat l'extrem més occidental dels dominis feudals. El cert és que, amb la migradesa de dades amb les que treballem, seria del tot agosarat afirmar tal cosa. Amb tot, certs petits indicis ens permetrien oferir una primera hipòtesi, potser atrevida, atès que parteix de l'anàlisi de pocs elements i no tots fiables, i que caldrà analitzar amb més deteniment i tranquil·litat.

És prou coneguda l'existència d'una *Guardia de Mahomat* al sud de l'actual terme del Morell.[89] Per la referència a Mahomat, diversos autors, de Morera ençà, han volgut veure en aquesta Guàrdia un exemple de presència andalusina a la plana del Francolí.[90] Si entenem guàrdia com a lloc de vigilància i control d'un territori, el cert és que, si es fa una comprovació visual des de la Pobla de Mafumet, els resultats obtinguts són molt desiguals. Si observéssim des d'un punt de vista «andalusí», això és mirant vers llevant, el camp de visió que se'ns presenta es limitaria a no gaire més enllà de Perafort, la Secuita, els Garidells i Vallmoll, ja que les elevacions del terreny en aquella zona impedeixen veure més enllà, amb un fons de visió d'entre cinc i set quilòmetres com a molt. Per contra, la visió «feudal», vers l'oest, devia abastar, des del Rourell i el Milà fins a Constantí, gairebé tota la plana fins a la Selva i les altures de l'Albiol i la Mussara. Per tant, som del mateix parer que mossèn Sanç Capdevila, en el sentit que la Guàrdia de Mahomat s'hauria bastit com a punt d'observació avançat feudal.[91]

Per altra part, l'actual emplaçament de Constantí fou conegut fins al 1177, data de l'ordre de trasllat d'aquesta població al lloc actual,[92] com a Guàrdia del Lentisclell. Com a tal consta a l'acta de donació que féu Drues d'Alançon a l'Església de Santa Tecla el 1169, tot especificant que li pertanyia per donació feta a ell pel príncep Robert.[93] Pel nord, la Guàrdia de Lentisclell té una perfecta connexió visual amb la Pobla de Mafumet, amb una distància entre ambdós del voltant d'uns quatre quilòmetres en línia recta, mentre que pel sud connectaria visualment amb la ciutat de Tarragona, de la qual la separen uns cinc quilòmetres en línia recta.

89. RECASENS: *El senyoriu del Morell*, Apèndix documental, doc. 1.
90. CORTIELLA: *Història de la Pobla de Mafumet*, pàgs. 22-26.
91. CAPDEVILA, Sanç: «Sobre la invasió àrab i reconquesta de Tarragona». A: *Boletín Arqueológico de Tarragona* (1964-65), pàgs. 45-46.
92. AHAT. *Índex Vell*, 154v-155.
93. AHAT. *Índex Vell*, 166v-167.

Així doncs, ens trobem amb dos emplaçaments, les referències més antigues dels quals els conceptuen com a guàrdies, connectats visualment l'un amb l'altre, i, mitjançant Lentisclell, amb Tarragona.

Si bé no hem aconseguit localitzar cap altra referència documental de cap més guàrdia, hi ha una dada que pot ser d'interès. En la venda que els templers feren el 1248 de les seves propietats de Bellestar (l'actual Masó), s'especifica que hi havia una casa i una torre.[94] Malgrat que dita torre podria haver estat bastida pels mateixos templers, o bé per Berenguer de Monells, no deixa de cridar l'atenció el seu esment, just en un punt des del qual es podia observar i controlar, a part d'Alcover i la muntanya, la confluència dels camins rals de Tarragona a Montblanc i de Reus a Valls, així com els seus respectius passos pel Francolí, pel Pont de Goi el primer, i el segon a prop del mas de Tell, just al punt en què s'uneix amb el camí d'Alcover a Valls. Des de la Masó hi ha una perfecta connexió visual amb la Pobla de Mafumet, situada a uns cinc quilòmetres en línia recta. Per la banda septentrional, aquesta connexió es mantindria amb Espinaversa i amb Vallmoll.

Si aquesta proposta d'emplaçament d'una guaita a la Masó fos correcta, ens trobaríem davant d'una línia estàtica, els elements de la qual, disposats a intervals d'entre quatre i sis quilòmetres, devien comptar amb una àmplia visió frontal i plena connexió lateral; els seus flancs eren la ciutat de Tarragona, al sud, i el Francolí i Espinaversa, al nord. Amb tot, si bé el contacte amb Tarragona és important, també ho és que aquestes guàrdies estiguessin connectades amb el seu rerepaís, mitjançant alguna altra torre o altre tipus de fortificació. En aquest sentit, creiem que aquesta funció podria haver estat desenvolupada pel castell de Penalonga. La ubicació del lloc del Codony, al costat mateix del Francolí, queda massa enclotada com per tenir un bon camp de visió, mentre que, per contra, Penalonga, encimbellada al comellar entre Perafort i els Pallaresos, un dels punts més alts de la contrada, i a uns cinc quilòmetres en línia recta de la Pobla de Mafumet, domina un amplíssim camp visual, gairebé cent vuitanta graus, des de les muntanyes de Montferri fins a Tarragona. Per altra part, el fet de ser un excel·lent punt d'observació avançat és l'única explicació que trobem al seu emplaçament, escarpat, aïllat i totalment excèntric respecte al desenvolupament posterior que tindria tota aquesta àrea del Codony. En certa manera, Penalonga presenta força paral·lelismes amb l'evolució soferta pel proper castell de Santa Margarida o de Montoliu, a la Riera de Gaià. I qui sap si tal vegada caldria preguntar-se si Penalonga no hauria pogut ésser el primitiu emplaçament del castell del Codony.

94.   Sans: «El Rourell», pàgs. 159-160.

Un darrer aspecte a destacar d'aquesta possible línia de guaita al Francolí és la situació d'aquestes guàrdies respecte a les vies de comunicació. Tant la Guàrdia de Mafumet com la de Lentisclell, com la de Bellestar, a la Masó, si aquesta hagués realment existit, es trobaven molt a prop del camí ral de Tarragona a Montblanc, i exercien, per tant, un important control sobre aquest. De tal manera que dites guàrdies permetrien un control sobre el territori ponentí, a la vegada que sobre la circulació d'aquesta via vers la Conca.

Pel que fa a la possible cronologia d'aquestes guàrdies, creiem que, sense descartar altres dates més reculades, caldria situar-la durant la primera meitat del segle XII, un cop la ciutat de Tarragona restà definitivament en mans dels feudals. La donació de Lentisclell feta per Robert Bordet, així com el control del camí ral a Montblanc, la qual cosa hauria permès la circulació i el contacte amb la Conca, amb una cronologia d'ocupació feudal força paral·lela a la tarragonina, semblen apuntar vers aquestes dates.

APARICIÓ I FEUDALITZACIÓ DEL CODONY

Com ja hem vist, la part més occidental de l'extens territori del castell de Montoliu acabà convertint-se també en un altre castell termenat. La senyoria no canvià de mans, ja que seguia en mans dels mateixos senyors de Montoliu, els Claramunt. Tan sols se singularitzà una part important d'aquest castell, si bé no pas com un simple alou, sinó que, al mateix temps, se li donà categoria de castell termenat.

Quan i per què es produí aquesta divisió, que donà peu a l'aparició del Codony? No disposem d'una data concreta, si bé podem oferir una data *post quem*. El 1134, Deodat de Claramunt, dit *de Tamarit*, infeudà a Ramon Pere de Banyeres la castlania major dels castells de Tamarit i de Montoliu.[95] Dins del document no apareix cap esment al Codony. Per contra, el 1194, es produeix una convinença entre Guillem de Guàrdia i Alda, filla de Guillem de Claramunt, per una banda, i Pere de Banyeres i els seus fills, per l'altra, en què aquells confirmen l'anterior infeudació feta per Deodat, pare de Guillem de Claramunt i avi d'Alda, a Ramon Pere, pare de Pere de Banyeres, dels castells de Tamarit i de Montoliu i d'«*ipsum castrum de Cotonno cum omni eius termino eo que infra terminum castri Montis Olivi est*».[96] Com veiem per aquest document, els Banyeres, el 1194, seguien tenint la castlania major sobre el mateix territori del 1134, si bé en lloc de sobre dos castells ara era sobre tres, el darrer dels quals, el del Codony, pertanyent al terme del castell de Montoliu i que s'hauria consolidat amb posterioritat al 1134.

95.   Papell: *Diplomatari de Santes Creus*, doc. 37.
96.   Urpí-Resina: *El castell i terme de Banyeres*, Apèndix documental, doc. XXX.

De fet, la primera referència explícita al Codony la trobem el 1152, al testament de Deodat de Claramunt, dit *de Tamarit*.[97] Aquest deixa a son fill Guillem el «*castrum de Monte Olivo et Codon*». Si bé, en aquesta data, el Codony encara apareix associat al castell de Montoliu, tot i que ja singularitzat, no és fins al 1169 que documentem la primera referència directa al «*termino de castro quod vocatur Codoig*».[98]

Quant al perquè d'aquesta segregació, malgrat que no disposem d'una resposta clara, creiem que devia estar motivada per diversos factors derivats de la conjuntura existent a meitat del segle XII. Pel que hem vist, el moment d'individuació del Codony s'hauria de fixar pels voltants del 1150. És aquest un moment en el qual ja s'ha conquerit Tortosa i s'han iniciat les operacions que culminaran pocs anys més tard amb la conquesta de Siurana i les muntanyes de Prades. L'allunyament del «perill sarraí» permetia ara el definitiu desenvolupament de l'estructura feudal sobre tots els territoris dels Claramunt. De fet, i creiem que és força simptomàtic, la documentació generada a l'entorn del Codony, si més no la que ens ha pervingut i coneixem, no s'inicia fins a la segona meitat de la dècada dels cinquanta. Per altra part, la divisió del castell de Montoliu posava de manifest «*l'existència d'unes necessitats administratives per part dels* Claramunt, *com a senyors directes, per poder consolidar d'aquesta manera els seus drets i rendes sobre l'ampli terme d'aquest castell*».[99] En aquest sentit, no deixa de cridar l'atenció el fet que, el 1153, al contigu Castellvell de la Marca, el seu senyor, Guillem de Castellvell, fes donació de la batllia occidental de dit *castrum* a Ramon i Arsendis; aquesta batllia comprenia els territoris situats entre el coll Alberic (coll de Santa Cristina) i el riu Francolí, tot dividint en dos l'extens terme del Castellvell de la Marca.[100]

Per altra part, no es pot obviar l'interès de l'arquebisbe Bernat Tort i del comte Ramon Berenguer IV per consolidar la seva preeminència a la ciutat i territori de Tarragona, si bé cadascun per motius diferents. Aquesta política els portà a participar en el repartiment d'una part del Codony. L'interès del prelat per controlar el Codony, o si més no una part important d'aquest, es fa palès en un document, redactat el 14 d'octubre de 1171 per l'Església tarragonina, per tal de verificar i justificar els drets que pertanyien a l'Església de Tarragona davant del rei.[101] Dins dels honors eclesiàstics exceptuats de

---

97. VIRGILI: *L'expansió i afermament del feudalisme*, Apèndix, doc. IV.
98. *Diplomatari de Poblet. Vol. I. Anys 960-1177*. Edició a cura d'Agustí Altisent. Col·lecció Fonts i Estudis, núm. 2. Abadia de Poblet-Generalitat de Catalunya. Departament de Cultura, Barcelona, 1993. Doc. 356.
99. PASTOR: «Els dominis occidentals», pàg. 73.
100. PASTOR: «Els dominis occidentals», pàgs. 72-76.
101. MORERA: *Tarragona Cristiana*, I, Apèndix, doc. 28.

satisfer tasca al monarca s'especifica: «*Accepta etiam dominicatura de Coctagno, quantum sufficere possit XX paribus boum ad opus archiepiscopi per annum, et totidem ad opus canonice claustralis*». Val a dir que quaranta parellades de terra representava un volum força considerable.[102] A aquestes parellades, a més, cal sumar-hi la possible reserva reial, no especificada en el document.

La zona d'influència dels senyors del territori de Tarragona al Codony se circumscrivia a la part septentrional de la riba dreta del Francolí, de tal manera que totes les donacions d'aquesta àrea eren fetes per l'arquebisbe, el monarca, la família Bordet i Guillem de Claramunt, senyor del Codony. Aquest condomini, però, sembla que no estava exempt de certs problemes i tibantors, els quals portaren a establir, el primer de juny de 1175, una concòrdia entre l'arquebisbe Guillem de Torroja i el rei Alfons, per una part, i Berenguer de Cardona i Guillem de Claramunt, per l'altra, per la qual els primers retenien i es quedaven l'espai comprès al nord d'una línia que anava des del desguàs de la riera de la Selva al Francolí, a l'est, fins al mas Ballets, a l'oest, és a dir, gran part de l'actual terme del Morell, Vilallonga, el Rourell i la part del Codony de la Masó. També es quedaren amb la meitat dels molins que hi havia entre el castlar d'Espinaversa i el torrent de Centcelles. Tota la resta del Codony quedava en mans dels esmentats Cardona i Claramunt.[103]

Intentar descriure el procés d'ocupació del Codony i la seva evolució, se'ns fa, a la llum de la minsa documentació aconseguida, una mica difícil. Tot i així, a partir de les dades directes, i d'algunes d'indirectes, aportades per aquests documents, podem fer un esbós de com es feudalitzà aquest territori, si més no una part d'aquest.

La documentació més antiga ens remet a una zona concreta, el nord de la riba dreta del Francolí. Així, entre el 1155 i el 1158, l'arquebisbe Bernat Tort concedí a Berenguer de Monells el mas de Bellestar (que posteriorment donà lloc a la Masó).[104] El 17 d'agost de 1160 era Ramon Berenguer IV qui concedia a Monells les terres de Bellestar, mentre que la confirmació de

102. Malauradament, a partir de les dades dels capbreus, no hem aconseguit establir una equivalència fiable pel que fa a les parellades o jovades de terra. Tot i així, per tal de poder-nos fer una idea aproximada del que vindrien a ser quaranta parellades de terra podem prendre com a referència els límits originaris del Morell. Segons l'acta de donació del 1173, els Desprats reberen sis parellades de terra. Com es pot veure a l'apartat *Els altres termes del Codony*, hem aconseguit establir la superfície del terme primitiu del Morell en unes cent seixanta hectàrees. Per tant, aplicant aquests valors, quaranta parellades equivaldrien a quasi onze quilòmetres quadrats, que representaria, per exemple, la gairebé totalitat dels actuals termes municipals del Morell i Vilallonga junts.

103. AHAT. *Índex Vell*, 452-452v. Val a dir que, malgrat que al regest es llegeix «*arquebisbe Guillem*», aquest havia mort el 9 de març de 1174 (Blanch: *Arxiepiscopologi*, pàg. 110); per tant, o bé el nom de l'arquebisbe o bé la data de la concòrdia són incorrectes.

104. SANS: «El Rourell», pàg. 135. Malgrat que el canonge Blanch, en el seu *Arxiepiscopologi*, donà la referència del Rourell, les confirmacions dels altres senyors, com veurem, no fan referència al Rourell, que ja hauria estat donat a Carbonell de Martorell, sinó a Bellestar.

Guillem de Claramunt no arribà fins al 20 de desembre de 1162, i la dels descendents de Robert Bordet trigà encara quatre anys més, fins al 23 de desembre de 1166. Encara el 1170, Guillem de Claramunt tornà a fer donació de Bellestar al Temple (orde en el qual havia ingressat Berenguer de Monells i al qual ja li havia fet la confirmació el 1162), si bé aquest cop mitjançant el lliurament per part d'aquests a Guillem de cent morabatins.[105] Per la seva part, el mas del Rourell hauria estat entregat a Carbonell de Martorell entre el 1155 i el 1160, atès que ja consta a les afrontacions de la donació comtal de Bellestar del 1160.

Cronològicament, la següent actuació és, potser, la més coneguda i referenciada del Codony. Es tracta de la donació de quatre parellades de terra a l'honor dit de Sant Joan del Consell, al Codony, al monestir de Santa Maria de Valldaura. El fet que, com a Bellestar, participessin en la donació tots els qui tenien drets sobre dit honor va fer suposar a Fort i Cogul que cadascuna d'aquestes donacions es referia a peces de terra diferents,[106] si bé posteriorment esmenà aquesta afirmació, tot establint que, com a condomini, cada donador cedia al cenobi els drets que li eren propis sobre la mateixa peça de terra.[107]

La primera donació fou la comtal. Així, el 6 de juny de 1160, Ramon Berenguer IV va fer redactar la seva escriptura de donació a Valldaura.[108] No fou fins al 22 de desembre d'aquell mateix any que Agnès, comtessa de Tarragona, i els seus fills Guillem i Ricard, per una part, i Guillem de Claramunt, per altra, signaren sengles documents de donació al monestir.[109] Pel que fa a l'arquebisbe, el seu document de donació, si és que mai s'arribà a redactar, no es conservà, fet que va provocar que, tretze anys més tard, el 17 de juny de 1173, l'arquebisbe Guillem de Torroja fes redactar una escriptura en què confirmava, ara ja al monestir de Santes Creus, la donació de l'honor de Sant Joan del Consell, al Codony, feta al cenobi per l'arquebisbe Bernat Tort i el comte de Barcelona Ramon Berenguer IV.[110] Per les dates de donació, sembla força probable que la iniciativa hagués sorgit del comte de Barcelona, com també és possible que hagués provocat reticències tant en l'arquebisbe, pel que podria suposar l'afermament dins del seu territori de Tarragona d'un ens prestigiós i influent, gairebé autò-

---

105. Sans: «El Rourell», pàgs. 135-142.
106. Fort: *El senyoriu de Santes Creus*, pàg. 351.
107. Fort: *El Codony del Camp de Tarragona*, pàgs. 8-13.
108. Papell: *Diplomatari de Santes Creus*, doc. 87.
109. Papell: *Diplomatari de Santes Creus*, docs. 92 i 93, respectivament.
110. Papell: *Diplomatari de Santes Creus*, doc. 163. El regest d'aquest document esmenta, per error, a l'arquebisbe Guillem de Vilademuls, quan, tant per nom propi com per data, la prelatura seria la de Guillem de Torroja.

nom i en plena expansió, com era el monestir de Valldaura (posteriorment de Santes Creus),[111] com també en Guillem de Claramunt, el qual, pel que sembla, hauria donat o promès, juntament amb el seu germà Deodat, dit honor de Sant Joan del Consell a l'orde hospitaler.[112]

Un cop fetes les donacions, la tranquil·litat documental sembla imperar, només trencada per un conflicte de fites entre el monestir i Guerau de Colent, el qual tenia un honor contigu, i que se solucionà amb una concòrdia entre ambdues parts el 1167.[113] El 2 de setembre de 1169, però, ja fos per oposició a la presència santescreuina al Codony, o, més versemblantment, per la cerca d'un poderós aliat en la pugna oberta que mantenien els hereus de Robert Bordet, juntament amb els Claramunt, contra l'arquebisbe, Guillem de Claramunt i la seva muller Ermessèn donaven, a canvi de vint-i-cinc morabatins, l'honor de Sant Joan del Consell a Berenguer Ruf de Cervera, si bé, en aquest cas, l'afrontació occidental es feia limitar amb el camí ral de Tarragona a Montblanc.[114]

També, potser amb anterioritat a la donació de 1160 o bé al llarg d'aquest període, hom concedí diversos honors més modestos dins de l'espai en litigi, car els monjos de Santes Creus, amb l'objectiu de disposar de tot el control de Sant Joan del Consell, hagueren d'avenir-se a pagar vint sous perquè renunciessin als seus drets a Joan de Rabinat i la seva muller Guillema, el 1176, i a Guillem de Timor i el seu germà Ramon, el 1186. Aquests especifiquen al document que el seu pare, Guillem de Timor, ja difunt, i ells havien rebut, romput i conreat el dit honor.[115]

És possible que, per tal de solucionar definitivament aquest conflicte de jurisdiccions, l'arquebisbe fes redactar el 17 de juny de 1173 la confirmació al monestir, abans comentada. Dos mesos més tard, el 12 d'agost, es produïa un acte de conciliació entre l'abat Pere de Santes Creus i Berenguer Ruf de Cervera, pel qual aquest renunciava als seus drets sobre l'honor de Sant Joan del Consell, a canvi de rebre anualment un pollí.[116] Finalment, el 22 de novembre de 1174, Guillem de Claramunt vengué per mil sous melgoresos al monestir de Santes Creus dit honor amb tots els drets i jurisdiccions.[117] Quatre dies més tard, el 26 de novembre, Berenguer d'Aguiló i els seus

111. Certament, acabaren produint-se frecs entre l'Església tarragonina i el cenobi per aquest honor, tal i com es pot observar a diverses concòrdies que, per aquests afers, es redactaren. Papell: *Diplomatari de Santes Creus*, docs. 307 i 320, per exemple.

112. PAPELL: *Diplomatari de Santes Creus*, doc. 226.

113. PAPELL: *Diplomatari de Santes Creus*, doc. 123.

114. *Diplomatari de Poblet*, doc. 356.

115. PAPELL: *Diplomatari de Santes Creus*, docs. 191 i 279.

116. PAPELL: *Diplomatari de Santes Creus*, doc. 166.

117. PAPELL: *Diplomatari de Santes Creus*, doc. 180.

germans Guillem, Pere i Arnau, un cop perdonats i retornats a Tarragona, renunciaren a tots els drets que tenien sobre l'honor de Sant Joan del Consell a favor del monestir.[118] Amb aital successió de desencontres no és estrany que, mig any després, es produís el pacte que dividia definitivament les terres que quedaven sota senyoria de l'arquebisbe i del rei i les que restaven en mans dels Cardona i Claramunt.

Tot i aquesta actuació en comandita, a la riba dreta del Francolí també es van fer donacions individuals abans de la concòrdia de repartiment del 1175. Així, el 1169, Guillem de Claramunt concedí en solitari (si més no, no ha quedat esment de les possibles donacions dels altres senyors) a Berenguer de Vilafranca dues parellades de terra a «les parets altes» de Danla.[119] El febrer de 1173, el rei Alfons I feia donació a Berenguer Desprats i a la seva muller Dolça de sis parellades de terra al lloc on es constituiria el Morell.[120] Un any més tard, el 21 de juliol de 1174, era l'arquebisbe Guillem de Torroja qui feia donació als mateixos d'aquella terra entregada pel rei,[121] sense que hi consti participació ni de Guillem de Claramunt ni dels Aguiló.

Durant la dècada dels setanta assistim a l'endegament d'un ambiciós pla, portat a terme conjuntament per Guillem de Claramunt i pels Cardona. Es tractava de bastir el poble del Codony, una vila creada directament a iniciativa dels mateixos senyors del Codony, i que, igual que el poble de Tamarit, estava pensada per ser el referent urbà de tot el territori castral. Com ja hem apuntat, no sabem del cert, si bé ho intuïm, si el castell de Penalonga hauria estat la primitiva fortificació del Codony, o si bé aquesta ja es trobava situada al seu definitiu emplaçament (tot i que, des del punt de vista militar anterior a meitat del segle XII, no sembla el lloc més idoni), o si s'havia traslladat per aquelles dates; de la mateixa manera, desconeixem si l'església parroquial del Codony, ja existent el 1154, s'alçava en aquest lloc o en un altre, igual com la ubicació dels gairebé segur existents pobladors

---

118. Papell: *Diplomatari de Santes Creus*, doc. 181.
119. AHAT. *Índex Vell*, 457v.
120. Recasens: *El senyoriu del Morell*, *Apèndix documental*, doc. 1.
121. AHAT. *Índex Vell*, 460-460v. Cal dir que en aquest cas ens tornem a trobar amb un conflicte entre la personalitat del donador, Guillem de Torroja, i la data de la donació, que s'hauria produït després de la seva mort. És possible que la data de donació hagués estat realment el 1173, en temps del prelat Torroja, ja que tot sembla indicar que aquest tenia els Desprats en bona estima, car el seu successor, Berenguer de Vilademuls, el 1178, a canvi de saldar els deutes que Guillem de Torroja havia contret amb Berenguer Desprats li donava habitació a ell i la seva família a Constantí, així com també diverses terres (AHAT. *Índex Vell*, 154v). És també possible que, en temps de Guillem de Torroja, aquest els hagués infeudat Bràfim, atès que en el testament de Berenguer Desprats, possiblement fill de l'anterior, redactat el 1218, deixava al seu fill Berenguer el castell de Salou, a la seva filla Anglesa el castell de Bràfim i al seu fill Borràs el del Morell (AHAT. *Índice General*, 195v). Precisament fou Guillem de Torroja, com a bisbe de Barcelona, qui, el 1159, atorgà carta de poblament als habitants de Bràfim (Font Rius: *Cartas de población y franquícia*, vol. I, doc. 114).

d'aquesta àrea. El fet és que el lloc escollit fou un tossal als peus de la riba esquerra del Francolí, just al nord del desguàs del torrent del Maigllong amb el riu. La superfície d'aquest tossal, del voltant de les dues hectàrees, ens mostra com el plantejament dels senyors del Codony era crear un poble de dimensions no pas reduïdes. El sector sud de la vila quedava reservat per a funcions eclesiàstiques i senyorials, segregat per un carrer del sector nord, que devia estar dedicat als habitatges dels vilatans.[122]

Independentment de si els possibles pobladors existents estiguessin ja agrupats o que se'ls fes agrupar en aquell lloc, en el que es podria denominar un procés d'encastellament clàssic, es poden seguir documentalment algunes de les passes que feren els senyors del Codony per tal d'afavorir el seu poblament. Així, al febrer de 1174, Berenguer de Cardona, Guillem de Claramunt i la seva muller Saurina donaren a Bernat Busquets i a la seva muller Ramona «*una part de terra herma en lo territori de Tarragona al Codony. Termena de sol hixent ab lo camí que va a Monblanc, a migjorn ab la terra que tenia Guillem Gasc, a ponent ab lo torrent que baxa a Centcellas, a tremuntana ab la terra de son germà Arnau Bou, la qual terra sie bastant per a dos parells de bous. Item li dona una fexa de terra del camí de baix fins a Francolí en la qual puga sembrar VIII corteras. Item un hort i un ferreginal. Item li donen terra per a vinyes en lo pla devant lo castlar, mes li donen dues cases*».[123] Segurament el mateix dia, Guillem de Claramunt i Saurina donaven a Arnau Bou, germà de Bernat Busquets, i a la seva muller Sança «*una part de terra de terra herma en lo territori de Tarragona al Codony bastant per dos parells de bous, termena a sol ixent* [amb el camí] *que va a Monblanc, a migdia ab la terra que ha dada a son germà Bernat Busquet, a ponent ab lo torrent que va a Centcellas, a tremuntana ab la terra de Ferrer de Vilafranca. Mes los donen una fexa que termena a sol ixent ab lo camí que va de Tarragona al Codony, a migdia ab la fexa que Joan de Berguedà té, a ponent ab lo riu de Francolí, a tremuntana ab la fexa de Ramon Ermengol. Item los donen un hort i ferreginal a la Buada, termena a sol hixent ab lo camí dalt dit, a migdia ab l'hort de Bernat Busquet, a ponent ab lo riu de Francolí, a tramuntana ab lo torrent ques diu Maigllarc, lo qual hort li dona franch, y en la plana davant lo castlar sobre lo camí los donen VIII quarterades per a vinya axi com esta termenat fins a la serra. Item los donen una pessa en la isla del f... [?] que termena a sol ixent ab la terra que passa lo rec dels molins, a meridie ab la punta de la riba que va a Francolí, a ponent ab lo riu de Francolí, a tremuntana ab unes*

---

122. Una descripció més detallada es troba a l'estudi del capbreu del lloc dels Pallaresos i terme del Codony.

123. AHAT. *Índex Vell*, 451v.

fexes de terra que Ramon Aderro y sos germans tenen. Mes los donen statge en dita vila del Codony ahont fassen cases».[124]

Del resum de l'*Índex Vell* no queda clar si ambdós actes van ser establiments o donacions. El primer dels documents apareix com a establiment, mentre que el segon ho fa com a donació. El cert és que no consta que els donataris paguessin cap entrada, mentre que en el document s'especifica que no hi ha cap tipus de cens ni reserva, i es reclama tan sols la fidelitat als donadors, tot declarant-los homes propis i solius d'aquests mitjançant la clàusula «*alium seniorum non acclametis nisi nos*», i que havien de fer estatge al Codony. Dels dos documents, a més, es desprenen altres detalls. Per una part la referència a terres davant del castlar podria fer pensar que en aquell moment —primeries de la dècada dels setanta del segle XII— ja s'hauria bastit la casa forta o castell al tossal on es desenvoluparà la vila del Codony. Per altra part, les referències a partides de terra, com la Buada o la «*isla del f...*» (que molt possiblement caldria relacionar amb l'actual partida de les Irles, també present al capbreu de 1510), a infraestructures destinades al rec i als molins, així com l'existència de diverses persones amb terres contigües a les concedides, ens apunta a una ocupació i repartiment força consolidat en aquest sector, sobretot al de la riba esquerra del Francolí. Fóra molt interessant poder esbrinar si totes aquestes persones esmentades a les afrontacions podien haver estat també estadants de la vila del Codony.

Un altre aspecte a destacar és el fet que el total de terra entregada als dos germans era força més gran que l'entregada a Santes Creus a Sant Joan del Consell —quatre parellades— i, possiblement, gairebé igual al que seria el terme original del Morell —sis parellades. Ja fossin els donataris pagesos o militars, el cert és que tant els béns donats com les condicions són d'allò més generoses. Cal preguntar-se si aquesta generositat no respon a un plantejament en què el senyor portava la iniciativa poblacional però a través d'agents intermedis, tot establint pagesos que, al seu torn, s'encarregarien de portar i organitzar altres pagesos, els quals podríem considerar com una mena de «*socii*», tal com s'observa en aquestes dates a la plana lleidatana, per exemple.[125]

El 26 de juny de 1175, Guillem de Claramunt i la seva dona Saurina donaren a Joan Ferrer i a la seva dona Ermessendis la ferreria (*fabrega*) del Codony i del seu terme «*de manera que de cada parell de bous ne reba una*

---

124. AHAT. *Índex Vell*, 452v-453. Aquest document cal datar-lo al 1174, ja que, si bé al regest de l'*Índex Vell* la data correspon a un any no llegible del regnat del rei Lluís *més jove*, a l'*Índice General* consta l'any 1178 (AHAT. *Índice General*, 122v). Amb tot, la referència mútua que fan cadascun dels dos germans en una de les afrontacions podria indicar que ambdues donacions s'haurien efectuat en el mateix moment.

125. *Catalunya Romànica*. Vol. XXIV, Enciclopèdia Catalana, Barcelona, 1997, pàgs. 41-43.

cortera per lloçol y altra que lo ferrer deu haver en sos parrochians».[126] També els donaren una parellada de terra erma, un hort i un farraginal, tot en alou. Els donadors no es reservaren res, però Joan Ferrer havia de fer estatge al Codony i pagà com a entrada la quantitat de cent sous. Per un document un xic posterior coneixem l'existència d'un altre element propi dels destrets senyorials. Així, sabem que el 1228 els forns del Codony eren tinguts en feu pel castlà del Codony, Ramon de Puig-roig, *«de modo que negú ni puga fer i que tots los homes del Codony i tinguen a coure lo pa i pagar lo dret de forn».*[127]

El darrer document que fa referència directa a la vila del Codony és, potser, el més important de tots. El 13 de gener de 1177, Guillem de Claramunt, la seva dona Saurina i Guillem de Cardona atorgaren carta de poblament als habitants de la vila del Codony, tot concedint-los les bones pràctiques i usatges de Tarragona. El document, a més, regulava diverses qüestions. Així, s'especifica que en cas d'eixorquia o intestia, si hi havia parents o venien d'una altra part, el senyor no rebria res. En cas de cugucia, *«qui la rebrà»* no paga res i *«qui la farà»* rebrà el càstig que determini el senyor. Per lloçol *«cada hu dels treballadors* [sic]*»* haurà de pagar una mitgera d'ordi. Els habitants de la vila resten obligats a no fer cap altra obra que la muralla de dita vila, i poden empenyorar o vendre els seus béns a qualsevol persona, excepte cavaller o capellà.[128]

A part dels esforços colonitzadors a la vila del Codony, trobem la donació que va fer Guillem de Claramunt el 27 de desembre de 1175 d'una masada de terra a Bernat d'Albiol.[129] Per la data de la donació, posterior a la concòrdia celebrada aquell mateix any, i per la referència a dos torrents, un dels quals venia de la Selva, creiem que es tractava possiblement del mas d'Eimerich Desprats o bé del mas Ballets. En altres dos casos no queda clar si el bé traspassat fou entregat per Guillem de Claramunt per donació o per establiment emfitèutic. El 1183, Pere Rubí i els seus fills vengueren a Pere Cerdà i a la seva dona Mena un mas que tenien per Guillem de Claramunt al territori de Tarragona, territori del Codony, a Tapioles. Els compradors l'havien de tenir per dit Guillem de Claramunt.[130] El 1187, Guillem Martell i la seva dona Goneta vengueren a Bernat de Guardiola i a la seva dona Maria un honor que tenien per Guillem de Claramunt al terme del castell del Codony, al Rourell, salva la senyoria de dit Guillem de Claramunt, si bé crida l'atenció aquesta titularitat, ja que, per la data,

---

126. AHAT. *Índex Vell*, 451v.
127. AHAT. *Índex Vell*, 454-454v.
128. AHAT. *Índex Vell*, 451.
129. AHAT. *Índex Vell*, 451v-452.
130. AHAT. *Índex Vell*, 453.

posterior a la concòrdia de 1175, i pel lloc, aquesta hauria de correspondre a l'arquebisbe o al rei.[131]

Precisament trobem al monarca en aquestes dates fent algun repartiment de la part que li havia restada després de 1175. Com a part de l'esponsalici, Alfons I donà a la seva muller, la reina Sança, la part de terra situada entre el riu Francolí, la riera de la Selva, el camí ral de Tarragona a Montblanc i l'honor de Sant Joan del Consell dels monjos de Santes Creus. Aquesta, el 1187, l'entregà a l'orde de l'Hospital de Sant Joan de Jerusalem.[132] El març de 1176, Alfons I donà a Ramon de Montcada l'honor de Casa Rodona, al Codony, amb una superfície de dues parellades de terra.[133] Un mes més tard, a l'abril, dit Ramon de Montcada entregava aquest honor als monjos de Santes Creus, els quals d'aquesta manera arrodonien les seves possessions al Codony amb la incorporació d'aquesta terra, adjacent a la que ja tenien a Sant Joan del Consell.[134]

VISIÓ GENERAL DEL CODONY A INICIS DEL SEGLE XIII

El panorama que se'ns presenta entre les darreries del segle XII i finals del primer quart del segle XIII seria el següent:

Tots els senyors amb drets sobre el Codony feren donació de nombrosos alous, ja fos conjuntament o per separat. Aquesta complexa situació se solucionà amb la ja esmentada concòrdia de 1175, de tal manera que els Claramunt es refermaren com a senyors eminents del Codony, tot i que a costa de perdre una part no gens petita del territori d'aquest castell a mans de l'arquebisbe i del rei. El gruix d'aquests alous, independentment de qui fos el donador, el trobem sobretot a la part nord del territori, tant a una riba del Francolí com a l'altra, si bé de la de l'esquerra disposem de menys dades.

Quant als alous concedits per Guillem de Claramunt al castell del Codony, els majors beneficiaris havien estat els principals membres del seu entorn de confiança, com ho demostra el fet que la majoria d'aquests apareixen signant com a testimonis en afers dels Claramunt, sobretot, encara que no exclusivament, en aquells que feien referència al Codony. Així trobem alous concedits als Puig-roig, castlans del Codony,[135] a Berenguer

131. AHAT. *Índex Vell*, 453.

132. AHN. Biblioteca. Delaville: *Cartulaire General de l'Ordre des Hospitaliers, vol.* I, doc. 837.

133. PAPELL: *Diplomatari de Santes Creus*, doc. 189.

134. PAPELL: *Diplomatari de Santes Creus*, doc. 190.

135. Com a castlans, reberen dels Claramunt diversos alous i domenges: AHAT. *Índex Vell*, 454-454v.

de Vilafranca,[136] al seu germà Ferrer de Vilafranca,[137] a Arnau de Tamarit i a Bernat de Claramunt, germà de Guillem,[138] a Bernat Marcús,[139] als germans Arnau i Guillem Pere,[140] a Guillem Renard i a les filles de Ramon Guerau,[141] o a Guillem de Montoliu.[142]

Una altra de les característiques d'aquests alous es troba en les seves dimensions, no gaire grans en la majoria dels casos, possiblement del voltant de dues parellades. Aquest fet dugué, generalment, a l'establiment d'un mas a l'alou, per tal de poder rendibilitzar-ne millor l'explotació. Un exemple d'això el tenim en l'establiment que Berenguer de Vilafranca i la seva muller Arsendis van fer a Ramon de Soler del mas Danla, de dues parellades de terra d'extensió.[143] Li concedien les terres i el mas, així com una barquera de tres quarteres d'ordi, amb pacte que els donessin la quarta part de pa, vi i oli, així com de tots els fruits que es conreessin. Els donadors es reservaven, però, l'honor que havien donat a Guillem d'Albinyana i dues peces del seu domenge. Bona part del paisatge de masos que sembla desprendre's de la documentació devia tenir el seu origen en aquests petits i mitjans alous.

Precisament aquestes dimensions relativament modestes dels alous porten a un doble procés. Per una banda, per al tinent emfitèutic el fet de tenir establert un nombre de jornals de terra relativament importants hauria permès que molts d'aquests pagesos de mas fruïssin d'una posició econòmica més que folgada, com veurem més endavant. Per altra banda,

136. El 1169 se li fa donació de l'alou de Danda o Danla (AHAT. *Índex Vell*, 457v).

137. Consta en una de les afrontacions d'un document de 1174 (AHAT. *Índex Vell*, 452v).

138. A ambdós els trobem esmentats a les afrontacions de Danda, el 1169 (AHAT. *Índex Vell*, 457v).

139. Ric mercader barceloní, molt ben relacionat amb la cort comtal. Rebé de Guillem de Claramunt diversos masos i honors al Codony, si bé ens ha estat del tot impossible d'identificar-los. Coneixem aquestes dades per la lloació que d'aquests béns va fer el 1196 Guillem de Cardona a Guillema, filla de Bernat Marcús i muller de Guillem de Sant Vicenç (AHAT. *Índex Vell*, 453).

140. Tenien un mas i un honor a banda i banda del riu. Al morir, aquests béns passaren als Puig-roig, però retornaren als Claramunt el 1228. No hem aconseguit determinar la filiació d'aquests dos germans, si bé en un parell de documents apareix com a testimoni Arnau Pere Benedit (PAPELL: *Diplomatari de Santes Creus*, docs. 190 i 226). En un altre document consta com a testimoni Arnau Pere de Barcelona (PAPELL: *Diplomatari de Santes Creus*, doc. 180), malgrat que no disposem de prou dades que permetin confirmar que es tracta de la mateixa persona.

141. Ambdós esmentats a les afrontacions meridionals de la donació del terme dels Garidells, el 1174 (AHN. *CÓDICES*, L. 842, *Garidells*, doc. A). El primer apareix com a testimoni a la donació del Pontarró, el 1165 (AHN. *CÓDICES*, L. 842, *Sacuyta*, docs. Ccc i Eee), mentre que del segon no hem localitzat cap altra dada, tot i que hom podria preguntar-se si, tal vegada, Ramon Guerau hauria pogut ser germà de Ponç Guerau, castlà de Tamarit el 1122 (AHAT. *Índice General*, 195).

142. Tingué part de la terra antigament anomenada «dels homes d'Arbós» (AHAT. *Índex Vell*, 453v). Amb tot, com es veurà més endavant, no estem gaire segurs de si aquesta terra l'aconseguí per donació dels Claramunt (a ell o al seu pare, Bernat de Viver), o l'hauria adquirit per altres vies.

143. AHAT. *Índex Vell*, 457v.

per al *milites* aloer, per contra, els mateixos jornals de terra representaven una renda no gaire gran, la qual cosa podria traduir-se en una certa inestabilitat; d'aquí que les operacions de compravenda de masos no fossin infreqüents al llarg de tota la baixa edat mitjana, essent el seu reflex els diversos enclavaments que es documenten als capbreus de 1510, i encara posteriorment. És probable que, per exemple, el fet de trobar-nos que el paborde de Tarragona, en data anterior al 1214, ja estava en possessió d'un d'aquests alous, hagués estat fruit d'una compra a l'aloer anterior més que no pas d'una donació dels Claramunt a aquesta dignitat de l'Església tarragonina.[144] Dins d'aquesta dinàmica cal entendre també, per exemple, l'intent de Guillem de Montoliu de vendre a l'arquebisbe els seus drets sobre l'honor anteriorment conegut com «dels homes d'Arbós», el 1221.[145] O la venda que el 1248 va fer Guillem de Vilafranca a l'arquebisbe del seu mas de Danda.[146] Com es desprèn d'aquests exemples, uns dels majors beneficiaris d'aquest mercat d'alous, si bé no pas els únics, serien els diversos estaments de l'Església tarragonina.

Aquest sistema de repartiment i d'aprofitament dels recursos va propiciar un paisatge amb predomini dels masos, repartits al llarg i ample de la geografia del Codony. La major part d'aquests masos haurien estat establerts a un o dos nuclis familiars com a molt. Tot i així, ja fos per disposar d'un territori més gran o per d'altres motius que se'ns escapen, trobem masos que acabaren desenvolupant població, que esdevingueren pobles, com seria el cas del Rourell i els Pallaresos al Codony, o en llocs propers com el Milà i la Secuita.

Per altra part, les comunitats pageses que havíem detectat com a existents amb anterioritat a la feudalització del territori, si bé semblava que, en un principi, quedaven enfranquides i una mica al marge, aviat quedaren integrades dins del sistema feudal. Així, el març de 1188, el rei Alfons el Cast atorgà carta de població als homes de Vilallonga, que passava a ser dominicatura reial, als quals posà sota la seva protecció. Els concedí el lloc amb totes les seves pertinences, i únicament es reservà la farga, el forn, el molí i la justícia.[147]

No sabem per quins mecanismes s'aconseguí, però el cert és que les terres dels «*homes d'Arbós*», les quals, segons la concòrdia de 1175, tenien «*francas i liberas*», acabaren formant part del patrimoni dels Tamarit. Almenys, així

---

144. Posteriorment es convertiria en la quadra de la Camareria. GORT: *La Cambreria de la Seu de Tarragona*, pàg. 97.
145. AHAT. *Índex Vell*, 453v.
146. AHAT. *Índex Vell*, 457.
147. ESPAÑOL: «Les cartes de població de Vilallonga», Apèndix núm. 1, pàgs. 103-104.

es desprèn del testament d'Arnau de Tamarit, redactat el 1229, poc abans de salpar cap a Mallorca, en què aquest esmenta els «*honoribus meis de Arbucio*».[148] Si bé podria tractar-se de la població penedesenca, pel context i pel fet de tenir documentades terres seves en aquesta àrea, creiem que dits honors fan referència a les terres dels «*homes d'Arbós*».

Qui també hauria adquirit drets sobre aquest espai era Guillem de Montoliu, o tal vegada el seu pare Bernat de Viver. Així, el juny de 1221, Guillem de Montoliu major i el seu fill, també Guillem, definiren, per deu ducats, a l'arquebisbe, paborde i capítol de Tarragona, tots els drets i accions que tenien «*en les honors que Arnau de Guardiola y Ros, Joan Cirerol, R. Ferrer, Pere Requesens*[149] *y Matheu de Guano quondam nebot de Berenguer Carbonell tenen per ells en lo terme del Codony que en temps passats se deya honors dels homens de Arbucio*».[150] Tot i així, dos dies més tard es documenta l'«*evictió feta per Guillem de Montoliu a dits Senyors Archebisbe, peborde y capítol sobre la precedent difinitió*».[151] Si bé el regest de l'*Índex Vell* no esmenta els motius d'aquest retractament, l'*Índice General* ens aporta alguna dada més: «*Guillermo de Montoliu mayor promete a S. Iltma. y Cabildo, la evicción siempre que Guillermo de Claramunt se oponga a la difinició de num. 4 por él hecha*».[152] Per tant, sembla clar que l'operació de Guillem de Montoliu fou aturada per l'oposició del seu senyor, Guillem de Claramunt. Com veurem més endavant, els Montoliu continuaren retenint aquest honor un parell de segles més.

Dins d'aquest espai de la riba dreta del Francolí es concentren també els importants alous atorgats a ordes religiosos: el monestir de Santes Creus a Sant Joan del Consell i a la Casa Rodona, els templers a Bellestar i els hospitalers entre el camí ral i el riu. Malgrat la grandària de les seves terres, tant cistercencs com templers —aquests si més no fins a la venda de la comanda el 1248— es limitaren a explotar-les a partir d'una granja. Pel que fa als hospitalers, si bé el seu alou els pertanyia per la donació que la reina Sança els féu el 1187, aquesta no es va fer efectiva fins al 1207, i es limità, pel que sembla, a cobrar els censos i rendes del mas i dels emfiteutes allí establerts.

Dins d'aquest panorama, ple de masos dispersos i d'alguna granja, el principal nucli de poblament concentrat es trobava a la vila del Codony, vila possiblement creada *ex novo* i podríem dir que «dissenyada» pels Claramunt, per al poblament de la qual s'esmerçaren no poques terres, a banda i banda

148. AHN. *CÓDICES*, L. 841, doc. 70. La intenció d'anar a combatre a Mallorca l'expressa a l'inici del testament: «*Ego Arnaldus de Tamarito volens ire in hoc exercitu Maioricharum*».

149. Possiblement aquesta és la referència més antiga documentada d'un Requesens al Camp de Tarragona.

150. AHAT. *Índex Vell*, 453v.

151. AHAT. *Índex Vell*, 453v.

152. AHAT. *Índice General*, 124.

del Francolí, la major part de les quals situades a la part meridional del *castrum*, a la part més propera a la vila. Juntament amb la vila del Codony, a l'altra banda del riu l'altre nucli concentrat important que coneixem era Vilallonga, si bé no tenim cap dada que ens permeti saber les dimensions i urbanisme del primitiu nucli, situat a prop del camí ral de Tarragona a Montblanc. Quasi amb tota seguretat, per aquestes dates ja s'haurien començat a desenvolupar urbanísticament els llocs del Morell, Puigdelfí i el Rourell.

Un altre aspecte important que s'observa és l'aprofitament que es fa dels recursos hídrics. Les referències a recs i a molins són força abundoses en els documents. El 1160, en la donació que dels seus drets sobre Bellestar va fer el comte Ramon Berenguer IV a Berenguer de Monells, el comte el facultava, a més, per bastir un molí.[153] Al contigu alou del Rourell, Carbonell de Martorell en tenia un altre, a prop de les terres de Casa Rodona dels monjos de Santes Creus.[154] Aquests, a les seves terres, si fem cas de l'acord a què arribaren el 1189 el cenobi i l'Església de Tarragona, tenien un molí a Sant Joan del Consell i un altre a Casa Rodona.[155] A la donació de les terres que formaran el Morell, a més d'aquestes, el rei Alfons concedeix a Berenguer Desprats «*ipsa molendina subtus ipsos molendinos Simonis quondam*».[156] Malauradament desconeixem on es trobava el molí concedit a Desprats i el del difunt Simó, ja que, per la ubicació del primitiu terme del Morell, és gairebé del tot segur que no es trobaven en aquest.

En aquestes dates és quasi segur que ja existia el molí de Puigdelfí, ja que, al 1174, ja ens consta «*lo rec dels molins*» en aquesta àrea.[157] Entre els béns que el 1228 Guillem de Claramunt lloa a Ramon de Puig-roig consta «*un casal de molins que és en dit camp, los quals sien subjectes als molins d'Arnau Pere*», així com «*lo us de la aygua que raja en lo prat del Codony de la qual aygua puguen fer molins i un casal de molins de aquells tres casals de molins ques deuhen fer del mas que fou de Guillem Pere fins al riu de Francolí y que de l'aygua de aquestos molins pugan dits Claramunts regar los honors llurs en lo dilluns y en lo divendres. Item los llohen un molí de olives qui aqui és de modo que negú ni puga fer*».[158] L'honor d'Arnau Pere es trobava a la riba esquerra del Francolí, en un lloc indeterminat però que caldria situar entre els termes del Codony i Puigdelfí. Per contra, el mas de Guillem Ramon era a l'altra banda del riu,

---

153. Sans: «El Rourell», pàg. 136.
154. Papell: *Diplomatari de Santes Creus*, doc. 189. El cenobi santescreuí mantingué diverses qüestions amb el gendre i successor de Carbonell de Martorell, Berenguer de Plegamans, per l'aigua i el rec que abastia el molí d'aquest i el del cenobi: docs. 214, 247 i 401.
155. Papell: *Diplomatari de Santes Creus*, doc. 320.
156. Recasens: *El senyoriu del Morell*, Apèndix documental, doc. 1.
157. AHAT. *Índex Vell*, 452v-453.
158. AHAT. *Índex Vell*, 454-454v.

possiblement al lloc on posteriorment es constituí el nucli de la quadra de Requesens. Pel que fa al trull esmentat, si bé la seva ubicació no queda massa clara, sembla que també es trobava en terres d'aquest mas.

L'interès pels molins del Codony hauria estat prou important com per-què a la sovint esmentada concòrdia de 1175 entre els Cardona i Claramunt i l'arquebisbe i el rei, aquests darrers es quedessin amb la meitat dels molins *«axi com se conté del caslar de la Spina Versa fins al torrent de Centcelles salvo los que te a cultivar Arnau Comte* [possiblement fa referència a les terres de Riba-roja, les quals, com ja hem comentat, no sembla que haguessin format part del Codony]. [...] *I dits Claramunt i Cardona tinguen en Tarragona tants molins quants ne hauran perdut en lo terme».*[159]

Aquest nombre no pas petit de molins existents, més aquells altres pre-vistos i encara no construïts, tots d'iniciativa senyorial, contrasta fortament amb la situació posterior en què es trobarà tota la contrada a les darreries de l'edat mitjana, ja que tan sols restaren els de la Masó, el Rourell, la Granja dels Frares i Puigdelfí.

Ja hem esmentat la presència dels principals nuclis de poblament concen-trat a la vila del Codony i a Vilallonga. Amb tot, som de l'opinió que devia ser per aquestes dates —finals del segle XII o primer quart del XIII— quan es formaren i iniciaren el seu incipient desenvolupament gairebé tots els nuclis urbans actualment existents a l'àrea de l'antic Codony.

Els habitants arribats al Morell haurien bastit, a partir del 1173, llurs cases al voltant de part del castell erigit pels Desprats, amb una estructura urbana característica dels pobles castrals. Un desenvolupament semblant s'hauria produït al Rourell, si bé amb la salvedat que el nucli originari estava format per un mas. Per contra, Perafort no devia ser res més que l'agrupació de dos o tres capmasos, a redós de la casa forta del senyor, situació en la qual encara es trobava a inicis del segle XVI.

Pel que fa als Pallaresos, sembla que també hauria tingut el seu origen en un mas. Com ja hem vist, el 1183 Pere Rubí vengué a Pere Cerdà un mas al territori del Codony, a Tapioles.[160] Quasi un segle més tard, el 1268, Ramon Desprats, administrador dels seus fills, per raó de la compra d'un mas al terme del Codony, a Tapioles, obligava a Arnau Cerdà a fer estada al *«mas dels Pallaresos»* i no a la Secuita com pretenia.[161] Si bé no disposem de prou dades que ens permetin lligar el mas del 1183 amb el del 1268, crida l'atenció, si més no, que tant el cognom de l'estadant —Cerdà— com la situació —a Tapioles, a la part del Codony, on, per altra part, no ens consta cap altre

159. AHAT. *Índex Vell*, 452-452v.
160. AHAT. *Índex Vell*, 453.
161. AHAT. *Índex Vell*, 453v.

mas— sigui igual en un document i en l'altre. El cert és que, si més no, el document de 1268 constitueix la primera referència directa als Pallaresos que hem pogut documentar. El resum d'aquest darrer document fet per l'autor de l'*Índice General* ens permet ampliar algunes dades: «*Difinicción hecha en 1274, por Raymundo de Prats, a Arnaldo dels Pallaresos, a Guillerma su muger, a Ascende muger de Monsarrat dels Pallaresos, para que habitasen en el término del Codony y casa llamada dels Pallaresos: hoy es el Lugar*».[162]

La Pobla de Mafumet deu el seu naixement, per una part, al fet que existia en aquell lloc un punt de vigilància, la *Guardia de Mahomat* que s'esmenta com a afrontació dels límits del Morell el 1173, si bé, *per se*, no tenia perquè generar necessàriament un nucli de poblament. I, per l'altra, per la definitiva subjecció a un *milites* feudal de les persones, drets i terres que ocupaven una part de l'honor dels «*homes de l'Arbós*», malgrat que aquest restava enfranquit a la concòrdia de 1175, tal i com es desprèn de l'intent de definició dels seus drets a l'arquebisbe, fet per Guillem de Montoliu major i el seu fill Guillem, el 1221.[163] En una data desconeguda, entre 1175 i 1221, els Viver-Montoliu, els quals és possible que tinguessin encomanada la Guàrdia de Mafumet, haurien aconseguit el domini directe d'una part d'aquestes terres, la totalitat de les quals, per altra banda, acabaren formant part del terme de Puigdelfí.

A partir d'aquí, i per les especials característiques que s'observen en el capbreu de 1510, tant en l'àmbit urbanístic com de repartiment de terres, els Montoliu haurien procedit a reorganitzar el seu predi, tot concentrant els pobladors (els quals desconeixem si eren els anteriors o d'altres vinguts de nou) en un nucli urbà creat *ex novo*, amb característiques properes a la concepció d'una vilanova, i repartint els lots de terra d'una manera, segons sembla, força uniforme. Per tant, la reorganització portada a terme hauria donat com a resultat la creació d'una «pobla», i com a tal se la va començar a conèixer. Així, en el testament de Galceran de Montoliu, senyor dels Garidells i de la Pobla, redactat el 1315, aquest deixa al seu fill Bernardó «*Populeam meam vocatam dels Guardias de Mafumet qua est infra Terminum de Podio Delfino*».[164] A partir d'aquesta referència i del fet que en el capbreu de 1510, en diverses ocasions, s'esmenta que la Pobla era antigament coneguda com «la quadra», es desprèn que, en origen, la Pobla de Mafumet

---

162. AHAT. *Índice General*, 122. Si bé la data, 1274, no coincideix amb la del resum de l'*Índex Vell*, 1268, això pot ser tant pels sovintejats errors de datació que es detecten a l'*Índice General*, com per un possible segon avís perquè fixessin la seva residència als Pallaresos, la qual cosa, en aquest segon cas, podria indicar una tenaç resistència dels tinents del mas a habitar-lo, per la qual cosa haurien hagut d'abandonar un nucli concentrat com era la Secuita.

163. AHAT. *Índex Vell*, 453v.

164. AHN. *CÓDICES*, L. 842, *Garidells*, doc. G.

hauria estat una quadra que formaria part de l'enclavament que Puigdelfí tenia a la riba dreta del Francolí, a les terres dels ja esmentats «*homes de l'Arbós*», havent-se constituït un nou poblament, una pobla, a redós de la guàrdia allí existent.

Precisament, Puigdelfí mereix un estudi a banda, car convé analitzar amb una mica de detall allò que s'ha escrit sobre els seus orígens. El canonge Blanch, en el seu *Arxiepiscopologi*, va ser el primer de donar la notícia segons la qual «*dit comte* [el comte de Barcelona Ramon Berenguer I] *al pr. de mars de 1066 donà a Pons de Montoliu lo castell de Puig Delfí per a que lo tingués en feu per dit comte*».[165] Temps més tard, Emili Morera recollí la dada i, a partir d'aquesta i del fet de constatar la presència de Montolius a la contrada al segle XIV, l'amplificà, si bé, val a dir-ho, hi posà més pa que formatge. Així, de la seva mà, Puigdelfí es convertí en comarca, la qual abastava gairebé la totalitat dels castells del Codony i de Montoliu, i els Montoliu ensenyoriren aquest gran territori, fins al punt que «*una descendiente de Ponce de Montoliu, Guillerma, que por su enlace con Guillermo de Claramunt, hijo del otro del mismo nombre y apellido, á últimos del siglo XII ó principios del siguiente, unió a su baronía la de Tamarit*».[166] Si bé en aquest treball s'ofereixen les suficients dades documentals que permeten contradir bona part de les afirmacions de Morera, la dada oferta per Blanch no ha fet sinó distorsionar en gran mesura el correcte estudi del Codony i de Montoliu fins gairebé els nostres dies.[167]

El cert és que els dubtes sobre la donació de 1066 comencen amb el mateix document. El canonge Blanch, malauradament, no indicà la font consultada. El problema sorgeix quan, resseguint alguns dels autors anteriors o coetanis a Blanch, com el pare Diago o Zurita, manta vegades citats per ell en la seva obra, no hem aconseguit trobar cap referència a Puigdelfí o a Ponç de Montoliu.[168] Per altra part, el document de donació no apareix ni a l'Arxiu de la Corona d'Aragó ni a cap dels regests de l'*Índex Vell*, que aplega la documentació de l'Església tarragonina existent fins a aquell moment.

Per altra part, convé fixar-se en la donació efectuada. Si, com hem vist, el territori donat el 1066 no hauria pogut ocupar l'espai del castell de Montoliu, i posteriorment el del Codony, cal veure quina hauria estat la

165. BLANCH: *Arxiepiscopologi*, vol. I, pàg. 72.

166. MORERA: *Tarragona Cristiana*, I, pàgs. 342 i 510-511.

167. Val a dir que, darrerament, autors tan solvents com Virgili o mossèn Fuentes han començat a posar en quarantena la dada del canonge Blanch: VIRGILI: *L'expansió i afermament del feudalisme al Baix Gaià*, pàg. 49, i FUENTES: *El Catllar*, pàg. 180 i 187.

168. ZURITA, Jerónimo: *Anales de Aragón* (edició digital), Biblioteca Virtual de la Institución Fernando el Católico, http://ifc.dpz.es/publicaciones/ver/id/2448. DIAGO, Francisco: *Historias de los victoriosísimos, antiguos Condes de Barcelona* (edició digital), http://books.google.es/books?id=XOv-mO jawVsC&printsec=frontcover&dq=Historias+de+los+victoriosísimos,+antiguos+Condes+de+B arcelona&source=gbs_book_similarbooks#v=onepage&q&f=false.

seva superfície. A partir del capbreu de 1510 hem pogut determinar que el terme de Puigdelfí ocupava a la part esquerra del Francolí al voltant dels tres-cents vint jornals de terra, que equivalien a quasi dos quilòmetres quadrats. L'enclavament de Puigdelfí situat a la riba dreta, sumat al terme primitiu de la Pobla de Mafumet —ja que, com hem vist, aquest hauria sorgit d'aquell— ens dóna també una superfície de vora dos quilòmetres quadrats, si bé no sembla que aquest sector occidental hagués pogut formar part del castell de Puigdelfí citat pel canonge Blanch. La concòrdia de 1175 dividí la part occidental del Codony exclusivament entre dos pols de poder, sense cap escletxa territorial; per tant, si hi hagués hagut cap senyor de Puigdelfí amb jurisdicció sobre terres a la zona en pugna, poc o molt hauria aparegut a la controvèrsia o a la delimitació de les respectives àrees de repartiment.

Per altra part, un cop vista la superfície que tenia Puigdelfí, si observem l'estructura i superfície dels termes castrals existents a la marca penedesenca a l'època en què Blanch diu que es realitzà la donació, crida l'atenció l'enorme desigualtat de territori entre qualsevol dels *castra* més petits i els dos (o com a màxim quatre) quilòmetres quadrats de Puigdelfí, quan, per exemple, el petit castell de Banyeres tenia ja una superfície de més de dotze quilòmetres quadrats.[169] La mateixa superfície, si fa no fa, que la del terme de Puigperdiguers, posteriorment Montornès, que hauria estat entregat per Ramon Berenguer I a Ramon Transunyer el 23 de juliol de 1066, això és, al cap de quatre mesos de la donació de Puigdelfí.[170] Per tant, cal convindre que la donació feta a Ponç de Montoliu —esforçat cavaller que, per altra part, no sembla que hagués generat cap rastre documental—, en una zona situada a l'extrem de la *marcha extrema*, a més d'extemporània respecte als altres castells termenats de la zona, resultava del tot minsa i insuficient, ja que, essent com era el primer bastió contra «el perill sarraí», ¿a quants *milites* es podria dotar per a la seva defensa amb aquesta petita superfície?

Finalment, cal fer esment que el terme de Puigdelfí (com, de fet, la resta de poblacions del Codony) no l'hem pogut documentar fins a dates relativament tardanes. La primera referència clara la tenim el 1194 al testament d'Ermesenda, vídua en segones núpcies d'Arnau de Tamarit i en primeres de Ramon Guerau, la qual deixa al seu fill Berenguer de Tamarit

169. MIQUEL I VIVES, Marina: «L'ordenació feudal a la marca del comtat de Barcelona». Ponència presentada a: *Les marques a la Catalunya comtal*. Curs intensiu universitari. 21 al 22 de novembre. Dossier de documentació. Museu d'Arqueologia de Catalunya, Barcelona, 1995.

170. AHN. *CÓDICES*, L. 841, doc. 1.

«*totum senioricatum meum quod habeo in hominibus de Puigdalfin*».[171] El 1225 Elisenda Desprats i els seus fills venien al monestir de Santes Creus una quadra situada al castell dels Garidells, la qual afrontava «*a meridie in honore Podio Deifini*».[172] Val a dir que en l'acta de donació del castell dels Garidells del 1174 la mateixa afrontació meridional corresponia a l'«*alodio Guillermi Reisardi, et in alodio Filiarum Raymundis Geraldi*».[173] El 1229, en el seu testament, Guillem de Claramunt feia donació als monjos de Santes Creus de la Secuita, la qual termenava per una part amb «*Podiodalfino*».[174] En un altre document del mateix any es fa referència a «*Arnaldus de Tamarito de Podio Dalfino*».[175] Pel que fa a l'altra banda del riu, la primera referència és del 1248, i consta «*lo honor de Puigdalfí*» com una de les afrontacions del mas de Danda o Danla.[176] En un document anterior, del 1177, la mateixa afrontació correspon «*a migjorn ab la terra de Arnau de Tamarit*».[177]

LA PIRÀMIDE FEUDAL

Ja el 1991, Antoni Virgili realitzà un excel·lent estudi sobre l'estructura del poder i les relacions vassallàtiques, amb els compromisos, beneficis i repartiment que d'aquests se'n derivaven, del castell de Tamarit.[178] Al mateix treball, l'autor justificava la no inclusió d'un estudi específic sobre el castell de Montoliu per tal com depassava àmpliament l'espai geogràfic plantejat al seu treball, si bé reconeixia que «*sense ànim de negar les seves especificitats, pel fet que durant els segles XI i XII fou senyorejat pels Claramunt, talment com el castell de Tamarit, s'hi observen unes pautes de comandament i d'organització semblants*».[179] Per tant, pel que fa al castell del Codony, sorgit a partir d'una porció del castell de Montoliu, tant els esquemes, com alguns dels personatges aportats per Virgili per a Tamarit ens seran plenament vàlids. Afegirem, això sí, aquelles especificitats que haguem pogut documentar, tant per a Montoliu com per al Codony.

El 1190, al seu testament, Guillem de Claramunt, senyor —entre d'altres— dels castells de Tamarit, Montoliu i Codony, fa esment dels seus

---

171. Virgili, Antoni (ed.): *Diplomatari de la Catedral de Tortosa (1193-1212)*. Episcopat de Gombau de Santa Oliva. Fundació Noguera, 2001, doc. 506. Agraeixo a Antoni Virgili la coneixença d'aquest interessantíssim document, les dades del qual mereixen un futur estudi.

172. Papell: *Diplomatari de Santes Creus*, doc. 594 i AHN. *CÓDICES*, L. 842, *Garidells*, doc. 1.

173. AHN. *CÓDICES*, L. 842, *Garidells*, doc. A.

174. AHN. *CÓDICES*, L. 842, *Secuita*, doc. 20.

175. AHN. *CÓDICES*, L. 841, doc. 17.

176. AHAT. *Índex Vell*, 457.

177. AHAT. *Índex Vell*, 457v.

178. Virgili: *L'expansió i afermament del feudalisme*, pàgs. 77-96.

179. Virgili: *L'expansió i afermament del feudalisme*, pàg. 78.

senyors: Guillem de Cardona, el rei i l'arquebisbe de Tarragona.[180] Caldrà veure, doncs, on es trobava cadascú dins l'escala senyorial i per què.

Al castell de Montoliu, i per tant al Codony, hi conflueixen les dues senyories eminents, la del comte/rei i la de l'arquebisbe, per dues vies diferents. Per una part, el comte com a màxima autoritat, i amb potestat sobre tots els castells, infeudà Montoliu (*Ullastrello*), el 1060, a Bernat Amat de Claramunt i als seus descendents, que restaren com a fidels i vassalls del comte per aquesta investidura.[181] Però, per altra part, el fet que el Codony, i de retruc Montoliu, restessin dins dels límits definits per al territori de Tarragona originà que els seus senyors poguessin al·legar drets sobre el Codony (de fet, era un cas força semblant al d'Alcover i l'Albiol respecte al territori de Siurana). És a ran d'això que trobem tant a Guillem de Claramunt com als senyors de Tarragona —l'arquebisbe, el comte i la família Bordet, si bé aquests dos restaven subordinats al primer— tot fent diverses donacions al Codony, com, per exemple, el mas de Bellestar[182] o l'honor de Sant Joan del Consell.[183] Aquesta situació es pogué superar el 1175 mitjançant una concòrdia entre les parts, per un costat els Claramunt i Cardona i per l'altre l'arquebisbe i el rei, per la qual els primers mantenien la major part del territori del Codony «*salves les dècimes i primícies i altres drets eclesiàstics de l'Església de Tarragona com ho té en lo territori*», si bé a costa de perdre la part corresponent als actuals termes del Morell, Vilallonga, el Rourell i la part de la Masó que era del Codony, així com la meitat dels molins existents que quedaven en poder dels segons.[184] Per altra part, Guillem de Claramunt també restava vassall de l'arquebisbe per la infeudació que aquest li féu el 1161 dels delmes de Montoliu.[185]

Ja hem vist a bastament com el següent estrat feudal, el del comdor, fidel del comte, era ocupat, des del 1060, pels Claramunt. Això no treu, però, que dins la mateixa família es donessin situacions de vassallatge i preeminència. És en aquest context que trobem als Cardona com a senyors del Claramunt. Deodat de Claramunt, dit *de Tamarit*, morí el 1152. Al seu testament, Deodat deixà al seu primogènit, de nom també Deodat, els castells de Claramunt i Tamarit, i a un altre fill, Guillem, el castell de Montoliu amb el Codony. Tot i això, Deodat estipulà que Guillem ho tingués pel seu germà, a qui hauria de

180. VIRGILI: *L'expansió i afermament del feudalisme*, pàg. 122.
181. VIRGILI: *L'expansió i afermament del feudalisme*, Apèndix II.
182. SANS: El Rourell, pàg. 135-140.
183. PAPELL: *Diplomatari de Santes Creus*. Vol. I, docs. 87, 92, 93 i 163, entre d'altres.
184. AHAT. *Índex Vell*, 452-452v.
185. PAPELL: *Diplomatari de Santes Creus*. Vol. I, doc. 98.

lliurar la potestat del castell i fer-se vassall seu.[186] Cal recordar que Deodat *de Tamarit*, pare dels dits Deodat i Guillem, era fill de Deodat Bernat de Claramunt i de la seva segona muller Beatriu, i, per tant, era germanastre de Bernat Amat, vescomte de Cardona, fill del dit Deodat Bernat i de la seva primera muller Ermessenda de Cardona. Malgrat que no disposem dels testaments dels pares, vistes les estipulacions existents al testament de Deodat, per les quals el segon fill queda com a vassall del primer, hom podria hipotetitzar que la subjecció dels Claramunt als Cardona podria haver estat motivada per una clàusula semblant al testament de Deodat Bernat. Per altra part, si bé, el 1119, el comte Ramon Berenguer III desposseí a Bernat Amat de Cardona del castell de Tamarit, que passà poc després a mans de Deodat *de Tamarit*, el cert és que enlloc consta que a dit Cardona li haguessin estat retirats els drets que sobre Montoliu pogués haver tingut.

Per la documentació de la segona meitat del segle XII, sembla que la relació de Guillem de Claramunt amb els seus cosins Cardona hauria estat bona. Aquesta situació, però, s'enrariria al segle XIII, primer amb la pubilla de Guillem, Saurina, el 1214,[187] i després amb el segon Guillem de Claramunt. El 1228 es concertà una permuta entre Guillem de Cardona i Guillem de Claramunt, per la qual el primer donava al segon els castells de Cubelles, Tamarit, Montoliu, Codony i la quadra de Vespella, mentre que el segon donava al primer els castells de Montbui, Esparraguera i *Despatas*, així com seixanta morabatins anuals del delme que rebia a Terrassa.[188]

Pel que fa a la part de drets que pertocaven als Aguiló al Codony i a d'altres possessions dels Claramunt, aquests els hi venien pel casament que féu Alda de Claramunt, filla del primer Guillem, i germana de l'esmentada Saurina, amb Guillem d'Aguiló, descendent de Robert Bordet. L'herència de Saurina de Claramunt no devia satisfer els interessos d'Alda i els seus fills, per la qual cosa calgué arribar a un conveni entre les parts el 1231.[189] Per tal de donar solució a les demandes dels Aguiló, el 1229, Guillem de Claramunt, en el seu testament, deixa a Alda i als seus fills la gens menyspreable quantitat de mil morabatins.[190] Finalment, el 1243, Guillem d'Aguiló, fill d'Alda, va vendre a l'arquebisbe tots els drets que tenia sobre els castells de Cubelles, Tamarit, Montoliu, la Secuita, el Codony i sobre el Carxol i la Font de l'Astor.[191]

186. VIRGILI: *L'expansió i afermament del feudalisme*, Apèndix IV.
187. ACA. *Cancelleria. Pergamins, Jaume I, Sèrie General*, 0010.
188. AHAT. *Índice General*, 138.
189. ACA. *Cancelleria. Pergamins, Jaume I, Sèrie General*, 0425.
190. AHN. *CÓDICES*, L. 842, *Secuita*, doc. 20.
191. AHN. *CÓDICES*, L. 842, *Secuita*, doc. 49.

Per últim, els Cervera entren en escena a partir de la mort de Guillem de Claramunt el 1230. Aquest havia estipulat en el seu testament que, en cas de no sobreviure cap fill, com va acabar ocorrent, revertissin els seus castells de Claramunt, d'Orpí i de Rubí, salvant els drets que hi tenia Ermessenda de Claramunt, així com el castell de Cubelles, al seu nebot, fill de la seva germana Elisenda de Claramunt i de Ponç de Cervera. Per aquesta herència, i pels molts deutes deixats per Guillem, es produirà un llarg plet entre Guillema, vídua de Guillem de Claramunt (i per altra part també Cervera), i el nebot, Ponç de Cervera.[192]

A l'immediat esgraó inferior, ja hem vist com Deodat de Claramunt infeudà, el 1134, els seus castells de Tamarit i de Montoliu a Ramon Pere de Banyeres, fill de Pere Mir de Banyeres.[193] Els Banyeres exerciren com a castlans majors de Tamarit i Montoliu al llarg de tot el segle XII. A les darreries d'aquesta centúria, el 1194, Alda, filla de Guillem de Claramunt i Guillem de Guàrdia confirmaren a Pere de Banyeres, fill de Ramon Pere, l'acte de 1134 i la seva castlania major sobre els castells de Tamarit, Montoliu i el del Codony, sorgit del de Montoliu.[194] Malgrat això, desconeixem si els Banyeres vengueren a l'arquebisbe els seus drets sobre el Codony, atès que, si bé els tenim documentats al llarg del segle XIII com a castlans majors als territoris de Tamarit i Montoliu, no hem aconseguit localitzar cap més document dels Banyeres relacionat amb el Codony.

Seguint l'escala feudal, per dessota trobem als castlans menors, aquells *milites* als quals se'ls encomanava un sol castell; per tant, eren, en principi, els agents que estaven més en contacte amb el territori. Per al castell de Tamarit, sabem que el 1122 Deodat de Claramunt encomanà la castlania a Ponç Guerau, el mateix que apareix esmentat a la infeudació de 1134.[195] No sabem si fill d'aquest, a partir de 1174 documentem a Arnau de Tamarit signant junt amb la resta de castlans de Guillem de Claramunt, tant a la venda de l'honor de Sant Joan del Consell a Santes Creus, com a la donació del castell dels Garidells.[196]

---

192. AHN. *CÓDICES*, L. 841, doc. 78 i ACA. *Cancelleria. Pergamins, Jaume I, Sèrie General*, 1235, 1236, 1240-1242 i 1271-1275.

193. AHN. *CÓDICES*, L. 842, *Secuita*, doc. Mm.

194. Urpí-Resina: *El castell i terme de Banyeres del Penedès*, Apèndix XXX.

195. AHAT. *Índice General*, 195.

196. Papell: *Diplomatari de Santes Creus*. Vol. I, doc. 180 i AHN. *CÓDICES*, L. 842, *Garidells*, doc. A, respectivament. Els testimonis d'ambdós documents, sobretot del primer, ens permeten visualitzar d'una manera ràpida l'univers de relacions feudovassallàtiques que giraven a l'entorn dels Claramunt. Així, en el primer document signen, a més de Guillem de Claramunt, Deodat i Saurina, fills seus, Ramon Folch, Berenguer de Cardona, Arnau i Bernat de Viver, Pere de Puig-roig, Guillem de Vilafortuny, Ramon de Cubelles, Arnau de Tamarit, Arnau Pere de Barcelona, Bernat, germà de Guillem de Claramunt, i Pere de Banyeres.

Pel que fa a Montoliu, trobem als germans Arnau i Bernat de Viver, tots els fills dels quals es cognomentarien Montoliu. Gairebé sempre trobem la signatura conjunta d'ambdós germans, la qual cosa podria fer suposar una actuació compartida, a l'estil dels «*parages*» que localitza Blanca Garí en els Castellvell i Urpí i Resina en els Banyeres.[197] Ús compartit o no del càrrec, el cert és que, per documentació posterior, sabem que la castlania hauria recaigut en Arnau de Viver o bé en el primogènit d'aquest, Arnau de Montoliu.[198] Per contra, Bernat de Viver hauria rebut, pel capbaix, els alous del Catllar, Peralta, la quadra de Vespella i, possiblement, la Guàrdia de Mafumet.

Al territori del Codony tot sembla indicar que la castlania menor estava en mans de Pere de Puig-roig, fidel de Guillem de Claramunt, el qual, com els germans Viver, o quasi bé més que ells, apareix com a testimoni en nombrosos actes del seu senyor. En un document de 1228 Guillem de Claramunt i la seva dona Guillema confirmaven a Ramon de Puig-roig, fill de Pere, i a la seva dona Ferrera, el seu càrrec i li lloaven tots els honors que per aquest tenia.[199] Els honors rebuts pel castlà del Codony, segons estableix l'esmentat document, eren un camp davant la porta del castell del Codony, amb un casal de molins que hi havia dins de dit camp, així com tots els horts propers al molí; una sort de terra prop del camí del Codony a Tarragona; una vinya; els forns del Codony «*de modo que negú ni puga fer i que tots los homes del Codony i tinguen a coure lo pa i pagar lo dret de forn*»; també el lloen les cases de la vila del Codony, si bé no sabem si es refereix a totes les existents o només a la casa forta del senyor que en aquell indret s'hauria construït; les deveses de llur domenge; el «*casar*» que tenien a Penalonga;[200] també l'aigua que rajava al prat del Codony (posteriorment conegut com a quadra de Vilar de Baró), i amb l'aigua que ragés poguessin fer molins i un casal de molins d'aquells tres casals de molins que s'havien de fer del mas que fou de Guillem Pere fins al riu Francolí, si bé, en aquest cas, els esposos Claramunt, d'aquesta aigua, es reservaven poder regar els seus honors el dilluns i el divendres; finalment, els concedien també un molí d'olives, un trull, «*de modo que negú ni puga fer*». Tots aquests honors reconeixien i concedien els esposos Claramunt als Puig-roig, perquè ho tinguessin en feu per ells, sense retenir-se cap part de les rendes d'aquestes possessions, llevat del prat del Codony, sobre el qual s'estipula que si els

197. URPÍ-RESINA: *El castell i terme de Banyeres del Penedès*, pàg. 256.

198. AHN. *CÓDICES*, L. 842, *Secuita*, docs. 35, 39, 40 i 46.

199. AHAT. *Índex Vell*, 454-454v.

200. De fet, segons el *Diccionari català-valencià-balear*, hauríem de llegir «càsar» o «càsser». Segons aquest *Diccionari*, ambdós termes remeten a un mateix significat: alcàsser. Per tant, la funció castral de Penalonga, a part de confirmar-se, hauria existit, com a mínim, des dels temps del pare de Ramon, Pere de Puig-roig.

Claramunt hi feien quèstia allí, Ramon de Puig-roig en rebria la quarta part. En contraprestació, els esposos Puig-roig definiren als Claramunt el mas i honor que havien estat d'Arnau i Guillem Pere, així com dues quarteres de forment que rebien de dits honor i mas, amb la tragina i la quèstia. Finalment, es concertà que de les rendes del Codony, exceptuant els honors rebuts pels Puig-roig, dits Claramunt rebrien dues parts i els Puig-roig una. Cap a meitats del segle XIII els Ribes assoliren la castlania del Codony per via matrimonial, i la retingueren fins a la seva venda al Capítol de la Seu de Tarragona, el 1467.[201]

Pel que fa a l'esgraó inferior, el dels cavallers, a diferència dels que Virgili localitzà al castell de Tamarit, i dels que s'intueixen en algunes donacions d'*honores* al de Montoliu, al castell del Codony no hem pogut, o no hem sabut, trobar cap referència o insinuació de la presència de cap d'aquests *milites*. Com ja hem vist, la major part del repartiment del Codony s'efectuà a partir, sobretot, de petits i mitjans *honores*, els principals beneficiaris dels quals haurien estat els seus diversos castlans i altres *fideles* propers als Claramunt, o bé amb l'establiment emfitèutic directe a pagesos. Precisament aquests, els pagesos, base de la piràmide del sistema feudal i, en definitiva, qui pagava tota la festa, són a la documentació del Codony, com gairebé arreu, els grans absents.

Per acabar aquest apartat, volem oferir unes pinzellades genealògiques de les principals nissagues que incidiren sobre la gènesi i evolució del *castrum* del Codony: els Claramunt, senyors del Codony, els seus castlans, els Puig-roig, i dues de les principals famílies aloeres d'aquest territori, els Montoliu i els Requesens. De tots ells se n'ha fet l'arbre genealògic amb major o menor encert; per tant, ens limitarem a afegir aquelles dades que, a partir de documentació inèdita o de la relectura d'altra ja coneguda, puguin omplir els buits o dubtes existents.

Els Claramunt

Per a l'elaboració d'aquest arbre genealògic ens hem basat en els realitzats per Antoni Virgili i per Albert Benet i Clarà.[202]

Segons el testament de Deodat de Claramunt, dit *de Tamarit*, mort el 1152, del seu matrimoni amb Ermengarda van sobreviure cinc fills, Deodat, Guillem, Dalmau, Bernat i Bernat (*sic*; de fet, i tal i com suposa Virgili, la repetició de noms s'hauria degut a un error del copista, ja que, com veurem,

---

201. Cortiella: «Notícies sobre el Codony», pàg. 149.
202. Virgili: *L'expansió i afermament del feudalisme*, pàg. 113 i *Catalunya Romànica*, XIX, pàg. 459, respectivament.

els noms reals eren Bernat i Berenguer).[203] Tots ells, llevat de Dalmau que entrà en religió, apareixen a la documentació relativa a les seves possessions tarragonines.

El primogènit, Deodat de Claramunt, apareix el 1154, establint a Ramon de Guàrdia i a sa muller Pereta el Puig de Bover, al castell de Tamarit; el document el signa també Guillem, germà de Deodat, i Bernat de Viver, entre d'altres.[204] A l'any següent, 1155, i, com veiem, complint la disposició testamentària paterna, els germans Deodat i Guillem de Claramunt fan donació a Bernat Segarra i a Maria, cònjuge, del territori de Tapioles, al castell de Montoliu.[205] Seguramente Deodat de Claramunt degué morir sense descendència entre aquesta data i el 1160, moment a partir del qual a la documentació únicament apareix Guillem, ja com a senyor de Tamarit, Montoliu i Codony.

A Bernat de Claramunt, només l'hem pogut referenciar com a testimoni en l'acta de la venda que Guillem va fer el 1174 a Santes Creus de les terres de Sant Joan del Consell. Signa com a «*Bernardi, fratris Guillelmi de Claromonte*».[206] De Berenguer, per contra, disposem de més referències, si bé, a l'inrevés de Bernat, no l'hem pogut documentar fefaentment com a germà de Guillem, encara que per la cronologia en què es mou el personatge, tot sembla indicar-ho. Així, el novembre de 1155 trobem als consorts Berenguer de Claramunt i Ermessenda concedint el feu de Claramunt o d'Altafulla a Pere d'Altafulla, i, sis anys més tard, els mateixos esposos atorgaven una gran possessió de terres al terme de Tamarit a Tajadell i sa muller Juliana.[207] El 1174 apareix Berenguer signant com a testimoni de la venda que Arnau Esplugues i els seus feren a Santes Creus de les seves terres.[208] La darrera referència localitzada és una concòrdia entre Berenguer i el monestir de Santes Creus sobre els termes de Montornès, Altafulla i la Nou. A l'acta signen juntament amb Berenguer, la seva muller Ermessenda i els seus fills Pere, Berenguer i Ramon.[209]

Guillem de Claramunt, ja com a cap de la família, després de la mort del seu germà Deodat, fou el veritable motor de la colonització del Codony i de Montoliu, aquesta ja iniciada pel seu pare. Reflex d'aquesta intensa activitat són els múltiples documents en què, des del 1154 fins al 1190, apareix. Guillem estigué casat diverses vegades. La primera muller fou

---

203. Virgili: *L'expansió i afermament del feudalisme*, pàg. 117-120.
204. AHAT. *Índice General*, 195.
205. AHN. *CÓDICES*, L. 842, *Secuita*, doc. M.
206. Papell: *Diplomatari de Santes Creus*. Vol. I, doc. 180.
207. Ambdós documents a: AHAT. *Índice General*, 195.
208. AHN. *CÓDICES*, L. 841, doc. 6.
209. Papell: *Diplomatari de Santes Creus*. Vol. I, doc. 216.

Ermessenda, la qual tenim documentada entre, com a mínim, el juliol de 1165 i el setembre de 1169.[210] La segona muller fou Saurina, documentada en, almenys, sis actes, entre el gener de 1174 i el gener de 1179.[211] La darrera muller, Elisenda, ens apareix el març de 1183 i el març de 1186, si bé, pel testament de Guillem, sabem que ella el sobrevisqué.[212]

Pel que fa a la descendència de Guillem de Claramunt, el 1174 signen un document Deodat i Saurina, fills seus i, molt probablement d'Ermessenda. Els altres fills, o no havien nascut encara o eren massa petits per signar. Pel testament de Guillem, redactat el 27 d'abril de 1190, sabem que el primogènit, Deodat, ja hauria mort, i quedaven Saurina i tres fills més, Alda, Ermessenda i Guillem.[213] Aquest que, en principi hauria hagut de succeir al seu pare, per contra, a penes és dotat al testament, circumstància que es podria deure això al fet que es tractés d'un fill natural, com apunta Virgili, o bé a que patís algun tipus d'impediment físic o mental.

La mort de Guillem de Claramunt degué succeir entre la data del seu testament, el 1190, i el desembre de 1194. El 29 de desembre de 1194 es redactà la convinença entre Alda, filla de Guillem de Claramunt i Guillem de Guàrdia i Pere de Banyeres, per la qual es confirmava a aquest en la castlania major de Tamarit, Montoliu i Codony.[214] El document, a part de certificar la desaparició de Guillem, ens obre uns quants interrogants. Sabem que Saurina, la filla gran de Guillem, acabà essent la *domina* de totes les possessions dels Claramunt i que es casà amb Ramon de Guàrdia.[215] Alda, per la seva part, es desposà amb Guillem d'Aguiló. Llavors, com és que en un document de la importància que tenia la confirmació del seu castlà major, apareix Alda i no Saurina? I a més ho fa acompanyada de Guillem de Guàrdia. Era, potser, germà de Ramon, marit de Saurina? Hauria estat Guillem de Guàrdia el primer marit d'Alda? Per reblar-ho, entre els testimonis signen Guillem d'Aguiló, si bé no s'especifica si era o no cò}njuge d'Alda, i Pere i Ramon de Claramunt, potser dos dels fills de Berenguer.

Saurina de Claramunt i Ramon de Guàrdia, senyors, entre d'altres, dels castells de Tamarit, Montoliu i Codony, tingueren, com a mínim, dos fills, Guillem, l'hereu, i Elisenda, la qual es casà amb Ponç de Cervera. Ramon de Guàrdia testà el 17 de juliol de 1205,[216] mentre que Saurina ho féu el

---

210. AHN. *CÓDICES*, L. 842, *Secuita*, doc. Ccc i *Diplomatari de Poblet*, doc. 356, respectivament.
211. AHAT. *Índex Vell*, 451v i AHN. *CÓDICES*, L. 842, *Secuita*, doc. Rrr, respectivament.
212. AHN. *CÓDICES*, L. 842, *Secuita*, docs. T i Lll, respectivament.
213. Virgili: *L'expansió i afermament del feudalisme*, pàg. 121.
214. Urpí-Resina: *El castell i terme de Banyeres del Penedès*, Apèndix XXX.
215. Virgili: *L'expansió i afermament del feudalisme*, pàg. 123-124.
216. Virgili: *L'expansió i afermament del feudalisme*, pàg. 124.

25 de març de 1217.[217] Els seus marmessors foren Guillem de Montserrat i Guillem i Arnau de Montoliu. Escollí sepultura al cenobi de Sant Cugat, al qual deixava el mas Carbonell de Rubí, i féu al seu fill Guillem hereu universal.

Aquest Guillem de Claramunt, si bé sembla que esmerçà més esforços en bregues nobiliàries que en tirar endavant els projectes del seu avi, també Guillem, al Codony, per contra, és un dels Claramunt més estudiats.[218] Casat amb Guillema de Cervera, el 1229 tenien una filla, Geralda, i n'estaven esperant un altre quan, a ran dels preparatius de la conquesta de Mallorca, redactà el seu testament, possiblement a Tarragona.[219] Participà exitosament en la campanya mallorquina, però, pocs dies després de la Pasqua de 1230, morí a l'illa, contagiat d'un brot de pesta.[220]

La vídua, Guillema, i els dos fills, Geralda i Guillem, nascut mentre el seu pare era a Mallorca, hagueren de fer front als nombrosos deutes que els preparatius de la campanya deixaren, així com a diversos plets amb els seus parents Aguiló i Cervera, a ran del testament de Guillem. Si bé els dos fills eren vius el 1250,[221] no sobrevisqueren a la mare, la qual testà el gener de 1285.[222]

Els Puig-roig

L'únic estudi fet sobre els Puig-roig —de fet, bàsicament sobre els Ribes que els succeïren—, si bé centrat en la senyoria que exerciren sobre la quadra de Vilar de Baró, el devem al professor Cortiella.[223] L'arbre genealògic que presenta, si omitim les referències als Claramunt, creiem que és del tot correcte; per tant, ens limitarem a completar-lo amb alguna dada més.

El primer membre de la nissaga documentat —i no inclòs a l'esquema de Cortiella— fou Pere de Puig-roig. Els orígens de la família cal cercar-los al Penedès. L'onze de desembre de 1160, Guerau Alemany i la seva muller Saurina donaren en feu a Ramon Amat i al seu fill Pere de Puig-roig dues terres a Puig-roig, a Olèrdola, dins dels límits del castell de Ferran.[224] A part

217. ACA. *Cancelleria. Pergamins, Jaume I, Sèrie General*, 0073 i AHAT. *Índice General*, 195v.

218. Per exemple: Fort i Cogul, Eufemià: «Pere i Guillem de Claramunt». A: *Miscel·lània Aqualatensia*, 2. Igualada, 1974, pàgs. 78-108 i Papell Tardiu, Joan: «La participació de la noblesa catalana vinculada i enterrada a Santes Creus en la conquesta de Mallorca». A: *Miscel·lània en homenatge al Dr. Lluís Navarro Miralles, Magister dilectus. Reconeixement al mestratge d'un acadèmic honest i compromès*. Arola Editors, Tarragona, 2009, pàgs. 145-155.

219. AHN. *CÓDICES*, L. 842, *Secuita*, doc. 20.

220. Papell: «La participació de la noblesa catalana», pàg. 151.

221. AHN. *CÓDICES*, L. 841, doc. 78.

222. AHN. *CÓDICES*, L. 842, *Secuita*, doc. 47.

223. Cortiella: *Història de la Pobla de Mafumet*, pàgs. 41-44.

224. Papell: *Diplomatari de Santes Creus*. Vol. I, doc. 91.

del nom del territori on es trobaven, les dues terres concedides limitaven, a més, amb terres i alous de Ramon Amat. No sabem si Ramon Amat, pare de Pere de Puig-roig, era o no el castlà del Codony, però segurament sí que devia existir ja algun tipus de vinculació amb els Claramunt, ja que com a testimoni de la donació signa Guillem de Claramunt. El cert és que, onze dies més tard, el 22 de desembre de 1160, apareixia ja com a testimoni de la donació que Guillem de Claramunt va fer al cenobi de Valldaura de les terres de Sant Joan del Consell al Codony.[225]

Del 1160 ençà, la presència de Pere de Puig-roig a la documentació és constant. La seva signatura com a testimoni apareix en no menys de catorze documents, la majoria referents a qüestions relacionades amb el Codony, però no exclusivament. En una escriptura del 1182, entre d'altres, signa com a testimoni Pere i també ho fa un Ramon de Puig-roig.[226] És possible que es tractés d'un germà o del fill de Pere. El darrer document localitzat on apareix Pere de Puig-roig data del 1186.[227] Posteriorment, el 1198, en un document apareix la signatura d'Ermessenda de Puig-roig.[228] Es podria tractar de la vídua de Pere de Puig-roig?

A Pere el succeiria el seu fill Ramon, al qual trobem, el 1228, juntament amb la seva dona Ferrera, en la confirmació que Guillem de Claramunt li fa de la castlania del Codony.[229] Encara trobem a Ramon de Puig-roig el 1235, en una venda que fa, conjuntament amb la seva filla Ferrera i el marit d'aquesta, Ramon de Ribes, al paborde de Tarragona.[230] A Ramon, mort en data desconeguda, el succeí la seva filla Ferrera; pel seu casament amb Ramon de Ribes, la castlania del Codony passà a aquesta família.

El següent en la successió fou Arnau de Ribes, fill de Ramon i de Ferrera, el qual, com a castlà del Codony, establí mitja masia a Bernat de Casesblanques el 1275.[231] Possiblement un fill d'aquest Arnau, de nom també Arnau, prestà homenatge de fidelitat a l'arquebisbe el 1310.[232] Succeí a aquest segon Arnau un fill seu, de nom Ramon, al qual trobem el 1341 tot fent homenatge al mitrat pel feu del Codony,[233] i el 1351 establint terres a la quadra de Vilar de Baró.[234] Ramon degué morir no gaire temps després,

225. PAPELL: *Diplomatari de Santes Creus*. Vol. I, doc. 93.

226. PAPELL: *Diplomatari de Santes Creus*. Vol. I, doc. 248.

227. AHN. *CÓDICES*, L. 842, *Secuita*, doc. Lll.

228. AHN. *CÓDICES*, L. 841, doc. 46.

229. AHAT. *Índex Vell*, 454-454v.

230. AHAT. *Índex Vell*, 454v-455.

231. AHAT. *Índex Vell*, 455v.

232. CORTIELLA: *Història de la Pobla de Mafumet*, pàg. 42.

233. AHAT. *Índex Vell*, 617v.

234. CORTIELLA: *Història de la Pobla de Mafumet*, pàg. 42.

atès que, el 1353 ja apareix Arnau de Ribes com a veguer de Tarragona.[235] Aquest Arnau és, de tots els Ribes, de qui més informació disposem. Casat amb Isabel, i amb una filla de nom també Isabel, consten el 1411 com a domiciliats a Tarragona. La seva economia no devia ser gaire falaguera, car bona part de la documentació fa referència a vendes, permutes i establiments, tant de terres seves al Codony com de cases a Tarragona.[236] L'u de maig de 1415, Arnau de Ribes féu testament i deixà tots els seus béns a la seva muller Isabel.[237] En aquests moments, els Ribes estaven en possessió de la castlania del Codony i de la senyoria sobre Penalonga, Perafort, els Pallaresos i la quadra de Vilar de Baró.

L'any 1430, Isabel, vídua d'Arnau de Ribes, donà el castell de Perafort a la seva filla, Isabel de Ribes, casada amb el cavaller Bernat Pelegrí, mentre que retenia Penalonga i el Codony fins a la seva mort,[238] la qual degué succeir vers el 1436, perquè el 1437 Bernat Pelegrí, en nom d'Isabel de Ribes, la seva dona, retia homenatge i fidelitat a l'arquebisbe.[239] Ja vídua i enmig de la guerra contra Joan II, Isabel de Ribes donà el 1467 totes les seves possessions al Capítol catedralici de Tarragona, si bé se'n reservà l'usdefruit mentre visqués.[240]

Pel que fa a Isabel, vídua d'Arnau de Ribes i mare d'Isabel de Ribes, és possible que s'hagués tornat a casar, aquest cop amb el cavaller Bernat Barquer, tot aportant al matrimoni la quadra de Vilar de Baró, atès que, ja des del 1419, consta dit Barquer com a senyor de la quadra i que era casat amb Isabel.[241] A la mort de Bernat, Isabel quedà com a tutora del fill d'aquest, Joan. Joan Barquer, domiciliat a Barcelona, exercí com a senyor de la quadra de Vilar de Baró fins a una data desconeguda, anterior al 1482, data en què la quadra ja estaria en possessió del Capítol catedralici.[242]

Els Requesens

Si bé els Requesens no foren dels primers en arribar al Codony, el cert és que al llarg del segle XIV aconseguiren fer-se seves una bona part d'aquestes

235. Companys i Farrerons, Isabel: *Catàleg de la col·lecció de pergamins de l'Ajuntament de Tarragona dipositats a l'Arxiu Històric de Tarragona*. Col·lecció Documents del Fons Municipal de Tarragona, 12. Tarragona, 2009, doc. 154.

236. Cortiella: *Història de la Pobla de Mafumet*, pàg. 42; AHAT. *Índex Vell*, 456v, 457, 458-458v; AHN. *CÓDICES*, L. 1243, doc. 13.

237. Cortiella: *Història de la Pobla de Mafumet*, pàg. 42.

238. Cortiella: «Notícies sobre el Codony», pàg. 149.

239. AHAT. *Índice General*, 125v.

240. Cortiella: «Notícies sobre el Codony», pàg. 149.

241. Cortiella: *Història de la Pobla de Mafumet*, pàg. 42.

242. Cortiella: *Història de la Pobla de Mafumet*, pàgs. 42-44.

terres. Deixant de banda les polèmiques sobre els orígens dels Requesens tarragonins, hem utilitzat com a base l'arbre genealògic presentat per mossèn Fuentes, el qual s'inicia amb els dos germans Berenguer i Pere, si bé desenvoluparem principalment la branca d'aquest darrer.[243]

Trobem per primer cop els germans Berenguer i Pere de Requesens, cavallers de Tarragona, tot adquirint a Berenguer de Montpaó, el 1299, el lloc, terme i drets de Vilallonga i del mas de Baseya; aquesta venda fou confirmada per la Mitra l'any següent.[244] Berenguer de Requesens adquirí, a més, el feu dels Cocons així com la senyoria sobre Altafulla i la Nou de Gaià.[245]

Pel que fa a Pere de Requesens, sembla que hauria quedat com a únic senyor de Vilallonga. En una data desconeguda hauria adquirit també el castell de Puigdelfí, atès que el 12 de novembre de 1324 ja consta com a senyor de Puigdelfí.[246] També en data desconeguda s'hauria fet amb la quadra que acabà portant el seu nom, la quadra de mossèn Requesens. El 1344, Pere de Requesens comprà a Humbert de Montoliu el castell, lloc i terme del Catllar.[247]

Casat des del juliol de 1322 amb Geraldona d'Anglesola, tingué un mínim de cinc fills: Berenguer, l'hereu, Pere, mort abans del 1351, Guerau, Ramon i Galceran.[248] Pere de Requesens morí entre el maig i el juliol de 1345 i el succeí el seu fill primogènit Berenguer. Aquest, conegut com a Berenguer Requesens de Montoliu, fou senyor de Vilallonga, Puigdelfí, la quadra de Requesens i del Catllar, si bé el 1351 vengué aquest darrer domini al doctor Bernat d'Olzinelles, possiblement per tal de fer front a dificultats econòmiques.[249] Així mateix, Berenguer Requesens de Montoliu assolí la vegueria reial i arquebisbal.[250]

Desconeixem amb qui es desposà. El succeí el seu fill Bartomeu de Requesens, senyor de Vilallonga, Puigdelfí i la quadra de Requesens, i, com el seu pare, també veguer.[251] Com a senyor de Puigdelfí el trobem el 1405, quan arribà a un acord amb el senyor dels Garidells, Berenguer de Montoliu, per un afer d'aigües.[252] Casat amb Francesquina, la parella degué patir algun o altre problema econòmic, la qual cosa els obligà a vendre algun censal mort.[253]

243. Fuentes: El Catllar, pàg. 414.
244. AHAT. Índice General, 210v.
245. Fuentes: El Catllar, pàg. 198.
246. Fuentes: El Catllar, pàg. 200.
247. Fuentes: El Catllar, pàgs. 202-203.
248. Fuentes: El Catllar, pàg. 198.
249. Fuentes: El Catllar, pàg. 206.
250. Companys: Catàleg de la col·lecció de pergamins, docs. 30, 47, 124, 164, 212, entre d'altres.
251. Companys: Catàleg de la col·lecció de pergamins, doc. 303.
252. AHN. CÓDICES, L. 842, Garidells, doc. 8.
253. Companys: Catàleg de la col·lecció de pergamins, doc. 314.

Bartomeu i Francesquina tingueren dues filles, Constança, la pubilla, i una altra, de nom possiblement Saurineta, casada amb Pere Sabater, mercader, cònsol i síndic de Tarragona, els quals tenien una filla, Violant.[254] A la mort del o dels pares de Violant, Bartomeu de Requesens quedà com a tutor i curador testamentari de la seva néta.[255]

Bartomeu féu testament el 9 de febrer de 1415, i degué morir entre aquesta data i el novembre de 1417.[256] En aquesta data, apareix la seva filla Constança com a hereva del seu pare i casada amb el cavaller Lluís de Requesens, senyor del castell d'Altafulla i de la Nou. Per la mateixa escriptura sabem que la parella devia a la mare d'ella, Francesquina, disset mil set-cents sous en complement de trenta-set mil cinc-cents sous, segons l'avinença relativa a l'herència del seu marit, i mil dos-cents sous de la pensió per la quantitat anterior, per la qual cosa li vengueren un censal de divuit mil nou-cents sous i nou-cents quaranta-cinc sous de pensió, pagadors per Nadal i Pasqua, que obligaven sobre el castell de Puigdelfí i Vilallonga.

Constança i Lluís de Requesens tingueren dos fills, Galceran i Bernat. Morta Constança, Lluís es casà en segones núpcies amb Violant Sabater, neboda de Constança. El 18 d'agost de 1434, la reina Maria dictà una sentència per la qual es condemnava a Lluís de Requesens, en la seva qualitat d'hereu de Bartomeu de Requesens, difunt, a pagar a la seva muller Violant la quantitat de mil nou-centes noranta lliures, nou sous i quatre diners, procedent de l'administració dels béns que Bartomeu va tenir al seu càrrec quan va ser el seu tutor. La sentència, a més, fa esment que, en virtut del testament del dit Bartomeu, Lluís estava en poder dels castells de Puigdelfí i Vilallonga, dels anomenats «masos d'en Cases» (la quadra de Requesens) i d'altres béns que responien de dita administració.[257]

No sabem si Lluís i Violant haurien pogut tenir una filla a la qual haguessin traspassat els dominis de la branca materna, o si simplement els hereus s'ho van vendre, però, per les dades dels capbreus de 1510, a partir del 1445 consta com a senyor de Vilallonga i Puigdelfí el cavaller Joan Cortit, casat amb una Isabel. Cortit fou senyor dels dos llocs fins al 1452, si bé a la signatura per raó de senyoria d'un document de 1449 consta Bernat Pelegrí com a senyor de Puigdelfí i Perafort, qüestió per a la qual no tenim explicació. A partir del 1453 apareix com a senyor de Puigdelfí i Vilallonga el cavaller Joan Roset, el domini del qual, però, seria força curt,

254. COMPANYS: *Catàleg de la col·lecció de pergamins*, doc. 346.
255. COMPANYS: *Catàleg de la col·lecció de pergamins*, doc. 342.
256. COMPANYS: *Catàleg de la col·lecció de pergamins*, doc. 358.
257. *Els castells catalans*. Vol. IV., pàg. 42.

atès que ja el 1467 consta el Capítol de la Seu com a senyora dels antics dominis dels Requesens.

Els Montoliu

Per a l'estudi dels Montoliu ens basem en l'arbre genealògic realitzat per mossèn Fuentes, ja que creiem que el més complet dels que s'han publicat,[258] mentre que per a la branca que ensenyorí la Pobla de Mafumet utilitzarem el presentat per Cortiella.[259] De fet, no deixa de sobtar que en cap dels estudis fets sobre el llinatge Montoliu s'inclogui la branca que tingué la senyoria de la Pobla i els Garidells.[260]

Tradicionalment s'ha considerat els Montoliu com una de les famílies nobiliàries més importants d'aquesta part del país, els quals, des del seu feu de Puigdelfí, s'haurien estès per bona part de la geografia del Camp de Tarragona. Certament, la importància d'aquesta família no es pot negligir, però potser caldria replantejar-se la relació que se'ls ha atribuït amb Puigdelfí. De fet, a part de la referència feta pel canonge Blanch al, convertit en quasi mític, Ponç de Montoliu, i de les teories que, a partir d'aquesta referència, va fer Morera, el cert és que no disposem d'una sola referència documental que vinculi els Montoliu amb Puigdelfí.

Per contra, com ja hem vist, per diverses dades sembla que l'alou de Puigdelfí hauria estat tingut pels Tamarit. A part de l'esment de membres d'aquesta família en afrontacions de terres colindants a espais propis del terme de Puigdelfí, cal afegir la presència el 1229 d'un Arnau de Tamarit de Puigdelfí.[261] I segurament fill o descendent d'aquest fou un altre Arnau de Tamarit de Puigdelfí, el qual actuava el 1285 com a marmessor de la senyora Guillema, vídua de Guillem de Claramunt.[262] La genealogia dels Tamarit resta per fer, no n'hem trobat cap enlloc, si bé també cal dir que les referències documentals que hem localitzat no ens han permès una filiació clara dels seus components dins de l'esquema familiar.

Per tant, deixant a banda Puigdelfí i els no documentats orígens dels Montoliu, iniciem l'estudi en la figura dels que creiem que foren els primers a vincular-se amb la castlania de Montoliu, els germans Arnau i Bernat de Viver.

Als germans Viver els trobem, conjuntament o per separat, sempre vinculats a les accions dels seus senyors, els Claramunt, tot aportant la

---

258. Fuentes: *El Catllar*, pàg. 413.

259. Cortiella: *Història de la Pobla de Mafumet*, pàg. 36.

260. Fuentes: *El Catllar*, pàgs. 182-197; *Catalunya Romànica*, XXI, pàgs. 102-103; Rovira i Gómez, Salvador-J.: *Plàcid-Maria de Montoliu i de Sarriera, primer marquès de Montoliu (1828-1899)*, Arola Editors, Tarragona, 2007, pàgs. 15-25.

261. AHN. *CÓDICES*, L. 841, doc. 17.

262. AHN. *CÓDICES*, L. 842, *Secuita*, doc. 47.

seva signatura com a testimonis en diversos actes d'aquests. La primera referència que coneixem data del 1154.[263] Es tracta de la donació feta per Deodat de Claramunt, fill de Deodat dit *de Tamarit*, a Ramon de Guàrdia del Puig de Bover al castell de Tamarit. Com a testimonis signen «*Guillermo de Claramunt su hermano* [de Deodat], *y Bernardo de Vivario, y otros*». No sabem si dins d'aquests «altres» també es podria trobar el seu germà Arnau. A aquest el trobem signant en solitari a l'acte d'infeudació dels delmes de Montoliu feta per l'arquebisbe a Guillem de Claramunt el 1161.[264] La signatura conjunta dels dos germans no la trobem fins al 1174, en l'acta de donació del castell dels Garidells.[265] El darrer document conegut data del 5 de juliol de 1186, quan Bernat i Arnau de Viver, conjuntament amb tots els fills d'ambdós, feien donació de les dècimes i primícies del castell del Catllar a l'església parroquial d'aquest lloc.[266] És de suposar que no massa temps després ja haurien traspassat. Mossèn Fuentes aporta una notícia segons la qual el 30 d'abril de 1136 els germans Bernat i Arnau de Viver concediren a Ramon de Puigmoltó una quadra al terme del Catllar.[267] Si fos correcta la data donada pel redactor de l'*Especulum* on aparegué (2 de les calendes de maig de l'any 28 del regnat del rei Lluís de França), aquesta és la referència més antiga sobre els germans Viver. Amb tot, també hi ha la possibilitat que la data de l'acte, en realitat, fes referència a l'any 28 del regnat del rei Lluís *el Jove*, fet que significaria que el copista de l'*Especulum* hagués negligit, per error o oblit, l'adjectiu del monarca, amb la qual cosa la data era la de 1165, la qual, per altra part, coincideix cronològicament amb el gruix de les aparicions documentals dels Viver.

A partir dels dos germans i de la seva respectiva descendència s'iniciaren dues branques independents però que, com veurem, seguiren mantenint llaços familiars. De la línia generada per Arnau de Viver és, potser, de la que tenim menys informació. D'ell sabem que estava casat amb Adeladis i que, el 1167, el seu primogènit, de nom també Arnau, ja estava en edat de signar documents.[268] Per l'esmentada donació de delmes del Catllar del 1186 sabem que els seus fills foren Arnau, Berenguer, Ponç i Guerau, tots ells ja cognomentats com a Montoliu.[269] Desconeixem gairebé completament l'evolució que seguiren, llevat d'Arnau. Arnau de Montoliu fou, segurament que per

263. AHAT. *Índice General*, 195.
264. Papell: *Diplomatari de Santes Creus*. Vol. I, doc. 98.
265. AHN. *CÓDICES*, L. 842, *Garidells*, doc. A.
266. Fuentes: *El Catllar*, pàg. 182.
267. Fuentes: *El Catllar*, pàg. 182.
268. AHN. *CÓDICES*, L. 841, doc. 45.
269. AHAT. *Índice General*, 125v-126.

herència del seu pare, castlà del castell de Montoliu. Casat amb Anglesa, degué morir pels volts d'octubre de 1225.[270] El succeí la seva filla Agnès o Agneta de Montoliu, la qual, juntament amb el seu marit, Guillem Desprats, continuà com a castlana de Montoliu així com de la Secuita, un cop aquesta fou segregada de Montoliu per la donació testamentària que Guillem de Claramunt féu al monestir de Santes Creus el 1229.[271]

A tenor de la nombrosa documentació relativa als Claramunt on apareix la signatura dels hereus de Bernat i Arnau de Viver, sembla clar que aquests continuaven gaudint de la confiança dels seus senyors. Gairebé a tots els documents signen dos Montolius. Si contrastem les dates i els noms dels signants, tot sembla indicar que aquests serien els caps de família de cadascuna de les dues línies Montoliu. Aquest fet ens permet conèixer alguna dada més dels germans d'Arnau de Montoliu. Així, en un document datat el 24 de setembre de 1225 apareixen com a testimonis Guillem de Montoliu *maioris*, primogènit de Bernat de Viver, i Arnau de Montoliu, primogènit d'Arnau de Viver.[272] Les referències a Arnau de Montoliu desapareixen a partir d'aquest document. Per contra, en un altre, datat l'u d'octubre del mateix any, al costat de Guillem ja apareix la signatura de Ponç de Montoliu, el tercer fill d'Arnau de Viver. Cal suposar que Berenguer, el segon fill, hauria mort abans d'aquesta data.[273] La signatura conjunta de Guillem i Ponç de Montoliu la trobem encara en almenys tres documents més, el darrer dels quals datat a les nones de maig de 1243.[274] Encara el 1250 trobem un únic document en què signen Guillem de Montoliu i Guerau de Montoliu, si bé, ja en aquestes dates, no tenim la completa certesa que es pogués tractar del darrer fill d'Arnau de Viver.[275]

Al contrari que l'anterior, la branca de Bernat de Viver ha estat pròdiga en dades. Bernat, casat amb Ermessenda,[276] el 1167 tenia dos fills en edat de signar, Guillem i Bernat.[277] Per l'anteriorment esmentat document de 1186 sabem que els seus fills eren, a més de Guillem i Bernat, Pere i Bertran, els quals, igual que els seus cosins, també es cognomenaren Montoliu.[278] Mossèn Fuentes afegeix, en el seu arbre genealògic, un Ramon, que fou

---

270. AHN. *CÓDICES*, L. 841, doc. 77.

271. AHN. *CÓDICES*, L. 842, *Secuita*, docs. 35, 38-42 i 45-46.

272. Papell: *Diplomatari de Santes Creus*. Vol. I, doc. 607.

273. Papell: *Diplomatari de Santes Creus*. Vol. I, doc. 608.

274. AHN. *CÓDICES*, L. 841, docs. 32 i 70 i AHN. *CÓDICES*, L. 842, *Secuita*, doc. 49.

275. AHN. *CÓDICES*, L. 842, *Secuita*, doc. 28.

276. Segons els autors d'*Els castells catalans* (vol. IV, pàg. 94), Ermessenda devia ser una Claramunt, si bé no esmenten la font. No hem aconseguit trobar cap dada que corrobori aquesta notícia.

277. AHN. *CÓDICES*, L. 841, doc. 45.

278. AHAT. *Índice General*, 125v-126.

ardiaca de Tarragona i morí el 1269.[279] A aquest Ramon, ardiaca, el trobem el 1267 com a marmessor d'Arnau de Montoliu, senyor de Peralta.[280] Per la data, una mica avançada, malgrat que el 1186 pogués ser un infant de pocs anys, i per aquesta relació de confiança, tal vegada es podria pensar que Ramon pogués ser un germà d'Arnau de Peralta.

Bernat de Viver aconseguí els alous del Catllar, Peralta i la quadra de Vespella. És possible que també tingués encomanada la Guàrdia de Mafumet. A la seva mort, aquests foren repartits entre els fills. Guillem, el primogènit rebé el Catllar i la Guàrdia de Mafumet; Pere, la quadra de Vespella, i Bertran, Peralta. No sabem res del que pertocà a Bernat, el segon fill, si bé consta que era viu el 1198 i encara trobem el 1226 la seva signatura en un document.[281] Amb tot, per l'entorn geogràfic del nostre treball, ens interessa seguir només la branca de Guillem de Montoliu.

Si bé, com reconeix Fuentes, les fonts que relacionen els Montoliu amb el castell del Catllar són minses fins al segle XIV, sabem que Guillem de Montoliu n'era el senyor el 1223. Aquesta branca principal dels Montoliu, conjuntament amb d'altres senyors i el castlà de Tamarit, percebia una part dels delmes de Montornès. El 1198 trobem a Guillem de Montoliu i a la seva muller Berenguera empenyorant aquests delmes al monestir de Santes Creus.[282] La mateixa operació es repetí el 1223 per part dels esposos Montoliu, conjuntament amb el seu fill, també Guillem, i la dona d'aquest, Geralda, si bé aquest cop posen com a penyora la quarta part de tots els delmes que reben al Catllar.[283] Igualment, com a mínim des del 1221, Guillem de Montoliu tindria la Guàrdia de Mafumet, o, si més no, s'hauria fet amb una part de les antigament anomenades «terres dels homes d'Arbós», les quals haurien donat pas a la creació de la Pobla de Mafumet. Així, el juny de 1221 trobem a Guillem de Montoliu *major*, juntament amb el seu fill Guillem, intentant vendre els drets que tenien sobre les «terres dels homes d'Arbós» a l'arque- bisbe, operació, però, que el seu senyor, Guillem de Claramunt, tirà enrere, per la qual cosa continuaren en mans dels Montoliu.[284]

Com hem anat veient, el marit de Berenguera, Guillem, fill de Bernat de Viver, rep sovint l'apel·latiu de *maioris*, per tal de distingir-lo del seu fill, tam- bé Guillem, que sovint apareix referit com a *iunioris*. Guillem de Montoliu *major* degué morir entre el 1229, data en què encara apareix *Guillelmi de*

279. Fuentes: *El Catllar*, pàg. 413.
280. AHN. *CÓDICES*, L. 842, *Secuita*, doc. Eee.
281. AHN. *CÓDICES*, L. 842, *Secuita*, doc. 46 i AHN. *CÓDICES*, L. 841, doc. 32.
282. AHN. *CÓDICES*, L. 841, doc. 46.
283. AHN. *CÓDICES*, L. 841, doc. 44.
284. AHAT. *Índex Vell*, 453v i AHAT. *Índice General*, 124.

Monte Olivo maioris,[285] i el 1232, data en què ja apareix únicament el fill, Guillem, amb la seva muller, Geralda, precisament tornant a empenyorar a Santes Creus els delmes de Montornès.[286] A aquest segon Guillem, que com veiem hauria estat l'hereu del seu pare, el trobem present a diverses escriptures al llarg de la dècada dels trenta fins a inicis de la dels seixanta de la tretzena centúria. La seguretat que es tracta del mateix personatge ens la dóna un document de 1259, on Guillem de Montoliu torna a empenyorar, per enèsima vegada, la part dels delmes de Montornès.[287] El darrer document on apareix Guillem de Montoliu data del 1261.[288]

A Guillem el succeí Dalmau, quasi amb tota seguretat fill seu. A partir d'aquí, la línia successòria dels Montoliu senyors del Catllar enllaça ja amb la genealogia aportada per Fuentes. Per tant, a partir de la documentació aportada, sembla del tot provat que a la mort de Guillem de Montoliu, fill de Bernat de Viver i senyor del Catllar i la Guàrdia de Mafumet, el succeí el seu fill, Guillem II, igualment senyor del Catllar i de la Guàrdia de Mafumet, el qual no consta a cap dels arbres genealògics consultats. A Guillem II el succeí el seu possible fill, Dalmau, senyor del Catllar. A més de la documentació esmentada, hi ha un altre factor, diguem-ne biològic, pel qual hauria d'haver existit, en la línia successòria entre Guillem I i Dalmau, una altra persona. Si trobem a Guillem I el 1167 en edat de signar documents i el darrer document on apareix és del 1261, això voldria dir que hauria tingut una edat més que centenària!

Pel que fa als Montoliu senyors de la Pobla de Mafumet, hem de començar, de moment, per Galceran de Montoliu, la persona de qui disposem de més dades fiables, i a partir del qual podem desenvolupar l'arbre genealògic d'aquesta branca dels Montoliu. Trobem per primer cop a Galceran l'abril de 1292, quan aquest comprà a Guillem Olomar, ciutadà de Barcelona, el castell, lloc i terme dels Garidells.[289]

Segons ens informa mossèn Pié, a les darreries del segle XIII i inicis del XIV, vivien a la Selva quatre germans anomenats Bartomeu, Berenguer, Arnau i Galceran de Montoliu.[290] El primer, Bartomeu, era segurament el mateix Bartomeu de Montoliu que, el 1293, va prestar jurament de fidelitat

285. AHN. *CÓDICES*, L. 841, doc. 17.

286. AHN. *CÓDICES*, L. 841, doc. 14.

287. AHN. *CÓDICES*, L. 841, doc. 10.

288. AHN. *CÓDICES*, L. 842, *Peralta*, doc. 19.

289. AHN. *CÓDICES*, L. 842, *Garidells*, doc. 11.

290. Pié Faidella, Joan, pvre.: *Annals inèdits de la vila de la Selva del Camp de Tarragona*. Institut d'Estudis Tarraconenses Ramon Berenguer IV, 1984, pàgs. 659-661. La informació que segueix correspon tota a Pié, llevat que s'indiqui una altra font.

a l'arquebisbe com a home seu i habitant de Constantí.[291] Potser casat amb Blanca de Montpaó, Bartomeu hauria mort abans del 1310, mentre que els altres tres germans quedaren com a marmessors i executors del seu testament. Berenguer, casat amb Ramona, habitava a Vila-seca, però el 1297 ja constava com a domiciliat a la Selva. Aquesta parella tingué un fill, Guillem, casat amb Dolça de Bonavila de la Selva. Guillem testà el 1319, tot deixant part de casa seva a la seva muller i instituint hereu de tots els seus béns a Nostre Senyor Jesucrist. Arnau s'intitulava senyor dels Cocons i tenia dues filles, minorisses de Santa Clara, i un fill anomenat Galceran. El darrer dels germans esmentats és Galceran de Montoliu, nou senyor dels Garidells, que hem vist abans.

El 31 de juliol de 1315, Galceran de Montoliu redactà el seu testament.[292] Designà com a marmessors seus a Bertran de Montoliu, senyor de Peralta; a Bernat de Plegamans, canonge de Lleida, i a Bertran de Montoliu, prior de Tarragona i germà seu. Per unes deixes sabem que el seu germà Bartomeu ja era mort i que dues germanes seves, Mansilia i Arnalda, eren monges menoretes a Santa Clara. Deixà a la seva filla Mansilia la quantitat de deu mil sous; al seu fill Berengó deixà el seu mas de Constantí, així com tots els béns i drets que tingués a Constantí i la Selva; finalment, al seu primogènit, Bernardó, l'instituí hereu universal, i li llegà el «*castrum meum de Garidellis*», la «*Populam meam vocatam de la Guardia de Mafumet que est infra terminum de Podio Delfino*», així com la resta de béns i drets que tenia al terme de Tamarit. Per les substitucions previstes en cas de mort, coneixem algun germà més de Galceran. Així, per al castell dels Garidells, si moria Bernat i després Berenguer i tots els fills d'ambdós, aquest havia de passar a Galceran de Montoliu, fill del seu germà Arnau. Pel que fa a la resta de béns, la substitució es feia en el seu germà Humbert o els fills que pogués tenir. Per últim, com que els seus fills eren encara menors, nomenà tutor i curador d'aquests a Bertran de Montoliu, senyor de Peralta.

Com veiem, en el testament de Galceran apareixen dos dels germans ja esmentats, Bartomeu, ja mort, i Arnau, juntament amb el seu fill Galceran. A més esmenta altres germans més, com Bertran, prior a Tarragona; Mansilia i Arnalda, monges a Santa Clara, i Humbert, que devia ser el més jove i possiblement encara no tenia descendència. Curiosament no fa cap esment de l'altre germà conegut, Berenguer, però entre els testimonis signen un «*Berengarius de Monte Olivo, miles*» i a continuació «*Guillelmonis de Monte Olivo filius dicti Berengarii*».

291. AHAT. *Índex Vell*, 162.
292. AHN. *CÓDICES*, L. 842, *Garidells*, doc. G.

El successor de Galceran, el seu fill primogènit Bernat, casat amb Guillema Gentil, no degué viure gaires anys i, sense descendència, la senyoria dels Garidells passà al seu germà Berenguer, senyor de la Pobla de Mafumet. Aquest, que abans de 1333 ja era casat amb Elisenda,[293] degué morir en alguna data anterior al 1358, tot deixant els seus fills, encara menors, sota la tutoria de Bernat de Plegamans.[294] Aquests fills serien Guillem, el gran, el qual participà el 1359 a la guerra contra Castella com a senyor dels Garidells, i que no deuria viure gaires més anys, atès que el 1363 ja consta com a senyor dels Garidells el seu germà Berenguer; un tercer germà seria Roger, el qual el 1378 reconeixia ser menor de vint-i-sis anys.[295]

Berenguer de Montoliu, senyor dels Garidells i de la Pobla, casat amb Bartomeva, tingué dos fills: Bernat, casat amb Violant de Vilafranca pels volts de 1403,[296] que trobem el 1399 exercint la senyoria de la Pobla en un afer de jurisdicció contra el vicari general de Tarragona, Lluís de Vallterra, i que moriria sense descendència; i Guillem, al qual els seus pares, Berenguer i Bartomeva, el 21 d'abril de 1416, feren donació en vida dels llocs dels Garidells i de la Pobla.[297]

Guillem de Montoliu, casat en primeres núpcies amb Constança i en segones amb Joana, seria el darrer Montoliu senyor de la Pobla de Mafumet. El 12 d'agost de 1429, Guillem de Montoliu, la seva dona Joana i el fill d'ambdós, Joan Gabriel de Montoliu, vengueren el lloc de la Pobla de Mafumet al tresorer de la catedral de Tarragona, Pere Arnau Ramon. La quantitat percebuda, catorze mil cinc-cents sous, fou destinada íntegrament a satisfer deutes.[298]

Un cop vista la branca dels Montoliu senyors de la Pobla, cal preguntar-se de quina línia dels Montoliu havien sorgit aquests i qui havia estat el pare de Galceran de Montoliu. Pel que fa a la línia de provinença, el fet que el 1221 trobem a Guillem de Montoliu *major* i al seu fill Guillem amb drets sobre les terres que posteriorment conformarien el lloc de la Pobla de Mafumet[299] sembla indicar-nos que la branca de Galceran provindria de la línia principal, la dels senyors del Catllar.

Acceptada aquesta possibilitat, veiem com, per les dates en què es mou Galceran, aquest hauria estat coetani d'Humbert I de Montoliu, fill de

293. Pié: *Annals inèdits de la Selva*, pàg. 660.
294. Cortiella: *Història de la Pobla de Mafumet*, pàg. 36. La informació que segueix correspon tota a Cortiella, llevat que s'indiqui una altra font.
295. Pié: *Annals inèdits de la Selva*, pàg. 661.
296. AHN. *CÓDICES*, L. 842, *Garidells*, doc. C.
297. AHN. *CÓDICES*, L. 842, *Garidells*, doc. D.
298. Cortiella: *Història de la Pobla de Mafumet*, pàgs. 38-40.
299. AHAT. *Índex Vell*, 453v i AHAT. *Índice General*, 124.

Dalmau i que ja consta com a senyor del Catllar el 1299.[300] Podria haver estat Galceran un fill segon de Dalmau de Montoliu? No sembla probable, ja que, si bé a Humbert I no li coneixem germans i en el testament de 1315 de Galceran consta un germà seu de nom Humbert, tot sembla indicar que aquest devia ser el germà petit, encara sense descendència. A més, per aquelles dates ja era senyor del Catllar Romeu de Montoliu, fill d'Humbert I.[301]

Per treure'n l'entrellat, o si més no així ho plantegem, hem de tornar a la Selva del Camp. Segons mossèn Pié, en aquesta vila, a cavall dels segles XIII i XIV, a més dels quatre germans Montoliu ja comentats, hi habitava un Berenguer de Montoliu, casat amb Guillema, el qual el 1305 ja era mort.[302] Si bé no disposem de cap dada que emparenti aquest Berenguer amb els quatre germans —un dels quals també es deia Berenguer—, el fet que en el mateix lloc i en el mateix moment es trobi una persona d'una generació anterior i quatre germans, tots amb el mateix cognom, sembla un indici força important com per pensar que poguessin haver estat pare i fills.

Documentem en tres escriptures, totes datades el 1259, la presència d'un Berenguer de Montoliu. A la primera, Guillem de Montoliu fa esment a la marcació d'unes fites per part del «*nobilem virum Berengarium de Monte Olivo militem*»; en una altra, apareixen signant com a testimonis tant Guillem com Berenguer; a la darrera, també com a testimonis, signen tots dos i Dalmau de Montoliu.[303]

A partir de totes aquestes dades, plantegem la possibilitat —que, en tot cas, caldrà corroborar amb més documentació— que Guillem II de Montoliu, senyor del Catllar i de la Pobla de Mafumet, hagués pogut tenir dos fills: Dalmau, el primogènit, i Berenguer, el segon. El primer hauria rebut la senyoria més important, el Catllar, mentre que el segon, la de la Pobla. A partir d'aquí, Dalmau hauria continuat la línia principal dels Montoliu senyors del Catllar, mentre que Berenguer iniciava la dels Montoliu de la Pobla.

OBLIGACIONS I SERVITUDS

Més que de les obligacions regulars pròpies i inherents al sistema emfitèutic feudal, com els censos i tasques, els quals són documentats i analitzats en els estudis individuals de cada capbreu, volem centrar-nos en l'existència dels anomenats «mals usos», així com altres imposicions que, igual que aquests, tenen un origen irregular, com les qüèsties.

300. Fuentes: *El Catllar*, pàg. 190.
301. Fuentes: *El Catllar*, pàg. 190.
302. Pié: *Annals inèdits de la Selva*, pàg. 659.
303. AHN. *CÓDICES*, L. 841, docs. 10, 53 i 36, respectivament.

Malgrat la rígida divisió imposada entre Catalunya Vella i Nova, l'avenç en els estudis i l'exhumació de documentació, sobretot pel que fa a l'àrea de l'anomenada Catalunya Nova, ha permès que aquesta separació en dos models gairebé antagònics comenci a esquinçar-se.

Freedman, si bé avala la divisió de les dues Catalunyes, reconeix per una part que el Llobregat no era una frontera impermeable, i, «*per tant, les comarques situades als dos costats tendiren vers una barreja d'acords lliures i servils*», i per altra que, per exemple, el vincle a la terra i als mals usos apareix amb moltíssima freqüència en les transaccions del monestir de Santes Creus referents a la Conca de Barberà, l'Alt Penedès, l'Urgell, el Tarragonès, la Segarra i l'Alt Camp.[304] Urpí i Resina detecten la presència de servituds i mals usos a diverses contrades del Penedès,[305] de la mateixa manera que ho fan Virgili respecte a la zona del Baix Gaià i Fuentes per al Catllar.[306]

Pel que fa al castell del Codony, com ja hem vist, les referències a mals usos són molt primerenques. A la carta de poblament del Codony del 1177 ja s'estipulen les sancions a adoptar en cas d'eixorquia, intestia i cugucia.[307] Que tant les qüèsties com els mals usos foren aplicats a les terres dels Claramunt amb tota normalitat ho palesa el testament de Guillem de Claramunt, redactat a Tarragona el primer d'agost de 1229.[308] En aquest, el dit Guillem, entre d'altres qüestions estableix que «*dimitto Hominibus omnium Castrorum et Honorum meorum omnes Quistias, et Ius a me faciendi Quistias usque ad viginti annos a die obitus mei computandos. Item, quod nullus posset eis imponere aliquam Quistiam usque ad illud tempus, et absolvo eis, atque dimitto in perpetuum pro multis gravaminibus, et servitiis, que ab eis immoderate habui Intestias, Cugutias, et Exorquias, et quod nunquam ab eis proinde aliquid exigatur. Dimitto etiam pro amore Dei, et in remisione Peccatorum meorum Naufragium totius meis Honoris, ita quod nunquam aliquis Successorum meorum in terra mea Naufragium accipiat, vel manus extendere ad Naufragantes presumat*». El text sembla que deixa entreveure que, si bé l'aplicació dels mals usos és assumida pel senyor, més com a norma que no pas com a excepció, també és conscient de l'arbitrarietat i irregularitat del seu origen, tot provocant, en aquest cas, una certa «mala consciència».

Després de la mort de Guillem de Claramunt i al llarg de tot el segle XIII, la progressiva autonomia que prengueren els diversos alous respecte

---

304. Freedman, Paul H.: *Els orígens de la servitud pagesa a la Catalunya medieval.* Eumo Editorial, Vic, 1993, pàgs. 155-158. Val a dir que d'entre tots els arxius consultats per Freedman en aquest excel·lent treball no n'hi ha cap de les diòcesis de l'anomenada Catalunya Nova.

305. Urpí-Resina: *El castell i terme de Banyeres*, pàgs. 330-331.

306. Fuentes: *El castell, vila i terme del Catllar*, pàg. 461.

307. AHAT. *Índex Vell*, 451.

308. AHN. *CÓDICES*, L. 842, doc. 20.

al castell termenat al qual pertanyien (ja fos el de Tamarit, Montoliu o Codony), i que alguns arribaren a convertir-se, o si més no autotitular-se, al mateix temps en castells termenats, convertia les disposicions de Guillem en paper mullat, i la potestat d'aplicar els mals usos quedava a l'albir de cada senyor (i, cal suposar, que també a la força que pogués tenir la resposta pagesa a l'hora d'aplicar-los).

Aquest procés l'hem pogut documentar bé al castell dels Garidells, el qual, si bé no pertanyia al terme del castell del Codony, havia format part de les terres dels Claramunt. El 1280, Ramon de Tamarit, Blanca, sa muller, i Sibil·la, sa mare, vengueren a Bernat de Montpaó el castell, lloc i terme dels Garidells «*cum omnibus Hominibus et Feminis ibi habitantibus et habitatoris, ademprivis, bannis, censibus, usaticis, Iustitiis, caloniis, firmamentis et stacamentis*», així com «*cum exactionibus, cum exorquiis, cugutiis et intestiis, et cum omnibus Iuribus et consuetudinibus*».[309] Sis anys més tard, el 1286, Bernat de Montpaó i Grana, la seva dona, vengueren dit castell i vila a Pere Peregrí, de la Casa del Rei.[310] En aquest cas el document de compravenda és pràcticament igual a l'anterior.

Pocs anys després, el 1291, es tornava a vendre els Garidells, aquest cop a Guillem Olomar, ciutadà de Barcelona.[311] El document indica que Peregrí ven el castell i vila dels Garidells «*cum omnibus redditibus, censibus, agrariis, exhitibus, laudimis, proventibus, servitiis, adempriviis, Iovis, traginiis, Jornalibus, questiis, guaytis, caloniis, placitis, firmamentis, stacamentis, intestiis, exorquiis, cugutiis* [i el que és tota una novetat], *redemptionibus Hominum et Mulierum, et omnibus aliis Iuribus realibus et personalibus qua de Iure, vel de usu, ac consuetudine habeo*». Per tant, si fem cas del document, ens trobem amb la primera referència clara i directa a homes i dones de remença als antics territoris dels Claramunt. Anteriorment no hem localitzat cap referència a remences a la zona, si bé tenim ben documentada l'obligatorietat dels tinents de residir al seu predi o, com a molt, dins dels termes del castell corresponent. ¿Vol dir això que l'estatus d'home propi, soliu i afocat que, fins ara, es donava als emfiteutes de la Catalunya Nova, en realitat podria ser «homologable» al dels nostres veïns del nord? O, per contra ¿es tracta d'un exemple aïllat, importat i imposat per un senyor forà? I si fos així, ¿devia afectar aquest nou estatus per igual a tots els habitants dels Garidells o només a alguns d'ells? El cert és que, avui per avui, ens és impossible donar resposta a aquesta important qüestió.

309. AHN. *CÓDICES*, L. 842, *Els Garidells*, doc. 12.
310. AHN. *CÓDICES*, L. 842, *Els Garidells*, doc. 10.
311. AHN. *CÓDICES*, L. 842, *Els Garidells*, doc. 9.

Ni un any estigué el castell en mans d'Olomar, ja que aquest, el 1292, el tornà a vendre a Galceran de Montoliu.[312] El document de compravenda és pràcticament igual a l'anterior de 1291, i inclou, per tant, les referències als mals usos i a la remença, esmentats abans. Galceran de Montoliu era, a més de nou senyor dels Garidells, senyor de la Pobla de Mafumet. En aquest sentit, és interessant observar com, quan un descendent d'aquest, Guillem de Montoliu, el 1429 vengué la Pobla de Mafumet al tresorer de la Catedral, Pere Arnau Ramon, en el document de venda no apareix ni una sola referència a qüesties ni a mals usos.[313] Per tant, ens trobem amb un *milites* que esdevé senyor de dos llocs amb unes càrregues i servituds del tot diferents (si més no pel que fa als mals usos). Aquest exemple reforça allò dit més amunt respecte a l'aleatorietat de la reintroducció dels mals usos a les antigues terres dels Claramunt.

LA PARROQUIALITZACIÓ DEL CODONY

La primera referència a esglésies al Codony la trobem a la butlla del papa Anastasi IV, el 1154.[314] En aquesta apareixen per primer cop esmentades l'«*ecclesiam Sancti Iohannis de Concilio*» i l'«*ecclesiam de Contunno*», juntament amb d'altres de properes com les de Tamarit, Centcelles, Alcover i Vallmoll. Per la distribució d'aquestes esglésies, sembla que la xarxa parroquial es devia crear i desenvolupar a partir dels termes castrals i nuclis existents, tot respectant, molt possiblement, els seus límits. En el cas dels límits del castell termenat del Codony, l'església de Sant Joan del Consell aglutinava els habitants de la riba dreta del Francolí, mentre que la de Sant Pere del Codony feia les mateixes funcions per als habitants de la riba esquerra. Per altra part, la concentració d'esglésies en aquest sector del territori de Tarragona, sembla que podria indicar-nos el grau de maduresa al qual hauria arribat la seva ocupació a mitjan segle XII, just en el moment en què arreu del Camp de Tarragona s'inicia (o si més no es reflecteix documen-talment) el desplegament de la xarxa feudal.

Tot i això, quaranta anys més tard, el 1194, a la butlla del papa Celestí III segueixen constant les esglésies del Codony, Centcelles i Tamarit.[315] També n'apareixen de noves, com les de Constantí o el Catllar. Però, per contra, desapareix la de Sant Joan del Consell. Com pot ser que, en un moment d'expansió de la xarxa parroquial, en desaparegui una de les més antigues?

---

312. AHN. *CÓDICES*, L. 842, *Els Garidells*, doc. 11.

313. Cortiella: *Història de la Pobla de Mafumet*, Apèndix documental, doc. 2.

314. *Catalunya Romànica*, vol. XXI, pàg. 50.

315. Morera: *Tarragona Cristiana*, I, pàg. 609.

No disposem d'una resposta clara, però sí d'alguna hipòtesi que ens permet aproximar-nos al perquè d'aquesta anòmala situació.

Com ja hem referenciat àmpliament, el 1160 tots els senyors amb drets sobre el Codony (o si més no sobre una part) concediren al cenobi de Valldaura (posteriorment traslladat a Santes Creus) quatre parellades de terra al Codony, a les terres de Sant Joan del Consell. Amb tot, la vaguetat d'aquesta informació no ens permetria indicar ni el lloc on es podria emplaçar l'edifici cultual ni l'extensió d'aquestes terres. El 1169, però, en el document en què Guillem de Claramunt fa donació a Berenguer Ruf de Cervera del mateix territori donat anteriorment a Santes Creus, s'especifica que aquest és «*in termino de castro quod vocatur Codoig et in locum ubi ecclesia Sancti Iohannis que dicitur de Conssilii est sita*».[316] Per tant, tot sembla indicar que l'església devia estar situada dins les terres concedides a Santes Creus, i no pas en algun lloc proper com la Pobla o Vilallonga, possiblement —seria el més lògic— al mateix indret on després es bastí la granja de dit monestir.

Malgrat tot, la pèrdua de l'edifici de culte no hauria de significar forçosament l'extinció de la parròquia, car hom podria tornar-lo a bastir en qualsevol altre indret. És possible que, a causa de les dissensions que es palesen entre el bàndol dels Claramunt-Cardona i el de l'arquebisbe i el rei, no es busqués cap altre emplaçament. La concòrdia de 1175 dividí l'espai del Codony de la riba dreta del Francolí en dos àmbits de poder. Aquesta fragmentació en dos del territori —i per tant dels feligresos— hauria fet inviable, en aquells moments, el manteniment de la parròquia existent i la creació d'una de nova per a l'espai segregat.

Per tant, el territori de la riba dreta sota senyoria dels Claramunt passà a formar part de la parròquia de Sant Pere del Codony. L'església de Sant Joan del Lledó s'hauria construït posteriorment, dins de l'actual terme municipal de la Pobla de Mafumet —i, per tant, dins les terres sota senyoria dels Claramunt— per tal de permetre als habitants d'aquella part del riu seguir les funcions religioses menors en cas de mal temps o de crescuda del riu, tal i com continuaren fent al llarg de tota l'edat moderna.[317] El fet que l'advocació d'aquesta església sigui la mateixa que la de Sant Joan del Consell podria ser degut a la voluntat de mostrar un entroncament simbòlic amb l'extinta parròquia.

Pel que fa al territori que quedà sota control dels senyors del territori de Tarragona, és molt possible que els seus habitants quedessin inclosos dins l'església de Centcelles. Amb posterioritat a 1194 (car no apareixen citades a la butlla papal) s'hauria bastit l'església de Vilallonga i la seva sufragània del

316. *Diplomatari de Poblet.* Vol. I, doc. 356.
317. Cortiella: *Història de la Pobla de Mafumet*, pàgs, 95-96.

Morell, cal suposar que ambdues dependents de la matriu de Centcelles. El desenvolupament que tingué posteriorment Vilallonga respecte dels altres llocs de la parròquia hauria afavorit que la seva església s'erigís en principal, mentre que les altres, inclosa la de Centcelles, quedaren com a sufragànies d'aquesta.[318] Una evolució semblant s'observa a la veïna parròquia del Codony, en què l'església de la Secuita, en principi una mera capella sufragània, acabà essent l'església principal, i passà fins i tot per sobre de l'originària de Sant Pere al Codony. Respecte al Rourell, desconeixem completament si hauria format part de la parròquia de Centcelles, mentre que, a la Masó, la comanda templera funcionaria autònomament. Posteriorment, tant el Rourell com la Masó quedaren sota l'òrbita de l'església d'Alcover.

En un altre ordre de coses, el 14 de juny de 1161, Guillem de Claramunt definí a l'arquebisbe i a l'Església de Tarragona tots els delmes que demanava als seus castells de Montoliu i del Codony.[319] Cinc dies més tard, el 19 de juny, era l'arquebisbe Bernat Tort qui donava en feu a Guillem de Claramunt els delmes del castell de Montoliu, però no del Codony.[320] Els límits occidentals de Montoliu definits pel prelat eren fixats al camí de Tarragona a Santes Creus i, per tant, quedaven exclosos, a més del castell del Codony, els Garidells i la Secuita, llocs aquests que pertanyien i, com hem vist, continuaren pertanyent al terme del castell de Montoliu. Per tant, la divisió arquebisbal definia, en realitat, uns espais parroquials més que no pas castrals. El fet que ambdós castells termenats —el Codony i Montoliu— estiguessin sota la senyoria dels Claramunt hauria permès aquesta divisió parroquial, no coincident amb els límits castrals, al no produir-se cap conflicte d'interessos. Així, la Secuita apareix ben documentada com a integrant de la parròquia del Codony, fins al punt d'arribar en època moderna, com ja hem vist, a arrabassar la titularitat de la parròquia a l'església matriu de Sant Pere del Codony. Pel que fa als Garidells, si bé és probable que també hagués format part de la parròquia del Codony, aviat va formar una parròquia pròpia, si bé amb posterioritat a 1194.

La unitat parroquial centrada en la unitat del territori castral s'anà esqueixant amb el temps. Si bé no podem determinar quan es produí aquest desmembrament, sembla que aquest procés podria anar paral·lel a la progressiva autonomia, o directament emancipació, que tingueren molts dels alous en què s'havien dividit els castells termenats, fenomen que, pel que fa als castells dels Claramunt, caldria situar potser a partir del segle XIII. Ja fos per proximitat geogràfica o per interessos, observem com les àrees

318. ESPAÑOL: «Les cartes de població de Vilallonga», pàg. 102, nota 49.
319. AHAT. *Índex Vell*, 451.
320. PAPELL: *Diplomatari de Santes Creus*, doc. 98.

més perifèriques del castell i de la parròquia del Codony acabaren, amb el temps, pertanyent a d'altres parròquies. Així, la quadra del Torrell o el mas dels Pallaresos depenien parroquialment de Tarragona;[321] l'enclavament del mas de Magrinyà, pertanyent a Puigdelfí, era de la parròquia de Constantí;[322] dels diversos masos existents al terme de la Font de l'Astor, uns pertanyien a la parròquia de Vilallonga, altres a la de la Selva, i encara n'hi havia d'altres que pertanyien a la d'Alcover;[323] a l'actual terme de la Secuita, les Gunyoles depenia de l'església dels Garidells, mentre que el Pontarró depenia de la de Vallmoll.[324]

EVOLUCIÓ POSTERIOR DELS TERRITORIS DEL CODONY FINS A FINALS DEL SEGLE XV

A la mort de Guillem de Claramunt, el 1230 a Mallorca, la seva vídua, Guillema, hagué de fer front a les deixes testamentàries d'aquell i als diversos litigis que s'originaren amb motiu del testament, sobretot amb el seu nebot Ponç de Cervera. A tot això caldria afegir els enormes deutes que Guillem de Claramunt contragué amb diversos prestamistes per poder-se costejar la campanya mallorquina.[325] És en aquest context que Guillema de Claramunt vengué el castell del Codony a l'arquebisbe de Tarragona, Pere d'Albalat. Segons Hernández Sanahuja, la compra s'hauria efectuat el nou de febrer de 1244, si bé no indica la font d'on extragué la notícia.[326] Tot i així, sembla probable que aquesta s'hagués produït almenys un any abans, atès que del gener de 1243 data una reconeixença feta per Saltell Gracia de Cardona, jueu de Barcelona, a l'arquebisbe Albalat, que declara haver rebut del preu que aquest havia pagat en la compra del castell del Codony tres-cents morabatins que li devia Guillem de Claramunt.[327] Per aquesta compra, l'arquebisbe hagué de litigar el 1247 amb Ponç de Cervera, reclamant de part del patrimoni Claramunt.[328] Pocs mesos després de la compra,

---

321. Per al Torrell: MUNTANYA I MARTÍ, Maria-Teresa, i ESCATLLAR I TORRENT, Francesc: *Tarragona: una passejada pel terme, una retrobada amb la gent. Onomàstica tarragonina amb anotacions multidisciplinars.* Arola Editors. Tarragona, 2007, 3 volums, vol. II, pàgs. 287-288. Per als Pallaresos, vegeu l'estudi del seu capbreu.

322. Vegeu el capbreu de Puigdelfí.

323. PIÉ: *Annals inèdits*, pàg. 670.

324. CORTIELLA: *Guia de la Secuita.*

325. El 1239, Guillema, vídua de Guillem de Claramunt, reconeixia a Pere de Godor que encara se li devien set-cents morabatins del deute que Claramunt tenia amb ell des de 1228. AHAT. *Índex Vell*, 454v.

326. HERNÁNDEZ SANAHUJA, B.: «Cartas pueblas de Tarragona hasta el final del s. XIV». A: *Boletín Arqueológico*, núm. 47. Tarragona, gener-març 1934, pàg. 337.

327. AHAT. *Índex Vell*, 455.

328. AHAT. *Índex Vell*, 454.

el maig del mateix 1243 era Guillem d'Aguiló qui venia a l'arquebisbe tots els drets que tenia sobre els castells de Cubelles, Tamarit, Montoliu, Secuita i Codony i sobre el Carxol i la Font de l'Astor, pel preu de mil morabatins alfonsins d'or i mil cent bizancis d'argent.[329] Aquesta venda fou lloada el 1248 al prelat per Ramon de Cardona.[330]

Però el paper que tingueren els castells termenats nascuts durant els segles XI i XII, o abans, s'anà transformant a partir de la segona meitat del segle XIII i del XIV. Les bastes unitats territorials compactes s'anaren esmicolant i cedint protagonisme als diversos alous en què estaven repartits els castells termenats. Si bé el *milites* aloer devia homenatge i fidelitat al senyor del castell, a la pràctica acabà actuant a les seves terres amb una autonomia gairebé total, i en alguns casos les arribà a intitular com a castells termenats, per acabar essent reconeguts, amb el temps, com a tals. Aquest és el cas dins del Codony dels llocs del Morell, Puigdelfí i el Rourell.

Una bona mostra d'aquesta transformació de l'estructura castral tradicional i de l'auge que prenen els alous el podem observar en un fet ocorregut al veí terme de la Secuita. Si bé no forma part del Codony, creiem que és prou il·lustratiu del procés de canvi, el qual, per altra part, no se circumscriu únicament a aquestes terres.

El noble Ramon Folch, vescomte de Cardona i senyor de Tamarit i Montoliu, per mitjà del seu batlle, Jaume Ferran, presentà un protest contra el majoral de Santes Creus a la Secuita, pel fet que els habitants d'aquesta havien obrat fortificacions a la vila sense la seva llicència.[331] Els arguments que esgrimia Cardona, propis del que hom podria anomenar una «visió clàssica» del castell termenat, eren que el lloc de la Secuita i la seva quadra, com a castlania, pertanyia a la castlania del castell de Montoliu, i com a territori formava part del territori del castell de Montoliu i del de Tamarit, i que els seus habitants estaven sota jurisdicció de la dita castlania de Montoliu, i per tant, de la de Tamarit. Igualment mantenia que tots els habitants del castell de Montoliu estaven obligats a fer, i feien, com havien fet als seus predecessors a la castlania, al castlà de Montoliu Ramon Desprats, guaites, joves, tragines, lluïsmes, obres i altres serveis. I acabava afirmant que no hi havia dubte que el castell de Montoliu, així com la castlania amb tots els seus termes i terres, els tenia Ramon Desprats en feu de mans de Ramon Folch de Cardona, senyor dels castells de Tamarit i de Montoliu i dels seus termes. I que ningú a la dita castlania o als termes dels dits castells podia fer

---

329. AHN. *CÓDICES*, L. 842, *Secuita*, doc. 49.
330. AHAT. *Índex Vell*, 455-455v.
331. AHN. *CÓDICES*, L. 842, *Secuita*, doc. 98.

o refer cap obra militar (*fortitudine*) sense el consentiment i especial llicència del dit Cardona, cosa que no havien respectat els habitants de la Secuita.

La resposta del monjo, majoral de la Secuita, va ser que negava que dit castell de la Secuita (observeu la intencionalitat de les paraules, ja que, mentre l'altra part sempre parla del «lloc de la Secuita», aquesta sempre s'hi refereix com a «castell») mai hagués estat o format part del terme del castell de Tamarit o del de Montoliu, atès que el tenia el monestir de Santes Creus franc i en alou, a més que cap part del seu terme afrontava amb els termes del castell de Tamarit o amb el de Montoliu, ja que el terme del castell del Catllar quedava just entremig. També deia que Ramon Desprats, castlà de Montoliu, ho era també del castell de la Secuita, ja que no només ningú no prohibeix ni és inconvenient que algú sigui castlà de dos, tres o més llocs, sinó que és cert i notori que molts a Catalunya són castlans de dos, tres o més llocs. També que dit Ramon Desprats tenia en feu la castlania del castell de la Secuita pel monestir de Santes Creus, i que els seus predecessors i ell mateix, i fins i tot Pere de Castellvell, nebot de Ramon Desprats, al qual havia deixat la castlania de la Secuita per després de la seva mort, havien fet homenatge a l'abat del monestir per aquest feu i reconeixien tenir-lo per dit monestir i no per cap altre senyor. Finalment afirmava que, si bé Guillem de Claramunt havia estat senyor de Tamarit, de Montoliu, del Codony, de la Secuita, de Puigdelfí, dels Garidells i d'altres més castells, això no implicava que els castells del Codony, de la Secuita, dels Garidells o de Puigdelfí formessin part del terme del castell de Tamarit o del de Montoliu, perquè tots aquests castells «*habet proprios terminos limitatos, et sunt castra per se limitata, et terminata*».

Si bé es tracta d'una referència una mica extensa, permet copsar el xoc de les visions totalment contraposades que dels castells termenats es tenia. Amb tot, no deixa de sorprendre la defensa feta pel monjo santescreuí. Ja hem vist com, efectivament, la Secuita havia format part del castell de Montoliu fins que passà al cenobi a partir del 1230, per la donació testamentària feta per Guillem de Claramunt. Però, a més, Santes Creus, com ja havia fet a Sant Joan del Consell o a Montornès, havia anat aconseguint tots els drets sobre la Secuita, ja fossin els del castlà major, Ponç Pere de Banyeres, els dels Llorach, a qui havia estat entregada la Secuita en alou pels Claramunt, o d'altres. Tan sols hi restava la castlania menor, en mans dels Desprats, castlans de tot el terme del castell de Montoliu, però que, des d'un principi, reteren homenatge a l'abat com a castlans de la Secuita. Per tant, el senyor del castell de Montoliu ja no retenia cap dret sobre la Secuita. En lloc d'utilitzar aquest argument, el majoral optà per la pirueta dialèctica, argüint que el castell de Montoliu, entès com l'ampli terme que havia englobat els diferents alous, hauria estat una entelèquia, ja que tots els castells propers (i n'esmenta uns quants) ja existien i eren castells amb terme propi *per se*, independentment que haguessin tingut un mateix senyor o castlà. Fins i tot, un dels punts de defensa era que el que havia estat el lloc (o vila, com apareix en el testament de Guillem de Claramunt) de la Secuita, ara reconvertit en castell pels nous aloers, ni tan sols limitava amb Tamarit o Montoliu, ja que pel mig s'interposava el castell del Catllar.

Malgrat que el text està plagat de mitges veritats, algunes difícilment sostenibles, ens serveix per mostrar, per una part, el domini i seguretat amb què actuava el monestir de Santes Creus, però, sobretot, per constatar la pràctica independència que havien assolit aquests nous «castells» respecte del castell termenat matriu. Pels arguments emprats o pel paisatge casteller que es dibuixa, hom podria pensar que aquest protest prové de les darreries de l'edat mitjana o bé de l'edat moderna. El fet és que aquest conflicte es produí en una data tan primerenca com el 1323.

Tornant al territori del Codony, aquesta embranzida dels *milites* aloers també acabà afectant Vilallonga, l'únic territori sota domini reial. No sabem per quines causes, però, el 1279, el rei Pere el Gran ordenà als homes de Vilallonga que canviessin l'emplaçament de la seva vila. Aquest primer intent sembla que no va prosperar, però, el 1285, sota la batuta del *miles* Bernat de Montpaó, a qui el rei havia donat la senyoria de Vilallonga, el projecte hauria reeixit, i la vila es traslladà al seu actual emplaçament.[332] Malgrat que l'arquebisbe confirmà el 1290 les donacions fetes a Bernat de Montpaó de Vilallonga, Riba-roja i del mas de *Baseya* (mas de l'Abella, actualment de Vilallonga?), poc durà en mans d'aquest cavaller, atès que Berenguer de Montpaó (o bé un error en la transcripció o bé un fill de Bernat), el novembre de 1299, va vendre Vilallonga i el mas de *Baseya* a Pere i Berenguer de Requesens, cavallers de Tarragona.[333]

Els diversos nuclis de població s'anaren desenvolupant i consolidant. A partir dels diversos fogatges coneguts, amb una cronologia d'entre els segles XIV i XVI,[334] es pot observar, per una part, una certa estabilitat poblacional, i, per l'altra, el minso nombre de focs que presentaven la major part d'aquests nuclis, nombre que encara seria menor si tenim en compte que, en ocasions, dins del llistat d'un terme poden afegir-se focs pertanyents a algun petit terme veí, com és el cas dels fogatges de la Pobla de

---

332. ESPAÑOL: «Les cartes de població de Vilallonga», pàgs. 98-103.

333. AHAT. *Índice General*, 210v.

334. IGLÉSIES, J.: «Consideracions sobre les dades de poblament que proporciona la Comuna del Camp de Tarragona entre 1339 i 1563». A: *Miscel·lània Fort i Cogul. Història monàstica catalana. Història del Camp de Tarragona*. Publicacions de l'Abadia de Montserrat, 1984, pàgs. 189-207.

Mafumet, en els quals apareixen també dos focs pertanyents a la quadra de Requesens, mentre que un tercer foc de dita quadra es comptabilitza en els fogatges del Codony.

Aquest estancament creiem que hauria estat degut principalment, a part d'altres possibles factors, a la poca extensió que tenien els termes de la majoria dels nuclis del Codony. Per contra, d'altres termes amb una major superfície, com podria ser el cas de Perafort, amb un terme més gran que el del seu veí, Puigdelfí, però condicionat pel fet de ser la simple unió d'uns capmasos, per la qual cosa al llarg de la baixa edat mitjana no superà els dos focs, a partir del segle XVI engegà un creixement superior al dels seus veïns. De fet, durant tot aquest període, Vilallonga, amb un terme força més gran que els altres nuclis propers, fou qui gaudia d'un major nombre de focs, que oscil·lava entre els trenta-quatre i els quaranta-un.

Per contra, el major terme, el de la mateixa vila del Codony, el nucli que havia estat creat per ser el cap de la castlania, acabà desapareixent. Malauradament, no disposem de dades suficients com per explicar quan i per què es produí aquest abandonament. El poc que sabem és que els masos del Codony estaven integrats dins la quadra de les Franqueses del Codony, un terme gens homogeni, repartit —com els seus masos— pel llarg i ample del territori del Codony. Tot sembla indicar que existien fortes tibantors entre els jurats del castell del Codony i els habitants dels masos de les Franqueses. Així, el 1387, segons un document de l'*Índex Vell*, els jurats i prohoms del castell del Codony es queixaven a l'arquebisbe de les pretensions del batlle de Constantí d'exercir la jurisdicció sobre el terme de les Franqueses, ja que aquest pertanyia al terme del castell del Codony.[335] El mateix any, però segons l'*Índice General*, els jurats del Codony presentaren una protesta al prelat contra els del terme de les Franqueses per haver format aquests ordinacions particulars, quan no tenien dret a fer-ho.[336] No sabem si per aquests motius o potser per d'altres, el 1394 l'arquebisbe hagué de dirigir un escrit als habitants del terme del castell del Codony, en què els comminava a fer un sol consell i una sola talla i a cessar les divisions.[337] Amb tot, aquestes dades escadusseres no permeten ni afirmar ni negar que a les darreries del segle XIV la vila del Codony encara existís. El fet d'aparèixer els jurats i prohoms del Codony, així com el seu consell, no és una prova concloent, car aquests càrrecs continuaren existint fins al decret de Nova Planta, ocupats, generalment, per terratinents de pobles veïns amb finques al terme del Codony.

335. AHAT. *Índex Vell*, 460.
336. AHAT. *Índice General*, 122.
337. AHAT. *Índex Vell*, 456.

Existia una creença popular de la gent de la zona, recollida per Cortiella,[338] per la qual, a les darreries del segle XIV o inicis del XV, els habitants del Codony s'haurien traslladat al davant del nucli de Perafort, si bé restaren dins del mateix terme del Codony, per la poca salubritat de la vila, situada a tocar del riu, i per la por a les periòdiques pestes. Tot plegat, el cert és que si s'hagués abandonat per unes condicions sanitàries poc favorables o per algun brot de pesta, el normal hauria estat que s'hagués abandonat completament l'emplaçament. Per contra, a partir de les dades del capbreu de 1510, veiem que en el que havia estat la vila del Codony encara hi romanien una casa, la carnisseria i, sobretot, l'església i l'abadia amb el rector, que era, per tant, el punt de trobada regular de tots els fidels de l'extensa parròquia del Codony. Així mateix, tant pels fogatjaments de 1496 i 1515 com pel capbreu de 1510, no hi ha cap evidència que s'hagués ocupat l'espai situat davant del nucli de Perafort. Dita ocupació s'hauria efectuat, gairebé amb tota seguretat, al segle XVIII, quan és traslladada a aquest punt l'església de Sant Pere del Codony.

Amb tot, recolzats per la documentació, només podem dir que, en temps de la prelatura de Pere Çagarriga (1407-1418), aquest transferí la jurisdicció castral del Codony a Penalonga, senyal que la vila del Codony hauria ja desaparegut com a tal.[339] Que la decisió de trasllat fou ferma ens ho mostra el mateix encapçalament de l'inventari de l'armari del Codony de l'*Índex Vell* del segle XVII: «*Inventari dels actes faents per la jurisdicció y altres drets que la mensa Archiepiscopal te en lo castell i terme del Codony y aprés mudat al de Penalonga*».[340] Si, com plantegem, Penalonga hauria estat el primitiu castell del Codony, traslladat després a la plana, aquesta transferència de jurisdicció del Codony a Penalonga hauria estat un dels pocs casos que coneixem de viatge d'anada a la plana i tornada a la muntanya.

Com hem anat veient, la major part dels petits i mitjans alous existents al territori del Codony tendiren a concentrar-se cada cop en menys mans. L'Església tarragonina fou una de les més afavorides, mentre que els ordes religiosos mantenien els seus alous de la quadra de l'Hospital, dels hospitalers, i la Granja del Codony, dels monjos de Santes Creus. Pel que fa als senyors laics, si bé els Montoliu es mantenien com a senyors de la Pobla de Mafumet, els Plegamans al Rourell i els Desprats al Morell, els Ribes, castlans del Codony, acumularen, a més d'aquesta castlania, la senyoria de Penalonga, Perafort, els Pallaresos, així com de la quadra de Vilar de Baró, mentre que els Requesens assoliren la senyoria de Vilallonga, de Puigdelfí,

338. Cortiella: «Notícies sobre el Codony», pàg. 148.
339. AHAT. *Índex Vell*, 458.
340. AHAT. *Índex Vell*, 451.

amb tots els seus enclavaments, i de la quadra dita de Requesens, on als masos propis d'aquesta quadra se n'hi haurien afegit un procedent del Codony i un altre procedent de l'enclavament de Puigdelfí.

El poder i preeminència de l'arquebisbe, dins no ja de les terres del territori del Codony, ans de tot el Camp de Tarragona, es veié incrementat d'una manera important amb la venda que el 1391 li féu el rei Joan I de tots els drets i jurisdiccions reials que tenia sobre les viles i llocs del Camp de Tarragona, pel preu de disset mil florins aragonesos.[341] Del llistat de llocs aportat per Morera, formaven part de l'antic castell del Codony Vilallonga, Codony, Penallonga, el Morell, la Pobla de Mafumet, el Rourell, la Masó, Perafort, Puigdelfí, el Torell, Font de l'Astor, el Carxol, la Granja dels monjos de Santes Creus, la quadra del paborde, les propietats de l'orde hospitalera de Sant Joan a prop de Vilallonga, els masos d'Aimerich Desprats i de l'Obra, la quadra del cambrer i dos masos de Bartomeu de Requesens. Precisament, a partir d'aquest llistat es pot observar el gran nombre d'alous en què estava repartit un territori com el Codony respecte a la resta del territori del Camp de Tarragona. Dels seixanta-un mencionats, dinou corresponen a l'àrea del Codony, gairebé la tercera part del total.

Si bé l'adquisició i concentració d'alous per part d'un petit nombre de senyors podria ser indicatiu d'una certa inestabilitat econòmica per part d'alguns dels antics *milites* aloers, el cert és que s'observa el fenomen contrari en molts dels emfiteutes d'aquestes terres. La poca densitat poblacional de les terres del Codony, unit a la cada cop menor presència de terres dominicals (les quals apareixen als capbreus de 1510 de forma gairebé testimonial), afavoriren l'existència d'una important capa de pagesos benestants, tinents d'un bon grapat de jornals de terra i que, en ocasions, podien arribar a esdevenir prestamistes del seu senyor. D'entre aquests sembla que destaquen els tinents de mas. Així, el 1411, trobem a Arnau de Ribes, cavaller, senyor dels castells de Penalonga i Perafort, castlà del Codony i resident a Tarragona, que crea i ven a Berenguer Aguiló, d'un dels masos del terme del Codony, un censal de propietat dotze lliures de tern.[342] El 1473, Joan Gabriel de Montoliu, senyor de Peralta, per fer front a dos censals de seixanta i setanta-cinc lliures i a diverses pensions endarrerides que devia a Bernat Cases, habitant d'un dels masos del Codony, fa a aquest rebedor de totes les rendes del seu castell de Peralta fins a eixugar el deute.[343] L'activitat creditícia, reflex per altra part d'un excedent monetari prou

---

341. Morera Llauradó, Emilio: *Tarragona Cristiana* II. Institut d'Estudis Tarraconenses Ramon Berenguer IV, 1982, pàgs. 659-660.
342. AHAT. *Índice General*, 123v.
343. AHN. *CÓDICES*, L. 842, *Peralta*, doc. 8.

important com per invertir-lo en aquests menesters, no hauria estat, però, exclusiva dels pagesos de mas del Codony. El 1429, Guillem de Montoliu, senyor de la Pobla de Mafumet i del castell dels Garidells, reconeixia deure a Pere Bellver, pagès de la Pobla de Mafumet, sis-cents sous per un censal mort que els Montoliu li havien venut.[344]

El segle XV no començà amb bon peu per als *milites* aloers del Codony. Les poques famílies que restaven hagueren de fer front als seus creixents deutes, primer amb la creació i venda de censals, i després amb la venda de diverses terres i propietats, la qual cosa, a l'ensems, repercutia negativament al veure's progressivament minvada una part important de la seva font fixa d'ingressos. El darrer acte consistia en la definitiva venda de la senyoria. I aquesta conjuntura negativa fou hàbilment aprofitada pel principal poder econòmic del Camp de Tarragona: l'Església tarragonina.

El primer a caure fou Guillem de Montoliu, senyor dels Garidells i de la Pobla de Mafumet. El 12 d'agost de 1429 va fer acte de venda de la Pobla de Mafumet a Pere Arnau Ramon, tresorer de la Seu, si bé actuava com a particular. El preu, catorze mil cinc-cents sous, s'emprà íntegrament en satisfer tres deutes que dit Montoliu tenia.[345] Després de la mort del tresorer, la Pobla restà en mans del Capítol de la Seu.

Als Ribes, castlans del Codony, i que havien assolit la titularitat de diverses senyories al Codony, com ja hem vist, els trobem carregant-se de censals i alienant diverses propietats, tant al Codony[346] com a la ciutat de Tarragona.[347] Finalment, el 1467, Isabel de Ribes, vídua de Bernat Pelegrí, va fer donació de la castlania del Codony, així com de les senyories de Penalonga, Perafort i els Pallaresos, als canonges i al Capítol catedralici de Tarragona, si bé se'n reservà l'usdefruit mentre visqués.[348] Pel que fa a la quadra de Vilar de Baró, que també havia format part del patrimoni dels Ribes, quedà en poder d'Isabel, vídua d'Arnau de Ribes, la qual es casà en segones núpcies amb el cavaller Bernat Barquer. Al voltant del 1482, el seu fill, Joan Barquer, hauria traspassat ja la titularitat de dita quadra al Capítol tarragoní.[349]

Pel que fa a les possessions dels Requesens, Vilallonga, Puigdelfí i la quadra de Requesens, pels capbreus de 1510 d'aquests llocs sabem que entre 1434 i 1445 aquests haurien passat a mans del cavaller Joan Cortit, si

344. CORTIELLA: *Història de la Pobla de Mafumet*, pàg. 39.
345. CORTIELLA: *Història de la Pobla de Mafumet*, pàgs. 36-40 i doc. 2 de l'Apèndix documental.
346. AHAT. *Índex Vell*, 456v-457.
347. AHN. *CÓDICES*, L. 1243, doc. 13.
348. CORTIELLA: «Notícies sobre el Codony», pàg. 149.
349. CORTIELLA: *Història de la Pobla de Mafumet*, pàgs. 42-44.

bé desconeixem per quina via es produí el traspàs. La senyoria de Cortit sobre aquests llocs durà fins al 1452. L'any següent ja consta com a senyor de Puigdelfí i Vilallonga el cavaller Joan Rosset. Poc temps estaren aquests llocs sota senyoria de Rosset, perquè el 1467 el Capítol de la Seu tarragonina ja n'era el titular.

A les darreries del segle XV gairebé la totalitat de les terres de l'antic castell termenat del Codony quedaren definitivament en poder de l'Església de Tarragona. Tan sols en restaren fora els castells del Morell i del Rourell, de senyoria laica, la quadra dels hospitalers de Sant Joan i la Granja dels frares de Santes Creus.

UN DOCUMENT: EL CAPBREU DE LES COMUNES DISTRIBUCIONS DE 1510

EL DOCUMENT

El «*Capbreu General de las Comunas Distribucions*», tal i com s'intitula al seu llom, es conserva actualment a l'Arxiu Capitular de Tarragona.[1] Fins on sabem, aquest capbreu ha restat pràcticament inèdit. Tan sols el doctor Cortiella l'utilitzà parcialment per al seu estudi històric de la Pobla de Mafumet.[2]

El capbreu, tal i com apareix al llom del volum i a les diverses crides, fou redactat entre el 1510 i el 1512 pel notari de Tarragona Joan Comes. Actuant com a procurador de les Comunes Distribucions apareix el reverend senyor Joan Poblet «*in decretis baccallarii canonici et sindici annualis anno presenti Reverendi Capituli Ecclessie Tarraconem*». Està íntegrament escrit en llatí, si bé tant l'índex de localitats com de capbrevants, redactats amb posterioritat, apareixen en català. Les anotacions que s'observen al marge esquerre es corresponen a petites correccions i esmenes del text. Les que apareixen al marge dret són la repetició de les quantitats dels censos a satisfer, per tal de poder portar un control més ràpid i eficaç. El volum està format pels capbreus del castell i terme de Puigdelfí, el lloc i terme de la Pobla de Mafumet, el lloc de Perafort, el lloc dels Pallaresos i el terme del Codony, la quadra de Requesens, la de Vilar de Baró i el lloc i terme de Vilallonga. A continuació apareix el capbreu de diversos béns del Capítol a Constantí, Reus i Tarragona, pels quals rebien censos, així com un altre capbreu d'aniversaris, si bé aquests darrers capbreus no entren dins l'objecte d'estudi d'aquest treball.

La primera pàgina del volum està dedicada a l'índex general, on s'indiquen les poblacions capbrevades i el número de foli de la primera pàgina de

---

1. ACT. Secció D, Armari I, B-58.
2. Cortiella: *Història de la Pobla de Mafumet*, pàgs. 34, 42-45 i 144-146.

cadascun. Al revers d'aquest foli ja apareix la crida del capbreu de Puigdelfí, el qual s'inicia en el foli següent, que consta com a pàgina 1. Aquest capbreu s'estén fins al foli 27, i des d'aquí fins al foli 35 les pàgines apareixen en blanc, possiblement per encabir les confessions d'aquells emfiteutes «desmemoriats» que poguessin capbrevar més tard. Aquest espai buit, present a gairebé tots els capbreus d'aquest volum, fou aprofitat en el cas del de Puigdelfí per afegir posteriorment, entre els folis 29 i 31, l'índex de tots els confessants, distribuïts segons els capbreus de les diferents poblacions. El capbreu de la Pobla s'inicia en el foli 35v i s'allarga fins al 44, tot i que fins al foli 72 queda en blanc. El capbreu de Perafort va des del foli 72v fins al 80. El dels Pallaresos i el Codony, des del foli 110v fins al 122. El de la quadra de Requesens ocupa des del foli 123 fins al 128, i el de la quadra de Vilar de Baró va del foli 146v al 160. Finalment, el de Vilallonga ocupa des del foli 184v fins al 253, i fins al foli 260 queda en blanc.

A l'Arxiu Capitular existeix un altre volum amb la còpia dels capbreus de 1510, intitulat «Còpia del Capbreu de las Baronias. 1510. Comas», si bé només conté els de Puigdelfí, la Pobla de Mafumet i Vilallonga, així com un molt incomplet del terme de Riba-roja, el qual no apareix al volum original.[3] La còpia fou feta el 1535 i, un cop contrastats tots dos, és completament fidel a l'original. Aquest volum hauria servit segurament com a base per preparar un capbreu posterior, segurament el de 1555, car, a les anotacions marginals, a més de les ja esmentades, a l'esquerra de cada bé confessat s'afegeix la fórmula *Es cap.* seguida del nom del titular que confessà en aquest següent capbreu.

LA SEVA ESTRUCTURA

El volum aquí estudiat s'inicia sense cap tipus d'introducció o encapçalament, sinó que va directament als capbreus particulars de cada lloc, terme o quadra. Cada un d'aquests capbreus s'inicia, això sí, amb la crida efectuada pel senyor, llevat del cas de la quadra de Requesens, sense que coneguem el motiu d'aquesta absència. Aquesta crida, o més aviat podríem dir diligència d'apertura, escrita pel notari de forma estandarditzada, informa que, en data X, prèvia crida feta i publicada als llocs acostumats, s'havia convocat a tots els vassalls, emfiteutes i terratinents del lloc / castell / terme Y, del qual té la senyoria el Reverend Capítol de la Seu de Tarragona, per tal de capbrevar i confessar els censos, censals i altres drets que tenen per dit Capítol, i que el capbreu s'havia iniciat el mateix dia X previst.

3.   ACT. Secció D, Armari I, B-60.

A cap dels capbreus no apareix el que seria una confessió o reconeixement general feta pels representants del lloc, en què s'especifiquin aquelles obligacions col·lectives que té la universitat del lloc envers el seu senyor. L'única excepció la trobem en el capbreu de Vilallonga, on sí que hi ha una confessió dels jurats del lloc, per la qual cosa s'analitzarà dins de l'estudi específic d'aquest terme.

Per tant, després de la crida, el capbreu s'inicia directament amb les confessions particulars de cadascun dels emfiteutes de cada lloc, si més no d'aquells que es presentaren, ja que si bé tots hi estaven obligats, com es veurà en els estudis de cada capbreu, existia un nombre de tinents, variable segons el lloc, que no confessà. Per l'estructura i el tipus d'informació que s'hi conté, on, en la immensa majoria dels casos es justifica la provinença del bé capbrevat, per tant la darrera transmissió, i en alguns casos, fins i tot, alguna transmissió anterior, podem definir aquestes confessions particulars com de «capbreu complet».[4]

Totes les confessions particulars presenten la mateixa estructura interna. En un primer bloc s'apunta la data i el lloc on es fa la confessió. En el següent bloc, força extens i estandarditzat, s'assenyala primer el nom, ofici i lloc de residència del confessant i, en algunes ocasions especials, el concepte pel qual algú es presenta en nom o representació del titular, com pot ser el cas de curadors de menors orfes, i, en el cas de les poques dones presentades, per malaltia del marit o per viduïtat. A continuació, l'emfiteuta, en presència del capbrevador i dels testimonis, mitjançant jurament sobre els quatre Evangelis, confessa que els béns que confessarà els té i posseeix «*sub dominio et alodio prefati Reverendi Capituli et ad ipsius firmam fatigam laudemyum sive tertium emparam et alium plenum Ius et directum sive emphiteoticum dominium et plenam dominationem*». Generalment, a continuació s'especifica per qui ha rebut l'emfiteuta les seves heretats (pares, avis, compres…).

Tots els béns són descrits un per un, per regla general primer els urbans i a continuació els rústics. Pel que fa a aquests darrers, s'acostuma a indicar la superfície de la parcel·la i, a vegades, la partida de terra de la qual forma part, així com el seu principal cultiu o cultius. En tots els béns confessats, ja siguin rústics o urbans, s'especifiquen les seves afrontacions, seguint els quatre punts cardinals. A continuació s'indica el cens que l'emfiteuta satisfà al Capítol per aquell bé i la data o dates d'entrega d'aquest.

Un cop descrits tots els béns, a continuació, en un bloc a part s'enumera per quins legítims títols li han arribat aquests, tot especificant, quan el tinent

---

4. Ortega, Pascual: «Una propuesta metodológica para el estudio de los capbreus en la época moderna». A: Sánchez Martínes, Manuel (comp.): *Estudios sobre renta, fiscalidad y finanzas en la Cataluña bajomedieval*. CSIC, Barcelona, 1993, pàgs, 105-131.

aporta un «*publicum pergameneum*», una escriptura, la data i el lloc on es redactà, el nom del notari i la signatura per raó de senyoria.

En el cas que algun dels emfiteutes hagués rebut els seus béns per més d'una via (uns béns per herència i altres per compra, per exemple), es repeteix el mateix esquema tantes vegades com donadors ha tingut.

Finalment, en un darrer bloc, mitjançant el jurament fet, el tinent es declara vassall del Reverend Capítol i que està obligat a prestar a aquest, el seu senyor, cada any, diverses prestacions personals que es descriuen a continuació. Acaba el confessant reconeixent que tot allò capbrevat per ell ha estat mitjançant el predit jurament i davant dels testimonis esmentats a l'inici de la seva confessió. De tot això, el capbrevador redacta un instrument públic «*ad habendum memoriam in futurum*».

PLANTEJAMENT DE L'ESTUDI DE CADA CAPBREU

Cadascun dels capbreus dels diferents llocs que apareixen en el capbreu de les Comunes Distribucions presenta un mateix esquema. En un primer apartat, es realitza una breu anàlisi formal del document, tot mostrant el nombre de confessants, el lloc i la data de confessió, l'esquema seguit, així com les especificitats que ens puguem trobar respecte dels altres capbreus.

El segon apartat correspon a la descripció del terme capbrevat. Aquest és un dels apartats més importants i més laboriosos, ja que ha calgut resseguir, a partir de les afrontacions de les confessions, els seus límits originals, els quals no sempre coincideixen amb els del terme municipal actual, sobretot si es tracta d'un terme posteriorment annexionat per un altre, i, per tant, ja desaparegut, com el Codony o les quadres de Vilar de Baró i Requesens, per exemple, o, al contrari, un terme que n'ha absorbit d'altres, com Perafort amb Puigdelfí o la Pobla de Mafumet amb les quadres esmentades. Atesa la gran alteració antròpica que ha sofert tot aquest territori, sobretot d'uns anys ençà —implantació de la gran indústria, urbanitzacions, noves vies de comunicació—, per tal de poder copsar millor les petges que sobre el terreny van deixar les antigues divisions parcel·làries, algunes de les quals ens han arribat gairebé iguals, hem hagut de basar-nos en la planimetria més antiga que es conserva, els cadastrons de tots els polígons del cadastre de béns rústics dels actuals termes municipals que conformaren l'antic *castrum* del Codony, realitzats a la dècada dels quaranta-cinquanta del segle XX i conservats a l'Arxiu Històric de Tarragona (AHT). Juntament amb aquests, un instrument complementari i del tot necessari han estat les fitxes del padró de rústica del 1955, també conservades a l'AHT, a partir de les quals hem pogut obtenir la superfície de cada una de les parcel·les.

A continuació s'ha inclòs un apartat amb el llistat i descripció de tots els topònims apareguts en el capbreu. Aquest llistat pot ser una base per a futurs treballs de toponímia o un complement als ja existents.

El següent apartat analitza els confessants de cada capbreu, tot aportant la procedència i professió de cadascun d'ells quan aquesta és coneguda. Dins del mateix apartat es presenta un llistat nominal de tots els confessants, enumerant els béns capbrevats i el total de jornals de terra quan es coneixen. Atès el poc volum de confessants als capbreus, hem considerat més profitós individuar-los amb els seus noms i cognoms, car, a més que d'aquesta manera es pot fer menys feixuc, pot ser una valuosa font d'informació de cara a possibles estudis genealògics. Per altra part, veient qui hi ha, a partir de dades provinents de les mateixes afrontacions o dels fogatjaments nominals de 1497 i 1515, podem arribar a saber qui no hi és, i, per tant, poder calcular el grau d'absentisme que es pogués donar.

En base a les dades del següent apartat, dedicat a l'estudi dels béns urbans, i a partir de la planimetria i parcel·lari urbà actuals, hem refet, tant com hem pogut, a cada lloc l'urbanisme existent el 1510, el qual, per altra part, es correspondria gairebé en la seva totalitat amb el del seu primitiu assentament medieval.

L'apartat dedicat als béns rústics presenta el total de superfície del terme juntament amb la totalitat de parcel·les i tinents presents en el capbreu. A continuació l'estudi gira sobre dos eixos. Per una part les parcel·les, amb diversos aspectes com són el tamany d'aquestes, el nombre i superfície que cada emfiteuta podia tenir, la seva procedència, o l'existència o no de terres dominicals. L'altra part és dedicada als cultius, tot analitzant què i on es cultivava i quants jornals de terra s'hi dedicaven. Pel que fa a les mesures de superfície emprades, hem utilitzat el jornal de terra, el mateix que preponderantment apareix a tots els capbreus aquí estudiats. En aquesta part del Camp de Tarragona el jornal tenia la mateixa equivalència que el posterior jornal estadístic, això és 1 jornal = 6.084 m^2, o el que és el mateix 0,6084 hectàrees. En els casos en què en el capbreu s'empra un altre tipus de mesura, hem intentat, quan aquesta era coneguda, fer la conversió en jornals i hectàrees.

El següent apartat estudia les servituds a què havien de fer front els capbrevants, amb l'anàlisi dels tipus de censos i rendes que se satisfeien així com els serveis personals que es prestaven.

A continuació s'analitza la transmissió de les tinences, tot observant quins tipus de transmissions eren majoritàries i entre qui s'acostumaven a fer. Això ens permet, per altra banda, conèixer en molts casos com es va fer la transmissió anterior, la procedència dels transmissors així com les notaries utilitzades.

Finalment, l'estudi es clou amb unes conclusions específiques per a cada capbreu.

EL CASTELL I TERME DE PUIGDELFÍ

ANÀLISI DEL DOCUMENT

El capbreu s'inicia amb la crida a capbrevar a tots els vassalls, emfiteutes i terratinents del castell i terme de Puigdelfí a partir del dimarts 14 de maig de 1510. Aquesta crida, com a la de la resta de termes capbrevats en aquest volum, es troba al *verso* del foli anterior al de l'inici de les confessions, en aquest cas sense numeració.

A partir del foli 1 comencen directament les confessions particulars. Aquestes ocupen fins al foli 27 *recto*; la resta, fins al foli 35 *recto*, es manté en blanc, llevat dels folis 29 a 31, en els quals es troba l'índex de tots els confessants dels diferents capbreus del volum.

Es documenten un total de vint confessions per part de setze tinents. Les dues primeres es produeixen el mateix dimarts 14 de maig, a Puigdelfí; tres més l'endemà, essent un dels confessants veí de Vilallonga; dos més el dia següent, dijous 16, i ja passa al dissabte 18, en què confessaren dos tinents més. Entre el dilluns 20 i el dimecres 22 hi hagué una confessió diària, la primera d'un veí de Puigdelfí i les altres d'un de la Pobla de Mafumet i del tinent del mas, situat a l'actual enclavament del Campot. Finalment, les dues darreres confessions fetes a Puigdelfí es van fer el dissabte 26 maig, per part del tinent del mas de la quadra de l'Hospital. Un parell de setmanes més tard, el dimarts 11 de juny, es continuaren les confessions, aquest cop a Vilallonga, una el mateix dia, per part d'un veí del Morell, una altra el dimecres 18, una altra el dimarts 25, i una més el 26, totes tres fetes per veïns de Vilallonga. L'endemà, dijous 27 de juny, la confessió ja es va fer a Tarragona per part del tinent del mas situat a l'actual enclavament del mas de Magrinyà. La darrera confessió també fou feta a la ciutat pel tinent del mas de la Llacuna del terme de les Franqueses del Codony, amb data 2 d'agost, divendres.

L'esquema de les confessions particulars es correspon als esquemes generals ja apuntats anteriorment. Les fetes el primer dia, 14 de maig, a Puigdelfí, es desenvoluparen en presència dels reverends senyors Lluís Munyoç, ardiaca de Sant Llorenç i Joan Poblet, canonge síndic anual del Capítol, i de Guillem Cosidor de Vallmoll i Bernat Serrà de Puigdelfí, en qualitat de testimonis. La resta de confessions de Puigdelfí es van realitzar davant l'esmentat Joan Poblet i de Joan Miret, beneficiat de la Catedral, i Baltasar de Moncal, habitant de Tarragona. A les confessions fetes a Vilallonga, ultra el dit Poblet, consten com a testimonis el dit Moncal i Miquel de Roda, notari de Saragossa. De les dues confessions fetes a Tarragona, en una consten com a testimonis Vicenç Alegre, prevere beneficiat, i Joan Arbós, *dormitorario Ecclesie Tarragone*, mentre que a la darrera ho fan Francesc Reus i Gabriel Solzina, hostaler.

Com gairebé la resta, en el capbreu de Puigdelfí les anotacions marginals a la seva part esquerra corresponen a petites esmenes o afegitons oblidats al cos del text. Pel que fa al marge dret del document, com a la resta, es limita a especificar en números romans les quantitats de cens a satisfer. Pel que fa a la còpia del capbreu,[1] segueix els mateixos paràmetres, inclou les mateixes anotacions marginals, però a més, s'afegeix a la part esquerra de cada bé confessat la fórmula *Es cap.* seguit del nom del titular que confessà al posterior capbreu de 1555.

DESCRIPCIÓ DEL TERME

El principal tret que s'observa del terme de Puigdelfí és el de la seva poca unitat territorial. Així, el que, amb tota seguretat, hem de considerar el seu nucli originari es troba a una part del riu, però s'estén també a l'altra part del riu una llarga llenca de terra. A aquests espais cal afegir-hi, a més, tres masos enclavats dins d'altres termes del Codony.

A la part «*d'ençà lo riu*», a l'esquerra del Francolí, se situava el principal espai del terme. Els seus límits són força clars, si més no en tres de les seves quatre parts. Així, pel nord els seus límits coincidirien amb els actuals que el separen del terme dels Garidells. La seva part occidental limitava amb el riu Francolí, mentre que l'oriental ho feia amb el torrent, actualment conegut com dels Garidells, però contínuament citat en el capbreu com del «Maigllong» (*Madiis longi*), i, en un sol cas, com del Bugatell.

El límit més difícil de definir és el meridional. Sabem que per aquesta banda limitava amb les terres d'en Busquets, del terme del Codony. A partir de la confessió de la seva vídua, en el capbreu dels Pallaresos i el Codony, i del parcel·lari, s'observa en aquest una línia des del riu fins al torrent que, creiem, devia correspondre al límit meridional del terme de

---

1.   ACT. Secció D, Armari I, B-60.

Puigdelfí. Aquesta possible divisòria es localitzaria al nord de les parcel·les 20, 104, 194, 246, 243, 153 i 65 del polígon 10, i de les parcel·les 1 i 12 dels polígons 12 i 13, respectivament, a un centenar de metres al sud de l'actual pont que travessa el Francolí.

Aquesta part del terme se'ns presenta com un espai allargat, dividit, de sud a nord per una elevació del terreny —els actuals Costers, o, tal i com es descriu en el capbreu, el *limino de la rocha*—, la qual defineix dues planures ben diferenciades, una a l'oest, vorejant el Francolí, on es trobava l'Horta, regada per les sèquies del Molí i de l'Horta, i una altra, més extensa, situada a l'est i definida pel torrent. Entremig, en un sortint d'aquest coster, es trobava encimbellat el nucli d'habitatges de Puigdelfí. Resseguint la línia de dit coster, es localitza el camí ral de Tarragona a Valls, el qual, provinent del lloc del Codony, avança paral·lel al coster fins a endinsar-se dins del terme dels Garidells, deixant els costers i el nucli de Puigdelfí a la seva esquerra. Aquest era, si més no, el seu traçat original, car, posteriorment, en data desconeguda, hom derivà dit camí per tal que tingués entrada i sortida per Puigdelfí; l'espai del camí ral circumval·lat per aquest *bypass* passà a ser conegut com a camí vell de Tarragona. Al nord del terme, del camí ral sortia una altra derivació, la qual, traspassant el torrent, anava fins als masos dels Quarts i al nucli dels Garidells.

En total, l'extensió d'aquesta porció de terme, segons les confessions del capbreu, és de dos-cents vuitanta-cinc jornals,[2] als quals caldria afegir les terres dels «*domini dicti castri*», les quals, com és natural, no apareixen capbrevades, i, per tant, són de difícil càlcul, si bé, per la situació de les parcel·les colindants, creiem que, en la ;ata del capbreu, es limitarien a uns pocs jornals. Així mateix, apareixen tres parcel·les de superfície indeterminada i dues més, les quals apareixen mesurades en «homes de cavadura», amb un total de vint «homes de cavadura», malauradament desconeixem quina seria la seva equivalència en jornals o en àrees.[3] Per tant, no seria inversemblant pensar en, almenys, un mínim d'uns tres-cents o tres-cents vint jornals, entre unes cent vuitanta o cent noranta-quatre hectàrees.

A la riba dreta del Francolí, a la part «*dellà lo riu*», s'estenia un ampli espai pertanyent a Puigdelfí. El seu límit oriental era el mateix riu Francolí,

---

2. Per tal de realitzar els càlculs de superfície hem aplicat al jornal la mesura més emprada al Camp de Tarragona, la coneguda en alguns llocs com a Jornal de Rei, i que, posteriorment, donaria pas al Jornal Estadístic, consistent en 1 jornal = 6.084 m² = 60 àrees + 84 centiàrees. COLOMER I NAVARRO, Joan: «Aproximació aritmològica a les mesures catalanes antigues emprades al Camp de Tarragona». A: *Miscel·lània Ribetana*, 2. El Brugent, 1989, la Riba, pàgs. 84-85 i ALSINA, C.; FELIU, G.; MARQUET, Ll.: *Pesos, mides i mesures dels Països Catalans*. Curial. Barcelona, 1990.

3. ALSINA, FELIU i MARQUET citen aquesta mesura de superfície, si bé no pogueren aportar cap equivalència. Vegeu: ALSINA, FELIU i MARQUET: *Pesos, mides i mesures*.

mentre que el septentrional, si més no fins a arribar al camí ral de Tarragona a Montblanc, era la riera de la Selva. Pel sud limitava amb el terme de la Pobla de Mafumet, a partir d'una franja de terra paral·lela al camí, actualment conegut com del Morell a Perafort. Aquest espai quedava, però, tallat, d'est a oest, pel mas de Francesc Baldrich, el qual formava part del terme de la quadra de Requesens. De nord a sud era travessat per la sèquia de Vilar de Baró. Aquesta àrea, entre el Francolí i el camí ral, devia tenir, segons les dades del parcel·lari de rústica de l'any 1955, una superfície d'uns quaranta-tres jornals.

A l'oest del camí ral, el territori de Puigdelfí s'estenia, arribant pel nord, a tenor de les confessions, fins al conegut com a camí Fondo, actualment al terme del Morell, anomenat en el capbreu com a camí de les Parellades, i continuaria vers l'oest per l'actual carrer del Molí de dita població,[4] fins a enllaçar amb l'actual carretera del Morell a Reus, ocupant gairebé la totalitat de l'actual partida del Morell, coneguda com la Marquesa, així com la parcel·la 15 del polígon 10 de la Pobla de Mafumet. La part meridional limitava amb el terme de la Pobla de Mafumet, mitjançant el camí C del polígon 1 de rústica de la Pobla de Mafumet. Aquest espai corresponia a la masia del pobletà Jaume Guardiola, llevat del triangle, d'uns vint-i-tres jornals, format pel camí ral, el camí de les Parellades i el torrent de Mestre, el qual era ocupat per un mínim de cinc parcel·les, de les quals confessaren tres tinents. Pel que fa a la masia d'en Guardiola, a partir de les dades del Padró de Rústica de 1955, deuria tenir uns seixanta-set jornals. En total, aquesta part del terme de Puigdelfí, tenia una superfície d'uns cent trenta-tres jornals, unes vuitanta hectàrees.

La resta de terres de Puigdelfí es corresponen a petits enclavaments, formats originàriament per masos, tots ells situats «dellà lo riu». El més llevantí es coneix actualment com el Campot Fondo, una àrea de tan sols uns vint jornals, enclavada al bell mig del terme de la Pobla, si bé, a inicis del segle XVI, corresponia al mas tingut per Jaume Gavaldà, de seixanta jornals de superfície. Un altre enclavament és el conegut com del mas de Magrinyà, d'uns trenta-tres jornals, situat entre Constantí, l'actual terme de la Pobla, mitjançant el barranc del Mas Blanc, i el terme de la Selva,

4. Coneixem aquestes afrontacions tan precises mercès al document de venda d'una gran finca, anomenada la Coma, propietat dels marquesos de Montoliu, i que, per la seva situació, originàriament sembla del tot probable que hagués hagut de formar part del terme puigdelfinenc. «(…) lindante al Este con propiedad de los habientes derecho del Sr. Marqués de Tamarit, al Sud con José Ferrando, José Blasi y otros en término de Perafort mediante sendero de heredades y el cauce de la mina de S. Jorge, al Oeste con la carretera o camino vecinal de Tarragona a Valls y al Norte con patio y era de trillar de la propia herencia y corrales de las casas y solares de José Torres y otros y con la calle del Molino o camino del Manso Torrents». Arxiu Patrimonial Casa Mir de la Pobla de Mafumet. Fons Mir de la Pobla, doc. 22. 09-12-1900.

mitjançant el camí vell de Reus a Valls. Segons el capbreu, es correspon al mas tingut per Antoni Rosselló, anomenat, en aquells moments, com d'en Aragall, i antigament com de *Bers Stars* (*sic*). Malauradament a la confessió no es fa esment de la seva superfície, amb la qual cosa desconeixem si, originàriament, era un mas més gran. El darrer enclavament és el de les Barraquetes, situat entre els termes de Vilallonga, Alcover i el Rourell. Malgrat que se n'hagi perdut l'esment ni es conservi cap vestigi, es correspon, segons el capbreu, amb les terres del mas dit del Fenollar, el tinent del qual no capbrevà. Aquest mas tenia una cabuda d'uns vuitanta jornals, si bé vint d'aquests, els situats al sud del camí de la Selva, foren venuts a Joan Ayguader de Vilallonga, mercès a la confessió del qual coneixem aquests detalls.

Les partides de terra

Les úniques partides de terra documentades se situen totes a la part del terme «*d'ençà lo riu*». En molts casos, la referència a una partida la trobem en una sola parcel·la, la qual cosa ens dificulta escatir si, en realitat, es tractava d'una partida, o, com acostumava a esser força corrent, al nom amb què es coneixia aquella finca. Dins d'aquest grup trobem possibles partides com les Vinyes, la Vinyaça, partida del camí vell, la Coma o els Ortals. Per contra, en altres casos, l'adscripció de diverses parcel·les a una partida de terra ens confirma la seva existència, la qual, fins i tot, en alguns casos, s'ha perpetuat fins a l'actualitat. La partida més gran correspon a l'Horta, situada entre el Francolí i els costers. La part més meridional d'aquesta, a tocar del terme del Codony, rebia —i encara rep— el nom de partida de les Irles.[5]

A l'extrem nord-oriental del terme es troba l'extensa partida de la Borana, o de la Beurana, com també se la coneix actualment, amb vora seixanta jornals d'extensió. Per la confessió del tinent del veí mas de la Llacuna, si no totes, part d'aquestes terres haurien format part d'un antic mas, ja desaparegut en el moment de confecció del capbreu. Una altra partida ben consolidada era la de l'Era. Aquesta es trobava situada als peus del nucli de Puigdelfí, al seu vessant oriental, a l'espai comprès entre la derivació d'entrada i sortida a Puigdelfí del camí ral de Tarragona a Valls i la part d'aquest que, per motiu d'aquesta derivació, va ser conegut com el camí vell de Tarragona a Valls. La darrera partida, dita de les Planes, és de més difícil ubicació; possiblement, devia estar localitzada a prop o a dins de l'actual partida de les Vinyes Grans.

---

5.   VECIANA I AGUADÉ, Josep: «Topònims i Antropònims de Perafort i Puigdelfí». A: *Treballs de la Secció de Filologia i Història Literària* VII, Tarragona, 1994, pàgs. 21-110.

TOPÒNIMS LOCALITZATS

Termes i llocs

1. *Termino dels Garidells*
   El terme dels Garidells.

2. Masia de l'hereu de Joan Queralt
   L'antic terme del mas de l'Obra, actualment al terme de Vilallonga. Pel capbreu de Vilallonga sabem que en realitat el seu tinent es deia Canals i no Queralt.

3. *Termino del Carjol*
   L'antic terme del Carxol, actualment forma part del terme de Vilallonga.

4. *Manso del Fenollar, termino de Puigdelfí*
   Antic mas, avui desaparegut, situat a l'enclavament de les Barraquetes.

5. *Quadra de la Pobla*
   El terme de la Pobla de Mafumet. En origen fou una quadra del terme de Puigdelfí.

6. *Termino del Codony*
   L'antic terme del Codony, avui repartit entre els actuals termes de Perafort, la Pobla de Mafumet i els Pallaresos.

7. *Termino del Morell*
   El terme del Morell.

8. Heretat d'Antoni Cases
   Antic mas del terme del Codony; cal relacionar-lo amb l'actual mas Blanc de la Pobla.

9. Heretat d'en March
   Antic mas del terme del Codony. Es correspon amb l'actual mas de Ximet de la Pobla.

10. *Termino Grange*
    L'antic terme de la Granja dels Frares, actualment al terme del Morell, si bé, pel que fa al capbreu, sembla que s'ha produït un error per part del confessant, car s'hauria d'haver referit al terme de l'Hospital de Sant Joan, amb el qual, efectivament la peça capbrevada, colindava, tret que faci referència a la quadra de Danda o Danla, la qual era també dels monjos de Santes Creus.

11. Masia dita d'en Aragall, antigament dita de *Bers Stars* (?), terme de Puigdelfí, parròquia de Constantí
    Es correspon amb l'actual mas de Magrinyà.

12. Mas d'en Figuerola, terme de Constantí

Mas colindant amb el d'en Aragall. Estava situat a l'oest de l'actual carretera del Morell a Reus.

13. Mas de na *Fferrana*, terme de Constantí

Mas colindant amb el d'en Aragall. Estava situat a l'oest de l'actual carretera del Morell a Reus.

14. Masia dels hereus d'Eimeric Desprats, terme de Vilallonga

Antic terme conegut com del mas d'Eimeric. Actualment és un enclavament del Morell, situat entre la Pobla, Vilallonga i la Selva.

15. Masos Bellets, terme del Codony

Antic mas del terme del Codony, avui dia encara existent —si bé molt modificat— al terme de la Pobla de Mafumet.

16. Mas dit *de la Lacuna*, terme de les Franqueses del Codony

Antic mas, avui dia encara existent. Es corresponia amb l'actual mas del Sec, al terme de Perafort.

17. Mas de na Clarana o Clariana

Mas situat al nord del de la Llacuna, també al terme de les Franqueses del Codony. Es correspon amb el mas dels Quarts, al terme de Perafort.

18. Heretat dels pupils de Pascasi Busquets del Codony

Cases i terres situades al voltant de l'antic poble del Codony, a la desembocadura del torrent de Maigllong. Actual terme de Perafort.

Espais urbans

19. *Vico publico; vico dicti loci; vico ipsius loci*

L'únic carrer existent a Puigdelfí en el moment de redacció del capbreu. Correspon a l'actual carrer del Mig.

20. *Costa dicti castri*

Pendent que porta del camí ral de Tarragona a Valls fins al castell i al carrer del Mig. Actualment és conegut com la Costa del Castell.

21. *Vallo dicti castri*

Fossat que rodejava l'edifici del castell i el seu pati. Part del seu traçat ha quedat fossilitzat en el traçat de l'actual carrer del Castell.

22. *Platea coram castro; platea*

L'única plaça existent a Puigdelfí en el moment de redacció del capbreu. Correspon a l'actual plaça de l'Església.

23. *Muro predicto loci*

La muralla que circumval·lava el nucli urbà, formada, molt possiblement, pels murs de tancament dels patis posteriors de les cases.

Camins

24. *Camino generali quod itur a Tarragona ad villam de Vallibus; camino regali de Valls; via publica de Tarragona; camí general que va a Valls; camino regali de Tarragona; camino regaly*

L'antic camí ral que, venint del Codony, i passant als peus de Puigdelfí, anava fins a Valls.

25. Camí vell de Tarragona

En origen el camí ral no passava per Puigdelfí; la desviació cap al poble es va fer posteriorment, en data indeterminada. El tram de camí ral afectat per aquest *bypass* era conegut com a camí vell de Tarragona.

26. *Camino regaly quod itur ad villam de Montblanch; camino regaly quod itur de Tarragona a Montblanch; camí de Montblanc*

Camí ral que, a l'altra banda del riu Francolí, anava des de Tarragona fins a Montblanc.

27. *Camino dicto de les Parellades*

Camí que possiblement es correspon amb l'actual camí Fondo al terme del Morell.

Cursos d'aigua

28. *Síquia de l'Horta; sèquia de l'Horta; rego de la Horta*

Sèquia situada a l'Horta de Puigdelfí, a continuació vers el sud de la sèquia del Molí.

29. *Rivo Francolini*

El riu Francolí.

30. *Torrente de Madiislongi*; torrent dit del Bugatell

El torrent de Maigllong o dels Garidells, també se'l coneix com del Bugatell perquè passa per davant d'aquest mas del terme de la Secuita.

31. *Rego orte de la Pobla; rego orte del Vilar Baró; cequia orte Popule Mafumeti*

Sèquia de Vilar de Baró. S'iniciava al terme de l'Hospital de Sant Joan davallant vers el sud fins a la quadra de Vilar de Baró i passant per part del terme de la Pobla, per la qual cosa també en rebia el nom.

32. *Cequia molendini; riguo molendini; rigo molendini; sequia molendini*

Sèquia del molí. Venia del terme dels Garidells i anava fins al molí. La seva continuació cap al sud era coneguda com a sèquia de l'Horta.

33. Sèquia de l'exaguador del molí

Possiblement part de la sèquia del molí o un ramal d'aquest situat en el seu tram final.

34. *Rigo del pont*
També possiblement part de la sèquia del molí o un ramal d'aquest.

35. *Rivo de la Selva; riaria ville Silve; torrente del Morell*
Correspon al torrent de Mestre, el qual passa per la Selva i el Morell.

36. Torrent dit de l'Almatella
El torrent del Mas Blanc.

Partides de terra

37. L'Horta
Tot l'espai de terra situat entre el riu Francolí i els costers.

38. Partida dita *les Irles*; partida *Les Viles*; *Les Illes*
Dins de l'Horta, l'espai situat més al sud, tocant al terme del Codony.

39. Partida dita *Los Horts* a l'Horta
Possible partida situada dins de l'Horta.

40. Les Planes
Partida situada entre els costers i el torrent. Es localitzava, possiblement, a prop o a dins de l'actual partida de les Vinyes Grans.

41. L'Era
Partida situada a l'est del nucli de Puigdelfí, als seus peus, entre el camí ral de Tarragona a Valls i el camí vell. Una part d'aquesta partida es coneix actualment com les Sorts del Castell.

42. La Borana
O també Beurana. És una extensa partida de l'extrem nord del terme, que llinda amb el terme dels Garidells i el torrent. Per les dades del capbreu, aquesta partida, o una part, devien procedir d'un antic mas del terme de Puigdelfí, inexistent ja en el moment de la redacció del capbreu.

43. Les Vinyes
Possible partida que caldria situar a l'est del camí vell.

44. Partida del camí vell
Possible partida situada al voltant d'aquest.

45. *Quintana de la villa*
Correspon a la part de coster situat just dessota el castell, a la part occidental del nucli de Puigdelfí.

Els trossos de terra

46. Sort dita *Los Comallars*

Sort de nou jornals de Joan Buada de Puigdelfí. Situada entre el camí ral i el torrent.

47. Tros de terra dit *De l'Ametller*

Tros de terra de dotze jornals de Joan Buada de Puigdelfí, situat entre els costers i el camí ral, al nord del nucli urbà.

48. Tros de terra dit *Lo camp de n'Alzina*

Tros de terra de quinze jornals de Joan Buada de Puigdelfí, situada entre el camí ral i la sort dita *Los Comallars* del mateix tinent.

49. Tros de terra dit *Lo prat de les Pillas*, a l'Horta

Tros de terra de Joan Buada de Puigdelfí, situat a l'Horta.

50. Tros de terra antigament dit *La vinyaça*

Tros de terra, part de vinya de cinc «homes de cavadura» i part campa de tres jornals, del difunt Llorenç Serrà de Puigdelfí, situat possiblement a prop de l'actual partida de les Vinyes Grans.

51. Sort de terra dita *La sort de la Parera*

Sort de terra de cinc jornals del difunt Llorenç Serrà de Puigdelfí, situat possiblement a prop de l'actual partida de les Portetes de Pallarès.

52. Peça de terra campa dita *Lo tros d'en Miquel*

Peça de terra de tres jornals del difunt Llorenç Serrà de Puigdelfí, situat a l'Horta.

53. Hort situat a l'Horta dit *L'hort de Santandreu*

Hort d'un jornal de Joan Bellver de Puigdelfí, situat a l'Horta.

54. Tros de terra campa dit *La Sortanella*

Tros de terra de dos jornals de Joan Bellver de Puigdelfí, situat dins o a prop de l'actual partida de les Vinyes Grans.

55. *Orto molendini*

Hort del molí, situat a prop d'aquest, a l'Horta. Només el coneixem per una afrontació.

56. Tros de terra dita *La Coma*

Tros de terra de tretze jornals de Bartomeu Bosch de Puigdelfí, situat a l'extrem nord del terme, a l'est del coster i de la sèquia del molí.

57. Tros de terra dit *Lo tros de la vinya*

Tros de terra de tres jornals de Bartomeu Bosch de Puigdelfí, situat possiblement a prop de l'actual partida de les Vinyes Grans.

58. Tros de terra dit *Lo regadiu* a l'Horta

Tros de terra de tres jornals de Joan Mestre de Puigdelfí, situat a l'Horta, entre la sèquia de l'Horta i el Francolí.

59. Tros de terra dit *L'honor del Francolí*

Tros de terra de dos jornals de Bartomeu Lluch del mas de la quadra de l'Hospital. Era situat a la part *«dellà lo riu»*, tocant al Francolí.

Elements geogràfics

60. *Rocha*

Els costers que s'eleven de sud a nord, paral·lelament al Francolí.

61. *Limino de la rocha*

La carena dels costers.

ELS CONFESSANTS

El total de confessants del capbreu de Puigdelfí és de setze. La major part dels tinents procedeix del mateix Puigdelfí; així, sis viuen al mateix nucli urbà, i dos més tenien els masos situats als actuals enclavaments del Campot i del mas de Magrinyà. El segon contingent més nombrós és el format per quatre vilallonguins. Molt per darrere, els quatre tinents restants procedeixen de la Pobla de Mafumet, del Morell, del mas de la quadra de l'Hospital i d'un dels masos del terme de les Franqueses del Codony. Ateses les especials característiques d'aquest terme, amb terres a banda i banda del riu, cal ressenyar que, pel que fa a la part esquerra del Francolí —«ençà lo riu»—, tots els béns són tinguts per gent de Puigdelfí i, en un cas, pel tinent del contigu mas de la Llacuna, mentre que a l'altra banda del riu —«dellà lo riu»— es documenta una parcel·la tinguda per un puigdelfinenc, mentre que la resta són ocupades per gent dels termes veïns.

Llevat de tres casos, tots es confessen pagesos. Aquests tres restants, malgrat no identificar l'ofici, caldria conceptuar-los també com a pagesos. Tots els tinents confessen per si mateixos, llevat d'un cas en què ho fa com a curador del seu nebot i un altre —l'única dona—, en què, com a vídua confessa en nom del seu fill, encara impúber.

Els confessants del terme de Puigdelfí són:

Joan Boada, pagès del castell i terme de Puigdelfí. Declara dues cases, dos horts, sis trossos de terra, tres sorts i dues peces de terra, amb un total de noranta-un jornals i mig, així com un tros i una sort de superfície no determinada.

Bernat Serrà, pagès, curador de Joan Serrà, impúber, fill de Llorenç Serrà, son germà. Declara[6] una casa, tres horts, dos trossos de terra, una

---

6. Suposem que per error, Bernat Serrà confessà un tros de terra de catorze jornals que, en realitat, corresponia a Perafort i no a Puigdelfí. Per tant, en aquesta enumeració de béns dita parcel·la no constarà.

vinya, dues sorts i una peça de terra, amb un total de trenta-tres jornals i vint *homigum* de cavadura de vinyes.

Joan Bellver, pagès de Puigdelfí. Declara una casa, dos horts i quatre trossos de terra, amb un total de quaranta-nou jornals.

Joan Ayguader, de Vilallonga. Declara un tros de terra part campa i part erma, de tinguda de vint jornals, a l'enclavament de la Barraqueta.

Jaume Bertran, pagès de Puigdelfí. Declara dues cases, quatre horts, tres peces de terra, quatre trossos de terra, una vinya i una sort, amb un total de quaranta-vuit jornals, així com una vinya de dimensions no especificades.

Bartomeu Bosch, pagès de Puigdelfí. Declara una casa, dos horts i tres trossos de terra, amb un total de vint-i-un jornals i mig.

Joan Mestre, pagès de Vilallonga. Declara una casa, cinc trossos i un hort, amb un total de vint-i-vuit jornals.

Jaume Guardiola, pagès de la Pobla de Mafumet. Declara una masia i un hort d'una quartera de terra de superfície.

Jaume Gavaldà, pagès del mas, terme de Puigdelfí. Declara una masia de seixanta jornals.

Bartomeu Lluch, del mas de la quadra de l'Hospital. Declara dos trossos de terra, amb un total de setze jornals.

Pere Plana, del Morell. Declara una sort de terra de dotze jornals.

Joan Folch, pagès de Vilallonga. Declara un tros de terra de dos jornals.

Berenguer Plana, pagès de Vilallonga. Declara un tros de terra de quatre jornals.

Gabriel Folch, pagès de Vilallonga. Declara una terra de dos jornals.

Antoni Rosselló, pagès del mas dit ara d'en Aragall i antigament dit de *Bers Stars* (?), terme de Puigdelfí i parròquia de Constantí. Declara dita masia.

Maria, vídua de Joan Gatell, pagès, del mas dit de la Lacuna, terme de les Franqueses del Codony, per son fill Gabriel Joan Gatell, pupil. Declara els honors i possessions que foren antigament d'una masia del terme de Puigdelfí, així com una sortanella dins de l'heretat, amb un total de catorze jornals.

Val a dir que confessaren tots els residents de Puigdelfí que consten en el fogatjament de 1515. Per contra, sembla força probable, per alguna de les afrontacions de les confessions, que, en alguns casos, molt pocs, val a dir-ho, no es capbrevessin totes les parcel·les existents, malgrat que desconeixem la causa d'aquesta absència. Per les dites afrontacions s'observa també com no confessà algun tinent forà com és el cas del tinent del mas dit del Fenollar, situat a l'enclavament de la Barraqueta.

BÉNS URBANS

El fet que l'escassa evolució que ha patit el nucli urbà de Puigdelfí s'hagi desenvolupat, principalment, vers l'est i el nord del nucli antic, ha permès que aquest, fins a dates ben recents, hagués preservat en bona part el seu traçat originari. Aquest fet, juntament amb la pervivència d'algun element arquitectònic antic, ens permetrà establir el seu urbanisme primitiu, així com situar aproximadament les cases esmentades en el capbreu.

Els sis tinents de Puigdelfí confessaren un total de vuit cases. Per les afrontacions no sembla que hi pogués haver cap més casa, cas a part del castell. L'accés al poble des del camí ral de Tarragona a Valls —una part del traçat del qual ha quedat fossilitzat en l'actual carrer Major— es feia pujant la costa del castell («costa dicti castri»), la porta del qual es trobava, cal suposar, al capdamunt d'aquesta costa. A mà dreta s'obre l'actual carrer del Mig, artèria al voltant de la qual es bastiren totes les cases. Aquest carrer, al seu inici, i abans de desembocar a la plaça de l'església, presenta un fort pendent, salvat actualment per unes escales, i devia tenir en aquest punt el seu portal major, car era conegut antigament com a carrer del Portal.[7]

A la part dreta del carrer del Mig i des del sud, les cases s'iniciaven amb la de Joan Bellver, la qual era situada entre la costa del Castell, al sud, i el carrer del Mig i el camí ral, a oest i est, respectivament. A continuació es trobava la casa principal de Joan Buada. Amb totes les cauteles, caldria situar ambdues cases a l'espai de l'actual número 14 del carrer del Mig, ocupat fins fa poc temps per una de les principals cases de Puigdelfí, malauradament enderrocada.

Seguint vers el nord, trobaríem una altra casa de Joan Buada i una de Jaume Bertran, les quals, possiblement, es corresponien amb els actuals números 12 i 10, respectivament. El fet que, tant per les afrontacions com pel parcel·lari actual, s'observi un encavalcament d'ambdues cases, ens fa pensar que, molt possiblement, en origen s'hagués tractat d'una sola casa.

A continuació, més cap al nord se situava la casa principal de Jaume Bertran, la qual ocupava els números 6 i 8, just al lloc ocupat actualment per una placeta. Tancant el sector oriental, es trobava la casa de Joan Mestre, a l'actual número 2-4. Als baixos d'aquesta casa es conserven diversos arcs que denoten la seva antiguitat.[8]

Si la ubicació, si més no aproximada, d'aquestes cases no ofereix cap dubte, la de Bartomeu Bosch planteja alguns interrogants. Així, segons les

---

7. Veciana: «Topònims i antropònims de Perafort i Puigdelfí», pàg. 79.
8. Agraeixo aquesta notícia a Pere Joan Busquets de Perafort, gran coneixedor de tota aquesta contrada.

afrontacions de la seva confessió, la seva casa limitava per l'est amb la de Joan Mestre, pel sud amb la plaça i per oest i nord amb la roca. A partir d'aquestes dades caldria situar-la al conjunt de cases entre el tram final del carrer del Mig i el carrer del Vent. Per altra part, el fet que les cases de Bosch i Mestre fossin colindants ens porta a creure que, en el moment de redacció del capbreu, el tram septentrional del carrer del Mig, entre la plaça i el carrer Major, no existia, sinó que s'hauria obert amb posterioritat. Llavors, és possible que la sortida que enllacés amb el camí ral estigués situada a l'actual carrer del Vent.

Pel que fa a la part esquerra del carrer del Mig, únicament consta la casa del difunt Llorenç Serrà, que afrontava pel sud amb la costa del castell, per l'est amb el carrer del Mig i pel nord amb la plaça davant del castell («*platea coram castro*»). Per les restes d'un arc de mig punt amb grans dovelles que es conserva a la seva façana sabem que dita casa devia tenir la seva porta principal a la plaça.

A més de l'habitatge, cal suposar, encara que no ens consti en el capbreu, que dites cases disposaven de patis posteriors, el mur exterior dels quals devia fer les funcions de muralla, envoltant tot el perímetre exterior del poble. Si més no, disposem d'un testimoni de l'existència de muralla a Puigdelfí en una de les afrontacions de la casa de Joan Mestre: «*a circio cum muro predicti loci*».

Del castell en sabem ben poca cosa. Per les dades del capbreu només sabem que s'hi accedia per la costa dita del castell, que aquest donava a la plaça i que estava vorejat per un fossat (l'afrontació occidental de la casa de Llorenç Serrà esmenta el «*vallo dicti castri*»). Pel que fa a l'edifici en si, i vista l'escassa evolució urbanística que es detecta al nucli antic de Puigdelfí, creiem que aquest no devia diferir gaire, si més no volumètricament, de l'actual conjunt format per la rectoria i la casa adjacent, amb tota la part nord-oest com a pati, tal i com es troba a l'actualitat. A través de l'observació del parcel·lari, sembla que la construcció de l'església i del fossar annex, en el decurs del segle XVIII, s'hauria produït en part sobre dit pati, i en part sobre la plaça, més que no pas sobre l'edifici, una part del qual, fins i tot, queda encastada dins la fàbrica de l'església. Aquesta part encastada, per la seva forma rectangular i dimensions, podria fer pensar en una possible torre, si bé aquest extrem, atesa la poca informació que ens donen els paraments i l'alteració d'aquests, entra plenament dins del camp de les hipòtesis. Dins d'aquest mateix camp, hom podria plantejar la possibilitat que, a més del portal major de la costa, hagués existit un altre portal que donés a la plaça, i, per tant, a l'interior del poble, tal i com s'observa, per exemple, al proper castell del Catllar.

Pel que fa a l'existència d'algun edifici de culte, si bé és possible que hi hagués hagut una petita capella castral, no tenim cap dada que ens indiqui cap lloc de culte; els habitants de Puigdelfí estaven obligats a complir amb tots els preceptes a l'església del Codony, fet que encara reforça més la idea de la seva inexistència.[9]

A partir de totes aquestes dades, la trama urbana resultant és la d'un petit conjunt de cases situades a partir d'un carrer i una plaça, rodejades per una muralla i amb el castell dominical annex, que exercia una jerarquia simbòlica clara, en tant que aquest formava part del conjunt de defenses del poble, però convenientment segregat d'aquest per mitjà d'un fossat i el mur del seu pati. Tots aquests elements es corresponen a una trama urbana característica d'un poble de tipus castral.[10] Val a dir que la situació del castell i del poble, encimbellat dalt d'un dels sortints més alts dels costers i amb forts pendents per accedir-hi, devien fer de Puigdelfí un *oppidum* ben defensable i de difícil expugnació.

Pel que fa als masos del terme, disseminats en diversos enclavaments, tots han estat molt modificats posteriorment, i no s'observa cap traça antiga, o bé ha desaparegut. A l'enclavament del Campot, dins de l'actual terme de la Pobla de Mafumet va sobreviure el seu mas, molt modificat, fins a la implantació de la refineria. A l'enclavament del mas de Magrinyà, encara aguanta dempeus el mas, però també molt alterat en èpoques posteriors. Pel que fa al mas del Fenollar, a l'enclavament de les Barraquetes, no ens ha pervingut cap resta, i per tant desconeixem quin devia ser l'emplaçament exacte. Finalment, no tenim constància d'on es devia ubicar exactament el mas que Jaume Guardiola tenia a la part actualment ocupada pels termes de la Pobla i el Morell, si bé podria tractar-se del mas actualment conegut com de Balcells o del Blau, al terme de la Pobla; sembla que no ha conservat cap element del mas original, si és que mai ho va ser.

BÉNS RÚSTICS

Al terme del castell de Puigdelfí es comptabilitzen un total de seixanta-vuit parcel·les confessades en mans de setze tinents, amb un total de quatre cents un jornals i mig de terra.

Les parcel·les

Tradicionalment s'ha considerat que les terres del Camp de Tarragona presenten un alt grau de fragmentació, amb moltes parcel·les de petites i mitjanes dimensions, no necessàriament repartides entre moltes mans. El quadre 1 ens

9.   CORTIELLA: *Guia de Perafort*, pàg. 71.
10. BOLÒS, Jordi: «Els pobles de Catalunya a l'edat mitjana. Aportació a l'estudi de la morfogènesi dels llocs de poblament». A: BOLÒS, Jordi i BUSQUETA, Joan J. (directors): *Territori i societat a l'edat mitjana. II* (1998). Edicions de la Universitat de Lleida. Lleida, 1998. Pàgs. 88-94.

permet observar quin devia ser el grau de fragmentació de la terra a Puigdelfí a inicis del segle XVI, a partir de la superfície de les parcel·les capbrevades.

Quadre 1. Nombre de parcel·les segons la superfície unitària

Superf. unitària (jornals)	Parcel·les		Superfície	
	Nombre	%	Total	%
<1	3	4,8	1,5	0,4
1	8	13,0	8	2,0
1,5	4	6,4	6	1,5
‹2	8	13,0	16	4,0
3	9	14,7	27	6,7
4	6	9,7	24	6,0
5	4	6,4	20	5,0
6	3	4,8	18	4,5
7	1	1,6	7	1,7
8	1	1,6	8	2,0
9	1	1,6	9	2,2
10	1	1,6	10	2,5
12	3	4,8	36	9,0
13	1	1,6	13	3,2
14	1	1,6	14	3,5
15	3	4,8	45	11,2
20	4	6,4	80	19,8
60	1	1,6	60	14,8
Total	62*	100	401,5	100

* Només han estat incloses les parcel·les amb superfície coneguda.

Com es pot observar, la gran majoria de parcel·les tenien una superfície no superior als cinc jornals; predominaven les de tres jornals, seguides molt de prop per les d'un i dos jornals. Tan sols aquests tres grups suposaen ja al voltant del quaranta per cent del total de parcel·les, si bé representen tan sols un dotze per cent del total del volum de terra. Cal esmentar que, tant les parcel·les amb superfície inferior al jornal com aquelles situades entre els cinc i els deu jornals, apareixen molt poc representades. Per contra, les finques amb superfície igual o superior als dotze jornals tenen aquí una important presència, amb el vint per cent del total de parcel·les, i acaparen més del seixanta per cent del total del volum de terra capbrevada.

Les finques més petites acostumen a trobar-se vora el riu, a la zona d'horta d'ambdues ribes, així com a la partida de l'Era. A l'extrem contrari, moltes de les parcel·les més grans se situen a la banda nord-oriental de la part del terme situada «*d'ençà lo riu*», així com a l'espai situat entre el camí ral de Tarragona a Montblanc i el Francolí, a la part «*dellà lo riu*». La parcel·la més gran, de seixanta jornals, es correspon a una masia.

Pel que fa a l'acumulació de parcel·les per cada tinent, es pot observar al següent quadre:

Quadre 2. Nombre de parcel·les declarades per emfiteuta i freqüència de cada declaració

Parc./emfit.	Emfiteutes		Parcel·les		Superfície	
	Nombre	%	Nombre	%	Jornals	%
1	7	43,7	7	10,3	100 + ?	24,9
2	3	18,8	6	8,8	30,5 + ?	7,6
5	1	6,2	5	7,3	21,5	5,4
6	2	12,6	12	17,6	77	19,2
9	1	6,2	9	13,2	33 + ?	8,2
14	1	6,2	14	20,6	48 + ?	12,0
15	1	6,2	15	22,1	90,5 + ?	22,5
Totals	16	99,9	68	99,9	401,5 + ?	99,8

Dominen amb diferència els tinents amb una o dues parcel·les, però aquesta dada que, a priori, podria fer pensar en una gran desigualtat en el repartiment, requereix una matisació. La gran desproporció que s'observa, de fet, cal buscar-la en la procedència del tinent o bé en el tipus de tinença, tal i com es pot veure al quadre 3.

Quadre 3. Nombre de parcel·les declarades segons procedència dels emfiteutes

Procedència	Emfiteutes	Parcel·les		Superfície		Jornals/emfit.
		Nombre	%	Nombre	%	
Puigdelfí	6	55	80,9	271 + ?	67,5	45,2 + ?
Masos de Puigdelfí	2	2	2,9	60 + ?	14,9	30 + ?
Vilallonga	4	4	5,9	28	7,0	7
La Pobla	1	2	2,9	0,5 + ?	0,1	0,5 + ?
Quadra de l'Hospital	1	2	2,9	16	4,0	16
El Morell	1	1	1,5	12	3,0	12
Les Franqueses	1	2	2,9	14	3,5	14
Total	16	68	99,9	401,5 + ?	100	

Cal dir que, malgrat que pertanyen al mateix terme, per a una major claredat dels resultats s'ha optat per separar en un grup diferenciat els tinents dels masos del terme de Puigdelfí, tots situats «*dellà lo riu*», dels habitants del poble. Com es pot observar, qui, amb diferència, predomina és el grup de tinents de Puigdelfí, tant en nombre de tinents com de parcel·les i superfície total. Aquest predomini encara és més gran si afegim els dos tinents de masos, ja que s'assoleix més del vuitanta per cent de la superfície total del terme.

Les peculiaritats del terme de Puigdelfí, situat a ambdues ribes del Francolí i amb tres enclavaments, explica l'alt nombre de terratinents i procedència d'aquests.[11] En tots els casos es tracta de termes limítrofs amb el de Puigdelfí. Si ens fixem en els deu tinents possessors d'una o dues finques del quadre 2, observarem que aquests es corresponen, en tots els casos, amb els vuit tinents forans i els dos de masos. Així, pel que fa als forans, devien disposar d'entre i una i dues parcel·les, amb unes superfícies que podríem estimar entre petites i mitjanes (el cas del tinent de la Pobla és diferent, car, si bé una de les seves dues parcel·les confessades només tenia mig jornal, l'altra es corresponia amb una masia, la qual, si bé no s'especifica en el capbreu, sabem que devia tenir una superfície de més de cinquanta jornals), mentre que els tinents de masos només en tenien una però de gran superfície.

Les peculiaritats territorials abans esmentades també ajuden a explicar la distribució geogràfica dels emfiteutes. Així, a la part «*d'ençà lo riu*», la totalitat de l'àrea estava ocupada pels habitants de Puigdelfí, així com pel tinent del mas de la Llacuna, del veí terme de les Franqueses del Codony, mentre que a la part «*dellà lo riu*» només consta una petita parcel·la d'un habitant de Puigdelfí, mentre que tota la resta quedava en mans dels tinents de mas i de les altres poblacions.

Al quadre 4 es pot observar la quantitat de terres acumulades per un tinent, la qual cosa ens permetrà corroborar bona part d'allò dit anteriorment, així com acostar-nos a la realitat socioeconòmica dels puigdelfinencs.

Quadre 4. Nombre de jornals per emfiteuta

Jornals/Emfit.	Emfiteutes		Superfície	
	Nombre	%	Jornals	%
0-4,9	4	26,7	8,5	2,1
5-9,9	0	0	0	0
10-14,9	2	13,3	26	6,5
15-19,9	1	6,7	16	4,0
20-49,9	6	40,0	199,5	49,7
> 50	2	13,3	151,5	37,7
Totals	15	100	401,5	100

* Només s'han comptabilitzat les parcel·les i emfiteutes amb superfície coneguda.

11. Emprem el terme terratinent únicament en el sentit de persona no resident al terme amb finques rústiques ubicades dins d'aquest.

El gruix principal el forma el grup de parcel·les d'entre 20 i 49,9 jornals de superfície. Cinc dels sis habitants de Puigdelfí se situen dins d'aquest grup, mentre que l'altre es troba al grup de més de 50 jornals, juntament amb el tinent de mas.[12] La resta de tinents forans es reparteix entre el grup de petites i mitjanes parcel·les, llevat d'un sol cas, d'un tinent de Vilallonga amb una parcel·la de vint jornals, a més del ja comentat del de la Pobla.

Pel que fa a les terres dominicals, aquestes se situen totes a la part «*d'ençà lo riu*». El fet que en aquesta àrea s'haguessin confessat gairebé la totalitat de parcel·les ens ha permès situar amb una certa aproximació la ubicació d'aquestes terres dels senyors del castell de Puigdelfí. Una primera zona es devia trobar entre el camí ral de Tarragona a Valls i el torrent de Maigllong, possiblement a prop o dins de l'actual partida de les Portetes de Pallarès. L'altra podria ser just sota el castell, a la part sud occidental del poble, i abastava des de l'oest del camí ral, fins, molt possiblement, al riu. Tant en una àrea com en l'altra es constaten parcel·les d'emfiteutes puigdelfinencs ubicades a dins, la qual cosa, juntament amb la comparació de la superfície capbrevada amb la real, ens porta a pensar que les terres senyorials devien tenir una presència testimonial, i no creiem, amb totes les cauteles, que poguessin superar els deu jornals com a màxim en total.

Cal fer constar que en una de les afrontacions es fa esment a un *orto molendini*, el qual devia estar situat a tocar, o molt proper al molí i la seva sèquia; amb tot, desconeixem les seves dimensions així com el seu règim de tinença, si estava en poder del moliner, o bé hauria estat establert a qualsevol altre emfiteuta del terme, ja que únicament se n'ha conservat el topònim.

Els cultius

Ens trobem amb diversos problemes a l'hora de computar tant els tipus de cultius existents així com la seva representació dins del terme. Així, per una part, en alguns casos, s'especifica el tipus de cultiu però, en canvi, no s'aporta la seva superfície o desconeixem la mesura emprada; per contra, en algunes parcel·les, sobretot les grans i algunes mitjanes, el fet de coexistir diversos cultius impedeix conèixer l'abast de cadascun d'ells. Amb tot es

---

12. Amb tot, el total del patrimoni tant del puigdelfinenc situat al grup de més de cinquanta jornals, Joan Boada, com un altre del grup immediatament inferior, Jaume Bertran, fou fruit, en ambdós casos, de la suma de l'heretament de dos patrimonis diferents. Seria interessant poder saber si l'hereu de la generació posterior seguí amb el gruix del patrimoni acumulat, o si, com ha acostumat a succeir en molts pobles del Camp de Tarragona, i, de fet, també hem pogut documentar en algun dels casos estudiats en aquest treball, cada patrimoni ha tingut un hereu diferent. De totes maneres, fins i tot si desglosséssim els patrimonis d'aquests dos puigdelfinencs es continuarien trobant dins dels grups amb més jornals de terra.

pot arribar a certa aproximació, com es pot veure als quadres 5.1 i 5.2, els quals corresponen a la part «*d'ençà lo riu*» i «*dellà lo riu*», respectivament.

Quadre 5.1 Tipologia de cultius i la seva extensió

Tipus cultiu	Parcel·les		Jornals	
	Nombre	%	Nombre	%
Horta	11	19,6	18	6,3
Tros de terra	30	53,6	152,5 + ?	53,5
Olivers	1	1,8	13	4,6
Vinya	4	7,1	12 + ?	4,2
Diversos cultius	10	17,8	89,5 + ?	31,4
Totals	56	99,9	285 + ?	100

Es fa força palès que el cultiu predominant a la part «*d'ençà lo riu*» és, amb diferència, el dels cereals, amb més del cinquanta per cent de la superfície total. Malgrat que, en el capbreu, no hi ha cap tipus de referència sobre el tipus de cereal o cereals conreats, molt possiblement devia predominar, com en d'altres termes propers, l'ordi i el blat. El seu cultiu és present al llarg de tota l'àrea, tant a la zona propera al torrent de Maigllong com a la del riu, on fins i tot es documenta alguna parcel·la de regadiu de terra campa.

A molta distància trobem les peces d'horta. La poca diferència existent entre el nombre de parcel·les —onze— i el nombre de jornals —divuit— ens dóna idea de les petites dimensions que acostumen a tenir dites finques. Totes elles es trobaven situades a tocar del riu i de les sèquies del Molí i de les Hortes. A continuació trobem les oliveres, amb tretze jornals, i quasi igualada en nombre la vinya, amb dotze, si bé les primeres són fruit de només una sola parcel·la, mentre que la vinya és present en quatre. Pel que fa a les vinyes, als jornals esmentats caldria afegir la parcel·la amb una superfície de quinze «homes de cavadura». Independentment de quina pogués ser la seva superfície real, sembla que, poc o molt, el conreu de la vinya devia estar per sobre del de l'olivera, però, com es veurà, sembla que això no és així. El cultiu tant de la vinya com de l'olivera es troba bàsicament a la part meridional del terme, la més propera al torrent.

El nombre de parcel·les on es cultiven diversos productes és força alt. Aquesta poliproducció es dóna, sobretot però no necessàriament, en les parcel·les més grans. Com ja s'ha dit, malgrat que coneixem els cultius existents, ens és impossible poder establir en quines proporcions es produïen.[13]

13.   Només en un sol cas s'especifica que la part de terra campa té tres jornals i la part de vinya cinc «homes de cavadura». Al desconèixer l'equivalència d'aquests darrers, ens és del tot impossible calcular la superfície total de la parcel·la.

Tan sols podem fer una lleu aproximació a partir de les combinacions de conreus que presenten. La combinació més nombrosa és la de terra campa i oliveres, amb quatre parcel·les i un total de quaranta-quatre jornals i mig. La segueix la de la terra campa i vinya, que, si bé és present en cinc parcel·les, només fan un total de vint-i-cinc jornals i cinc «homes de cavadura». Finalment, en una sola finca de vint jornals es dóna la combinació de terra campa, vinyes i oliveres. Com es pot observar, malgrat que no sabem en quins percentatges, sembla força clar que l'olivera devia tenir una major presència al terme que la vinya.

Quadre 5.2 Tipologia de cultius i la seva extensió

Tipus cultiu	Parcel·les		Jornals	
	Nombre	%	Nombre	%
Horta	2	16,7	1,5	1,3
Tros de terra	4	33,3	10	8,5
Diversos cultius	6	50,0	106 + ?	90,2
Totals	12	100	117,5	100

Per les especials característiques de la part «dellà lo riu», presenta un menor nombre de parcel·les i cultius. Pel que fa als monocultius, aquests semblen guardar les mateixes proporcions que a l'altra part del riu: domini del cereal i presència d'horta en petites parcel·les. Així mateix, les parcel·les amb diversos cultius són aquí preponderants, a causa sobretot de la seva grandària. En un cas, una parcel·la de vint jornals, la combinació que es dóna és la de terra campa i erm; en una altra parcel·la de seixanta jornals (l'únic dels masos que detalla mínimament els seus cultius) hi ha terra campa, vinya, erm i oliveres; en un altre cas, amb catorze jornals, es dóna la terra campa més oliveres més albereda; finalment, en el darrer, de dotze jornals, terra campa i oliveres.

A partir d'aquestes darreres dades, malgrat que no es poden quantificar, sembla que es confirma la preeminència del conreu de cereal. Possiblement per darrere hi hauria les oliveres, seguides de la vinya i de l'horta, així com dels espais erms i les alberedes.

LES SERVITUDS

Tots els tinents, ja fossin habitants del terme com terratinents forasters, iniciaven la seva confessió tot reconeixent, per mitjà de jurament sobre els quatre Evangelis, al Capítol de la Seu tarragonina com a senyor directe i alodial dels seus béns, el qual disposava del dret de firma, fadiga, lluïsme al terç i empara, així com altres plens drets.[14]

Igualment, a la darrera part de la confessió, mitjançant l'anterior jurament es reconeixen vassalls del Reverend Capítol, i els veïns del terme, a més, es reconeixen com a habitants de Puigdelfí.

Censos

La varietat de tipus de pagaments de censos és força gran, així com els tipus de béns sobre els quals s'aplica el cens. La principal divisió la trobem entre els censos que corresponen a béns urbans i aquells de naturalesa rústica.

Respecte als béns urbans s'observa una gran uniformitat en el cens a satisfer per les cases (*domos*). En tots els casos, el pagament es fa per Nadal amb gallines. Tan sols es donen lleugeres variacions en el nombre d'aquestes. Així, de les vuit cases capbrevades, cinc paguen dues gallines, mentre que altres dues en paguen tres i una darrera en satisfà dos parells. Desconeixem el motiu d'aquestes variacions, tal vegada motivades per la major o menor grandària dels habitatges. A més d'aquest pagament en gallines, tots els tinents d'una casa havien de pagar divuit diners (un sou i mig) en concepte de dret de forn (*pro iure furnatico*).

Pel que fa als béns rústics, cal definir cinc zones específiques, car cadascuna presenta unes característiques pròpies. La primera correspon al terme *strictu sensu «d'ençà lo riu»*. Els espais *«dellà lo riu»* es divideixen entre l'enclavament situat entre els termes de la Pobla i el Morell, i els enclavaments actualment coneguts com el Campot, mas de Magrinyà i la Barraqueta.

El sector oriental del terme, el *«d'ençà lo riu»*, presenta una àmplia gama de tipus de pagament, si bé s'observa una certa homogeneïtat, no tant en els tipus de cultius, els quals, sovint, no són esmentats, o bé se'n citen diversos en una sola parcel·la, sinó en la tipologia de la parcel·la, així com segons la seva ubicació, més propera al riu, i per tant amb més possibilitats de ser irrigada, o més allunyada. El límit entre ambdues zones cal buscar-lo a la costa, la carena de la qual discorre paral·lela al riu Francolí (expressada en el capbreu com a *limino de la rocha*) fins a trobar-se amb el tram final del torrent dels Garidells.

La part llevantina, la situada entre l'esmentada costa i el torrent dels Garidells, és la que presenta una major uniformitat. Així, observem que, de les dinou parcel·les conceptuades com a trossos de terra, totes paguen tasca, en disset ocasions a l'onzè, i només en un sol cas al sisè.[15] Així ma-

---

14. «*Sub dominio et alodio prefati Reverendi Capituli et ad ipsius firmam fatigam laudemyum sive tertium emparam et alium plenum Ius et directum sive emphiteoticum dominium et plenam dominationem*».

15. En la major part de les ocasions s'esmenta «tasca a l'onzena part de fruits i esplets» o bé directament «onzena part de fruits i esplets». En alguna ocasió tan sols s'esmenta «tasca», sense determinar a

teix, totes les vuit sorts documentades paguen també tasca a l'onzè. De les quatre parcel·les esmentades com a peces de terra, tres tenen tasca a l'onzè i només una té un cens fix en metàl·lic. La major diversitat la trobem a les parcel·les conceptuades com a vinyes. En dues ocasions el cens és fix en metàl·lic, i en una altra es dóna un cens mixt, una part fixa en metàl·lic i l'altra fixa en espècies; per contra, la darrera de les quatre finques paga la ja consabuda tasca a l'onzè.

A la part situada entre el riu i la costa, el sistema de cens predominant per als horts sembla el de pagament fix en diners, present a vuit dels tretze horts. Molt per darrere es troben els quatre horts que satisfeien tasca, dos a l'onzena part i dos a la sisena —si bé en aquests dos últims la confessió especifica que tenen part de regadiu i part de secà. Finalment, en un sol cas, el pagament consisteix en una gallina. Els censos dels trossos de terra apareixen força igualats; tres paguen tasca i tres més un cens fix en diners, i només en un sol cas no hi ha cap esment del cens a satisfer. Per últim, les dues peces de terra documentades paguen cadascuna un cens fix en espècies.

Per tant, sembla que el tipus de cens més comú per als cultius de secà era el de parts de fruit, predominantment amb una tasca a l'onzena part. Per contra, les peces amb regadiu, com els horts i alguns trossos de terra, havien de pagar preferentment un cens fix en diners. L'excepció la trobem en les parcel·les dedicades a la vinya, cultiu eminentment de secà, les quals, sembla, tendeixen també cap al pagament fix en metàl·lic. Finalment, cal ressenyar que, dins dels pagaments en numerari, s'observa que la quantitat a pagar és més alta per als horts que per a les vinyes.

Pel que fa a les dates d'entrega dels censos, la majoritàriament esmentada és la de Nadal, present en quinze casos. El principal tipus de cens satisfet en aquesta diada era el fix en metàl·lic, tal i com s'observa en dotze d'aquests quinze casos. En una altra ocasió, es paga un cens, també en metàl·lic, el dia de Santa Maria d'agost. Pel que fa a la resta, quaranta finques, la majoria de les quals corresponen a censos a parts de fruit, no s'esmenta la data d'entrega.

A l'altra banda del riu, a l'espai comprès entre els termes de la Pobla i el Morell, el repartiment és força similar, si bé amb algunes matisacions. Així, els dos horts documentats pagaven un cens fix en diners, mentre que una sort feia un pagament mixt, part en metàl·lic i l'altra en parts de fruit, una sisena part concretament. Pel que fa als trossos de terra, un pagava un cens en diners, un altre mitja tasca a la cinquena part, i tres més pagaven tasca a

_____

quin percentatge. Som de l'opinió que en aquestos casos la tasca que es devia aplicar era també a l'onzena part, car a l'inici de la primera confessió, la de Joan Buada, es manifesta que paga tasca a la major part de les finques, i aquesta apareix sempre a l'onzena part.

la dotzena part. Val a dir que aquests tres darrers trossos es trobaven situats a l'oest del camí ral de Tarragona a Montblanc, per la qual cosa sembla que en aquest espai es devia repetir el mateix patró vist a l'altra banda de riu: aquelles terres més properes a l'aigua, i, per tant, amb més possibilitats de ser irrigades, amb el conseqüent augment de producció i rendiment, patien un cens proporcionalment més alt. Això permetria, per una part, un augment en els beneficis del senyor, però per altra part tendiria a igualar el remanent final en poder del pagès, amb la qual cosa s'evitaven grans desequilibris i discordances entre tinents de regadiu i de secà. Finalment, l'única masia documentada en aquest espai, situada també a l'oest del camí ral, tan sols tenia un cens de dues gallines.

La data de pagament majoritària és, també en aquest cas, el dia de Nadal. En aquesta diada pagaven les tres parcel·les amb cens fix en diners, la de cens mixt, i les dues gallines de la masia. Per Sant Pere i Sant Feliu pagava una finca amb cens a parts de fruit a la dotzena. Pel que fa a les tres finques restants, el capbreu no esmenta cap data.

La masia situada a l'actual enclavament del Campot pagava un cens de dos parells de gallines per Nadal.

Més complet i onerós sembla el cens de la masia situada a l'actual enclavament del mas de Magrinyà. Per Nadal havia de satisfer una cinquena part de fruits; per l'hort i una barquera, set sous i un diner; per les olives i l'aigua de regadiu, vuit diners i un parell de gallines; finalment, pel Corpus, per tres quarteres de vinya, sis sous.

A l'enclavament més nord-occidental, a les Barraquetes, per un tros de terra, part campa i part erma, de vint jornals d'extensió, s'havia de satisfer un cens de vint sous, a pagar el dia de Nadal.

Serveis personals

Si bé tots els tinents del terme de Puigdelfí, ja fossin habitants o forans, es reconeixien vassalls del Capítol, tan sols els habitants de Puigdelfí confessen haver de fer algun tipus de prestació personal. Aquestes consistien en una jova d'un jornal amb un parell de bèsties en temps de sementer; una batuda d'un jornal d'un home amb una bèstia en temps de batre; una tragina d'un jornal d'un home i una bèstia amb sac i soga; *operam castri* a les parets foranes i cobertes sobiranes, així com servir de manobre al mestre de cases; fer dos jornals a la sèquia del molí, un al mes de maig i l'altre al setembre. S'obligaven, a més, a moldre el blat al molí del castell. Els tinents dels masos situats a l'enclavament entre la Pobla i el Morell i al del Campot confessaren estar obligats a prestar aquests mateixos serveis personals. Pel que fa al tinent del mas d'en Aragall, a l'actual enclavament del mas de Magrinyà, aquest confessa estar obligat a prestar servei de dues joves, dues batudes, dues tragines, així com servei d'host i guaita al castell de Puigdelfí.

TRANSMISSIÓ DE LES TINENCES

Cada tinent havia de justificar la titularitat de cada tinença, tot explicitant per qui i per quina via l'havia rebut, i aquest per quins legítims títols li havia arribat el domini útil, i acompanyar-lo sempre que això fos possible amb l'instrument públic que ho demostrés. Aquestes confessions es feien a continuació de la descripció individuada de totes les tinences aconseguides per la mateixa via. En cas que un tinent disposés de propietats provinents de diverses mans, es procedia a descriure-les per blocs, al final de cada un dels quals es procedia a l'esmentada confessió de titularitat.

En el quadre següent es pot observar els tipus de transmissió diversos que es donaren a Puigdelfí, seguits a continuació, quan en tenim coneixement, del tipus de transmissió anterior.

Quadre 6. Tipus de transmissió de les tinences

Tinent	Tinença	Darrera transmissió	Transmissió anterior
Joan Boada, pagès del castell i terme de Puigdelfí	Una casa, un hort, tres trossos de terra i tres sorts	Ho té com a hereu de Joan Boada, son pare	Ho té com a hereu de Jaume Boada, avi del confessant
	Una casa, un hort, dues peces de terra, tres trossos de terra i una sort	Ho té com a hereu de Jaume Virgili, son avi	Compra feta per dit Jaume Virgili a Pascasi Virgili, hereu universal de Bernat Virgili, son germà, i a Pere, Guillem i Esteve Virgili, fills de dit Pascasi, el 1451
	Un tros de terra	Ho té com a hereu de Joan Boada, son pare	Establiment fet a Joan Boada, pare del confessant, el 1495

Tinent	Tinença	Darrera transmissió	Transmissió anterior
Bernat Serrà, pagès, curador de Joan Serrà, impúber, fill de Llorenç Serrà, son germà	Una casa i un hort	Ho té com a hereu de Llorenç Serrà, son pare	Establiment fet a Joan Serrà, pare de Llorenç i avi de Joan, pupil, el 1480
	Dos horts, dos trossos de terra, una vinya i una sort	Ho té com a hereu de Llorenç Serrà, son pare	Compra de Bernat Serrà, fill de Bernat Serrà de Perafort, a Guillem Fuster de Puigdelfí el 1426
	Una sort de terra	Ho té com a hereu de Llorenç Serrà, son pare	Establiment fet a Bernat Serrà el 1452
	Una peça de terra campa	Ho té com a hereu de Llorenç Serrà, son pare	Compra de Bernat Serrà a Bernat Miquel i Blanquina de Puigdelfí
Joan Bellver, pagès de Puigdelfí	Una casa, dos horts, quatre trossos de terra	Compra de Joan Bellver a Joan Gausach, pescador de Tarragona, hereu universal de Bernat Gausach, habitant de Puigdelfí, el 1489	—
Joan Ayguader de Vilallonga	Un tros de terra	Compra de Joan Ayguader a Joan Punlay (?) d'Alcover el 1479	—

Tinent	Tinença	Darrera transmissió	Transmissió anterior
Jaume Bertran, pagès de Puigdelfí	Una casa, dos horts, tres peces de terra, dues vinyes i un tros de terra	No s'esmenta	—
	Una casa, dos horts, una sort i tres trossos de terra	Ho té com a hereu de Pere Bertran, son pare	—
Bartomeu Bosch, pagès de Puigdelfí	Una casa, dos horts, tres trossos de terra	Ho té com a hereu de Francisca Suáriz, sa germana	—
Joan Mestre, pagès de Puigdelfí	Una casa, un hort, quatre trossos de terra	Ho té com a hereu de Llorenç Mestre, son avi	—
Jaume Guardiola, pagès de la Pobla de Mafumet	Una masia i un hort	Comprat a Bernat Serrà i Gueraldona, del mas del Codony, el 1445	—
Jaume Gavaldà, pagès	Una masia	Ho té com a hereu de Pere Gavaldà, son pare. Testament redactat el 1496	Pere Gavaldà ho tenia com a hereu de Pere Gavaldà i Joana, del mas del Codony, sons pares
Bartomeu Lluch, del mas de la quadra de l'Hospital	Un tros de terra	Compra feta a Antoni Alguer i Micaela, del Morell, el 1492	—
	Un tros de terra	No especifica procedència	—

Tinent	Tinença	Darrera transmissió	Transmissió anterior
Pere Plana, del Morell	Una sort de terra	Ho té pels seus avantpassats. No presenta escriptura	—
Joan Folch, pagès de Vilallonga	Un tros de terra	Ho té pels seus avantpassats. No presenta escriptura	—
Berenguer Plana, pagès de Vilallonga	Un tros de terra	Compra feta a Bernat Ferrer i Margarida, de Vilallonga, el 1509	—
Gabriel Folch	Un tros de terra	Ho té pels seus avantpassats. No presenta escriptura	—
Antoni Rosselló, pagès del mas dit ara d'en Aragall, terme de Puigdelfí, parròquia de Constantí	Una masia dita ara d'en Aragall, antigament dita de Bers Stars (?)	Ho té com a hereu de sa mare, Joana, filla de Pere Cerdà, habitant del mas, vídua d'Antoni Rosselló, son pare	Compra de Guillem Cerdà, dels Pallaresos, a Pere Roig i Bartomeva, el 1398
Maria, vídua de Joan Gatell, pagès, del mas dit de la Lacuna, terme de les Franqueses del Codony, per son fill Gabriel Joan Gatell, pupil	Honors i possessions d'una antiga masia del terme de Puigdelfí	Establiment fet a Joan Gatell el 1509	—

Pel que respecta als habitants de Puigdelfí, la dinàmica general de les darreres transmissions és la via de l'heretament. De les catorze manifestacions fetes pels sis habitants al nucli i els dos tinents de masos del terme, dotze són transmissions intrafamiliars, mentre que en un altre cas l'adquisició de tot el patrimoni és per via de compra, i en l'altre no hi ha cap esment. La transmissió anterior la podem conèixer en només nou casos. D'aquests només dos són per heretament, quatre per compra (totes elles força antigues, essent la més moderna del 1451 i la més antiga del 1398) i les altres tres foren nous establiments.

Els emfiteutes forans presenten una major diversitat, malgrat que només podem conèixer la darrera transmissió. Es produeixen nou manifestacions per part de vuit persones. En aquest cas la via majoritària d'adquisició és a través de compra, en quatre dels casos; en tres més és per transmissió familiar, si bé en cap dels casos presenten cap escriptura. Finalment, en un altre cas és un nou establiment en data tan propera com el 28 d'octubre de 1509, i un altre que no especifica la procedència.

La procedència dels venedors esmentats a les transmissions és força variat. Predominen els venedors originaris del mateix Puigdelfí, presents en tres operacions. En un altre cas, el venedor és pescador, resident a Tarragona, però hereu universal dels béns de son pare, habitant de Puigdelfí. Els quatre venedors restants provenien d'Alcover, d'un dels masos del terme del Codony, el Morell i Vilallonga, a més d'un altre especificat.

Per mitjà de les escriptures presentades podem conèixer quines eren les notaries més freqüentades pels tinents de Puigdelfí. N'hem pogut comptabilitzar quinze. D'aquestes, la major part, com és comprensible, tant per proximitat com pel fet de pertànyer a la parròquia, foren redactades pel rector del Codony, bé a l'abadia, en quatre casos, o al mateix Puigdelfí, en tres casos. El segueixen Vilallonga, amb tres casos, i, finalment, Tarragona, Vallmoll, el Catllar i Valls, amb un sol cas respectivament.

CONCLUSIONS

El terme de Puigdelfí és, potser, un dels més complexos de tot el territori del Codony. Abastava terres a ambdues ribes del Francolí, si bé cadascuna d'aquestes parts presentava unes característiques pròpies i prou diferenciades. Així, a la part «d'ençà lo riu», a l'esquerra del Francolí, trobem el que cal considerar el nucli inicial, consistent en una franja de terra entre el riu i el torrent, amb una abrupta elevació de nord a sud que el talla en dos. És en aquest espai on s'ubica el poble i el castell del senyor. Malgrat això, si ens limitem a aquesta part del terme, val a dir que no devia ser un espai gaire extens (el veí terme de Perafort, per exemple, malgrat no gaudir de l'estatus de castell i estar menys poblat, disposava d'un territori força més gran), i encara ho era menys en origen si descomptéssim les terres d'un antic mas existent a l'extrem nord del terme, tocant al dels Garidells, el qual ja no existia a inicis del segle XVI.

El nucli poblacional, molt poc poblat, amb només sis famílies, presenta la típica forma d'un poble castral, amb la vila closa i el castell, en posició dominant respecte a aquella. El fet que el poble estés situat en aquest indret determinà la distribució i superfície de les seves parcel·les, car constituí el seu *hinterland*. Tota aquesta part del terme, llevat de dues finques, era repartida entre els veïns de Puigdelfí, amb parcel·les tant de regadiu com de secà en tots els casos, i, si bé es constaten desigualtats entre els diferents patrimonis, tots ells disposaven, pel capbaix, d'un mínim de vint jornals de terra. Aquesta relativa bona situació hauria permès, per exemple, l'enllaç d'una d'aquestes famílies amb un membre del braç militar.[16] En alguns casos el patrimoni s'arrodonia amb parcel·les en altres termes veïns, gairebé sempre situats a la part esquerra del Francolí, amb la qual cosa es reforça, encara més, la idea que el territori d'influència i d'expansió dels puigdelfinencs se situava en aquesta part del riu.

Les terres dominicals també les hem documentat únicament en aquest sector. Malgrat no poder computar-ne la superfície, sembla que aquesta era gairebé insignificant, possiblement ni arribaria als deu jornals totals. A part de la seva migradesa, aquestes terres senyorials apareixen repartides en dos sectors, un entre el camí ral i el torrent, i l'altre, potser el més gran, a la part occidental del nucli urbà, entre el camí ral i el riu. Per altra banda, aquests espais apareixen amb alguna parcel·la de tinents puigdelfinencs incardinada al seu interior. La imatge que se'ns presenta és la d'unes terres senyorials ja molt erosionades pels establiments o vendes realitzades. Per altra part, el fet que trobem dos sectors ens porta a pensar, més que en la imatge clàssica d'una reserva dominical inherent al propi alou, en la possible participació dels senyors en el mercat de la terra del propi domini, tot alienant terres, però també comprant-ne, en base als seus drets de fadiga i empara.[17]

L'altra part del riu presenta unes característiques completament diferents. El principal tret és el de la dispersió. Així, trobem el sector més gran, als peus del Francolí, i situat enfront de la part de terme «*d'ençà lo riu*», sector que en origen devia ser encara més gran si tenim en compte que la Pobla

16. Així, per les dades del capbreu, sabem que Francesca, germana de Bartomeu Bosch, hauria estat casada amb Francisco Suáriz, el qual, en el fogatjament de 1496, és conceptuat com a *gentilhom*. Iglésies, Josep: *La població de les vegueries de Tarragona, Montblanc i Tortosa, segons el fogatge de 1496*. Associació d'Estudis Reusencs. Reus, 1987, pàg. 110. Pel cognom, Suáriz, és possible que tingués una procedència aragonesa o, tal vegada, navarresa, amb la qual cosa, sense descartar altres possibilitats, hauria pogut arribar aquí arran de la guerra civil catalana.

17. Aquesta activitat de compravenda de terres s'observa al segle XV per exemple per part dels Ribes al Codony (AHAT, *Índex Vell*, 456v-457r), o en segles posteriors en les dilatacions i contraccions de les terres dominicals dels senyors del Morell (Recasens: *El senyoriu del Morell*, pàgs. 64-68.).

de Mafumet fou una quadra segregada de Puigdelfí. Ultra aquest espai, cal afegir tres zones més disseminades per tot l'antic territori del Codony.

Aquesta especial distribució vindria donada pel seu procés de creació, a base d'incorporar masos al patrimoni de la senyoria. Això es pot observar tant a les tres zones disseminades, les quals es corresponen a les terres de sengles masos, com al gran espai central, el qual s'hauria constituït a partir de dos masos, un situat a l'oest del camí ral de Tarragona a Montblanc, i un altre a l'est d'aquest, així com amb la quadra de la Pobla de Mafumet, de la qual ja es parlarà amb més profunditat en el seu apartat.

En el moment de redacció del capbreu, alguns d'aquests masos haurien patit algunes segregacions, tal i com s'observa al mas del Fenollar, al de Jaume Guardiola o al situat a l'est del camí ral. Precisament aquest és el que presenta més mutilacions, si bé també era el més extens. Amb tot, es mantingué íntegre el nucli central, d'uns cinquanta jornals, aproximadament. Les restes d'aquest mas haurien estat adquirides pel senyor de la quadra de Requesens, i passà a formar part d'aquesta quadra; d'aquesta manera s'explicaria l'enclavament que s'observa dins d'aquesta part del terme de Puigdelfí. Aquest no és un fenomen estrany, car un noble o un eclesiàstic podia adquirir una propietat bé per compra de la senyoria directa, o bé, fins i tot, per establiment o per compra a l'emfiteuta, amb la qual cosa teòricament es convertia també en emfiteuta del senyor directe. I diem teòricament perquè, a la pràctica, el privilegi que tenien aquests estaments de no capbrevar ni pagar censos, unit a diverses transmissions hereditàries, acabava provocant que, el que es podria considerar una alienació *de facto*, acabés esdevenint, amb la consuetud i el pas del temps, irreversible. D'aquí que en moltes cartes de franqueses i ordinacions de tot Catalunya s'incideixi en la prohibició que tenen els emfiteutes de vendre propietats a nobles i eclesiàstics.

Aquest mateix fenomen d'alienació, en aquest cas a la inversa, s'observa en un dels enclavaments de Puigdelfí, l'actualment conegut com a mas de Magrinyà. Malgrat que pertanyia al terme de Puigdelfí, originàriament mai no formà part del territori del Codony, i sí, en canvi, al de Constantí. Sabem que el 1293 Bartomeu de Montoliu va prestar jurament de fidelitat a l'arquebisbe Roderic Tello i aquest li concedia llicència, com a home seu i habitant de Constantí, per comprar possessions al terme de Constantí, de les quals havia de respondre com la resta dels homes de Constantí, malgrat el seu privilegi militar, atès que s'especifica que «*Militar no pot comprar terres a Constantí sine licència del senyor*».[18] Dit Bartomeu era germà de Galceran de Montoliu, senyor dels Garidells i la Pobla de Mafumet, i, molt possible-

18.   AHAT. *Índex Vell*, 162r.

ment, fill o descendent del senyor del Catllar. En el testament de Galceran, datat el 1315, s'esmenta el testament de Bartomeu, ja mort, i dit Galceran fa donació a un dels seus fills, Berengó, d'un mas que té a Constantí.[19] Les caramboles vitals i familiars haurien fet que aquest mas hagués acabat finalment formant part del patrimoni de la senyoria puigdelfinenca.

Malgrat les diferències de concepció i organització que es donen entre els territoris d'una i altra part del riu, pel que fa als seus cultius s'observen certes característiques comunes. Així, a una i altra part el conreu principal, amb diferència, era el dels cereals. Molt per darrere trobem les oliveres, el cultiu de les quals, creiem, estava per sobre del de les vinyes. El conreu d'horta també té un cert pes, fet lògic si es té en compte l'ampli front fluvial que presenta, unit a les sèquies presents a les dues ribes (la de Vilar de Baró a la riba dreta, i la del Molí i de l'Horta a l'esquerra).

Respecte a les servituds que havien de suportar els habitants i terratinents de Puigdelfí, els censos a satisfer presenten, en línies generals, també característiques comunes, tant pel que fa al tipus de pagament —amb preferència pel cens fix en metàl·lic en horts, terres de regadiu i vinyes, mentre que per als cereals s'emprava la tasca a parts de fruit—, com per la seva aplicació geogràfica; es gravava amb una tasca més dura (al sisè o fins i tot al cinquè) les terres amb més possibilitats de ser irrigades que aquelles més allunyades (amb tasques a l'onzè o al dotzè).

Un aspecte important a tenir en compte és el fet que dins del terme s'ubicava l'únic molí existent dins de les possessions del Capítol en aquella zona. Els habitants de Puigdelfí no només tenien l'obligació de moldre en dit molí, com de fet la resta d'habitants dels termes propers que pertanyien a la senyoria del Capítol tarragoní, si no que, a més, dins les prestacions personals s'especificava el manteniment del canal del molí. Poc o res sabem del paper del moliner; només que tenia —o hauria tingut— un hort per al seu ús (l'*orto molendini* que s'esmenta en el capbreu). Desconeixem si hi devia existir un moliner sojornant-hi tot l'any o estava llogat només durant una temporada a l'any. El cert és que a cap dels tres fogatjaments nominals —els de 1496, 1515 i 1553— apareix cap esment a un moliner, i, per altra part, si aquesta tasca hagués estat establerta a algun dels habitants de Puigdelfí, o de qualsevol altre lloc sota senyoria del Capítol, hauria hagut de capbrevar-ho, tal i com fa el ferrer de Vilallonga en el seu capbreu corresponent. Pel que fa als altres destrets senyorials, el dret de forn havia estat reduït a un pagament fix en metàl·lic a pagar per cada casa, mentre que la ferreria a la qual estarien obligats a llossar seria la de Vilallonga,

19.   AHN. *CÓDICES*. L. 842, *Els Garidells*, doc. G

malgrat que en el capbreu no s'esmenti, perquè era l'única documentada a tota l'àrea.

Finalment, a partir de les dades provinents de les transmissions de terres, s'observa un cert estancament del mercat de la terra, únicament una mica viu a la riba dreta del terme. Per contra, a la riba esquerra, la manca d'alteracions sembla el tret característic: cinc dels sis patrimonis puigdelfinencs provenen de transmissions intrafamiliars, en alguns casos des de diverses generacions ençà. En el sisè cas, si bé es produeix per compra, s'adquireix la totalitat del patrimoni del venedor, fill de Puigdelfí, però que vivia i treballava a Tarragona.

EL LLOC I TERME DE LA POBLA DE MAFUMET

ANÀLISI DEL DOCUMENT

El capbreu de la Pobla de Mafumet s'inicia directament amb les confessions particulars, al foli 36 *recto*, malgrat que, com a la resta de capbreus, la crida apareix al *verso* del foli anterior. Ocupa fins al foli 72 *recto*, tot i que el capbreu, pròpiament, només ocupa fins al foli 44 *recto*, mentre que la resta de folis es manté en blanc.

La crida convoca a tots els vassalls emfiteutes i terratinents del lloc i terme de la Pobla de Mafumet a capbrevar a partir del dimarts 28 de maig de 1510.

En total es produïren sis confessions particulars de quatre tinents. Les dues primeres el mateix dimarts 28 de maig de 1510, tres més l'endemà, i una darrera quasi un mes després, el dimarts 25 de juny. El lloc on confessaren fou a la mateixa Pobla, menys en el darrer cas que ho féu a Tarragona.

En tots els casos, llevat del darrer, les confessions particulars segueixen l'esquema general ja apuntat anteriorment. Les confessions es feren en presència del reverend senyor Joan Poblet, canonge i síndic anual d'aquell any del Capítol de la Seu, i dels testimonis, el discret Miquel de Roda, notari públic de la ciutat de Saragossa, i Baltasar de Moncal, habitant de la ciutat de Tarragona. La darrera confessió particular, feta a Tarragona quasi un mes després, si bé, en línies generals, segueix exactament el mateix patró que les anteriors, no esmenta la presència del canonge Poblet, i els testimonis cridats, Gabriel Moreno, matalasser, i Gabriel Solzina, hostaler, ambdós de Tarragona, són esmentats al final del document.

Com gairebé la resta, en el capbreu de la Pobla de Mafumet les anotacions marginals a la seva part esquerra corresponen a petites esmenes o afegitons oblidats al cos del text. Pel que fa al marge dret del document, com a la resta, es limita a especificar en números romans les quantitats de cens a satisfer. Pel que fa a la còpia del capbreu,[1] segueix els mateixos paràmetres, inclou les mateixes anotacions marginals, però a més, s'afegeix

---

1. ACT. Secció D, Armari I, B-60.

a la part esquerra de cada bé confessat la fórmula *Es cap.* seguit del nom del titular que confessà al posterior capbreu de 1555.

DESCRIPCIÓ DEL TERME

De tots els actuals termes municipals estudiats aquí, és, amb seguretat, el de la Pobla de Mafumet el que més alteracions ha sofert. La implantació de la indústria petroquímica a partir de la dècada dels setanta del segle passat ha modificat substancialment el seu paisatge. La refineria ha eliminat qualsevol vestigi que pogués restar d'antics camins i partides de terres, molts d'ells amb centúries d'antiguitat i que, en molts casos, havien servit durant generacions als pobletans com a elements geogràfics singulars amb què referenciar les seves terres. Per tant, qualsevol intent de descripció a partir dels paràmetres actualment existents es pot convertir en una àrdua i inexacta tasca. Per tal d'afinar el màxim possible la localització dels espais descrits en el capbreu, s'ha optat per utilitzar les dades de la fase immediatament anterior al desenvolupament industrial i urbà de la Pobla, provinents dels plànols i fitxes cadastrals dels anys quaranta i cinquanta del segle XX.

A partir de les dades del capbreu hom pot observar com el terme original s'organitzà a l'entorn de dos eixos. El primer, en sentit sud-nord, correspon a l'antic camí de Constantí a la Pobla, actualment carretera T-720 («*Camino quo itur ad locum de Constantino*»), el qual, un cop depassada la Pobla en direcció al Morell era conegut com a camí d'Alcover («*Via publica quo itur ad locum de Alcoverio*»). Aquest eix viari dividia el terme en dues meitats, tot definint dos sectors a l'est i a l'oest.

El sector de ponent s'organitzà al voltant de l'actualment conegut com a camí de la Pobla a Reus, el qual, en el capbreu, consta com a camí de la Selva («*Camyno quo itur ad locum de Silva*»), la qual cosa podria tendir a confusions, car en la toponímia actual el camí de la Selva és un altre, situat més al nord. Aquest camí s'iniciava a l'extrem sud del nucli urbà en direcció oest. Per les afrontacions d'una tinença d'un dels confessants, Jaume Guardiola, és possible pensar que l'actual camí del Bassal ja existia, i que s'iniciava a l'extrem nord del nucli urbà i enllaçava amb el dit camí de la Selva.

Aquest sector occidental del terme devia estar delimitat a l'est per la carretera de Constantí a Alcover (el nucli urbà original, com es veurà, es trobava situat per sota d'aquest camí) i per l'oest per l'actualment conegut com a camí vell del Morell a Reus. Més enllà, l'actual partida de la Garjola ja formava part del terme del Codony, o, si seguíssim al peu de la lletra una de les afrontacions, trobaríem un enclavament de Puigdelfí, malgrat que, com es veurà, aquest era situat més cap al nord.

Més difícil i imprecís resulta definir els límits sud i nord. Pel sud tot sembla indicar que el límit es devia localitzar al camí de la mina del mas de Madró (camí B del polígon 8 i camí C del polígon 7). Coneixem aquesta situació per un document posterior, del 1749 («*Sitam in termino predicti loci de la Pobla de Mafumet partim et partim in termino dicti loci del Codony et in partita nuncupata la Barquera*»).[2] Pel nord, el límit territorial de la Pobla, molt possiblement, restava gairebé tal i com es troba actualment, això és, colindant amb una finca de gran extensió (actualment una part es troba dins del terme municipal de la Pobla i part en el del Morell), coneguda també a la part propera a la carretera de la Pobla al Morell com el tomb de Tànger. Aquesta extensa finca fins als anys vint del segle XX era un enclavament de Puigdelfí.[3]

El sector oriental del terme apareix delimitat a l'est pel riu Francolí i a l'oest per la carretera de Constantí a Alcover i el nucli urbà. Aquest espai s'organitzà al voltant del conegut com a camí del Riu, citat en el capbreu com a camí de les Hortes («*Camino publico orte dicti loci*»), el qual s'iniciava a l'actual carrer de Sant Isidre, tot baixant en sentit E-W fins al riu. No s'ha de confondre aquest camí de les Hortes amb un altre que, posteriorment, prengué aquest nom i era situat més cap al sud.

A la banda meridional del camí de les Hortes, el terme limitava, pujant des del riu, amb el terme de la quadra de Recasens fins a arribar al camí ral de Tarragona a Montblanc. A partir d'aquí i fins al torrent limitava amb l'actual finca 17 del Polígon 2. Des de l'oest del torrent fins a la carretera de Constantí, el terreny molt possiblement s'eixamplava lleugerament, i el límit meridional arribava a l'actual camí de l'Horta (no s'ha de confondre amb el camí de l'Horta del capbreu). Coneixem *grosso modo* la delimitació d'aquest sector per uns documents del segle XVIII relatius a unes vendes de terres situades al costat d'aquest indret, però corresponents a l'actual polígon 2, les quals, segons indiquen els documents, són situades al terme del Codony i no al de la Pobla.[4]

A la part septentrional del camí de les Hortes, el terme quedava delimitat a l'est pel riu Francolí i a l'oest pel nucli urbà. Pel nord el límit es trobava, molt possiblement, a la part situada entre la carretera d'Alcover i el torrent; un cop passat aquest, devia discórrer per l'actual camí C del polígon 1 fins al camí ral de Tarragona a Montblanc. A partir d'aquí seguia fins al riu pel sud de la franja de terreny paral·lela al camí de Puigdelfí a la Pobla,

2.   Arxiu Patrimonial Casa Mir de la Pobla de Mafumet. Fons Mir de la Pobla, doc. 2. 30-03-1749.

3.   VECIANA I AGUADÉ, Josep: «Toponímia de la Pobla de Mafumet». A: CORTIELLA I ÒDENA, Francesc: *Història de la Pobla de Mafumet*. Ajuntament de la Pobla de Mafumet, 1986, núm. 158, pàg. 252.

4.   Arxiu Patrimonial Casa Mir de la Pobla de Mafumet. Fons Mir de la Pobla, doc. 23. 1735-1917.

actualment dins del terme municipal de Perafort. La major part de les terres de l'actual partida coneguda com les Hortes de l'Estació no corresponien al terme de la Pobla sinó, per una part, a una extensa finca, anomenada la Coma, propietat dels Montoliu, senyors del Morell, i per l'altra, una estreta llenca de terra pertanyent a Puigdelfí: «*Tiene y posee* [la marquesa vídua de Montoliu] *en el término de Morell y partida de la Coma una heredad o finca rústica denominada «la Coma» de cabida doce hectareas noventa y cuatro areas veinte y cinco centiareas, lindante al Este con propiedad de los habientes derecho del Sr. Marques de Tamarit, al Sud con José Ferrando, José Blasi y otros en termino de Perafort mediante sendero de heredades y el cauce de la mina de S. Jorge, al Oeste con la carretera o camino vecinal de Tarragona a Valls y al Norte con patio y era de trillar de la propia herencia y corrales de las casas y solares de José Torres y otros y con la calle del Molino o camino del Manso Torrents*».[5] Aquesta finca, de fet, formava part no del terme del Morell sinó del de Puigdelfí. Malgrat que era propietat dels Montoliu, no sembla que la finca formés part de les propietats dominicals directes originals dels senyors del Morell, sinó que es tractava d'una adquisició feta entre els segles XVII i XVIII.[6]

El terme de la Pobla, segons les confessions del capbreu, devia tenir una extensió total d'uns cent dinou jornals i mig (unes setanta-dues hectàrees); al voltant d'uns seixanta-cinc jornals i mig correspondrien al sector de llevant i cinquanta-quatre al de ponent. Amb tot, la contraposició d'aquestes dades amb les provinents d'un altre capbreu de la Pobla de 1620 permet observar que el terme tenia una major grandària,[7] amb un total de cent trenta-sis jornals i mig (unes vuitanta-tres hectàrees). Així, el sector est presentava uns vuitanta-dos jornals i mig enfront dels seixanta-cinc confessats anteriorment, mentre que el sector oest mantenia els cinquanta-quatre jornals. La diferència es fa més gran encara si hom aplica les dades provinents de les fitxes cadastrals de rústica elaborades a la dècada dels cinquanta del segle XX. Així, el terme original comprenia una extensió total d'uns cent quaranta-set jornals (unes vuitanta-nou hectàrees), repartits en vuitanta-set per al sector de llevant i seixanta al ponentí. Això vol dir que entre les dades provinents del capbreu de 1510 i les actuals hi ha un diferencial de quasi bé el vint per cent. Aquest decalatge podria ser degut als rudimen-

5.   Arxiu Patrimonial Casa Mir de la Pobla de Mafumet. Fons Mir de la Pobla, doc. 22. 09-12-1900.

6.   RECASENS I COMES, Josep M.: «El rendiment d'una propietat feudal del Camp de Tarragona a la segona meitat del segle XVII (1652-1688)». A: *Estudis Altafullencs*, 1. Centre d'Estudis d'Altafulla, 1977, pàgs. 49-60; Recasens i Comes, Josep M.: «Notes sobre la producció agrària i el rendiment de l'heretat del senyoriu del Morell a l'últim quart del segle XVIII». A: *Miscel·lània Fort i Cogul. Història monàstica catalana*. Publicacions de l'Abadia de Montserrat, Barcelona, 1984, pàgs. 307-320.

7.   Arxiu Capitular de Tarragona (ACT). Secció D, Armari I, B-77. Capbreu de la Pobla de Mafumet. 1616-1621.

taris sistemes d'amidament de què es disposava a l'època, però, sobretot, a l'ocultació sistemàtica de dades. Així doncs, ens consta per les dades de les afrontacions que diversos tinents no declaraven alguna de les finques o, directament, no es presentaven a capbrevar.

TOPÒNIMS LOCALITZATS

Termes i llocs

1. *Loci dela Pobla de la Pobla de Mafumet vocata la Quadra termini de Coctano*
El lloc de la Pobla de Mafumet, dita la quadra del terme del Codony. El fet que la Pobla sigui coneguda com la quadra permet veure quin fou el seu origen.

2. *Termino de Coctano*
El terme del Codony.

3. *Termino de Podiodelfinio*
El terme de Puigdelfí.

Espais urbans

4. *Vico dicti loci*
L'únic carrer existent a la Pobla en el moment de redactar el capbreu. Posteriorment fou conegut com a carrer Major. Actualment es correspon amb el carrer Verge del Lledó.

5. *Curritore dicti loci*
El corredor era l'espai lliure d'edificacions que rodejava el nucli urbà.

6. *Muro dicti loci*
El que hom anomena muralla en el capbreu es correspon als murs exteriors dels patis i corrals existents a la part posterior de les cases. Rodejava tot el nucli urbà.

7. *Domibus domini dicti loci*
La casa dels senyors de la Pobla era un edifici, avui malauradament desaparegut, situat al número 2 de l'actual carrer Verge del Lledó. Malgrat que era conegut popularment com «el castell», a la documentació consultada no consta mai esmentat com a castell, *castrum* o *rocha*. La seva tipologia constructiva es correspon a la d'una casa forta.

Camins

8. *Camino publico orte dicti loci; Camino publico quo itur ad hortam loci predicti dela Pobla; Camino quo itur de la Pobla ad hortam*

El camí de les Hortes. S'iniciava a l'actual carrer de Sant Isidre i anava en sentit E-W fins al riu. Posteriorment ha estat conegut com a camí del Riu.

9. *Camino quo itur ad villam Montissalbi*
El camí ral entre Tarragona i Montblanc.

10. *Camino de Silva; Camino quo itur ad locum de la Selva*
El camí de la Selva s'iniciava al sud del nucli urbà, tot ascendint en sentit E-W cap a la Selva. Per una de les confessions, hom podria suposar que l'actual camí del Bassal ja existia també, i que s'iniciava al nord del nucli urbà i enllaçava diagonalment amb el camí de la Selva.

11. *Camino quo itur ad locum de Constantino*
L'actual carretera cap a Constantí.

12. *Via publica quo itur ad locum de Alcoverio*
La mateixa carretera un cop passat el nucli urbà en direcció al Morell.

Cursos d'aigua

13. *Rivo Francolini*
El riu Francolí.

14. *Rigo orte; Sequia dela orta; Sequia orte dela Pobla*
Correspon a la sèquia de Vilar de Baró o Sequieta. S'iniciava al terme dels Hospitals i regava les Hortes de la Pobla i les quadres de Recasens i Vilar de Baró.

15. *Torrente dicti loci*
El torrent o barranc de Mestre. Comença al mas de Mestre del Morell.

Partides de terra

16. *In Horta dicte Quadre de la Pobla*
Es tracta de la part situada entre el camí ral de Montblanc i el riu Francolí. Posteriorment va formar part de la partida de la Cloenda.

Els trossos de terra

17. *Lo figueral*
Tros de terra de dos jornals de Jaume Guardiola de la Pobla. Es trobava dins de l'actual partida de la Cloenda.

18. *Demunt lo rec*
Tros de terra de mig jornal de Jaume Bellver menor de la Pobla. Per la referència al rec o sèquia, possiblement també era dins de l'actual partida de la Cloenda.

19. *La barquera*

Tros de terra, meitat plantada d'olivers i meitat terra campa, de cinc jornals de Jaume Bellver menor de la Pobla. Es trobava a l'actual partida de les Serres, a l'oest de la població.

20. *Lo figueral*

Sort de terra de Jaume Bellver major de la Pobla. Es trobava a l'actual partida de la Cloenda.

21. *Els olivers*

Sort d'una quartera de terra de Jaume Bellver major de la Pobla. Estava situada a l'actual partida de la Cloenda.

ELS CONFESSANTS

El nombre de persones que declaren posseir alguna tinença dins del terme de la quadra de la Pobla de Mafumet és de quatre. En tots els casos la seva procedència és de la mateixa Pobla. Dels quatre tinents, tres són homes i una sola dona, la qual actua en representació del seu marit, absent per malaltia, malgrat que els béns confessats li pertanyen a ella com a pubilla dels seus pares. En dos casos —tres si comptem al marit absent— l'ofici reconegut és el de pagès. El darrer no confessa cap ofici, malgrat que sabem que, com els altres, també era conceptuat com a pagès.

Els confessants de la Pobla són:

Jaume Guardiola, pagès de la Pobla. Declara una casa, un *hospitium*, un hort i dos trossos de terra, amb un total de trenta-tres jornals.

Rafaela Bellver, dona de Joan Magrinyà, pagès de la Pobla. Declara una casa, un corral i un tros de terra, amb un total de vint-i-cinc jornals.

Jaume Bellver, dit menor, de la Pobla. Declara dos *hospitii*, l'heretat d'un dels *hospitii*, un hort, vuit trossos de terra i una vinya. En total, cinquanta-tres jornals i mig.

Jaume Bellver, dit major, pagès de la Pobla. Declara una casa, dos horts, tres trossos de terra i dos erms, amb un total de vuit jornals i un quartó.

Per diverses afrontacions, coneixem el nom de dos pobletans més, Pere Bellver i Joan Bellver, els quals, malgrat que posseïen diverses tinences, desconeixem per quins motius no capbrevaren. Un tercer, Jaume Oriol, tampoc no capbrevà. Amb tot, en aquest cas, malgrat que residia a la Pobla, no sembla que disposés de cap tinença, sinó que, possiblement, vivia de lloguer a l'*hospitium* de Jaume Guardiola, per al qual devia treballar.

BÉNS URBANS

El nucli antic de la Pobla de Mafumet ha sofert, des dels inicis de l'edat moderna, nombrosos avatars i transformacions, capitalitzats, en bona mesura, pel progressiu augment de la població que es documenta des de les darreries del segle XVI, la qual cosa provocà la partició de les vivendes existents en nuclis habitacionals més reduïts, ja fos per via dotal o per venda, fins que la mateixa pressió demogràfica sobre uns habitatges ja molt atomitzats obligà a iniciar la construcció de noves cases en nous carrers, fora ja del nucli primitiu, com serien el del camí del Morell (actual carrer Catalunya) o el del Pou (actual carrer Sant Isidre), l'actual plaça de la Pau, o, ja en ple segle XIX, les cases del carrer Nou (actual Sant Joan), tot vorejant la carretera de Constantí.

A aquest fet, natural en tota evolució i, per altra part, paral·lelitzable a gairebé totes les poblacions, cal afegir el problema de la gran sequera documental que, per als segles medievals i bona part del segle XVI, pateix la Pobla de Mafumet. Malgrat tot, una ullada al parcel·lari, unit a l'estudi i contextualització de les restes arquitectòniques que han restat dempeus, ens permetrà una aproximació a l'urbanisme primitiu de la Pobla de Mafumet. El buidatge de les dades urbanes contingudes en el capbreu permetrà acabar de fixar i delimitar els habitatges existents en aquell moment, així com, en la mesura que ho permeti el document, donar nom als seus ocupants.

D'aquesta manera, al parcel·lari del nucli antic de la Pobla, l'actual carrer de la Verge del Lledó, s'observen certs elements que, malgrat les successives particions dels habitatges primitius, permetrien un acostament a les dimensions i ubicació originals d'aquests. Així, en alguns casos es documenta un mateix mur de tancament posterior compartit per diverses finques, tal i com succeeix a les cases número 3 i 5, 7 i 9 i 13, 15 i part del 17 corresponents al sector oest del carrer, i a les cases número 4 i 6 del sector est. Val a dir que, en aquesta darrera àrea, la construcció *ex novo* de dos petits habitatges —els corresponents als números 10 i 12— a les darreries del segle XIX o començaments del XX desdibuixa lleugerament la relació amb els edificis colindants, el mur de tancament posterior dels quals hem de considerar com l'original.

Per altra part, totes aquestes cases disposaven d'un pati posterior. Les desigualtats paleses en llurs tancaments exteriors són un altre element a tenir en compte. Així, al sector occidental, si bé s'observa una línia de tancament regular per a les cases número 3-5 i 13-17, les corresponents als números 7-11 presenten un tancament sobresortint sobre la carretera del Morell, amb una lleugera inclinació N-W, tot suavitzant la corba que, en aquest lloc, fa la dita carretera. Pel que fa al sector oriental, la mateixa diferenciació es pot fer a les cases número 4 i 6 respecte de les altres.

Aquestes dades semblen indicar l'existència de sis habitatges diferenciats, els corresponents a les actuals cases número 3-5, 7-11, 13-part del 17, 4-6, 8-10 i 12-14.

A partir de les dades exposades, el paisatge urbà que es configura és el següent:

Al sector oest, i començant pel sud, el poble s'inicia amb la casa de Pere Bellver; la situació d'aquesta, malgrat que el seu tinent no capbrevà, ens ve donada per les afrontacions del seu immediat veí. Correspondria a les actuals finques número 3 i 5 (a la casa número 3 s'observa una antiga subdivisió de la finca en dues, que posteriorment va tornar a passar a mans d'un sol propietari). La casa presentava una façana de vora els tretze metres de llargada i al voltant dels nou metres i mig de fons, amb una portalada amb arc de mig punt amb dovelles ben treballades, situat a l'extrem sud de l'edifici. El seu enderrocament posà al descobert l'existència d'una cantonera feta amb carreus regulars i ben treballats fins a l'alçada de la primera planta. Aquest element permet definir els límits meridionals de l'antiga Pobla i confirmar que l'edifici annex —conegut com a Ca Xacó i també enderrocat el mateix any— fou bastit amb posterioritat, tal vegada a partir del segle XVIII, moment en el qual, per tal de sufragar les despeses de la construcció de la nova església, el Consell de la Pobla va vendre a particulars alguns patis de la plaça.[8] L'alçada d'aquesta cantonera, lleugerament superior a la línia de bigues, permet suposar que aquesta part de l'edifici hauria mantingut l'alçada del trespol original. Val a dir que en la resta d'edificis l'alçada original dels pisos ens ha pervingut poc o molt alterada. Així mateix, aparegué un arc diafragma paral·lel al carrer, del qual no disposem de més dades, la qual cosa podria indicar que, arquitectònicament, estava formada per dos cossos rectangulars, paral·lels al carrer, units per un mur mestre central.

A continuació, avançant vers el nord, consta la casa de Jaume Guardiola, corresponent a les actuals finques 7, 9 i 11. Presentava una façana de vint-i-dos metres i mig de llargada i uns nou metres i mig de fons. L'únic element conservat ha estat la seva portalada, situada en una posició central de la façana i amb arc de mig punt sobre carreus. Aquest arc presenta uns trets força originals; així, les dovelles apareixen dividides per incisions radials regulars que provoquen un efecte òptic de dovelles més estilitzades i regulars. Pel que fa al seu interior, malgrat la notícia de l'existència de diverses arcades, no ho hem pogut constatar perquè ha estat enderrocada.

---

8. CORTIELLA: *Història de la Pobla de Mafumet*, pàg. 51.

El següent casal vers el nord seria el corresponent a Jaume Bellver major, actuals finques número 13, 15 i part de l'actual 17. Malgrat que l'actual casa número 17 va ser construïda de bell nou a la segona meitat del segle XX, per un plànol de la Pobla de 1934 calculem que la seva façana devia tenir al voltant dels vint metres de llargada, per uns nou metres i mig de fons. Les úniques restes conservades corresponen a l'edifici número 15. Aquest presentava una anodina façana pròpia dels segles XIX-XX. Mercès al mal estat del seu revoc, es va poder documentar una gran portalada amb arc de mig punt amb grans dovelles sobre carreus. A sobre seu, una finestra amb carreus regulars i ben treballats però de molt difícil datació, i a la dreta d'aquesta, en molt mal estat, el que podria haver estat una altra finestra, les restes de la llinda de la qual presentaven motius vegetals presents en el gòtic tardà. Al seu interior, previ al seu enderrocament, no s'observà cap resta arquitectònica remarcable, llevat d'un arc diafragmàtic apuntat, perpendicular al carrer, que ocupava tota l'amplada de l'edifici, fossilitzat al mur mitger de la casa número 13.

Al sector est del carrer de la Mare de Déu del Lledó, i també començant pel sud, la casa número 2, enderrocada fa uns pocs anys, ha estat tradicionalment coneguda com «el castell». Malgrat les diverses reformes que patí l'edifici —sobretot vers la meitat del segle XVIII—, la seva estructura original corresponia a un edifici de planta quadrada, d'uns vuit metres de llargària, construït en maçoneria a la seva planta baixa, i tapial al pis superior, tal i com es podia observar a la seva façana nord. Les cantonades estaven rematades per pedres cantoneres ben treballades, tal i com es podia observar als seus angles N-E i N-W, així com, fossilitzada entre el primer i el segon cos, a l'angle SW. La teulada era, possiblement, a dues aigües en sentit sud-nord. Al carreró que el separava de la resta de cases, es documentà una petita porta lateral amb esgrafiats en un carreu dels seus muntants. Malgrat que estava força deteriorada, la llinda sembla correspondre al tipus carpanell. Al capdamunt de la porta, segons testimonis, hi havia un petit escut amb la Tau, desaparegut vers el 1960. A l'interior, es documentà, tant a la planta baixa com al primer pis, un arc diafragma en sentit perpendicular al carrer Mare de Déu del Lledó, consistent en un arc de mig punt sobre pilars de carreus ben treballats amb base també de carreus.[9] Tant per la seva situació com per les seves característiques (manifesta intencionalitat de mantindre's segregat del conjunt de cases del poble, i la presència de l'escut), creiem que cal identificar aquest edifici amb les *domibus domini dicti loci*, citades a les afrontacions de la casa d'un

9.   Per a una descripció més extensa, vegeu: [MIR, Hèctor, MORENO, Antoni]: «El castell de la Pobla de Mafumet». A: *Butlletí de la Pobla de Mafumet*. Núm. 33, 2005, pàgs. 18-19.

dels confessants. La tipologia de l'edifici es correspon amb la de les «cases fortes» o *forcias*. En aquest sentit, és interessant copsar com en el capbreu se'l descriu com a *domibus* i no com a *castri*, tal i com es pot observar als capbreus de Puigdelfí i Perafort. El fet que, gairebé fins a l'actualitat, se l'hagi conegut com «el castell», denota el seu origen edilici i representació física del poder dominical a la Pobla, malgrat que, almenys des de principis del segle XVII, hauria passat a tenir una funcionalitat merament residencial.

A continuació vers el nord, les finques números 4 i 6 corresponien a un dels albergs de Jaume Bellver menor. Presentava una façana de poc més de quinze metres i quasi deu de fons; arquitectònicament, estava formada per dos cossos rectangulars, paral·lels al carrer, units per un mur mestre central. Al mur de tancament posterior de la casa número 4 s'observa una petita porta —actualment paredada— amb arc de mig punt, de factura força antiga —si més no, per la seva tipologia constructiva, anterior a la plena edat moderna. Enfront d'aquest mur de tancament posterior, hom hi bastí un nou pany, format per, almenys, tres arcs. Aquesta porxada, comuna a les actuals cases número 4 i 6, permet observar com, en origen, aquestes formaren una sola unitat habitacional. Per altra part, documentalment, s'ha pogut constatar també aquesta unicitat.[10] Cal ressenyar l'existència, a l'angle sud-oest de l'edifici, d'una cantonera de carreus fins a l'alçada del primer pis. En un d'aquests carreus, a la seva cara sud, es podia observar una Tau esculpida.

Seguint cap al nord, la casa de Joan Magrinyà corresponia a l'actual número 8 i part de la número 10. Amb unes dimensions d'uns vint metres de façana per nou amb seixanta de fons, presenta un portal amb arc de mig punt amb dovelles ben treballades. Fins fa uns pocs anys s'observava, en una de les finestres del primer pis, un brancal de pedra treballada, malauradament molt erosionat. Al seu interior es conserva un arc diafragma apuntat, paral·lel al carrer, l'extrem nord del qual ens dóna el límit exacte de la finca original.

Finalment, els actuals números 12 i 14, així com part del 10, corresponien a l'altre *hospitium* de Jaume Bellver menor. Aquest és, possiblement, l'espai més desdibuixat i del qual disposem de menys dades. Car, si bé l'actual casa número 14 sembla correspondre, en volum, a l'original, les actuals número 10 (encavalcada entre els dos casals originals) i 12, atesa la poca amplada de façana de què disposaven, foren refetes *en passadís*. Així mateix, cal esmentar que, tant al nord de les afrontacions confessades per Joan Magrinyà com al sud de les de Jaume Bellver menor, s'esmenta una casa de Jaume Guardiola. No disposem de prou dades com per saber si, ja en aquest moment, s'hauria produït una segregació d'aquest casal, o

---

10.   [Mir i Llorente, Hèctor]: «Casa Mir». A: *Butlletí de la Pobla de Mafumet*. Núm. 34, 2005, pàg. 15.

bé, més versemblantment, pel fet que el dit Guardiola no la capbrevà, així com que el cens pagat per Jaume Bellver menor per aquest alberg era de dues gallines (la qual cosa, en principi suposava el cens de la totalitat de l'edifici), la part sud del casal o bé part d'aquest espai podria haver estat llogat per Bellver a Guardiola. Com sigui, les dimensions originals eren d'uns vint-i-dos metres de façana per nou de fons.

A l'extrem nord del carrer, i tancant-lo, es trobava un altre alberg de Jaume Guardiola. Cal ressenyar que a l'any 1945 es procedí a l'enderrocament de dues cases situades a l'extrem nord del carrer, les quals impedien la sortida per aquest sector de carrer. La seva situació i característiques es poden observar tant al plànol de vers el 1913 de la *Geografia General de Catalunya* —molt esquemàtic, per altra banda, però el més antic dels que tenim esment— com al més elaborat de l'any 1934.[11] Per les característiques i situació de l'immoble, hom podria suposar que aquest fou bastit tot aprofitant un possible portal. Desconeixem si, a inicis del segle XVI, aquest estava encara en funcionament o si ja hauria estat paredat. El cert és que, almenys des del 1821, el carrer Major era conegut com *«el carrer que no passa»*.[12] A la confessió de Jaume Bellver major s'esmenta en aquesta ubicació la casa de Jaume Oriol. Per bé que no apareix en cap més afrontació, ni en el capbreu se li reconeix cap tinença, som del parer que el dit Oriol era, simplement, llogater d'aquest alberg, propietat de Jaume Guardiola, per al qual, probablement, devia treballar.

Els murs de tancament dels patis posteriors, existents a totes les cases, constituïen la muralla que rodejava i defensava el poble (*muro dicti loci*); tenia un portal al sud, amb la qual cosa la casa dels senyors dominicals quedava fora muralles, i possiblement un altre al nord. A l'exterior, a l'est i a l'oest es trobava el corredor o empriu del poble (*curritore dicti loci*), el qual al sector oest es corresponia amb el camí de Constantí al Morell.

La trama urbana de la Pobla d'inicis del segle XVI que se'ns presenta és la pròpia d'un petit lloc, clos per unes muralles i desenvolupat a partir de sis cases —set si tenim en compte el possible portal nord— situades al llarg d'un carrer i a redós del casal del senyor dominical, situat al sud-est d'aquell, i segregat de la població. L'església, de fet una mera capella, car l'església, sufragània de la del Codony, era situada a l'ermita de Sant Joan del Lledó, en terrenys de l'actual refineria, es trobava també fora del recinte, a l'altra banda del camí de Constantí a Vilallonga. Per la seva situació, força marginal respecte a la ubicació dels habitatges, hom pot suposar que

11.   [MIR I LLORENTE, Hèctor]: «Els plànols antics de la Pobla de Mafumet». A: *Butlletí de la Pobla de Mafumet*. Núm. 38, 2006, pàg. 18; [MIR I LLORENTE, Hèctor]: «Pobla de Mafumet». A: *Butlletí de la Pobla de Mafumet*. Núm. 44, 2007, separata.

12.   Arxiu Patrimonial de Casa Mir de la Pobla de Mafumet, Fons Mir de Casa Mir, doc. 41.

fou bastida en un moment posterior al desenvolupament de l'enclavament pobletà. El seu fossar, contigu a la capella, ocupava, aproximadament, tota l'amplada de l'inici de l'actual carrer de Jacint Verdaguer. A partir de les característiques observades, hom podria definir la trama urbana pobletana com a pròpia d'un poble de tipus castral.[13]

Ara bé, la trama urbana resultant, amb un carrer recte i uns casals amb dimensions i disposicions respecte al carrer força semblants i regulars, difereix notablement d'altres poblacions castrals properes com el Morell, Puigdelfí, el Catllar, Constantí, o, fins i tot el primitiu urbanisme de la Tarragona medieval.[14] Per contra, presenta més concomitàncies amb poblacions com Vilallonga o, sobretot, amb Montbrió.[15] O sigui, amb *viles noves* amb una certa planificació urbanística prèvia per part del senyor dominical. Crida l'atenció també, per una part, la disposició dels habitatges, amb crugies paral·leles al carrer, quan en aquesta zona era habitual una sola crugia, o dues, perpendiculars al carrer, o sigui, presentant menys front de façana que de fons; per l'altra la dimensió dels casals, la qual oscil·la entre els cent cinquanta i dos-cents metres quadrats construïts, dimensions força importants per a l'època i no gaire habituals en altres poblacions properes, que les diferencien notablement, per exemple, del casal tipus de Montbrió, amb un front de façana del voltant de tres metres seixanta centímetres; s'acosta més, tant per tipologia constructiva com per volum, per exemple, amb diversos casals construïts a Banyoles.[16]

BÉNS RÚSTICS

En total, es declararen vint-i-dues parcel·les per part de quatre tinents, tots ells pagesos de la Pobla. La superfície total declarada fou de cent dinou jornals i mig.

13. BOLÒS: «Els pobles de Catalunya a l'edat mitjana», pàgs. 88-94.
14. Pel que fa a Puigdelfí ens basem en les dades provinents del capbreu de 1510, aquí estudiat. Per al Morell: VALLDOSERA I CATÀ, Josep M. i GRANELL I MARCH, Jordi (coordinadors): *El castell del lloc del Morell. Aspectes històrics i de la restauració del casal dels Montoliu.* Ajuntament del Morell, el Morell, 1994, pàgs. 34-35. Per a Tarragona: Mar-Mir-Piñol: «La formación de la topografía urbana de la Tarragona medieval», pàgs. 165-203.
15. Per a Vilallonga, a més de l'estudi del capbreu de 1510, inclòs en aquest treball: Bolòs, Jordi: *op. cit.* Pàgs. 110-115. Per a Montbrió: JMB: «Vila de Montbrió del Camp». A: DD.AA. *Catalunya Romànica*, vol. XXI. Fundació Enciclopèdia Catalana, Barcelona, 1995, pàg. 230.
16. RIU-BARRERA, Eduard: «Tipus i evolució de les cases urbanes», pàgs. 146-151; MONER CODINA, Jeroni: «Les cases de Banyoles», pàgs. 156-158. Ambdós a: DD.AA.: *L'art gòtic a Catalunya. Arquitectura III. Dels palaus a les masies.* Fundació Enciclopèdia Catalana, Barcelona, 2003.

Les parcel·les

Com acostuma a ser habitual al Camp de Tarragona, les finques apareixen força fragmentades en porcions més petites, de mida variable (el que hom, molt gràficament, denomina «trossos»), tal i com mostra el quadre 1.

Quadre 1. Nombre de parcel·les segons la superfície unitària

Superf. unitària (jornals)	Parcel·les		Superfície	
	Nombre	%	Total	%
1/12	1	4,54	0,08	0,07
1/2	5	22,73	2,5	2,09
1	4	18,18	4	3,35
1 ½	2	9,09	3	2,51
2	1	4,54	2	1,67
3	3	13,64	9	7,53
4	1	4,54	4	3,35
5	2	9,09	10	8,36
25	1	4,54	25	20,90
30	2	9,09	60	50,17
Totals	22	100	119,58	100

A partir d'aquestes dades s'observen dos grups ben diferenciats. Per una part, les parcel·les la superfície de les quals no és superior a cinc jornals, i, per l'altra les parcel·les (citades en el capbreu sovint com a «heretats») iguals o superiors a vint-i-cinc jornals. Pel que fa al primer grup, aquest és format per dinou parcel·les, la majoria de les quals amb una superfície d'entre mig jornal i un jornal i mig. Amb tot, malgrat que representa el vuitanta-cinc per cent del total de parcel·les, la superfície total només representa el vint-i-nou per cent. Per contra, només tres parcel·les (una de vint-i-cinc jornals i dues de trenta) es reparteixen el setanta-u per cent del total de la terra.

Com en d'altres aspectes, s'observen certes diferències respecte a la superfície i repartiment de les parcel·les entre el sector llevantí i ponentí del terme. Per tal de poder-les copsar millor, s'ha dividit el quadre 1 en dos, un per al sector de llevant (quadre 1.1) i un altre per al de ponent (quadre 1.2).

Quadre 1.1 Nombre de parcel·les segons la superfície unitària (sector E)

Superf. unitària (jornals)	Parcel·les		Superfície	
	Nombre	%	Total	%
1/12	1	7,14	0,08	0,12
1/2	5	35,71	2,5	3,81

1	3	21,43	3	4,57
1 ½	2	14,28	3	4,57
2	1	7,14	2	3,05
25	1	7,14	25	38,12
30	1	7,14	30	45,74
Totals	14	100	65,58	100

En aquest cas s'observa com la immensa majoria de parcel·les (dotze de catorze) no superen els dos jornals, i predominen aquelles amb una superfície de mig jornal, seguides per les d'un jornal i les d'un jornal i mig. Amb tot, aquestes finques només representen el setze per cent del total. El vuitanta-quatre per cent restant de la terra es reparteix entre dues heretats, una de vint-i-cinc jornals i una altra de trenta.

Quadre 1.2 Nombre de parcel·les segons la superfície unitària (sector W)

Superf. unitària (jornals)	Parcel·les		Superfície	
	Nombre	%	Total	%
1	1	12,5	1	1,85
3	3	37,5	9	16,67
4	1	12,5	4	7,41
5	2	25,00	10	18,52
30	1	12,5	30	55,55
Totals	8	100	54	100

Per contra, al sector de ponent les parcel·les sembla que tenen una major grandària, malgrat que, llevat d'una sola finca, totes tenen una superfície igual o inferior als cinc jornals. Predominen les de tres jornals, seguides de les de cinc. El conjunt d'aquestes set parcel·les representa el quaranta-quatre per cent del total de la superfície d'aquest sector; la resta, el cinquanta-sis per cent correspon a una sola finca de trenta jornals.

Tal i com es pot observar, llevat d'unes poques finques grans, la resta del territori es dividia en una munió de petites parcel·les. Aquest fet, però, no pot induir-nos a pensar que, necessàriament, es donés una desigualtat en el repartiment de les terres. En un plànol hipotètic, des d'una lògica d'aprofitament econòmic i de recursos, un pagès, posats a escollir, sempre preferia una sola finca unificada a diverses de disseminades. Una conjuntura econòmica desfavorable pot provocar que s'hagi de desprendre de part del patrimoni, mentre que una conjuntura favorable pot permetre l'augment del patrimoni familiar. Per altra part, una família amb una situació econòmica més o menys estable podia mantenir la seva finca durant un llarg lapse de temps sense alteracions, amb la qual cosa el nombre de parcel·les de les quals hom disposa no té perquè ser necessàriament un indicador del nivell de riquesa. De fet, el que resulta important a l'hora de conèixer el teixit socioeconòmic d'una contrada no és tant el nombre total de parcel·les de les quals hom és titular, sinó, sobretot, saber quina és la capacitat i qualitat total d'aquestes. Al quadre 2 es pot observar el nombre de parcel·les que acumula cada emfiteuta i la seva superfície total. El fet que la freqüència en el nombre de parcel·les coincideix amb el nombre de confessants ens permet presentar-los individuadament.

Quadre 2. Nombre de parcel·les declarades per emfiteuta i freqüència de cada declaració

Parc. / emfit.	Emfiteutes		Parcel·les		Superfície	
	Nombre	%	Nombre	%	Jornals	%
1	1	25,00	1	4,54	25	20,90
3	1	25,00	3	13,64	33	27,60
7	1	25,00	7	31,82	8,08	6,76
12	1	25,00	11	50,00	53,5	44,74
Totals	4	100	22	100	119,58	100

A partir d'aquest quadre hom ja pot observar les diferències en l'acumulació de patrimoni rústic dels tinents pobletans. Així, un sol tinent disposava de gairebé la meitat de la terra, mentre un altre, tan sols disposava de vuit jornals i un quartó. Els altres dos tinents mostren un cert equilibri dins de la seva posició mitjana. També es pot observar allò esmentat anteriorment, referent a la relativa importància de l'acumulació de finques. Així, el tinent d'una sola parcel·la declara una superfície de vint-i-cinc jornals, mentre que un altre, amb set parcel·les declarades, només suma vuit jornals i un quartó.

Amb tot, aquestes desigualtats caldria matisar-les, car podrien distorsionar el veritable repartiment de terres existent. Els cinquanta-tres jornals i mig de Jaume Bellver menor són fruit de l'heretament en la seva persona de dos patrimonis diferents, els quals, tal i com consta en les anotacions marginals que serviren de base al capbreu de 1556, tornaren a ser dividits, una generació després, entre els seus dos fills. El quadre 2.1 mostra, un cop separats els dos patrimonis rebuts per Jaume Bellver menor, els patrimonis reals existents a la Pobla i la seva extensió.

Quadre 2.1 Patrimonis individuats per emfiteuta

Emfiteutes	Parcel·les		Superfície	
	Nombre	%	Jornals	%
Jaume Guardiola	3	13,64	33	27,60
Joan Magrinyà	1	4,54	25	20,91
Jaume Bellver menor (1)	10	45,45	23,5	19,65
Jaume Bellver menor (2)	1	4,54	30	25,08
Jaume Bellver major	7	31,82	8,08	6,76
Totals	22	100	119,58	100

Com es pot observar, quatre dels cinc patrimonis presenten unes xifres força proporcionades, en què cadascun d'ells reté al voltant del vint per cent de les terres del terme. D'aquests, tres disposen d'una parcel·la igual o superior als vint-i-cinc jornals —en el cas de Joan Magrinyà, aquesta parcel·la constitueix tot el seu patrimoni rústic. El volum total de terra restant quedava dividit en petites parcel·les, les dimensions de les quals, en el millor dels casos, no superaven els cinc jornals. Cal assenyalar que, en tots els casos, els confessants, al referir-se a aquestes grans parcel·les, les designen com els seus honors («*honoribus dicti confitents*») o com la seva heretat, si bé no a títol individual sinó lligada a una casa concreta («*petiam terre sive hereditatem dicti hospicii*»).

Un altre aspecte a tenir en compte és la total absència de terres dominicals. En cap terra confessada consta cap afrontació amb terres dels senyors del lloc, ni el capbreu aporta el mínim indici que aquestes poguessin existir.

A partir d'aquestes dades, hom pot aventurar alguna hipòtesi sobre com es realitzà originàriament el repartiment de terres als habitants del terme de la Pobla de Mafumet. Hom dividí el terme en, almenys, tres lots de terres, o heretats, d'entre trenta i quaranta jornals de cabuda. Un era situat al sud-oest del terme, un altre al sud-est i l'altre al nord-est. D'aquest repartiment es desprèn que, molt possiblement, devia existir una quarta heretat al quarter nord-oest, la qual, en el moment de redacció del capbreu, es trobava en un avançat estat de desmembració. Respecte de les tres heretats documentades, moments puntuals de crisi o falta de numerari davant una dot haurien provocat que se n'haguessin segregat petites parcel·les, de tal manera que, dins d'aquestes heretats, compactes i uniformes, trobem petites illes que pertanyen a d'altres tinents pobletans.

Els cultius

La tasca d'intentar quantificar els diversos cultius presents en el capbreu se'ns presenta força dificultosa. Si bé a les parcel·les petites trobem especificada la superfície i, a grans trets, el tipus de cultiu («tros de terra» o «terra campa», «horta», etc.), les tres heretats només confessen la superfície total i els seus principals cultius, sense especificar més. Així, a l'heretat de trenta jornals de Jaume Guardiola trobem part de terra campa, part erma, part plantada de vinya i part plantada d'olivers; els vint-i-cinc jornals de l'heretat de Joan Magrinyà eren destinats part a terra campa, part erma i part plantada d'olivers; finalment, a l'heretat de trenta jornals de Jaume Bellver menor s'hi cultivava horta, vinya i, aquí sí que s'especifica, tres quarteres de terra; a més, malgrat que no s'indica a la confessió, a partir dels censos a pagar s'entreveu algun altre tipus de cultiu, possiblement olivers i/o figueres. El quadre 3 reflecteix els problemes amb què ens trobem.

Quadre 3. Tipologia de cultius i la seva extensió

Tipus cultiu	Parcel·les		Jornals	
	Nombre	%	Nombre	%
Horta	4	17,39	3,08	2,57
Tros de terra	11	47,83	18	15,05
Olivers	1	4,35	2,5	2,09
Vinya	1	4,35	3	2,51
Erm	3	13,04	8	6,69
Diversos cultius	3	13,04	85	71,08
Totals	23	100	119,58	100

Com es pot observar, més del setanta per cent de la superfície correspon a diversos cultius no quantificats, la qual cosa distorsiona el resultat final. Amb tot, cal remarcar la preponderància de les terres dedicades als cereals, així com la important presència de terres ermes, les quals, molt possiblement, cal relacionar també amb el cultiu dels cereals, ja que realment podrien ser terres en guaret. A partir d'aquí, i malgrat que no es poden oferir percentatges reals, som de l'opinió que el principal i preponderant cultiu de la Pobla era el del cereal, sense que puguem especificar el seu tipus. El següent cultiu en importància, per darrere del dels cereals, era el de la vinya, tot i que sense arribar als percentatges que assolí més endavant. Molt per sota es troben els cultius d'horta, molt limitats per l'escassa superfície de regadiu, així com els olivers, els quals, només en un sol cas, ocupen una part important de la parcel·la. Molt possiblement, com encara es practica avui dia, els olivers estaven limitats a les antares de les finques o a aquells sectors on la terra fos menys productiva. Malgrat que alguna parcel·la rep el nom «dels olivers», no creiem que aquest fos l'únic ni el principal cultiu; més aviat servia per individuar-la d'altres sense olivers. El mateix es podria dir de les figueres. Diverses parcel·les reben l'apel·latiu de «figueral», però creiem que això només indica la seva presència, en cap cas la seva preponderància dins dels cultius de la finca. Cal assenyalar que en cap cas s'ha localitzat la més mínima referència a la presència de garrofers.

Pel que fa a la distribució dels cultius dins del terme de la Pobla, les terres d'horta eren situades a la part amb més facilitat per ser irrigades, això és, entre el riu Francolí i la sèquia de Vilar de Baró. Les terres campes, els olivers i la vinya es troben, indistintament, tant al sector oriental com a l'occidental, igual que els erms, si bé, en aquest cas, tot sembla indicar que eren més nombrosos al sector occidental. Pel que fa a la presència de figueres, aquestes es devien situar únicament, al sector oriental, a la zona compresa entre la sèquia de Vilar de Baró i el camí ral de Tarragona a Montblanc.

LES SERVITUDS

Tots els pobletans, a l'inici de la seva confessió, estaven obligats a reconèixer, mitjançant jurament sobre els quatre Evangelis, al Capítol de la Seu tarragonina com a senyor directe i alodial dels seus béns, el qual disposava del dret de firma, fadiga, lluïsme al terç i empara, així com altres plens drets.[17]

Així mateix, a la darrera part de la confessió, mitjançant l'anterior jurament es reconeixien vassalls del Reverend Capítol.

Censos

Entre els censos a satisfer, ja fossin en metàl·lic o en espècie, cal distingir entre aquells que corresponien a béns urbans i a béns rústics.

Pel que fa als béns urbans, en tots els casos, independentment que es tractés d'una casa o un alberg, el tinent estava obligat a pagar un parell de gallines per Nadal. Només en dos casos es dóna un tractament diferent. El primer correspon a l'alberg de Jaume Guardiola, pel qual només ha de pagar un pollastre per Nadal; hom podria suposar que això és degut al fet que dit alberg formava part en origen d'un altre del qual s'hauria segregat, d'aquí que es dividís el cens, però, com hem indicat, tota la resta satisfà un parell de gallines. L'explicació caldria buscar-la en el fet que, com s'ha plantejat en la descripció del nucli urbà, l'alberg s'hauria pogut bastir sobre un antic portal. En qualsevol cas, la seva superfície útil era molt menor que el de la resta d'habitatges. L'altre cas diferenciat correspon a un corral de Joan Magrinyà, situat a fora del nucli urbà i pel qual pagava vint diners per Nadal.

---

17. «*Sub dominio et alodio prefati Reverendi Capituli et ad ipsius firmam fatigam laudemyum sive tertium emparam et alium plenum Ius et directum sive emphiteoticum dominium et plenam dominationem*».

Respecte als béns rústics, el primer que crida l'atenció és la gran diversitat de modalitats de pagament dels censos, ja siguin en espècie o en metàl·lic. Per tal de poder copsar les possibles lògiques internes existents —malgrat les moltes arbitrarietats que es podien donar— s'ha optat per agrupar les diverses parcel·les segons el seu cultiu i la seva situació, ja fos al sector oriental de la població (quadre 4.1) o a l'occidental (quadre 4.2).

Quadre 4.1 Censos a satisfer segons cultius (sector E)

Cultiu	Superfície (jornals)	Data	Cens
Hort	1	Nadal	8 s 6 d
Hort	1,5	Sant Miquel	20 s 4 d
Hort	1,08	Sant Miquel	20 s 4 d
Diversos (campa, erm, olivers)	25	Nadal	44 s 6 d
Tros	0,5	—	1/5 part
Tros	1	—	1/6 part
Tros	0,5	—	1/6 part
Tros	1	—	1/6 part
Tros	1,5	Nadal	10 s 6 d
Tros	0,5	—	1/5 part
Tros	0,5	—	1/5 part
Diversos			
Hort		½ Nadal ½ St. Miquel	40 s
Vinya	28,5	Nadal	11 s
Tros	1,5	—	1/5 part

Quadre 4.2 Censos a satisfer segons cultius (sector W)

Cultiu	Superfície (jornals)	Data	Cens
Barquera	—	—	Franca
Tros	5	—	½ tasca d'1/11 i ½ franca
Tros	5	—	Franca
Tros	3	—	Tasca 1/11
Tros erm	3	—	Tasca 1/11
Erm	1	—	1/5 part
Erm	4	—	1/5 part
Vinya	3	Sant Francesc	3 s
Diversos (campa, erm, vinya, olivers)	30	—	Tasca 1/11

A partir de les dades d'aquests dos quadres sembla que s'apunta una certa lògica a l'hora d'establir els diversos tipus de cens. Així, pel que fa als horts, centrats tots a prop del riu, tots ells satisfeien un cens en metàl·lic. Ara bé, és del tot impossible intentar identificar una equivalència concreta entre el cens a pagar i la superfície; dels quatre horts documentats, per exemple, dos paguen la mateixa quantitat —vint sous i quatre diners— però la superfície de les finques és lleugerament diferent —una té un jornal i mig i l'altra un jornal i un quartó—, mentre que una altra parcel·la d'un jornal en paga menys de la meitat.

Pel que fa a les vinyes, el seu cens també és en metàl·lic, si bé molt menys gravós que en el cas dels horts. Com aquests, amb les vinyes tampoc no es poden establir paràmetres fixos. De les dues vinyes identificades, una parcel·la de tres jornals paga tres sous, mentre que una altra, que cal suposar força més gran —formava part d'una heretat de trenta jornals—, en paga onze.

Respecte a les parcel·les de sembradura —les més abundants en nombre i superfície— s'observen algunes diferències entre el sector oriental i l'occidental. A la zona oriental, dels vuit trossos documentats, set havien de satisfer un cens en espècies de mitja tasca de tots els fruits i esplets. En quatre de les parcel·les la mitja tasca era a la cinquena part i en tres a la sisena. La darrera és l'únic cas de pagament de cens en diners; la quantitat satisfeta, si bé, com ja s'ha observat, no és extrapolable, sembla que estava per sota del valor de les terres d'horta, però força per sobre de les de vinya. Pel que fa al sector oest, tots els trossos pagaven la tasca a l'onzena part de cens, si bé, en dos casos, la parcel·la estava enfranquida de pagar cens, i en un altre, s'enfranquia la meitat de la finca. Pel que fa als terrenys conceptuats com a erms pagaven mitja tasca al cinquè.

Pel que fa a les tres heretats, les quals comprenien diversos cultius, ens trobem amb totes les modalitats de pagament. Així, l'heretat de Joan Magrinyà, situada a l'est de la població, pagava un cens fix en metàl·lic, mentre que una de les heretats de Jaume Bellver menor, també situada a l'est, pagava en funció del producte, en metàl·lic per l'hort i la vinya, i en espècies per la terra campa. Pel que fa a l'honor de Jaume Guardiola, a l'oest de la població, el cens era únicament en parts de fruit.

Malgrat les diferències existents, sembla que hi hauria un intent d'homogeneïtzar les càrregues en funció de la qualitat i el rendiment de les terres. Així les terres de regadiu de l'horta eren proporcionalment les que satisfeien un cens més alt, al contrari que la vinya. Les terres campes presenten força homogeneïtat, de tal manera que les situades a l'est satisfeien mitja tasca, mentre que per a les situades a l'oest, de menys qualitat, i per tant, de menor rendiment, el cens era de tasca a l'onzè.

Amb les dades disponibles, és força difícil plantejar si a la Pobla, en aquest moment, ja s'hauria iniciat la monetarització dels censos, el procés de conversió dels censos a parts de fruit en una quantitat fixa en metàl·lic. L'homogeneïtat del tipus de pagament segons cultiu ens inclina a pensar que aquesta monetarització no s'hauria produït encara. Amb tot, en dos casos, una heretat i un tros de terra campa —l'únic que paga un cens en metàl·lic—, el cens és plenament en metàl·lic, la qual cosa podria fer-nos suposar una tímida introducció d'aquest procés. Malgrat tot, les minses dades no permeten anar més enllà.

Serveis personals

Com a vassalls del Capítol, els pobletans estaven obligats a prestar al seu senyor, un cop a l'any, una jova, això és «*un jornal de hun home ab una bestia*», i en temps del batre «*unam batudam quo est hun jornal de hun home ab huna bestia*». Cal ressenyar que, al contrari que a la resta de pobletans, a la confessió de Jaume Bellver major no hi consta cap tipus d'obligació personal, si bé fa més l'efecte d'un oblit del capbrevador que d'una exoneració.

TRANSMISSIÓ DE LES TINENCES

Cada tinent havia de justificar la titularitat de cada tinença, tot explicitant per qui i per quina via l'havia rebut, i a aquest per quins legítims títols li havia arribat el domini útil, i acompanyar-lo sempre que això fos possible amb l'instrument públic que ho demostrés. Aquestes confessions es feien a continuació de la descripció individuada de totes les tinences aconseguides per la mateixa via. En cas que un tinent disposés de propietats provinents de diverses mans, es procedia a descriure-les per blocs, al final de cada un dels quals es procedia a l'esmentada confessió de titularitat.

Al següent quadre es pot observar els diferents tipus de transmissió que es donaren a la Pobla, seguits a continuació, quan aquest ens és conegut, del tipus de transmissió anterior.

Quadre 5. Tipus de transmissió de les tinences

Tinent	Tinença	Darrera transmissió	Transmissió anterior
Jaume Guardiola	Una casa, un hort, dos trossos, una barquera	Herència de son avi, Bernat Guardiola	Establiment fet el 1392 a dit Bernat Guardiola

Tinent	Tinença	Darrera transmissió	Transmissió anterior
Rafaela Bellver, muller de Joan Magrinyà	Una casa, una *curte*, un tros	Herència de son avi, Berenguer Bellver	—
Jaume Bellver menor	Una casa, un hort, nou trossos	Herència de son pare, Pere Bellver	Compra de Pere Bellver a Joan Bosch i Tecla de Constantí el 1439
Jaume Bellver menor	Una casa, un tros	Herència de son pare, Pere Bellver	Compra de Pere Bellver a Bartomeu Bellver el 1417
Jaume Guardiola	Una casa	Compra de Jaume Guardiola a Pere Escasi de Constantí el 1502	—
Jaume Bellver major	Una casa, dos horts, cinc trossos	Herència de son pare, Guillem Bellver	Establiment fet el 1390 a dit Guillem Bellver

Dels sis tinents confessants, cinc reberen les seves tinences per via hereditària familiar, ja fos per testament o per capítols matrimonials, extrem aquest no detallat en el capbreu. Per contra, només en un sol cas es produeix una transacció comercial.

Pel que fa a la transmissió anterior, en dos casos no consta cap dada. En dos més, la possessió útil s'originà amb sengles establiments. Cal fer constar que sobta, per una banda, la proximitat d'ambdues dates —1390 un i 1392 l'altre—, i per l'altra, que aquestes siguin relativament recents, i més quan, almenys pel que respecta als Guardiola, apareixen documentats des del 1221.[18] Les altres dues transmissions foren efectuades per compra, ambdues per part de Pere Bellver de la Pobla.[19]

Respecte a l'origen dels venedors, llevat de Bartomeu Bellver, del qual, malgrat que no s'esmenta a la confessió, cal suposar-li un origen pobletà, els altres dos procedeixen de Constantí, malgrat que en un dels casos, el dels esposos Joan i Tecla Bosch, hom podria hipotetitzar —sense cap suport

18. CORTIELLA, *op. cit.*, pàg. 32.
19. Molt possiblement aquest Pere Bellver és el mateix que consta com a creditor de Guillem de Montoliu de sis-cents sous a l'acta de venda de la Pobla, feta per dit Montoliu a Pere Arnau Ramon, tresorer de la Catedral de Tarragona el 1429. Vegeu Cortiella, *op. cit.*, pàgs. 38-40.

documental, cal dir-ho— amb la possibilitat que dita Tecla fos filla de la Pobla, per la qual cosa hauria heretat aquest patrimoni.

Les escriptures presentades pels confessants ens permeten, a més, apropar-nos a quines eren les notaries més freqüentades pels pobletans. En tres de les cinc confessions consta la de la rectoria del Codony, fet lògic, tant per proximitat com perquè en depenien eclesiàsticament. Les altres dues foren redactades, una al castell arquebisbal de Tarragona i l'altra a la parròquia de Sant Bartomeu de Centcelles.

CONCLUSIONS

La configuració de la Pobla d'inicis del segle XVI és plenament deutora dels seus orígens. El fet d'haver nascut com una quadra depenent de Puigdelfí és encara present en alguna de les confessions. Aquest origen subsidiari pot explicar, per altra part, la poca extensió del terme, el qual no arriba als cent cinquanta jornals de superfície, o el fet que la presència senyorial estava representada per una simple casa forta («*domibus domini dicti loci*»), edifici de menor rang i tamany que un castell.

Un altre aspecte important respecte del seu origen, i que encara es pot observar a inicis del segle XVI, és que tot sembla indicar que la seva creació respongué a una acció pobladora molt ben planificada. El mateix topònim —la Pobla— ja ens indica una creació *ex novo*, però, a més, la regularitat del seu urbanisme i del repartiment de les seves terres ens mostra un assentament gairebé «de laboratori». Així, originàriament, el terme devia estar dividit en quatre grans finques d'entre trenta i quaranta jornals, dues a l'oest del nucli urbà i les altres dues a l'est, cadascuna lligada a una casa concreta. Val a dir que, si bé l'esquema és conegut, no hem localitzat cap paral·lel proper amb aquesta peculiar distribució, car, si bé trobem altres viles noves amb un urbanisme més o menys planificat, com podria ser el segon assentament de Vilallonga o el mateix lloc del Codony, aquesta mateixa planificació no s'observa pel que fa al repartiment de les terres.

Aquesta situació inicial, a inicis del segle XVI hauria variat una mica. El creixement de població hauria motivat la construcció, en data indeterminada, de com a mínim dues cases més, les quals, per altra part, haurien conservat els paràmetres urbanístics existents. Malauradament, amb les dades de què disposem, no és possible determinar quin fou el nucli original i quina la possible ampliació, si bé som de l'opinió que el nucli s'hauria format al sud, a redós de la casa forta, i posteriorment s'estengué cap al nord. De les quatre grans parcel·les originàries, tres encara es mantenien força íntegres, si bé erosionades per la segregació de diverses parcel·les de menors dimensions. Amb tot, aquestes tres encara conservaven trenta jornals, en dos casos, i vint-i-cinc en el tercer. Respecte a la quarta gran parcel·la, si bé no fou capbrevada, les diferents parcel·les que es detecten en aquell sector semblen indicar un alt grau de desmembrament.

El cultiu predominant era el dels cereals. Molt per sota seguien la vinya i les oliveres, si bé, atès l'alt percentatge que representen les grans parcel·les, on es practica el policultiu, és difícil saber en quina mesura. Cal remarcar l'alta presència de terres ermes a tot el terme, tot i que en major nombre al sector occidental. Per contra, malgrat que per una part del terme discorria la sèquia de Vilar de Baró, el nombre de jornals de terres d'horta és força minso.

Les servituds a què estaven obligats els pobletans semblen obeir també a una certa planificació, tant pel que fa al tipus de producte com a la seva ubicació dins del terme. Així, les terres d'horta i les vinyes havien de pagar un cens fix en metàl·lic, si bé la quantitat pel que fa a les hortes és força més alta que la de les vinyes. Pel que fa a les terres de cereals, el cens era a parts de fruit. En aquest cas s'observa una diferenciació clara entre les terres situades a l'oest del terme i les de l'est. Mentre que les primeres, en tots els casos, pagaven una tasca a l'onzena part, les segones, de millor qualitat i més productives, havien de satisfer la tasca a la cinquena o sisena part. Aquesta diferència, discriminatòria a primera vista, permetia al senyor acumular una major renda allí on més es produïa, però també, en certa manera, tendia a igualar el romanent dels tinents d'un sector i de l'altre. Curiosament, els erms, malgrat que en teoria eren improductius, havien de satisfer una onerosa tasca a la cinquena part.

Com succeeix a la major part dels termes aquí estudiats, la dinàmica general que s'albira, pel que fa a la transmissió dels béns, és el de l'estabilitat, ja que gairebé tots els patrimonis passen de pares a fills, tot deixant un marge quasi nul al mercat de béns.

EL LLOC DE PERAFORT

ANÀLISI DEL DOCUMENT

El capbreu de Perafort comença, com gairebé a tota la resta dels capbreus aquí estudiats, directament amb les confessions dels particulars, al foli 73 *recto*, si bé, també com a la resta, la crida apareix al *verso* del foli anterior. Aquesta convoca a tots els vassalls emfiteutes i terratinents del lloc de Perafort a capbrevar a partir del dijous 16 de maig de 1510. Les confessions individuals ocupen fins al foli 80 *recto*; gairebé trenta pàgines romanen en blanc, fins al foli 110.

Es donaren un total de sis confessions per part de cinc tinents. Les quatre primeres es redactaren el dimarts 16 de maig al castell de Puigdelfí, i corresponen totes a habitants de Perafort. El 22 i 25 de maig es produïren les dues darreres confessions, ambdues fetes per part de forasters. Malgrat no que no s'indica el lloc de confessió, per les dates cal suposar que també s'haurien efectuat al castell de Puigdelfí.

Totes les confessions de Perafort segueixen l'esquema general de les dels altres capbreus. Totes van ser fetes en presència del reverend senyor Joan Poblet, canonge i síndic anual d'aquell any del Capítol de la Seu, i actuaren com a testimonis Joan Miret, prevere, i Baltasar de Moncal, habitant de Tarragona.

Com a la resta de capbreus, s'observen algunes anotacions marginals a la seva part esquerra, les quals corresponen a petites esmenes o afegitons oblidats al cos del text. Pel que fa al marge dret del document, com a la resta, es limita a especificar en números romans les quantitats de cens a satisfer.

DESCRIPCIÓ DEL TERME

A partir de les dades del capbreu, els límits oriental i occidental del terme són força clars. Per l'oest limitava amb el torrent del Maigllong i per l'est amb el camí que portava del lloc del Codony a la Secuita. Aquest camí actualment és conegut com a camí de Perafort al mas Blanc, ja que s'iniciava entre el Codony i el mas Blanc. Fins a meitat del segle XIX aquest camí fou l'element divisori entre el nucli de Perafort i el nou nucli del Codony, bastit al costat de la nova església; el seu traçat al seu pas per Perafort es correspon al dels actuals carrer Nou i Sant Pere.[1]

Més difícil se'ns fa precisar els seus límits meridional i septentrional. Pel que fa al límit sud, limitava amb el terme del Codony. A partir del parcel·lari s'observa una divisòria de finques, l'única amb continuïtat entre el torrent i el camí al Codony, i que, creiem, podria correspondre's amb el límit del terme. Aquest es trobava situat al sud de les parcel·les 6 i 8 dels polígons 8 i 9, respectivament.

Respecte al límit septentrional, creiem que caldria situar-lo just al sud del camí que va del camí ral als Garidells tot passant pels masos de la Llacuna i de na Clariana, i pel sud de l'esmentat mas de la Llacuna. Les terres de l'actual mas de Pallarès també estaven incloses dins del terme de Perafort, amb la qual cosa aquest sector limitava pel nord amb el terme dels Garidells.

El terme de Perafort se'ns presenta com un espai bàsicament pla, amb un lleuger davallament d'est a oest, vers el torrent. L'única alteració important es dóna a l'extrem est del terme, on el terreny fa una elevació, coneguda com la riba, a la part superior de la qual es troba el nucli poblacional.

En total, a partir dels límits proposats, el terme de Perafort tenia una superfície total d'uns tres-cents quaranta-set jornals, al voltant de les dues-centes onze hectàrees. Tot i així, la superfície confessada en el capbreu és de tres-cents setanta-vuit jornals, als quals caldria afegir la superfície de les terres senyorials, amb la qual cosa es podria pensar en un total d'entre tres-cents vuitanta-cinc i tres-cents noranta jornals. Per tant, ens trobem amb un diferencial del voltant d'uns quaranta jornals. Les causes d'aquesta diferència de superfícies se'ns escapa, si bé podem aportar diverses hipòtesis. Així, podria ser que les terres del mas de la Llacuna, actual mas del Sec —al voltant de les deu hectàrees— en realitat formessin part del terme de Perafort, tot i que no ho creiem factible, ja que, malgrat que les dues masies estan gairebé unides, sempre apareixen individualitzades, tot diferenciant sempre quan es tracta del mas de la Llacuna i quan del mas de na Clariana, i a diverses confessions s'esmenta que dits masos pertanyen al terme de les Franqueses del Codony. Aquest diferencial entre jornals reals i jornals capbrevats, essent sempre superiors els segons respecte dels primers, també l'hem observat als veïns termes de Puigdelfí —al seu sector «d'ençà lo riu»— i del Codony. Això ens podria portar a pensar que, tal vegada,

---

1. PERE I BUSQUETS, Joan: *Els llocs que formen el poble de Perafort. La seva història fins a la unió 1842-46.* Ajuntament de Perafort, 2006, pàg. 30.

en aquesta part del riu s'empressin unes mesures diferents per als jornals, lleugerament inferiors de les del jornal estadístic, el qual hem vist que sí que era utilitzat a la part *«dellà lo riu»* i a bona part del Camp de Tarragona. Amb tot, no considerem aquesta opció gaire versemblant. Més aviat creiem que la raó d'aquest diferencial caldria trobar-la en la poca precisió que els mitjans de l'època oferien per a un correcte mesurament. Això, unit al fet de trobar-nos amb unes parcel·les de força grandària, hauria pogut produir unes desviacions exponencials dels resultats, tot provocant-ne la distorsió.

TOPÒNIMS LOCALITZATS

Termes i llocs

1. Masia de Pascasi Busquets
   Heretat situada al Codony. Per les dades del capbreu, sembla que aquesta era l'única edificació no religiosa que quedava a l'antic lloc del Codony, juntament amb la carnisseria.

2. *Termino del Codony*
   L'antic terme del Codony.

3. Mas dit de «*La Laquna*»
   Situat dins del terme de les Franqueses del Codony. Molt possiblement es corresponia amb l'actualment conegut com a mas del Sec.

4. Heretat de na Clariana dels Quarts
   També al terme de les Franqueses, al nord del mas de la Llacuna. Actualment, mas dels Quarts.

Espais urbans

5. *Patio sive empriu dicti loci*
   Part de l'actual carrer de Sant Pere, entre l'antic camí de la Secuita al Codony i l'actual Cal Blanch.

Camins

6. *Camino quod itur de loci de Coctano ad loci de la Sacuyta*
   Camí que anava des del lloc del Codony fins a la Secuita. Era el límit oriental del terme. Actualment es coneix com a camí del mas Blanch, i dins del nucli urbà de Perafort segueix el traçat dels carrers Nou i Sant Pere.

7. *Camino regaly*

Per la seva situació, segons el capbreu, s'hauria de correspondre amb l'antic camí entre Perafort i Puigdelfí, el qual seguia el mateix traçat que l'actual carretera.

8. *Camino dicte basse; camino quod itur ad fonte*

Caminet que s'iniciava a l'actual carrer de Sant Pere, a tocar de l'actual Cal Blanch i, tot rodejant-la, anava a la bassa del Comú, just sota la riba. Actualment és coneguda com la Davallada.

Cursos d'aigua

9. *Torrente dicto del Maslonch*

El torrent de Maigllong o dels Garidells.

10. *Bassa*

La bassa del Comú, situada sota la riba.

Els trossos de terra

11. Tros de terra dit *L'antiguor*

Tros de terra, part campa i part plantada d'olivers, de cent jornals d'extensió. Era de Bartomeu Serrà de Perafort. Dita finca es correspon a l'actual mas de la Barquera.

12. Sort de terra dita *La sort del pou*

Sort de terra d'un jornal i mig de Pere Bertran de Perafort.

Elements geogràfics

13. *Limino de la rocha*

La riba on s'han establert les cases de Perafort.

ELS CONFESSANTS

Un total de cinc persones declararen posseir alguna tinença dins del terme de Perafort. En tres dels casos, declaren ser habitants del lloc, mentre que els altres dos són de termes contigus. En tres ocasions, els confessants declaren per si mateixos, mentre que, en un altre, el confessant ho fa com a curador dels seus nebots, i en un altre, l'única dona documentada en aquest capbreu ho fa representant al seu marit, absent per malaltia. Malgrat que només dues persones, els dos terratinents, es conceptuen com a pagesos, res no fa pensar que els altres tres no ho fossin.

Els confessants de Perafort són:

Bartomeu Serrà, de Perafort. Declara una casa o masia (*domos sive masiam*), una altra casa, un quartó de terra, dos trossos de terra i dues sorts, amb un total de cent vuitanta jornals i set quartons, així com una heretat de superfície no especificada.

Pere Bertran, de Perafort. Declara una casa, un obrador d'oli i un quartó de terra i dues sorts, amb un total de tretze jornals i set quartons, així com una barquera de superfície no declarada.

Tecla, dona de Pere Torrella, per malaltia d'aquest. Declara una casa i una heretat de cent jornals.

Joan Buada, pagès del mas dit de la Llacuna, del terme de les Franqueses del Codony, com a curador de Bartomeu i Joan Buada, impúbers, fills de Bartomeu Buada, son germà. Declara una sort de terra de cinquanta jornals.

Joan Bellver, pagès de Puigdelfí. Declara una heretat de vint jornals.

A aquests tinents cal afegir a Bernat Serrà, curador de Joan Serrà, de Puigdelfí, el qual, suposem que per error, confessà el 18 de maig de 1510 un tros de terra corresponent al terme de Perafort en el capbreu de Puigdelfí. En aquella ocasió declarà un tros de terra plantada d'oliveres de catorze jornals d'extensió.

Si bé hi ha la possibilitat que algun dels tinents deixés de confessar alguna peça, acció força comuna com ja s'ha vist en els altres capbreus, a partir de les dades de les afrontacions no sembla probable que hagués quedat cap emfiteuta sense confessar, per la qual cosa aquest capbreu és un dels més complets de tots els estudiats.

BÉNS URBANS

Tot i que el nucli de Perafort tingué un creixement força notable —superior fins i tot al de Puigdelfí—, paral·lel sempre al camí que menava al Codony, la realitat que trobem a inicis del segle XVI és força diferent, i força minsa també.

El poble tan sols era format per dues cases. La de Bartomeu Serrà era la més septentrional, situada entre el camí del Codony a la Secuita i el camí que anava cap a Puigdelfí, on tenia porta. Aquesta casa caldria situar-la a l'illa de cases de l'actual carrer de Sant Pere, números 12 al 20. Cal ressenyar el fet que en el capbreu apareix esmentada indistintament com a casa i com a masia («*domos sive masiam*»).

L'altre edifici es trobava dividit entre tres tinents, Bartomeu Serrà, Pere Bertran i Pere Torrella, si bé per les afrontacions sembla que el darrer en devia tenir la part més gran. Això, unit al fet que ni a la confessió de Serrà ni a la de Bertran consti cap tipus de cens per les seves respectives cases, i que només Pere Torrella confessa un cens de dues gallines (el mateix cens que satisfeia Bartomeu Serrà per la seva altra casa), sembla indicar que, en origen, es devia tractar d'un sol immoble de Pere Torrella, del qual se n'haurien segregat sengles parts. Al seu interior encara es conserven algunes restes antigues.[2] Per les dades de què disposem, caldria situar aquest edifici a l'illa de cases que hi ha entre els actuals carrer de Sant Pere i la plaça de l'Església, ja que per les afrontacions sabem que limitava per l'est amb el camí de la Secuita al Codony, i per l'oest amb un quartó de terra contigu a la casa, el qual limitava al nord amb el carreronet conegut com la Davallada («*camino quo itur ad fonte*», el qual no s'ha de confondre amb l'actual camí de la Font, situat més cap a l'oest, fora del nucli urbà).

Un altre edifici que apareix a partir de les afrontacions i que, com és lògic no es capbrevà, és el castell de Perafort. Per les dades aportades pel capbreu, som de l'opinió que dit castell es trobava situat al mateix emplaçament de la casa coneguda actualment com a Cal Blanch, al final del carrer de Sant Pere i fent cantonada amb la Davallada, just sobre la Riba. Així, un obrador d'oli situat sota la Riba limitava per l'est amb el «*castro dicti loci*». Més informació aporta la confessió d'un tros de terra situat al mateix indret, el qual era situat al sud de la bassa del Comú i del camí que hi conduïa —el ja conegut com la Davallada— («*a circio cum bassa et cum camino dicte bassa*»), i per l'est limitava amb la riba i el castell («*ab oriente cum limino de la rocha et cum castro dicti loci*»). Per l'altra banda, trobem que la casa o masia de Bartomeu Serrà limitava per l'oest amb el castell. Per tant, a partir d'aquestes indicacions, l'únic edifici que reuneix aquestes característiques (estar a l'oest de la casa de Bartomeu Serrà i sobre la Riba) és l'esmentada casa.

Atesa la poca alteració que s'observa, si més no volumètricament, a les cases de Serrà i Torrella, i el poc espai útil existent al voltant de l'actual edifici del castell, som de l'opinió que dit castell ocupava la mateixa superfície de l'actual edifici, el qual, si bé conjuminava unes funcions edilícies i militars, tenia unes dimensions més aviat modestes, que s'acostava més al model d'una casa forta. Actualment es pot observar a la seva façana una portalada de pedra amb arc de mig punt amb grans dovelles, i a sobre una finestra també amb muntants de pedra. Per la seva tipologia sembla una obra del segle XVI avançat, amb la qual cosa hom podria conjecturar que, dins d'aquest segle, el Capítol podria haver establert aquest edifici a un particular. El mateix succeí a la Pobla de Mafumet amb la casa forta senyorial (per altra banda d'unes dimensions força similars a l'edifici de Perafort), la qual cosa podria reforçar encara més la idea que, més que d'un castell, fos en realitat una casa forta. Si més no, tenia una consideració militar secundària respecte a d'altres fortificacions properes amb senyoria

---

2.   Agraïm aquesta informació al senyor Joan Pere i Busquets de Perafort.

del Capítol, com Puigdelfí o Penallonga, la qual cosa hauria permès la seva conversió en habitatge particular.

L'espai entre les cases de Bartomeu Serrà i Pere Torrella, actualment part del carrer de Sant Pere, apareix referenciat com el pati del lloc o espai comú («*patio sive empriu dicti loci*»). Per la disposició dels tres edificis, força inconnexos entre si, no sembla que Perafort hagués tingut cap tipus de muralla, ni tampoc apareix cap mínima referència a aquesta a les confessions del capbreu. A l'espai just sota la Riba, ja fora del nucli poblacional, però als peus del castell, es documenten una bassa, posteriorment coneguda com del Comú, un pou que subministrava l'aigua als habitants de Perafort, així com, com a mínim, un corral de bestiar de Pere Torrella i un obrador d'oli de Pere Bertran. Com ja s'ha vist, des del poble s'accedia a aquesta àrea per un camí conegut actualment com la Davallada.

BÉNS RÚSTICS

En total, a Perafort es comptabilitzen un total de tretze parcel·les rústiques, tingudes per sis confessants i amb un total de tres-cents setanta-vuit jornals de superfície.

Les parcel·les

El quadre 1 ens permet copsar el grau de fragmentació que presentava el territori de Perafort:

Quadre 1. Nombre de parcel·les segons la superfície unitària

Superf. unitària (jornals)	Parcel·les		Superfície	
	Nombre	%	Total	%
<1	3	25,0	0,7	0,2
1,5	1	8,3	1,5	0,4
12	1	8,3	12	3,2
14	1	8,3	14	3,7
20	1	8,3	20	5,3
40	2	16,7	80	21,1
50	1	8,3	50	13,2
100	2	16,7	200	52,9
Totals	12*	99,9	378,2	100

* Només han estat incloses les parcel·les amb superfície coneguda.

La representativitat de les parcel·les amb superfície inferior als dos jornals, malgrat que suposa un terç del total de parcel·les, és pràcticament anecdòtica, car, en total no arriben ni a l'u per cent de la superfície total del terme. Les parcel·les mitjanes, només dues, ens mostren la poca representativitat d'aquest segment dins del repartiment general. Contràriament, les grans parcel·les, amb unes superfícies que són iguals o superiors als vint jornals, són les preponderants al terme; representen el cinquanta per cent del total de les parcel·les capbrevades, i, sobretot, ocupen més del noranta per cent de les terres del terme.

Si, com veiem, la terra apareix poc segmentada, el quadre 2 ens permet observar el grau de repartiment de les parcel·les entre els tinents.

Quadre 2. Nombre de parcel·les declarades per emfiteuta i freqüència de cada declaració

Parc./ emfit.	Emfiteutes		Parcel·les		Superfície	
	Nombre	%	Nombre	%	Jornals	%
1	4	66,6	4	30,8	184	48,6
3	1	16,7	3	23,1	13,6	3,6
6	1	16,7	6	46,1	180,6 + ?	47,8
Totals	6	100	13	100	378,2 + ?	100

Un terç dels tinents només disposa d'una sola parcel·la, si bé, mercès a la seva grandària, ocupaven gairebé la meitat de la superfície total. Les desigualtats en les superfícies de les parcel·les provoca que, de vegades, el disposar de més nombre d'aquestes no es vegi reflectit en un major nombre de jornals, tal i com s'observa en el cas del tinent amb tres parcel·les, la suma de les quals no arriba ni als catorze jornals. Per contra, el tinent amb més nombre de parcel·les, sis, disposava per si sol d'una superfície de terra quasi igual a la del conjunt dels quatre emfiteutes amb una sola parcel·la.

La procedència dels emfiteutes ens permetrà conèixer millor com estaven repartides les terres a Perafort.

Quadre 3. Nombre de parcel·les declarades segons procedència dels emfiteutes

Procedència	Emfiteutes	Parcel·les		Superfície		Jornals/ emfit.
		Nombre	%	Nombre	%	
Perafort	3	10	76,9	294,2 + ?	77,8	98,1 + ?
Puigdelfí	2	2	15,4	34	9,0	17
Les Franqueses	1	1	7,7	50	13,2	50
Total	6	13	100	378,2 + ?	100	

Com hauria de ser lògic, el major nombre de tinents, com de parcel·les i superfície, correspon als tres habitants de Perafort. Per darrere seguien els dos tinents de Puigdelfí i el del mas de la Llacuna, de les Franqueses, tots tres amb una sola parcel·la cadascú, si bé les dels puigdelfinencs tendien cap a unes mides mitjanes, mentre que l'altre ja era una finca de grans proporcions. Val a dir que la situació de les parcel·les dels terratinents forans era força perifèrica: dues restaven a l'extrem nord del terme i l'altra tocant al torrent.

Al quadre 4 es pot observar la quantitat de terres acumulades per un tinent, la qual cosa ens permetrà corroborar bona part d'allò dit anteriorment, així com acostar-nos a la realitat socioeconòmica dels emfiteutes de Perafort.

Quadre 4. Nombre de jornals per emfiteuta

Jornals/emfit.	Emfiteutes		Superfície	
	Nombre	%	Jornals	%
0-49,9	3	50	47,6	12,6
50-99,9	1	16,7	50	13,2
>100	2	33,3	280,6	74,2
Totals	6	100	378,2	100

* Només s'han comptabilitzat les parcel·les i emfiteutes amb superfície coneguda.

El grup més nombrós és el del primer tram, compost pels dos puigdelfinencs i un habitant de Perafort. Les seves tinences, entre els tretze i els vint jornals, cal situar-les dins la petita-mitjana propietat; curiosament, el perafortí Pere Bertran era la persona que retenia menys superfície de tot el terme. Al següent tram, ja dins del grup de parcel·les de gran superfície, només constatem al tinent del mas de la Llacuna, si bé els principals tinents de Perafort, amb diferència, serien dos perafortins, Bartomeu Serrà i Pere Torrella, els quals retindrien les tres quartes parts de les terres del terme.

Per tant, la imatge que se'ns presenta és la d'un terme repartit en unes poques parcel·les però de grans dimensions, la majoria de les quals estaven en poder dels habitants de Perafort, tot i que un d'ells, Pere Bertran, era l'emfiteuta amb menys terres de tot el terme. Els emfiteutes forans, amb una sola parcel·la cadascú, de mitjana o gran superfície, ocupaven espais perifèrics del terme.

Cal fer esment que de les nou parcel·les que podríem conceptuar com a mitjanes i grans, a cinc d'elles s'especifica l'existència d'una barquera de terra, per la qual havien de pagar un cens diferenciat.

Pel que fa a les terres senyorials, per les afrontacions de diverses confessions les podem situar a la partida actualment anomenada Sota la Riba, just dessota el seu castell. Malgrat que no en coneixem la superfície exacta, per les dimensions de les parcel·les colindants no creiem que poguessin superar els deu jornals d'extensió. En una de les confessions es declara que la finca afronta per l'oest amb la vinya del senyor i el torrent. Desconeixem si es tractava d'una petita parcel·la senyorial dedicada a aquest cultiu, l'única documentada a tot et terme, cal dir-ho, o si bé el confessant, en realitat, es referia a la terra dominical que hi havia vora el torrent, però a la part i terme de Puigdelfí.

Els cultius

La mitjana i gran extensió de moltes de les parcel·les provoca que, en alguns casos, s'indiqui més d'un conreu en una finca, o, fins i tot que no se n'especifiqui cap, la qual cosa, forçosament, distorsionarà els resultats.

Quadre 5. Tipologia de cultius i la seva extensió

Tipus cultiu	Parcel·les		Jornals	
	Nombre	%	Nombre	%
Tros de terra	7	53,8	94,2	24,9
Olivers	1	7,7	14	3,7
Diversos cultius	3	23,1	170	44,9
No indicat	2	15,4	100 + ?	26,5
Totals	13	100	378,2 + ?	100

Pel que fa als cultius coneguts, no sembla que hi hagi una gran varietat d'aquests al terme. Predomina, com és habitual, el cultiu del cereal, present en, com a mínim, una quarta part del terme, i el segueix de lluny les oliveres. Les parcel·les on s'esmenta més d'un cultiu, juntament amb les dues on no se n'esmenta cap, representen un percentatge molt alt respecte del total, amb la qual cosa se'ns fa difícil poder establir uns percentatges globals de cada conreu. Amb tot, pel que fa a les tres finques amb policultius, en dues consta que una part era terra campa i l'altra oliveres i en l'altra s'esmenta la terra campa, erm i oliveres. Per altra part, a partir d'alguna afrontació ens podem apropar als cultius de les dues parcel·les on no s'indica cap cultiu. Pel que fa a l'heretat de Pere Torrella, se li atribueix terra campa i oliveres, mentre que a la de Bartomeu Serrà només terra campa. Així mateix, pel que fa a les terres senyorials, en una de les confessions es diu que la parcel·la limita al sud amb l'oliverar del senyors del castell i a l'oest amb un tros de terra de dits senyors. Totes aquestes dades, si bé no són computables, semblen reforçar la dualitat de cultius observada.

Respecte a l'esment a una vinya del senyor, aquesta era l'única referència a cultiu de vinya en tot el terme. Tot i així, per la seva situació vora el torrent, resta el dubte de si el confessant es referia al terme de Perafort, o, més possiblement, al de Puigdelfí.

LES SERVITUDS

Tots els tinents de Perafort, a l'inici de la seva confessió, estaven obligats a reconèixer, mitjançant jurament sobre els quatre Evangelis, al Capítol de la Seu tarragonina com a senyor directe i alodial dels seus bens, el qual disposava del dret de firma, fadiga, lluïsme al terç i empara, així com altres plens drets.[3]

Així mateix, a la darrera part de la confessió, mitjançant l'anterior jurament es reconeixien vassalls del Reverend Capítol.

Censos

Entre els censos a satisfer, ja fossin en metàl·lic o en espècie, cal distingir entre aquells que corresponien a béns urbans i els rústics.

Respecte a les cases es donen dues situacions. Per una part la masia i la casa de Pere Torrella paguen cadascuna dues gallines (a la masia s'esmenta que el pagament s'ha de satisfer pel Nadal), mentre que les altres dues cases no consta cap tipus de cens. El perquè d'aquesta diferenciació se'ns escapa. Podria ser degut a un oblit o bé a un enfranquiment d'aquestes. Amb tot, sembla que la possible explicació podria raure en el fet que les dues cases amb cens fossin les originàries. En el cas de la masia, aquesta apareix com un edifici exempt, i, en el cas de la casa de Pere Torrella, el fet que les altres dues se'ns presentin imbricades podria ser degut a divisions posteriors d'aquest casal.

Pel que fa als béns rústics, cal remarcar la gran uniformitat en els tipus de cens. Així, les onze parcel·les de conreu, ja siguin conceptuades com a trossos, sorts o heretats, estan sotmeses a un cens a la sisena part de fruits i esplets, a pagar en dos casos per Nadal i en la resta no consta. En cinc d'aquestes finques consta l'existència d'una barquera de terra; el cens a satisfer per aquesta en quatre ocasions és de dues gallines per Nadal, mentre que la cinquena n'ha de pagar tres gallines, també per Nadal.

L'únic pagament fix en diners s'ha documentat per a un quartó de terra contigu a una de les cases, que devia ser un petit hort urbà. En aquest cas

---

3. «*Sub dominio et alodio prefati Reverendi Capituli et ad ipsius firmam fatigam laudemyum sive tertium emparam et alium plenum Ius et directum sive emphiteoticum dominium et plenam dominationem*».

el cens és de tres sous a pagar el dia de Nadal. Finalment, l'únic pagament fix en espècies correspon al d'un obrador d'oli amb un quartó de terra contigu, el qual ha de satisfer cinc quartans d'oli la diada de Carnestoltes.

Serveis personals

Com a vassalls del Capítol, els habitants de Perafort estaven obligats a prestar al seu senyor, anualment, una jovada d'«*un jornal de un home ab un parell de besties al temps de sementer*», una batuda d'«*un jornal de un home ab una bestia en temps del batre*», una tragina d'«*un jornal de un home ab una bestia ab sacs i soga*», així com participar a les obres del castell «*a les parets foranas et cobertas sobiranas*», fent de manobre al mestre de cases.

Pel que fa als tres terratinents, un havia de prestar una jova d'un jornal d'un home amb una bèstia en temps de batre (malgrat que apareix com a jova, en aquest cas podria ser més encertat parlar de batuda) i una tragina d'un jornal d'un home amb una bèstia amb sacs i soga. El segon havia de prestar una jova d'un jornal amb dues bèsties al temps de sementer i una batuda d'un jornal d'un home amb una bèstia amb sacs i soga, mentre que el darrer tenia les mateixes obligacions que els habitants de Perafort.

TRANSMISSIÓ DE LES TINENCES

En aquest quadre s'observen els diferents tipus que es van donar a la darrera transmissió dels béns als titulars presents en el capbreu.

Quadre 6. Tipus de transmissió de les tinences

Tinent	Tinença	Darrera transmissió	Transmissió anterior
Bartomeu Serrà, de Perafort	Una casa o masia i un tros de terra	Comprat a Antoni Caldes de Constantí el 1492	—
	Una heretat i un tros de terra	Ho hauria heretat de son pare	Comprat a Pere Soler del terme del Catllar el 1449
	Una casa, un quartó de terra contigu a la casa i dues sorts de terra	Ho té com a hereu de son pare, Bartomeu Serrà	—

Tinent	Tinença	Darrera transmissió	Transmissió anterior
Pere Bertran, de Perafort	Una casa, un obrador d'oli amb un quartó de terra, dues sorts de terra i una barquera	Comprat a Pere Gavaldà, del mas de mossèn Ferrer, parròquia del Codony, el 1495	—
Tecla, dona de Pere Torrella, per malaltia d'aquest	Una casa i una heretat	Foren béns de Bernat Torrella, pare del marit	—
Joan Buada, pagès del mas dit de la Llacuna	Una sort de terra	Ho reconeix com a curador dels seus nebots. Aquests ho tenen com a hereus de son pare, Bartomeu Buada	Va ser comprat, sense data
Joan Bellver, pagès de Puigdelfí	Una heretat	Comprat a Joan Buada i Isabel, de Puigdelfí, el 1499	—
Bernat Serrà, pagès, curador de Joan Serrà	Un tros de terra	Ho té com a hereu de Llorenç Serrà, son pare	Compra de Bernat Serrà de Puigdelfí a Pere Soler i Joana del terme del Catllar el 1449

De les vuit transmissions conegudes, cinc són interfamiliars, entre pare i fill. D'aquestes, tres corresponen a dos perafortins, una altra als tinents del mas de la Llacuna, i una altra a un puigdelfinenc, el qual, per altra part, pel que sembla, era parent d'un d'aquests perafortins. Les tres transmissions restants corresponen a compres. D'aquestes transaccions convé destacar, per una part, que no es limitaren a parcel·les aïllades sinó, sobretot, a lots, en alguns casos força extensos, que podien incloure cases i diverses terres, i per l'altra, que la més antiga no té més de divuit anys d'antiguitat.

La nòmina de venedors, si bé curta, aporta variades procedències. De les sis vendes, un venedor era de Constantí, un altre del terme del Catllar (amb dues vendes), un altre del mas de mossèn Ferrer a la parròquia del

Codony, un altre procedia de Puigdelfí, i en el darrer cas no consta ni nom del venedor ni data de la transacció.

La notaria més freqüent en totes aquestes escriptures és la de la rectoria del Codony, com és lògic, tant per proximitat com perquè en depenien eclesiàsticament. Dita notaria escripturà tres de les sis vendes. Les altres tres foren redactades, una a la rectoria de Constantí, i dues més a la del Catllar.

CONCLUSIONS

El terme de Perafort no ofereix cap complexitat interpretativa. Es tracta d'un territori compacte, bàsicament pla, amb l'únic relleu important situat al seu extrem oriental, just al lloc on s'ubica el nucli habitacional. Per contra, aquest nucli sí que presenta alguns interrogants. Ens trobem amb un poble de molt reduïdes dimensions, amb tan sols dues cases (una de les quals hauria estat subdividida), que no semblen guardar cap relació entre si. La posició d'una envers l'altra és totalment inconnexa, i, fins i tot, sembla que es donen l'esquena, car la casa o masia de Bartomeu Serrà, la més septentrional de les dues, si hem de fer cas del capbreu, tenia el seu accés principal al nord. A l'oest d'aquest petit conjunt, sobre la riba, s'alçava el castell, si bé, pel seu petit volum, més aviat cal parlar de casa forta.

Una possible explicació a aquest urbanisme, una mica anòmal, si més no respecte al dels altres llocs del territori del Codony, la podríem trobar, per una part, en la grandària de les parcel·les del terme, la major part no inferiors als quaranta jornals, i, per l'altra, en el fet que la casa o masia de Bartomeu Serrà portava aparellada una heretat de cent jornals, la qual és esmentada en una ocasió també com a masia; per tant, era considerada com un *unicum*, malgrat que l'habitatge estigués separat de la finca. A partir d'aquestes dades, hom podria conjecturar que el nucli de Perafort s'hauria creat a partir d'almenys dos masos, tot agrupant-se'n les masies (enteses com a habitatge) a redós de la casa forta senyorial.

Els conreus del terme semblen haver girat exclusivament entorn dels cereals, principalment, i en menor mesura de les oliveres. S'han documentat un parell de petites parcel·les d'un quartó de superfície, una al costat d'una de les cases i l'altra als peus del castell, les quals, per les seves característiques haurien servit d'hort dels seus tinents. Per altra part, les diverses barqueres citades en el capbreu, amb un cens diferenciat, segurament haurien pogut servir per al cultiu d'altres productes, malauradament no esmentats al text.

Per les transmissions de béns que s'efectuaren, el panorama que se'ns ofereix és força equilibrat. Els habitants de Perafort i alguns forans gaudeixen d'unes grans heretats, traspassades de pares a fills, mentre que les poques transaccions es produïen sobre terres tingudes per forasters.

Les servituds a què havien de fer front els tinents de Perafort semblen força oneroses, ja que, si bé els serveis personals de joves, batudes i tragines, així com fer obres a l'exterior del castell, són força semblants a les dels termes veïns, els censos a satisfer són dels més gravosos de tots els estudiats en aquesta àrea. Per regla general, als termes veïns on s'aplicava el cens d'una sisena part dels fruits i esplets requeia principalment en les parcel·les de regadiu o amb major possibilitat de ser regades, mentre que a les terres de secà i més allunyades del riu i de les sèquies el cens a satisfer acostumava a ser una tasca a l'onzè o al dotzè. Per tant, en unes terres de secà com eren les de Perafort, l'aplicació d'un sisè es pot considerar com a excessiu.

Caldria suposar que, dins la lògica senyorial, per tal de maximitzar les rendes d'un terme amb només terres de secà, s'aplicava una fiscalització més alta, els efectes negatius de la qual, per altra banda, podrien quedar esmorteïts per la grandària de les parcel·les. Cal fer aquí esment al cas de Pere Bertran, habitant de Perafort, el qual, amb poc més de tretze jornals de terra, era qui disposava de menys superfície de tot el terme. Possiblement d'origen puigdelfinenc, pel seu cognom, comprà casa i terres a un altre tinent forà el 1495, malgrat que encara no apareix esmentat en el fogatjament de 1496.[4] Creiem que les poques perspectives de prosperar al terme, atesa la poca superfície de les seves terres, més un quasi inexistent mercat d'unes terres per altra banda potser massa grans per a la seva capacitat d'endeutament i unit a aquesta forta fiscalitat, l'haurien empès a abandonar Perafort, car ja no apareix esmentat en el fogatjament de 1515.[5] Per tant, sembla que, amb uns censos tan alts, només es podria assolir un cert equilibri bé disposant d'unes grans finques, com en el cas dels altres dos tinents de Perafort, o bé tenint la principal font d'ingressos al terme del que eren originaris els tinents forans, essent les terres de Perafort una altra font d'ingressos complementària.

Finalment, no deixa de ser interessant que una de les heretats o masia rebi el nom de «L'antiguor», la qual cosa podria denotar l'antiguitat d'aquesta masia o, més versemblantment, la presència de restes antigues, en un nombre suficientment significatiu com per ser coneguda per aquest fet. Precisament aquesta masia dita de «L'antiguor» és actualment coneguda com a mas de la Barquera, lloc on es pogué documentar una vil·la romana del segle I dC i dos sepulcres monumentals.[6]

4.   IGLÉSIES, Josep: *La població de les vegueries de Tarragona, Montblanc i Tortosa, segons el fogatge de 1496.* Associació d'Estudis Reusencs. Reus, 1989, pàg. 110.
5.   RECASENS: *El senyoriu del Morell*, pàg. 162.
6.   MARTÍ I ESTRADA, Gerard: «La Barquera, Perafort». A: DD.AA.: *Intervencions arqueològiques a Tarragona i entorn (1993-1999).* Servei Arqueològic. URV de Tarragona, 2000, pàgs. 183-185.

EL LLOC DELS PALLARESOS I EL TERME DEL CODONY

ANÀLISI DEL DOCUMENT

El capbreu s'inicia al *verso* del foli 110 amb la corresponent crida, en què es convocava a tots els vassalls, emfiteutes i terratinents del lloc dels Pallaresos i del terme del Codony a capbrevar a partir del divendres 17 de maig de 1510. Al foli següent s'inicien, directament, les confessions particulars, les quals ocupen fins al foli 122 *verso*, sense cap foli en blanc.

Es donaren un total de set confessions per part de sis tinents, cinc dels Pallaresos i un del Codony. El mateix divendres 17 de maig es produí la primera i dues més l'endemà. El dimarts 21 de maig es redactaren dues més, ambdues per part del mateix tinent, una altra al dia següent, 22, i la darrera l'endemà, dijous 23 de maig. Totes les confessions es produïren als Pallaresos, llevat de la darrera, feta al Codony.

Aquest capbreu presenta algunes diferències respecte dels altres aquí estudiats. Així, unifica en un sol capbreu el que haurien hagut de ser dos termes, en principi, separats, el dels Pallaresos i el del Codony, si bé, com ja s'ha vist, el primer sorgí del terme del Codony. Amb tot, sembla que, en principi —si bé, com es veurà, no acabà de reeixir del tot correctament— es volgué respectar cadascun dels dos àmbits, de tal manera que els primers tres confessants capbrevaren únicament béns corresponents només als Pallaresos, els dos següents primer confessaren els seus béns als Pallaresos i, a continuació, els corresponents al terme del Codony, i, finalment confessà un tinent amb béns únicament al Codony. Aquesta suposada lògica interna, però, presenta algunes desviacions i interrogants, com, per exemple, que apareguin cases situades dins del nucli urbà dels Pallaresos dins de les confessions suposadament pertanyents al Codony, o que no quedi gens clar a quin dels dos termes pertany el petit espai situat entre el camí ral de Tarragona a Valls i el riu Francolí, car diverses parcel·les allí situades se'ns presenten indistintament com dels Pallaresos o del Codony.

Així mateix, les confessions particulars també presenten algunes diferències. Totes les confessions segueixen l'esquema general de les dels altres capbreus, havent-se fet en presència del reverend senyor Joan Poblet, canonge i síndic anual d'aquell any del Capítol de la Seu, i de Joan Miret, prevere, i de Baltasar de Moncal, habitant de Tarragona, aquests en qualitat de testimonis. Tot i així, pel que fa als censos a satisfer, aquests no s'especifiquen per a cada parcel·la, com a la resta de capbreus, sinó que, al final de cada confessió, juntament amb les prestacions personals, s'indica un cens global a satisfer per tots els béns de cada tinent.

Pel que fa a anotacions marginals, a part d'alguna petita esmena, apareix al final de cada confessió, al marge dret, les quantitats a satisfer de cens, així com el tipus de prestacions personals a realitzar. Al marge esquerre es llegeix en totes les confessions la paraula *vassall*, per tal d'indicar la part del text en què el tinent es confessa vassall del Capítol. A l'encapçalament de cada confessió apareix al marge esquerre el cognom de cadascun dels confessants.

DESCRIPCIÓ DEL TERME

L'estudi d'aquest capbreu comporta una sèrie de dificultats, començant pel fet d'incloure en un sol capbreu el que eren, en principi dos termes diferenciats: els Pallaresos i el Codony. Amb tot, els Pallaresos, malgrat que disposava d'entitat pròpia, s'hauria desenvolupat com a lloc a partir d'un primitiu mas del Codony, i no tenia més terres que les pròpies del mas (això es fa palès en el fet que l'autor del capbreu el designi només com a lloc, sense afegir «i terme»), mentre que el Codony havia perdut el seu nucli poblacional, i li restava només el seu terme. A aquesta dualitat caldria afegir, a més, el fet que els diversos masos establerts al terme del Codony, o terres segregades d'aquests, malgrat la seva dispersió pel territori, estaven agrupats dins d'una entitat pròpia, les Franqueses del Codony. La dependència jeràrquica de les Franqueses envers el Codony ha provocat que, en múltiples ocasions, una mateixa peça hagi estat adscrita indistintament a un o altre terme, la qual cosa ens pot dificultar, encara més, la seva correcta identificació. A més a més, el fet que, com a mínim, a inicis del segle XV s'hagués procedit a traslladar la jurisdicció castral del Codony a Penalonga, unit a que, com es veurà, molt possiblement una porció de les terres dels Pallaresos haurien format part de dit terme, fan que, per a una millor comprensió global d'aquesta àrea, s'analitzin en aquest apartat tots quatre termes. Cal advertir que a la dècada dels setanta del segle passat, amb la creació i urbanització del barri de Sant Salvador de Tarragona, aquest municipi s'agregà tota aquella part del terme dels Pallaresos; per tant, l'estudi ha pres com a base, com de fet en tots els altres, el parcel·lari de 1955, anterior a l'esmentada segregació.

El que hom podria anomenar terme dels Pallaresos ocupava la part nord de l'actual terme, limitava a l'est amb el terme del Catllar, mitjançant el camí ral de Tarragona a Santes Creus, pel nord amb el terme de la Secuita, mitjançant el camí que, des de Perafort arribava als Pallaresos i enllaçava amb el camí ral de Tarragona, consignada als parcel·laris moderns com a carretera de la del Pont d'Armentera a la de Lleida, si bé val a dir que el traçat del tram més nord-occidental, el més proper a l'actual terme de Perafort, va ser construït a la primera meitat del segle XX, mentre que el camí original estava més cap al nord-est, dins terres de la Secuita. Per l'oest limitava amb el castell de Penalonga, situat gairebé sobre la carena del Comellar. El límit meridional és el més difícil de delimitar. Amb tot, al parcel·lari s'observa entre les partions de les finques una certa continuïtat que ens mostra aquest primitiu límit. Aquest, d'oest a est, se situava al nord de les parcel·les 1, 6, 5, 26, 27, 28 i 14 del polígon 1; 19 i 13 del polígon 5; 7 i 8 del polígon 3, i es remata amb la parcel·la 18 del polígon 2, mitjançant part del camí dit de Tarragona.

En total, el lloc dels Pallaresos tenia una extensió del voltant dels cent seixanta jornals —unes noranta-sis hectàrees—, dels quals se'n confessaren cent trenta, la qual cosa ens mostra un grau molt baix d'ocultació; la major part del diferencial és degut, més aviat, a la ja consabuda poca precisió dels mesuradors. A més d'aquest nucli principal, es documenta un altre espai, anomenat l'Horta, situat entre el Francolí, les terres del mas d'en Guerau i el camí ral dels Pallaresos a Constantí, a partir del gir pronunciat que aquest fa en direcció a Tarragona. És un espai dedicat, com el seu nom indica, a l'horta, d'uns quaranta jornals d'extensió. El fet que aquesta àrea es troba a l'extrem sud de l'actual terme dels Pallaresos, però separada d'aquest pel terme del Codony, unit a la poca definició en l'ordre de les capbrevacions, ens pot portar a dubtar si l'Horta correspondria al Codony o als Pallaresos. Malgrat això, trobem que tots els habitants de Perafort hi tenien alguna parcel·la, essent els tinents majoritaris, per la qual cosa creiem que, en realitat, l'Horta formava part de les terres dels Pallaresos, per tal que els seus habitants poguessin disposar de conreus d'horta.

A partir de les dades del capbreu, a més de la ja esmentada Horta, s'han documentat tres partides de terra als Pallaresos. La més occidental és la de la Vinyassa o de les Vinyes, situada entre el camí de Constantí i el castell de Penalonga, a ambdues bandes del camí que hi portava. Tenia una extensió d'uns seixanta-un jornals. L'altra partida, coneguda com la Plana, de no més de trenta jornals, era situada just sota el nucli urbà, a la seva part meridional. Finalment, a l'est es trobava la partida dita de les Clotes, de vora setanta jornals d'extensió.

Malgrat la seva petita extensió, els Pallaresos disposava d'una important xarxa viària, si bé de caràcter secundari. A més del camí de Perafort al camí de Tarragona a Santes Creus i d'aquest, els quals, en part, delimitaven part del lloc, d'aquest sortia el camí conegut indistintament com de Constantí, de les Hortes, del Codony o de Tarragona, car a través seu es podia arribar a tots aquests llocs, si bé el nom més utilitzat en el capbreu és el de camí de Constantí. El seu traçat es correspon amb l'actual carretera que va de Sant Salvador als Pallaresos. D'aquest camí en sortia un altre en direcció oest que menava fins al castell de Penalonga. Del nucli urbà en sortien dos camins més, ambdós referenciats en el capbreu com a camí de Tarragona i coneguts abans de la urbanització d'aquesta zona com a camí de Tarragona o de l'Alzina Grossa un, i l'altre, el més oriental, simplement com a camí de Tarragona.

El terme del Codony era el més gran, amb diferència, de tots els termes de la zona, amb terres a ambdues ribes del Francolí. A la part «d'ençà lo riu», i pel que fa a l'actual terme dels Pallaresos, ocupava bona part d'aquest. Del Codony eren totes les terres situades al sud-est de l'actual terme, entre el camí de Constantí, el límit meridional del primitiu lloc dels Pallaresos i el camí ral a Santes Creus. En total tres-centes hectàrees, equivalents a quatre-cents noranta-un jornals, la qual cosa representava quasi el seixanta per cent de l'actual terme.

A l'actual terme de Perafort les terres del Codony s'iniciarien al sud-oest, amb una estreta llenca que separava els actuals mas Blanc i mas de Jurat i que s'estendria vers el nord-est, ampliant-se i discorrent paral·lela al camí del Codony a la Secuita i al vessant occidental de la carena de Penalonga, fins a trobar-se amb les terres de dit castell. Dins del mateix actual terme, les terres del Codony continuaven en dos espais més: un, situat entre el camí del Codony a la Secuita i el límit amb aquest terme, arribant fins a l'actual mas de Manent, i, sobretot, l'altre espai, situat a la llenca de terra entre el riu Francolí a l'est, el torrent de Maigllong a l'oest, el desaiguador d'aquest al riu al sud, i el terme de Puigdelfí al nord, lloc on es trobava antigament el poble del Codony i la seva església. En total al terme de Perafort sumaria unes cent setanta-quatre hectàrees, uns dos-cents vuitanta-sis jornals, que equival a més del vint per cent de l'actual terme.

A la part «dellà lo riu», l'únic espai que podem situar amb tota seguretat dins del terme del Codony es troba als actuals termes de la Pobla de Mafumet i de Constantí, a la partida coneguda com les Guàrdies, entre el camí ral de Tarragona a Montblanc, el torrent del Mas Blanc o de l'Almatella i les terres del mas de Gavaldà de Puigdelfí, amb una superfície total d'unes vuitanta-dues hectàrees, al voltant d'uns cent trenta-cinc jornals de terra. Així, globalment, el terme del Codony ocupava a inicis del segle XVI una superfície del voltant dels nou-cents dotze jornals de terra.

El terme del castell de Penalonga discorria pels dos vessants de la carena del Comellar. Al vessant sud tenia els seus límits en el camí de Constantí. Per l'est limitava amb les terres del mas de Jurat i per l'oest amb les diverses parcel·les de la partida dita de la Vinyassa dels Pallaresos, algunes de les quals, per la seva situació, cal suposar que eren dins de les terres del castell de Penalonga, com és el cas del tros de terra conegut com «la Coma de Penalonga» o algunes de les parcel·les situades vora el camí de Constantí, tot i que, atesa l'ambigüitat del capbreu pel que fa a assenyalar la pertinença territorial, se'ns fa molt difícil poder-ho afirmar amb rotunditat. Els límits del vessant septentrional són encara més imprecisos, car no s'observa cap continuïtat a les partions de les finques existents en aquesta àrea. L'únic element que podria dotar-la d'una certa homogeneïtat és el camí conegut com a camí de les Comes. Si fos certa aquesta hipòtesi, el terme podria tenir unes delimitacions molt marcades, només trencades per l'existència de la partida de la Vinyassa, la qual arribava fins ben bé els peus del castell. Per tant hom podria plantejar la possibilitat que, igual que les parcel·les abans esmentades, dita partida, malgrat que pertanyen als Pallaresos, s'hagués creat dins del territori de Penalonga. Considerant que les nostres propostes de delimitació fossin encertades, el terme del castell de Penalonga a inicis del segle XVI tenia una superfície d'uns dos-cents cinquanta jornals.

Pel que fa a la quadra de les Franqueses del Codony, o de l'Arquebisbe, com també eren conegudes, la principal característica que presenta és que no es tracta d'un territori compacte, sinó de la unió de les terres dels diversos masos disseminats per tot el terme del Codony. Gràcies a diverses referències incloses dins dels capbreus estudiats així com en el fogatjament de 1496 i, sobretot, en el de 1515, hom pot arribar a establir la situació de gairebé tots els masos de les Franqueses, si bé les indicacions que oferim s'han de prendre d'una manera merament orientativa, car no disposem de suficients dades com per ubicar exactament els seus límits.[1]

Seguint el llistat del fogatjament de 1515, el recorregut s'iniciava per l'oest del territori del Codony, amb el mas de Bernat Aguader. Aquest mas es corresponia amb l'actualment conegut com a mas Bellets o masos Bellets,[2]

1. Per al fogatjament de 1496 vegeu: IGLÉSIES: *La població de les vegueries de Tarragona, Montblanc i Tortosa, segons el fogatge de 1496*, pàg.120. Per al fogatjament del 1515: RECASENS: *El senyoriu del Morell*, pàg. 162.
2. Val a dir que el nom del mas no feia referència a cap cognom, sinó que era una deformació del seu nom original, masos vellets (*mansus veteris*), la qual cosa indicaria un reconeixement a la seva antiguitat. A les seves terres s'ha localitzat en superfície gran quantitat de material d'època romana, si bé no s'ha pogut documentar cap estructura.

situat *grosso modo* entre l'antic terme del mas d'Eimerich Desprats, a l'est, i l'actual carretera del Morell a Reus, a l'oest, amb una superfície del voltant de les trenta-quatre hectàrees. Més cap a l'est, entre els masos Bellets i el que hauria estat el límit occidental de l'enclavament de Puigdelfí entre la Pobla i el Morell, aproximadament la superfície actualment englobada dins dels polígons 9 i 10 de la Pobla de Mafumet, caldria situar el mas de Mateu Bover, del qual actualment no se'n coneix cap resta, i que ocupava una superfície d'unes setanta hectàrees. Encara dins de l'actual terme de la Pobla, les extenses terres del mas Blanc (no s'ha de confondre amb el mas Blanc del terme de Perafort) van ser fruit de la unió de dos masos preexistents. A l'oest del camí cap a Constantí hi havia el mas de Bartomeu Aguiló, d'unes quaranta hectàrees d'extensió, mentre que a l'est de dit camí es localitzava el mas d'Antoni Cases, també amb unes quaranta hectàrees. Al nord d'aquest mas, entre el camí de Constantí i el camí ral de Tarragona a Montblanc i en el límit amb el terme de la Pobla, s'ubicava el mas de la vídua March. Aquest mas es corresponia amb l'actual mas de Ximet, encara dempeus però que, a priori, no sembla conservar cap resta del mas original. A inicis del segle XVI cal calcular-li una superfície d'unes cinquanta-sis hectàrees. A l'oest d'aquest mas, i també limitant amb el terme de la Pobla, se situava el de Guillem Virgili, de tan sols unes deu hectàrees.

A l'actual terme de Constantí s'ubicava el darrer dels masos de la part *«dellà lo riu»*. Es tractava del mas conegut com de la Ferrerota, situat entre el camí ral de Tarragona a Montblanc, el riu, el torrent del Mas Blanc o de l'Almatella i la quadra de la Camareria, de quasi cent hectàrees d'extensió. Aquest mas era parada obligada per als cònsols i síndics de Tarragona a la seva anual «anada a les aigües del Francolí».[3] Per les crides que es conserven dels segles XV i XVI sabem que, fins al darrer terç del segle XV, el mas era d'en Quinsach, possiblement resident a Tarragona; posteriorment, el mas fou adquirit pel noble Joan Ferrer de Riudecols, i per això en el fogatjament del 1496 consta que el mas era de la senyora Ferrera.

A la part *«d'ençà lo riu»*, a cavall entre els actuals termes de Perafort i dels Pallaresos, es trobava el mas de Joan Guerau, just al sud de l'aigua-barreig del torrent del Maigllong amb el Francolí, limitant amb els termes del Codony i de Perafort. Li calculem una superfície d'unes quaranta-tres hectàrees. Aquest mas, actualment, és conegut com a mas Blanch. Molt a prop d'aquest mas, més cap a l'est i situat a ambdós vessants de la part baixa del Comellar es trobava el mas d'en Bartomeù March. Era colindant dels termes del Codony i de Penalonga, dins del qual, pel que es desprèn del

3.   ICART, Joaquim (compilador): *Ordinacions i crides de la Ciutat de Tarragona (segles XIV-XVII)*. Col·lecció de documents de l'Arxiu Històric Municipal de Tarragona, 1. 1982. Pàgs. 85-125.

capbreu, sembla que hi tenia alguna parcel·la. Disposava d'unes cinquanta-quatre hectàrees. Actualment es coneix com a mas de Jurat i es troba en un avançat estat de degradació.

L'altre nucli de masos cal cercar-lo a l'extrem nord de l'actual terme de Perafort, just a l'est del torrent. Són els masos coneguts com dels Quarts, formats pel mas de la Llacuna i el de na Clariana. El primer, tingut en el fogatjament de 1515 per Joan Boada, era el més meridional (limitava amb Perafort), i també el més petit, amb només unes deu hectàrees. Per la seva situació podria correspondre's amb l'actual mas del Sec. El mas de na Clariana, actual mas dels Quarts o mas de Cascante, era situat entre el mas de la Llacuna i el terme dels Garidells, i, pel que sembla, amb aquesta denominació, independentment del cognom dels seus estadants, era conegut des d'almenys el segle XIII.[4] Disposava d'unes vint-i-quatre hectàrees.

En total es comptabilitzen onze masos. Ara bé, en el fogatjament del 1515 al Codony consten setze focs. Descomptant al vicari, resident a l'abadia del Codony, a Pere Virgili, els masos del qual, en realitat, correspondrien a la quadra de Requesens, i a la vídua de Pasqual Busquets, ubicats a l'antic emplaçament del Codony, dels tretze restants podem situar en el seu mas a nou. Dels altres quatre, Bernat Roig, Pere Bertran (molt possiblement provinent de Perafort), Bartomeu Montleó i la vídua Virgili, poc més podem dir. Desconeixem on estaven emplaçats, si bé cal tenir en compte que, en aquest fogatjament, no sabem qui ocupava el mas de na Clariana i el de la Ferrerota, així com que un mas podia estar ocupat per més d'una unitat familiar, com succeeix al mas de la Llacuna, on, segons el capbreu, hi residia Joan Boada, però també la vídua i el fill de Joan Gatell, establerts a dit mas possiblement l'any anterior a la redacció del capbreu, els quals, per contra, no consten en el fogatjament. Així mateix, en el fogatjament del 1496 s'esmenta el mas d'en Borada, del qual no disposem de cap dada més.

TOPÒNIMS LOCALITZATS

Termes i llocs

1. *Loco dels Pallaresos, terminy del Codony, parroquie Civitatis Terracone*
   El lloc dels Pallaresos.

2. Masia de Joan Guerau
   L'actual mas Blanch al terme de Perafort.

---

4. «*1275-desembre-12. Establiment fet per Arnau de Ribes a Bernat de Casesblanques i a sa muller Guillema d'una mitja masia que es diu de na Clariana, la qual li és restada d'en Miret i de sa muller que són morts i sense hereu, lo qual honor és en lo terme del Codony*». AHAT. *Llibre Vell*, 455v.

3. *Castro de Penalonga*

El castell i terme de Penalonga.

4. *Termino de la Secuita*

El terme de la Secuita.

Espais urbans

5. *Quintana*

L'espai situat a l'est del nucli dels Pallaresos, entre les cases i el camí que anava de Perafort fins al camí ral de Tarragona a Santes creus.

6. *Via publica*

Es correspon amb part de l'actual carrer Major.

7. *Platea; Platea dicti loci; Platea de la roca*

Actualment plaça de l'Església.

8. *Entrata dicti loci dels Pallaresos*

Era un dels accessos a la plaça des del sud-est. Actualment es troba desapareguda.

9. *Macello sive carnycerya*

Al despoblat del Codony. Antic edifici destinat a carnisseria. Actualment desaparegut.

Camins

10. *Camyno quod itur ad Civitate Tarracone; Camino regaly; Camino generali de Tarracone*

El camí ral de Tarragona a Santes Creus.

11. *Camino quod itur ad locum de Gostantí; itinere quod itur ad Gostantí*

El camí que, sortint dels Pallaresos, davallava vers l'oest. Per aquest camí es podia arribar a Constantí, a Tarragona, al Codony i a les Hortes. Actualment és la carretera que uneix el barri de Sant salvador de Tarragona als Pallaresos.

12. Camí de Tarragona

Dos camins porten aquest nom.

13. Camí de Perafort; camí del Catllar

El camí que anava de Perafort fins a enllaçar amb el camí ral de Tarragona a Santes Creus, tot passant per l'est del nucli dels Pallaresos.

14. *Camino quod itur ad locum de Penalonga; camino quod itur ad castrum de Penalonga; Costa de Penalonga; Camino castri dicti loci dels Pallaresos*

Camí que s'iniciava al nord del camí de Constantí i portava fins al castell de Penalonga.

15. *Camino quod itur ad abbatiam*

Al despoblat del Codony. Camí en sentit nord-sud que portava fins a l'abadia. Actualment no se'n conserva cap traça.

Cursos d'aigua

16. *Rivo Francolini*

El riu Francolí.

17. Pou

El pou dels Pallaresos estava situat al nord-oest del nucli.

Partides de terra

18. Partida dita *Les Clotes*

Situada al sud de l'antic terme dels Pallaresos.

19. Partida dita *La Plana*

Situada a l'oest del nucli antic dels Pallaresos

20. Partida dita *La Vinyassa*

Situada al nord de l'antic terme dels Pallaresos.

21. L'Horta

Partida situada entre el Francolí i el gir que fa el camí de Constantí vers Tarragona.

Els trossos de terra

22. Tros de terra dita *l'Era sobre el camí de Tarragona*

Tros de terra plantat d'olivers de quatre jornals d'extensió de Guillem Boada dels Pallaresos. Estava situat dins de la partida de la Plana.

23. Tros de terra dit *Los Comellarons*

Tres trossos de terra contigus, confessats com un de sol, amb un total de dotze jornals, de Guillem Boada dels Pallaresos. Estava situat dins de la partida de la Plana.

24. Tros de terra dit *La Coma de Penalonga*

Tros de terra plantat d'olivers de dotze jornals, de Pere Ferran dels Pallaresos, situat a tocar de la partida de la Vinyassa, si bé sembla que es trobava dins de les terres de Penalonga.

25. Tros de terra dit d'*Avall la Vila*

Tros de terra d'un jornal de Pere Cerdà dels Pallaresos. A la partida de la Plana.

26. Hort dit *les Basses de l'oli*

Hort d'un quartó de terra de Joan Bofarull dels Pallaresos. Era situat al costat de casa seva.

27. Tros de terra dit *la Coma de les Oliveres*

Tros de terra de trenta jornals, part vinya, part terra campa i part olivers, de Joan Bofarull dels Pallaresos. A l'extrem sud oriental de la partida de les Clotes.

28. Tros de terra dit *Lo camí del Castell*

Tros de terra de sis jornals de Joan Bofarull, a la partida de la Vinyassa.

29. Tros de terra dit *Lo camí de l'Horta*

Tros de terra d'un jornal i mig de Joan Bofarull, a la partida de la Plana.

30. Tros de terra dit *L'Heretat d'en Comte*

Gran heretat de cent jornals, part vinya, part erm, part terra campa i part olivers, de Joan Bofarull. Al terme del Codony.

31. Tros de terra dit *La Coma de na Rabaça*

Gran heretat de cent jornals, part erm, part garriga, part terra campa i part olivers, de Joan Torrell dels Pallaresos. Al terme del Codony.

32. Tros de terra dit *Lo Forn*

Tros de terra de vint jornals, part terra campa, part erm i part olivers, de Joan Torrell. Al terme del Codony.

ELS CONFESSANTS

Sis foren els tinents que confessaren en aquest capbreu. En tots els casos, els confessants eren habitants dels llocs capbrevats. Així, cinc residien als Pallaresos i un altre al Codony. D'aquests tinents, quatre eren homes, tots pagesos, i dues dones: una actuava com a vídua i hereva del seu marit difunt, i l'altra, també vídua, en nom dels seus fills.

Els confessants dels Pallaresos i del Codony són:

Guillem Boada, pagès dels Pallaresos, terme del Codony. Declara una casa, una altra casa o corral, dos corrals, un obrador d'oli i nou trossos de terra, amb un total de quaranta-sis jornals.

Pere Ferran, pagès dels Pallaresos, terme del Codony. Declara una casa, un hort i vuit trossos de terra, amb un total de trenta jornals i set quartons.

Angelina, vídua de Pere Cerdà, dels Pallaresos. Declara una casa, un hort, una era i quatre trossos de terra, amb un total de quaranta-dos jornals i vuit quartons.

Joan Bofarull, pagès dels Pallaresos. Com a pertanyent als Pallaresos, declara una casa, un obrador d'oli, un hort, quatre trossos de terra i dues peces de terra contigües, amb un total de cinquanta jornals i set quartons. Al terme del Codony declara una casa als Pallaresos (*sic*) i un tros de terra de cent jornals.

Joan Torrell, pagès dels Pallaresos. Dels Pallaresos declara dues cases i un hort. Al terme del Codony declara un obrador d'oli, tres trossos de terra i tres sorts, dues contigües, amb un total de cent trenta-set jornals i un quartó.

Grana, vídua d'Antoni Busquets, pagès del Codony. Declara una casa i dos trossos de terra, amb un total de cent dos jornals.

A partir de les dades provinents de les afrontacions s'observa un seguit de persones, les quals, malgrat que disposaven de tinences dins del terme, no capbrevaren per motius desconeguts. Per la provinença d'aquests, es pot assegurar que, als Pallaresos, la totalitat dels terratinents forans no confessà. Aquests eren Pere Torrella, de Perafort, pel que sembla amb força interessos als Pallaresos (o més exactament al Codony), on fins i tot hi tenia una casa; en Cervera i en Cassany o Catany, ambdós de Constantí, i Bernat Rabassó, el qual, malgrat que no se n'indica la procedència, pel fogatjament de 1515 cal situar-lo a Tapioles. Pel que fa als habitants dels Pallaresos, només manca la confessió de Joan Torrents, present a diverses afrontacions i al dit fogatjament de 1515. Finalment, en una sola ocasió es fa esment a la casa d'Antoni Cases. El fet que en cap afrontació més, ja fos de béns rústics o urbans, consti cap finca del dit Cases, podria fer-nos pensar que es pogués tractar d'un assalariat d'algun dels tinents de la zona, que vivia en alguna de les cases d'aquest; de fet, per la situació indicada a l'afrontació, és molt possible que ho fes a la de Pere Torrella.

BÉNS URBANS

Malgrat la profunda transformació que ha sofert el poble dels Pallaresos, sobretot els darrers quaranta anys, el nucli urbà original s'ha conservat suficientment com per poder-lo recomposar a partir de les dades del capbreu. El nucli girava al voltant de l'actual plaça de l'Església i l'inici del carrer major, a partir de dues illes de cases. El sector a llevant de la plaça s'iniciava des del nord per una casa de Joan Bofarull, la qual coneixem únicament per l'afrontació de la casa veïna, i pensem que, en realitat, es podria tractar d'un corral del dit Bofarull. Aquesta casa o corral, molt possiblement, es correspondria amb, com a mínim, l'actual edifici amb el número 2 del carrer Major, si bé, tal vegada, podria ampliar-se fins als actuals números 4 i 6, car, al no haver estat confessada, no disposem de suficients dades. Contigu a aquest edifici, vers el sud, se situava la casa de Pere Cerdà, al número 7 actual de la plaça de l'Església, la qual rodejava per l'est a la contigua casa de Guillem Boada, que hauria desaparegut durant el segle XVIII per donar pas a la construcció de l'església, inexistent fins aleshores. Llindant amb la casa de Guillem Boada i tancant l'illa, es trobava la de Joan Torrell, a l'actual número 2 de la plaça, la qual és descrita en el capbreu com a «*domos sive casaças ço és ab tres portals voltats*».

El primer edifici del sector ponentí que, pel nord s'obria a la plaça era el corral de Guillem Boada, el qual caldria ubicar a l'actual número 6 de la plaça i, tal vegada, el número 3 del carrer Major. Darrere seu, cap al nord, es localitzaven la casa de Pere Torrella de Perafort, no capbrevada, i per darrere, un obrador de Joan Bofarull, situat possiblement a l'actual número 7 del carrer Major. A l'oest del corral d'en Boada, just a l'angle nord oest de la plaça, on treu una mica de façana l'actual casa número 5, es trobava una de les cases de Joan Bofarull. Seguint vers el sud, a l'actual número 4 de la plaça se situava la casa de Joan Torrell (suposem que es tractava de la seva casa principal, ja que sobre plànol sembla més gran que l'altra i, a més, en el capbreu és el primer bé confessat). A continuació, als actuals números 3 de la plaça i 2 del carrer Nou, es trobava la casa de Pere Ferran, la qual tancava pel sud aquest sector. A la part de darrera d'algunes de les cases es documenten també alguns corrals.

En conjunt, la imatge que ens proporciona és la d'una característica vila closa, tancada pels murs posteriors de les cases, situades al voltant de la plaça, llevat del seu sector sud. En aquesta àrea no es documenta cap construcció, si bé quedava tancada pels horts de Pere Ferran i de Joan Torrell, els quals cal suposar que estaven rodejats per un mur el qual faria les funcions de tancament d'aquesta part. Entre la *casaça* de Joan Torrell i el seu hort s'ha documentat l'«*entrata dicti loci*», un dels accessos a l'interior del nucli urbà. Per tant, mentre que l'accés nord a la població se situava, com a l'actualitat, al carrer Major, l'altre accés es feia a partir de l'actual carrer del Raval i no pas com ara pel carrer Nou, espai que, com hem vist, estava tancat per dos horts contigus.

La uniformitat d'aquesta vila closa queda, però, alterada per un sol element. Així, la casa principal de Joan Bofarull és l'única que queda en una posició excèntrica respecte de les altres.[5] Si, com hem vist, totes les cases giraven al voltant de la plaça, on hi obrien porta, aquesta, tot i llindar amb la casa de Joan Torrell i amb una altra del mateix Bofarull,

5.   Aquesta bellíssima casa encara avui es coneix com a Casa Bofarull. A partir de fotografies preses abans de la reforma de Jujol es pot observar a la seva façana diversos elements arquitectònics propis del gòtic tardà català.

estava construïda a l'extrem nord-occidental del poble, i quedava ben bé fora del clos murat. Així mateix el seu portal principal també es trobava situat fora del clos. El perquè d'aquesta ubicació segregada se'ns escapa. Tan sols dues possibilitats ens ofereixen visos de credibilitat, si bé, amb la poca informació de què disposem, cap de les dues no ofereix una explicació clara. Així, per una part, la total urbanització de la plaça impedia la construcció d'un nou casal perquè tot el sòl estava ocupat, la qual cosa obligava a construir fora d'aquest espai, tot ampliant la trama urbana. Ara bé, algunes de les construccions del nucli corresponen, segons el capbreu, a corrals, i, a més, el sud de la plaça restava tancat només per dos horts, per tant, en principi, sí que hi havia espai per a un edifici residencial. A més, si la casa Bofarull fos un exponent d'un primer estadi d'ampliació de la trama urbana, amb el temps s'haurien construït més cases al voltant, i aquesta no hauria quedat isolada. Si hem de fer cas a la toponímia i al parcel·lari, en realitat l'ampliació del nucli urbà s'hauria produït vers el nord, amb la continuació del carrer Major, i vers el sud, a l'actual carrer del Raval. Per altra part, el fet de trobar-nos amb un edifici segregat del nucli clos, per similitud amb d'altres poblacions, com per exemple la Pobla o el Rourell, podria fer pensar que, en origen, es pogués haver tractat d'una casa forta dels senyors dels Pallaresos, la qual posteriorment hauria estat establerta a un particular, si bé ens manca documentació per poder-ho afirmar, i, a més, en el capbreu, l'única referència al *castrum domini dicti loci* ens remet al veí castell de Penalonga i no pas a cap altra construcció més propera.

Als voltants del nucli urbà es trobaven les diverses eres i horts particulars, així com alguns obradors i basses d'oli, mostra evident de la importància que dins dels Pallaresos tingué el cultiu de les oliveres. S'ha documentat també un pou, el qual estava situat al nord-oest de la població. La part entre l'est del nucli urbà i el camí que anava de Perafort al camí ral de Santes Creus era conegut com la Quintana, si bé desconeixem si aquest era un espai d'ús comunal o ocupat per particulars.

Pel que fa al despoblat del Codony, poc ens ha pervingut i de molt poques dades disposem. L'antic poble del Codony era emplaçat al costat mateix de l'aiguabarreig del torrent de Maigllong amb el Francolí, dalt d'un allargat tossal paral·lel al riu i al torrent, d'unes dues hectàrees d'extensió. La seva part superior és una plataforma força plana, sobretot la zona septentrional. Vers el centre presenta una lleugera depressió, en sentit est-oest, que la divideix en dos espais. L'espai meridional resultant, una mica més petit que el septentrional, si bé també pla, presenta més irregularitats, amb una petita depressió central, en sentit nord-sud, així com un promontori d'uns sis-cents metres quadrats. A l'extrem sud-oriental, el terreny es talla en una allargada fondalada, la qual, si bé també formava part del tossal, es troba a una cota inferior. Tot el perímetre del tossal és format per una paret de roca llisa i gairebé vertical. Possiblement la part nord-oriental del tossal hauria tingut major superfície de la que presenta avui dia, car, al llarg de la primera meitat del segle XX, aquest sector fou aprofitat per a l'extracció de pedra mitjançant barrinades.[6]

Els únics elements visibles avui dia són un edifici en avançat estat de ruïna, conegut com «l'abadia», i uns pocs murs de contenció. Aquests murs es localitzen, per una part, al capdamunt de la roca de gairebé tota la part sud-occidental, per una altra, a la depressió central s'observen dos d'aquests murs, paral·lels entre si, l'espai intermig dels quals, d'uns quants metres d'amplada, forma una suau pendent cap a l'oest, i possiblement arriba fins a la cota del riu, si bé la malesa existent per la part del riu no ens ha permès corroborar aquest punt. L'altre mur se situa resseguint i definint la corba de nivell més alta de la plataforma septentrional. Tots els murs descrits són de pedra seca, i fan impossible qualsevol intent d'una mínima datació; tan sols un petit pany del mur sobre la roca proper a l'abadia presenta les pedres lligades amb argamassa. A aquests elements cal afegir la boca d'una sitja, també de cronologia indeterminada, situada dalt del promontori proper a l'abadia, i, ja fora de la plataforma del tossal, a prop de l'actual accés i just al costat del camí ral que anava del Codony a Valls hi ha un petit fragment de mur. Per les seves característiques, pedres força regulars lligades amb argamassa, amb restes d'arrebossat de calç, i una amplada del voltant dels seixanta centímetres, no sembla pas que hagués estat bastit per formar part d'un corral o algun altre edifici auxiliar.

El capbreu ens aporta algunes poques dades més. Així, sabem que la casa d'Antoni Busquets limitava a l'est amb el camí que duia a l'abadia, al sud limitava amb el mercat o carnisseria, i a oest i nord amb un tros de terra seu. Aquest tros, de dos jornals d'extensió, limitava per l'est amb casa seva, al sud i oest amb el Francolí, i al nord amb altres terres seves.

Malgrat l'escassetat de dades, tant arqueològiques com documentals, a partir d'aquestes i d'algunes dades esporàdiques més (les poques que hem pogut trobar) creiem que es pot intentar traçar un esbós de com hauria estat l'urbanisme del Codony, si més no en l'època de redacció del capbreu, quan ja era gairebé un despoblat. Sabem que, fins a la construcció de la nova església de Sant Pere al seu actual emplaçament, al segle XVIII, aquesta, juntament amb el fossar i la rectoria encara romanien a l'antic Codony. La rectoria o abadia era l'únic edifici que restava en peu després del trasllat

6.　Cal agrair novament al senyor Joan Pere i Busquets l'amabilitat que va tenir, acompanyant-nos i explicant-nos *in situ* les restes del despoblat del Codony.

de l'església, que quedava com a aixopluc de passavolants o d'indigents, essent l'únic element que ha arribat fins als nostres dies.[7] Pel que fa al fossar, aquest es trobava a la fondalada situada a l'extrem sud-oriental del tossal, ja que en aquesta àrea ha estat usual trobar-se amb restes òssies humanes. Per tant, cal pensar que si, com era habitual, l'església es trobava adjacent al fossar, l'única ubicació d'aquesta només podria situar-se a l'oest del fossar i paral·lela a aquest, amb una orientació nord-sud, car una mica més cap a l'oest es troba un petit promontori que hauria impedit la seva construcció per aquella banda o amb una orientació diferent. Sabem poques coses sobre com era l'església de Sant Pere del Codony a inicis del segle XVI, ja que, per a la construcció del nou edifici al seu actual emplaçament, s'aprofitaren tots els materials de l'església vella. Aquesta, en l'època de redacció del capbreu, amb tota seguretat, conservava l'estructura de la fàbrica gòtica, car se sap que s'inicià la construcció d'una nova església l'any 1303, essent Joan Andreu, picapedrer de la Selva del Camp, l'encarregat de dirigir-la.[8] Per una notícia posterior, sabem que l'església disposava d'un campanar.[9]

També disposem d'alguna dada més que ens permetrà, dins de l'obligada vaguetat, situar la casa d'Antoni Busquets. Així, en un capbreu de 1659, l'emfiteuta que, aleshores, tenia dita casa, Gaspar París, negociant de Tarragona, habitant a Valls, confessava que aquesta limitava, com a l'anterior confessió, a l'est amb el camí de l'abadia, a migdia amb la carnisseria i a ponent i tramuntana amb terres de dit confessant. Però, a més s'afegeix la confessió de Bernat París, pagès de Valls, parent amb tota seguretat de l'anterior, el qual declarava una casa amb els seus corrals, la qual afrontava a l'est amb el camí de l'abadia, al sud amb el camí que va a l'església i a les creus, i a ponent i tramuntana amb terres de París. Per la seva situació, cal entendre aquest edifici com la carnisseria abans descrita. També confessà dit París el tros de terra de dos jornals que afrontava a l'est amb casa seva, al sud amb terres de la rectoria del Codony, a ponent amb el riu Francolí i a tramuntana amb terres de dit confessant.[10] A partir d'aquestes dades sabem que hi hauria un camí en sentit nord-sud que es dirigia a l'abadia. A l'oest d'aquest camí se situava la casa d'Antoni Busquets, i al sud d'aquesta (desconeixem si paret amb paret o separades l'una de l'altre) es trobava la carnisseria, un edifici amb corrals annexos. Al sud d'aquest edifici discorria un camí, en sentit est-oest, que portava a l'església i a les

7.   Pere: Els llocs que formen el poble de Perafort, pàg. 72.

8.   Cortiella: Guia de Perafort, pàgs. 49-53.

9.   En una factura de reparacions de l'església de 1702 s'esmenten «quatre-centes teules per la teulada i cobrí [sic] el campanar». A: Pere: Els llocs que formen el poble de Perafort, pàg. 18.

10. Pere: Els llocs que formen el poble de Perafort, pàgs. 27-28.

creus. Les ininterrompudes roturacions del terreny ens impedeixen poder situar amb exactitud per on discorria el camí de l'abadia, però, a partir de les coordenades i elements aportats, creiem que l'eix est-oest, el camí que va a l'església i a les creus, es corresponia exactament amb el carrer format a partir de la depressió del terreny, en sentit est-oest, gairebé al centre de l'altiplà. A l'est, com hem vist, estava situada l'església i a l'oest, entre dues parets de pedra, el carrer davallava fins al riu, a l'altra banda del qual, gairebé davant per davant, es trobava el Calvari del Codony.[11]

En diverses actes de les «anades de les aigües del riu Francolí», que, anualment feien els cònsols i síndics de Tarragona, apareix referenciada la «plaça del Codony». Aquesta plaça, en l'estadi tant bàsic de coneixement de la topografia del Codony en què ens trobem, podria estar situada en qualsevol punt del tossal, fins i tot hom ha apuntat la possibilitat que es localitzés a l'esplanada existent entre el límit meridional del tossal i el torrent. Malgrat aquesta forçada indefinició, en una de les esmentades actes, la de l'any 1462, es parla de la «*platea de la Carniseria*».[12] Per tant aquesta es trobava situada a tocar de l'edifici de la carnisseria, el qual, com hem vist, era al nord del camí de l'església, molt possiblement a l'ampla esplanada que encara existeix a l'extrem est de dit carrer. La centralitat d'aquest espai es reforça encara més si tenim en compte que, amb quasi total seguretat, a aquesta plaça donava també el portal major de l'església.

Totes aquestes dades ens emplaçaven la casa d'Antoni Busquets i la carnisseria dins d'una àrea poc definible de l'espai situat al nord de la depressió central. El fet que el tros de terra d'aquest limités pel sud amb terres de la rectoria sembla corroborar-ho. Els dos jornals d'extensió de dit tros ens aporten, a més, una altra important dada indirecta. La superfície de tota la part septentrional del tossal devia tenir aquesta superfície aproximadament; per tant, el fet que el tros de terra abastés tot aquest espai ens indicava que, en el moment de redacció dels capbreus de 1510 i 1659, no existia en aquesta àrea cap més construcció que la casa d'en Busquets i la carnisseria. A més de per les dades documentals, l'existència d'edificacions anteriors en aquest sector septentrional semblava provar-se pel fet que a l'extrem nord del tossal, en un amuntegament de pedres, produït pel despedregament del camp veí, vàrem localitzar diversos carreus de mides diverses, un dels quals, pels encaixos que presentava, hauria format part amb quasi total seguretat del brancal d'una porta o una finestra.

Totes aquestes dades semblen apuntar a l'existència d'una àrea residencial i de serveis, emplaçada a la part nord del tossal, d'uns dos o tres

11. VECIANA: «Toponímia de la Pobla de Mafumet», pàg. 250.
12. ICART, Joaquim: *Ordinacions i crides*, pàg. 88.

jornals d'extensió, si bé a inicis del segle XVI tan sols hi restaven una casa i la carnisseria i un carrer —el que portava a l'abadia. Dita àrea quedava separada físicament, pel carrer dit de l'església i la plaça de la carnisseria, del sector sud del tossal, dins del qual, s'ubicava l'església, el fossar, la rectoria i les terres d'aquesta, tot conformant un espai eminentment eclesiàstic. Eclesiàstic i, molt possiblement, també senyorial. Com de la resta d'elements del Codony, ben poc en sabem del seu castell o casa forta. Malgrat que no s'ha localitzat cap referència directa de la seva existència, aquesta es deixa entreveure en el fet que, quan a inicis del segle XV, l'arquebisbe transferí la jurisdicció del castell del Codony al de Penalonga, «*los homens habitants en lo terme estan obligats a obrarlo, fer fosses, talayas i guardas*», o sigui que, igual que havien fet amb el castell del Codony, estaven obligats a prestar les mateixes servituds al de Penalonga, algunes de les quals —com «*obrarlo, fer fosses*»— caldria relacionar d'una manera directa amb un edifici.[13] Si bé no disposem de cap dada que ens permeti situar la ubicació d'aquest castell o casa forta dins l'altiplà del tossal, des del punt de vista de la poliorcètica, el lloc més idoni per bastir-lo seria al petit promontori situat just a l'oest de l'església, una plataforma gairebé plana i el punt més alt de tot el tossal, on, a més, cal recordar l'existència comprovada d'una sitja.

Si fos certa aquesta hipòtesi, malauradament només comprovable a partir d'una intervenció arqueològica, ens trobaríem amb un sector sud ocupat pels símbols del poder, tant senyorial com eclesiàstic, amb una manifesta intenció de segregació, però al mateix temps de control de l'espai destinat als emfiteutes al sector nord. Aquest urbanisme suposava una planificació prèvia de tot el conjunt, propi d'una vilanova castral, la qual cosa, juntament amb l'extensió de tot el conjunt (el qual, en comparació, devia tenir una superfície similar a la del nucli vell de Vilallonga, per exemple), ens porta a pensar en un ambiciós projecte de creació d'una vila senyorial d'una certa envergadura per part dels Claramunt, tasca en la qual s'hi van bolcar directament.

A la carta de poblament atorgada per Guillem de Claramunt, la seva dona Saurina i Guillem de Cardona el 1177, s'especifica que «*lo qual honor donen als habitants de aquell de tal manera que no fassen obra sino la muralla de dita vila*».[14] Pel que fa a aquesta muralla que hauria de voltar la vila, val a dir que no se n'ha localitzat cap resta. En lloc d'això, l'únic que trobem són unes altes parets de roca, gairebé verticals, que delimiten tota l'àrea de la vila del Codony, així com, en diverses zones, sobretot al sector sud, uns murs de contenció situats a ran del tall de la roca. A partir d'això cal preguntar-se si la muralla del Codony no era en realitat la mateixa roca

13.   AHAT. *Índex Vell*, 458r.
14.   AHAT. *Índex Vell*, 451r.

del tossal, la qual hauria pogut haver estat retallada i perfilada, mentre que el rebuig de les seves pedres hauria pogut servir com a material de construcció dels mateixos habitants del Codony.

Tot el perímetre del tossal es troba, així, encerclat per aquestes altes parets de pedra. Els únics accessos que s'han pogut localitzar són tres. Un es trobava al sud-est, just davant del fossar, i un altre se situa al nord-est, tot enllaçant amb el camí ral a Valls. El tercer accés és el més dubtós, car no s'ha pogut acabar de comprovar per la vegetació existent en aquell sector. Aquest es trobava a l'extrem oest del camí o carrer de l'església, aproximadament al centre de l'altiplà; el camí davallava, flanquejat per dos murs, fins a la riba del riu i les zones d'horta.

Finalment, pel que fa al fragment de mur situat al nord, fora ja del tossal, si bé avui dia és l'únic element visible, a les fotografies aèries realitzades el 1956-57 es pot observar la planta d'un edifici rectangular, de dimensions superiors a les de l'abadia.[15] No disposem de cap més dada que permeti establir una mínima cronologia ni la funcionalitat que tenia dit edifici.

Dins de l'actual terme dels Pallaresos existeix un altre edifici, el qual, si bé no apareix capbrevat ni forma part de les terres del Codony i dels Pallaresos, mereix una referència, encara que sigui mínima, atès el seu interès i les imbricacions que va tenir amb els termes circumdants. Es tracta del castell de Penalonga. Les seves malmeses restes, conegudes com «el Castellot» es troben a l'extrem nord de l'actual terme dels Pallaresos, just sobre la carena del Comellar. Actualment només es conserven uns pocs metres del mur meridional, construït en maçoneria i amb restes de tapial a la seva part superior. Posteriorment, hom procedí a folrar l'exterior del mur amb un altre lleugerament atalussat. A una desena de metres d'aquest mur s'aixequen dos alts contraforts que delimitaven el costat occidental del castell. A l'interior, potser dins del que hauria pogut ser un pati obert, es trobava una cisterna amb el seu brocal, recentment restaurat. Malgrat desconèixer els seus límits oriental i septentrional, sembla que el castell podria tenir una planta aproximadament rectangular, del voltant d'uns cinc-cents metres quadrats. Si bé, per les seves dimensions, no sembla un castell gaire gran, el cert és que no era pas gaire més petit que, per exemple, el castell de Montoliu o de Santa Margarida, a l'actual terme de la Riera de Gaià, o el molt conegut, a l'haver estat excavat en la seva totalitat, castell de Mataplana, al Ripollès.[16] Una intervenció arqueològica en aquestes

15. A la web de l'Institut Cartogràfic de Catalunya: http://www.ortoxpres.cat/client/icc/
16. Per al castell de Montoliu: BOLÒS I MASCLANS, Jordi, URPÍ I CASALS, Rosa Maria i RESINA NAVAS, Juan-Antonio: «Castell de Montoliu (o de Santa Margarida)», pàgs. 103-104. A: DD.AA.: *Catalunya Romànica*. Vol. XXI. Per al castell de Mataplana: DD.AA.: *El castell de Mataplana. L'evolució d'una*

restes podria aportar, molt possiblement, molta informació sobre el procés repoblador d'aquesta part del Camp de Tarragona.

BÉNS RÚSTICS

En total, als Pallaresos s'han comptabilitzat trenta-cinc parcel·les, tingudes per cinc tinents, amb un total de cent vuitanta-set jornals. Per la seva part, al terme del Codony es donen cinc parcel·les de tres tinents, amb un total de tres-cents vint-i-dos jornals de superfície.

Ateses les especials característiques d'aquest capbreu, s'ha optat per estudiar les parcel·les i els cultius dels Pallaresos i del Codony de manera conjunta.

Les parcel·les

El quadre 1 ens permet copsar el grau de fragmentació que presentava el conjunt de territoris dels Pallaresos i el Codony:

Quadre 1. Nombre de parcel·les segons la superfície unitària

Superf. unitària (jornals)	Parcel·les		Superfície	
	Nombre	%	Total	%
<1	6	15,4	0,5	0,1
1	4	10,3	4	0,8
1,5	5	12,8	7,5	1,5
2	5	12,8	10	2,0
3	3	7,7	9	1,8
4	2	5,1	8	1,6
6	2	5,1	12	2,3
7	2	5,1	14	2,7
10	1	2,6	10	2,0
12	2	5,1	24	4,7
20	2	5,1	40	7,8
30	1	2,6	30	5,9
40	1	2,6	40	7,8
100	3	7,7	300	59,0
Totals	39*	100	509	100

* Només han estat incloses les parcel·les amb superfície coneguda.

El principal grup correspon al de les parcel·les amb una superfície no superior als dos jornals, més del cinquanta per cent del total de parcel·les. Com és habitual, aquesta hegemonia no es tradueix en una gran superfície,

fortificació senyorial (s. XI-XV) (Gombrèn, Ripollès). Treballs arqueològics entre 1986-1993. Monografies d'Arqueologia Medieval i Postmedieval núm. 1. Universitat de Barcelona, 1994.

car no ocupaven gaire més del quatre per cent. El gran nombre de parcel·les inferiors al jornal és degut exclusivament als horts periurbans. Trobem el mateix nombre de parcel·les —set respectivament— tant pel grup que podríem definir com de parcel·les mitjanes (*grosso modo* aquelles entre cinc i vint jornals) com pel grup de grans parcel·les (de vint jornals en endavant), si bé aquest darrer tenia l'hegemonia de tot el territori i ocupava el vuitanta per cent de la superfície total. Val a dir que les tres grans heretats de cent jornals corresponen, en tots els casos, al terme del Codony.

El quadre 2 ens permet observar el grau de repartiment de les parcel·les entre els tinents.

Quadre 2. Nombre de parcel·les declarades per emfiteuta i freqüència de cada declaració

Parc. / emfit.	Emfiteutes		Parcel·les		Superfície	
	Nombre	%	Nombre	%	Jornals	%
2	1	16,7	2	5	102	20,0
6	1	16,7	6	15	43,1	8,5
7	2	33,3	14	35	287 + ?	56,4
9	2	33,3	18	45	76,9	15,1
Totals	6	100	40	100	509 + ?	100

Les parcel·les apareixen molt repartides; llevat d'un emfiteuta amb només dues, tota la resta disposen d'entre sis i nou parcel·les. Ara bé, les diferents superfícies d'aquestes provoquen fets com el que un tinent amb només dues parcel·les disposi de més jornals que la suma dels jornals dels dos tinents amb més parcel·les.

La procedència dels emfiteutes ens permetrà conèixer millor com estaven repartides les terres als Pallaresos i al Codony.

Quadre 3. Nombre de parcel·les declarades segons procedència dels emfiteutes

Procedència	Emfiteutes	Parcel·les		Superfície		Jornals/emfit.
		Nombre	%	Nombre	%	
Els Pallaresos	5	38	95	407 + ?	80	81,4 + ?
El Codony	1	2	5	102	20	102
Total	6	40	100	509 + ?	100	

Com es pot comprovar, els únics confessants foren els residents al terme. Pel que fa als Pallaresos, la terra apareix repartida únicament entre els seus habitants. L'únic tinent del Codony tenia totes les seves terres dins d'aquest terme, juntament amb dos tinents més dels Pallaresos.

Al quadre 4 es pot observar la quantitat de terres acumulades per un tinent, la qual cosa ens permetrà corroborar bona part d'allò dit anteriorment, així com acostar-nos a la realitat socioeconòmica d'aquests emfiteutes.

Quadre 4. Nombre de jornals per emfiteuta

Jornals/emfit.	Emfiteutes		Superfície	
	Nombre	%	Jornals	%
0-49,9	3	50	119,4	23,5
50-99,9	0	0	0	0
>100	3	50	389,6	76,5
Totals	6	100	509	100

* Només s'han comptabilitzat les parcel·les i emfiteutes amb superfície coneguda.

Els sis tinents es divideixen a parts iguals entre els que disposen de fins a cinquanta jornals de terra i aquells que en tenen més de cent. Val a dir que, dins del primer grup, el tinent amb menys terra declarà trenta jornals. L'alt nombre de tinents del darrer grup estava motivat per la grandària de les parcel·les del terme del Codony.

A grans trets podríem dir que la major part de les parcel·les dels Pallaresos són de dimensions força reduïdes. Tot i així, aquestes apareixen molt repartides entre els habitants del lloc, cada un dels quals disposava d'un mínim de sis parcel·les. El fet que gairebé tota la terra estigués repartida entre aquests fa que tots ells presentin un nombre important de jornals, trenta en el cas de l'emfiteuta que menys terra va confessar. Per contra, al terme del Codony la terra estava repartida en poques parcel·les però de grans dimensions.

Al llarg de tot el capbreu no s'observa cap dada que pugui suggerir la possible existència de terres dominicals dins del terme. Únicament, a partir de les dades del capbreu de 1659, sabem de l'existència de terres pertanyents a l'abadia del Codony, possiblement tan sols uns dos jornals com a molt. Igualment ens resta el dubte de saber si les terres de la Quintana situada entre l'est del nucli urbà dels Pallaresos i el camí de Perafort podrien ser terres comunals o bé haurien estat establertes a diversos tinents. En qualsevol dels casos, es tractava d'un reduït espai de molt pocs jornals.

Els cultius

La mitjana i gran extensió d'algunes de les parcel·les provoca que, en alguns casos, s'indiqui més d'un conreu en una finca, o, fins i tot que no se n'especifiqui cap, la qual cosa, forçosament, distorsionarà els resultats.

Quadre 5. Tipologia de cultius i la seva extensió

Tipus cultiu	Parcel·les		Jornals	
	Nombre	%	Nombre	%
Horts	5	12,2	0,3 + ?	0,1
Tros de terra	21*	51,2	76,7	15,1
Olivers	8*	19,5	36	7,1
Diversos cultius	7	17,1	396	77,7
Totals	41*	100	509 + ?	100

* En una parcel·la constaven vuit jornals de terra campa i quatre d'oliveres; per tant, al poder determinar les superfícies de cada conreu, la parcel·la s'ha comptabilitzat com a dues.

Com és habitual a tota la zona estudiada, el principal cultiu és el dels cereals, si bé el següent grup, el de les oliveres, presenta uns percentatges força més alts que els obtinguts als termes veïns; representa gairebé la meitat dels jornals destinats a cereals. Els horts documentats, si bé importants per a l'economia familiar, presenten un percentatge gairebé anecdòtic respecte del global. Per altra part, el fet que prop del vuitanta per cent dels jornals confessats correspongui a parcel·les amb policultiu, no ens permet de disposar de percentatges globals fiables, si bé els cultius que apareixen esmentats semblen corroborar les dades anteriors. Així, sis de les set parcel·les declaren tenir una part de terra campa i una part d'oliveres; la setena parcel·la era formada per una era i la resta oliveres. En tres, a més, hi havia una part dedicada a la vinya, en tres també s'esmenta una part d'erm i en dues una part de garriga. La vinya, com es pot comprovar, tenia una presència molt per sota de les oliveres, i se centralitzava al territori dels Pallaresos en una sola finca de la partida de les Clotes. Al terme del Codony la vinya fou una mica més present, però creiem que sempre per darrere dels cereals i les oliveres, igual que les parts d'erm i garriga.

Les partides

L'existència d'unes partides de terra ben definides als Pallaresos fa que s'hagin estudiat individuadament per tal de copsar les possibles diferències en dimensions de parcel·les o tipus de cultiu que poguessin existir entre elles, així com amb les terres del terme del Codony.

Les Planes

És la partida just dessota el nucli urbà dels Pallaresos.

Quadre 6. Nombre de parcel·les segons la superfície unitària

Superf. unitària (jornals)	Parcel·les		Superfície	
	Nombre	%	Total	%
<1	6	42,9	0,5	1,8
1	2	14,3	2	7,3
1,5	2	14,3	3	10,9
3	2	14,3	6	21,9
4	1	7,1	4	14,5
12	1	7,1	12	43,6
Totals	14*	100	27,5	100

* Només han estat incloses les parcel·les amb superfície coneguda.

Quadre 7. Tipologia de cultius i la seva extensió

Tipus cultiu	Parcel·les		Jornals	
	Nombre	%	Nombre	%
Tros o sort de terra	9*	56,2	19,3	70,2
Oliveres	2*	12,5	8	29,1
Horts	5	31,3	0,2 + ?	0,7
Totals	16*	100	27,5 + ?	100

* En una parcel·la constaven vuit jornals de terra campa i quatre d'oliveres; per tant, al poder determinar les superfícies de cada conreu, la parcel·la s'ha comptabilitzat com a dues.

Com es pot observar, es tracta d'una partida de minses dimensions —no arriba als trenta jornals—, amb la terra molt fragmentada en petites parcel·les de superfície no superior als tres jornals. D'entre aquestes destaquen numèricament les inferiors a un jornal, generalment horts i petits trossos. Amb tot, el gruix de la superfície de la partida, més del quaranta per cent, l'ocupava una sola parcel·la de dotze jornals.

Pel que fa als cultius, els cereals representaven les dues terceres parts, contra una tercera part dedicada a les oliveres. Aquesta partida és l'única on es documenten horts, situats a tocar de les cases, si bé, a causa de les reduïdes dimensions, la seva representació dins del còmput global és mínima.

Les Clotes

La partida se situa al sud del nucli urbà.

Quadre 8. Nombre de parcel·les segons la superfície unitària

Superf. unitària (jornals)	Parcel·les		Superfície	
	Nombre	%	Total	%
1,5	1	16,7	1,5	3,1
2	2	33,2	4	8,2
6	1	16,7	6	12,4
7	1	16,7	7	14,4
30	1	16,7	30	61,9
Totals	6*	100	48,5	100

* Només han estat incloses les parcel·les amb superfície coneguda.

Quadre 9. Tipologia de cultius i la seva extensió

Tipus cultiu	Parcel·les		Jornals	
	Nombre	%	Nombre	%
Tros o sort de terra	1	16,7	1,5	3,1
Oliveres	3	50,0	11	22,7
Diversos cultius	2	33,3	36	74,2
Totals	6	100	48,5	100

La meitat de les parcel·les —tres de sis— tenen una superfície del voltant dels dos jornals; dues més se situen entre els sis i els set jornals, però el gruix de la superfície de la partida, més del seixanta per cent del seu total, és ocupat per una sola parcel·la de trenta jornals. Pel que fa als cultius amb superfície coneguda, les oliveres són les preponderants, molt per damunt dels cereals. Amb tot, les tres quartes parts de la partida són dedicades també al cultiu de cereals i oliveres, i, si bé no podem quantificar cada grup, creiem que ambdós tendien a equilibrar-se. En una d'aquestes finques, la més gran, a més, també s'esmenta el cultiu de la vinya, essent aquesta l'única referència documentada al territori dels Pallaresos.

La Vinyassa

És la partida situada al nord del nucli urbà.

Quadre 10. Nombre de parcel·les segons la superfície unitària

Superf. unitària (jornals)	Parcel·les		Superfície	
	Nombre	%	Total	%
1	1	11,1	1	1,4
1,5	2	22,2	3	4,3
2	2	22,2	4	5,8

3	1	11,1	3	4,3
6	1	11,1	6	8,7
12	1	11,1	12	17,4
40	1	11,1	40	58,1
Totals	9*	99,9	69	100

* Només han estat incloses les parcel·les amb superfície coneguda.

Quadre 11. Tipologia de cultius i la seva extensió

Tipus cultiu	Parcel·les		Jornals	
	Nombre	%	Nombre	%
Tros o sort de terra	7	77,8	17	24,6
Oliveres	1	11,1	12	17,4
Diversos cultius	1	11,1	40	58,0
Totals	9	100	69	100

La major part de les parcel·les són de petites dimensions, i predominen les d'un jornal i mig i dos. Tan sols dues parcel·les tenien una superfície mitjana, i només una era de grans dimensions, quaranta jornals, si bé aquesta sola ja ocupava quasi el seixanta per cent del total. Malgrat el nom de la partida, els únics conreus documentats són els cereals i les oliveres, essent lleugerament majoritaris els primers sobre els segons.

Les Hortes

Aquesta partida, separada del territori dels Pallaresos per les terres del Codony, era situada a la vora del riu Francolí.

Quadre 12. Nombre de parcel·les segons la superfície unitària

Superf. unitària (jornals)	Parcel·les		Superfície	
	Nombre	%	Total	%
1	1	20	1	2,4
4	1	20	4	9,5
7	1	20	7	16,7
10	1	20	10	23,8
20	1	20	20	47,6
Totals	5*	100	42	100

* Només han estat incloses les parcel·les amb superfície coneguda.

Quadre 13. Tipologia de cultius i la seva extensió

Tipus cultiu	Parcel·les		Jornals	
	Nombre	%	Nombre	%
Tros o sort de terra	5	100	42	100
Totals	5	100	42	100

Pràcticament el total de les parcel·les d'aquesta partida presenten unes superfícies mitjanes, i només una té un sol jornal d'extensió; el cereal és l'únic conreu documentat.

El terme del Codony

Només hem referenciat aquella part del terme que va ser capbrevada.

Quadre 14. Nombre de parcel·les segons la superfície unitària

Superf. unitària (jornals)	Parcel·les		Superfície	
	Nombre	%	Total	%
2	1	20	1	0,6
20	1	20	20	6,2
100	3	60	300	93,2
Totals	5*	100	322	100

* Només han estat incloses les parcel·les amb superfície coneguda.

Quadre 15. Tipologia de cultius i la seva extensió

Tipus cultiu	Parcel·les		Jornals	
	Nombre	%	Nombre	%
Tros o sort de terra	1	20	2	0,6
Diversos cultius	4	80	320	99,4
Totals	5	99,9	322	100

Les grans heretats de cent jornals són les preponderants al terme, seguides d'una de vint jornals. Sobta trobar al costat d'aquestes grans finques una petita parcel·la de tan sols dos jornals, si bé aquesta, com ja s'ha vist anteriorment, presenta unes certes peculiaritats, ja que es tractava de l'espai anteriorment ocupat pel poble del Codony; d'aquí que dita parcel·la no hagués estat englobada en una de major. Els cultius eren els ja coneguts de cereals i oliveres, si bé també hi havia lloc per a la vinya, present en dues de les tres grans heretats, així com zones d'erm i garriga.

LES SERVITUDS

Tots els tinents, ja fossin habitants del terme com terratinents forasters, iniciaven la seva confessió reconeixent, per mitjà de jurament sobre els quatre Evangelis, al Capítol de la Seu tarragonina com a senyor directe i alodial dels seus béns, el qual disposava del dret de firma, fadiga, lluïsme al terç i empara, així com altres plens drets.[17]

Igualment, a la darrera part de la confessió, mitjançant l'anterior jurament es reconeixien vassalls del Reverend Capítol, així com habitants dels Pallaresos o del Codony, en el cas de la darrera confessant.

Cal fer referència en aquest punt al «Macello sive carnycerya» documentat al Codony. El fet de no haver estat capbrevat ens indica que, a inicis del segle XVI, encara continuava essent un destret senyorial en mans del Capítol tarragoní. Aquesta activitat hauria estat suficientment important com perquè la plaça del Codony, contigua a la carnisseria, fos referenciada en alguna ocasió com a «platea de la carniseria». Malgrat això, desconeixem el seu funcionament, a més que en cap capbreu no hi ha cap mínima referència al fet que els emfiteutes estiguessin obligats a escorxar o comprar la carn a la carnisseria, o, simplement, si en aquell moment aquesta seguia en funcionament, si bé el fet de no haver estat encara establerta així ens ho podria fer pensar.

Censos

Com ja s'ha observat anteriorment, tots els confessants dels Pallaresos i del Codony satisfeien un cens global per la totalitat de les seves tinences, independentment que aquestes estiguessin en un o altre terme. Tots aquests, llevat d'un sol cas, eren censos fixos en gra —ordi— i oli. Com a la resta de capbreus aquí estudiats, no sembla que existís cap relació entre la superfície que hom posseïa en emfiteusi i el cens que havia de satisfer. Així, pel que fa als censos fixos en ordi, trobem des del cens més alt —dues quarteres i dos quartons— per un total confessat de cent cinquanta jornals, fins al més baix —set quartons— per una superfície declarada de quaranta-dos jornals. Per contra, la superfície més petita declarada, trenta jornals, pagava un cens d'una quartera i vuit quartons d'ordi, mentre que el tinent amb la segona superfície més gran confessada, cent trenta-set jornals, tan sols pagava un cens d'una quartera i mitja d'ordi. La mateixa asimetria s'observa en els censos fixos en oli, els quals se situen entre el mig quartà i una quartera.

Pel que fa a l'únic tinent amb terres només al Codony, el seu cens també era fix, i consistia en vint sous i dues quarteres d'ordi per Sant Pere i

---

17.   «Sub dominio et alodio prefati Reverendi Capituli et ad apsius firmam fatigam laudemyum sive tertium emparam et alium plenum Ius et directum sive emphiteoticum dominium et plenam dominationem».

Sant Feliu i dos pollastres per Carnestoltes. Només en dues finques de dos tinents diferents s'observa un cens individuat per a aquella peça. En un cas es tracta d'un obrador d'oli, el qual satisfeia un cens d'un quartà d'oli per Carnestoltes; en l'altra, un tros de terra de dos jornals, al terme del Codony, pel qual, per Sant Pere i Sant Feliu, es pagava un cens de dos sous. Desconeixem el perquè d'aquest pagament separat.

Hi ha dues dates en què s'havien de pagar els censos. Per una part, per Sant Pere i Sant Feliu se satisfeien els censos en ordi, mentre que per als d'oli el dia de pagament era per Carnaval.

Serveis personals

L'únic servei personal reconegut pels habitants dels Pallaresos i del Codony envers els seus senyors era el de la jova. En quatre casos els tinents confessaren haver de prestar dues joves, això és «*dos jornals amb dos parells de bèsties en temps de sementer*». Per contra, els dos tinents amb més béns dins del terme del Codony havien de satisfer només una jova, o sigui «*un jornal amb un parell de bèsties en temps de sementer*».

TRANSMISSIÓ DE LES TINENCES

En aquest quadre s'observen els diferents tipus que es van donar a la darrera transmissió dels béns als titulars presents en el capbreu.

Quadre. Tipus de transmissió de les tinences

Tinent	Tinença	Darrera transmissió	Transmissió anterior
Guillem Boada, pagès dels Pallaresos, terme del Codony	Una casa, una altra casa o corral, dos corrals, un obrador d'oli i nou trossos de terra	Comprat a Gabriel i Joan Folch, pare i fill, de Vilallonga, el 1480	—
Pere Ferran, pagès dels Pallaresos, terme del Codony	Una casa, un hort i vuit trossos de terra	Comprat a Guillem Virgili i Antònia, de la Selva, el 1446	—
Angelina, vídua de Pere Cerdà	Una casa, un hort, una era i quatre trossos de terra	Testament de Pere Cerdà, son difunt marit	Aquest ho tenia com a hereu i successor de Joan Cerdà, son pare

Tinent	Tinença	Darrera transmissió	Transmissió anterior
Joan Bofarull, pagès dels Pallaresos	Als Pallaresos: una casa, un obrador d'oli, un hort, quatre trossos de terra i dues peces de terra contigües	Foren béns de Guillem Soler	—
	Al Codony: una casa als Pallaresos i un tros de terra	Li correspon com a fill (?) de Guillem Soler i Blanquina, dels Pallaresos	—
Joan Torrell, pagès dels Pallaresos	Als Pallaresos: dues cases i un hort	Testament de Damas Torrell, son pare	Aquest ho tenia com a hereu i successor d'Antoni Torrell, son pare
	Al Codony: un obrador d'oli, tres trossos de terra i tres sorts, dues contigües	Testament de Damas Torrell, son pare	Aquest ho tenia com a hereu i successor d'Antoni Torrell, son pare
Grana, vídua d'Antoni Busquets, pagès del Codony	Una casa i dos trossos de terra	Foren del seu difunt marit	—

Com es pot observar, la norma general que s'imposa pel que fa a la titularitat de la terra és la d'una gran estabilitat. Dels sis confessants, quatre reberen els seus béns en herència, mentre que només dos hi van accedir per compra, si bé la data d'una d'aquestes transaccions, 1446, ens fa pensar que, en realitat, el comprador hauria estat el pare o l'avi del confessant, per la qual cosa aquest ho hauria rebut en herència. Aquesta possibilitat encara reforça més la idea d'unes tinences força estables, transmeses dins les mateixes famílies des d'almenys dues generacions.

Un fet que cal remarcar és la procedència, relativament allunyada, dels dos venedors coneguts. En un cas, pare i fill provenien de Vilallonga, i en l'altre, els esposos eren de la Selva.

Pel que fa a les escriptures públiques presentades només podem comptar amb les dues corresponents a les compres. En altres dos casos s'esmenta expressament el testament de l'anterior titular, però sense presentar-lo, i en dos casos més ni tan sols s'esmenta cap document. Pel que fa a les dues escriptures de compravenda, una fou redactada a la rectoria de Vilallonga i l'altra a Constantí per Dalmau Cotoner, notari de Tarragona.

CONCLUSIONS

El capbreu conjunt dels Pallaresos i el Codony palesa la gran paradoxa de constatar com el poble del Codony, l'ambiciós projecte urbanitzador i colonitzador dels Claramunt, amb el terme més gran de tots els estudiats en aquest treball (i que encara fóra més gran si se li afegissin els masos de les Franqueses) i cridat a ser el cap i casal senyorial i religiós de totes les terres del terme castral, a inicis del segle XVI, no només havia fracassat sinó que, a més, es trobava en una decadència irreversible, culminada al segle XVIII amb el definitiu trasllat de l'església. Per contra, els Pallaresos, amb un territori que no arribava als dos-cents jornals d'extensió i que, en origen, havia estat concebut com un simple mas, disposava d'una població consolidada, i havia esdevingut una vila closa.

Aquests diferents orígens es reflecteixen en el parcel·lari. La poca super-fície dels Pallaresos hauria obligat a esmicolar el territori en petites —sobre-tot— i mitjanes parcel·les, ja que només es documenten tres finques grans, d'entre vint i quaranta jornals, mentre que al Codony predominaven les finques de gran extensió. Precisament, la gran superfície d'aquestes, hauria afavorit la seva posterior i progressiva fragmentació en peces més petites, de les quals se n'haurien beneficiat principalment els habitants dels llocs més propers, els Pallaresos i Perafort, la qual cosa podria explicar, en part, el desenvolupament posterior d'aquestes poblacions respecte a d'altres veïnes com Puigdelfí.

El perquè d'haver-se redactat un capbreu conjunt dels Pallaresos i del Codony, en lloc d'un de sol per a cada terme com a la resta, se'ns escapa. Tal vegada el fet que l'expansió natural dels Pallaresos fos sobre una part important del terme del Codony podria, en part, explicar-ho. El cert és que en el capbreu existeix una gran confusió a l'hora d'assignar diverses tinences a un o altre lloc, malgrat que, com hem vist, les delimitacions entre ambdós llocs existien. En aquest punt caldria preguntar-se, malgrat que ni el capbreu ni la minsa documentació disponible ens aporta cap dada al respecte, quin fou el paper dels Pallaresos respecte dels antics habitants que abandonaren el lloc del Codony, i que acabà motivant, a inicis del segle XV, el trasllat de la jurisdicció castral des del castell del Codony al de Penalonga, limítrof amb els Pallaresos. On es desplaçaren els pocs o molts habitants del Codony no ens consta, si bé a partir dels fogatjaments podem descartar quasi completament la seva ubicació davant de Perafort. Aquesta s'hauria produït, creiem, arran del trasllat i construcció de la nova església, a la primera meitat del segle XVIII. Sigui com sigui, el cert és que el capbreu mostra un alt grau d'interrelació entre ambdós termes, molt difícil d'explicar amb les poques dades de què disposem.

Aquesta interrelació s'observa també en els censos a satisfer. A diferència d'altres llocs, tots els habitants dels Pallaresos i el del Codony pagaven cadascú un cens global per totes les seves tinences, independentment que aquestes estiguessin situades als Pallaresos o al Codony o, fins i tot, a ambdós termes. En tots els casos aquests eren un cens fix en oli i en gra, que, si bé variava d'un emfiteuta a un altre, cal situar a l'entorn de les dues quarteres d'ordi. Curiosament, tant la forma de pagament com la quantitat coincideixen amb la mitgera d'ordi (equivalent a dues quarteres) que estipulava la carta de poblament del Codony del 1177 per als seus habitants.[18]

La complicada orografia de l'actual terme dels Pallaresos —la part més montuosa de tot el territori del Codony— hauria provocat que, a més del generalitzat cultiu de cereals, les oliveres tinguessin una molta major presència que a d'altres termes, com ho demostra, a més de les parcel·les confessades, l'existència de diversos obradors i basses d'oli, o un cens específic en oli. Per contra, i malgrat que una de les partides més grans portava el gràfic nom de la Vinyassa, les vinyes són quasi inexistents als Pallaresos i ben poc presents al Codony; tan sols es documenten a la part sud de l'actual terme, així com a prop de l'antic poble del Codony. Per altra part, les mateixes característiques del relleu i l'existència de grans heretats afavoriren la presència de bosc en major o menor grau, sobretot pel que fa al Codony. Malgrat això, en el capbreu no s'observa cap referència, si bé parla de l'existència de diverses zones d'erm i de garriga.

Finalment, a través de les diverses transmissions de titularitat dels béns, sembla deduir-se un estancament del mercat de la terra. Gairebé en tots els casos predomina l'estabilitat i les tinences són íntegrament transmeses dins la família, en alguns casos al llarg de diverses generacions.

18.   AHAT. *Índex Vell*, 451r.

QUADRA EX PARTA IN TERMINO DE COCTANO (LA QUADRA DE REQUESENS)

ANÀLISI DEL DOCUMENT

El capbreu de la quadra de Requesens s'inicia al foli 123 *recto* i ocupa fins al foli 128 *recto*. Els folis següents fins al 146 *verso* apareixen en blanc. En aquest cas, no apareix cap crida. El document s'encapçala no com a quadra de Requesens sinó com a *Quadra ex parta in termino de Coctano*, si bé, al marge superior esquerre, hom escrigué, amb lletra de cronologia posterior, *Requesens*.

Com a tinents de la quadra capbrevaren cinc persones, la primera el divendres 24 de maig de 1510 al castell de Puigdelfí; la següent ho féu el dimarts 28 de maig de 1510 a la Pobla de Mafumet; l'endemà declarà un altre tinent a la mateixa localitat. El següent capbrevà el dimarts 25 de juny de 1510 a Tarragona. Finalment, el darrer tinent va capbrevar el dimecres 18 de setembre de 1510 als Pallaresos.

Les confessions particulars segueixen l'esquema general anteriorment apuntat. Únicament varien els testimonis, en funció del lloc i data on es confessà. Així, a Puigdelfí, el declarant comptà amb el testimoni de Joan Miret, prevere, i Baltasar de Moncal, ambdós habitants de Tarragona. A la Pobla de Mafumet foren testimonis Miquel de Roda, notari de la ciutat de Saragossa, i Baltasar de Moncal, habitants de Tarragona. A Tarragona, ho foren Gabriel Moreno, matalasser, i Gabriel Solzina, hostaler, tots dos de la mateixa ciutat. Finalment, als Pallaresos, els testimonis van ser Joan Torrell dels Pallaresos i Bernat Aguader del terme del Codony.

A l'encapçalament de cada confessió apareix al marge esquerre, amb lletra posterior, el cognom del confessant. També es documenten algunes anotacions marginals corresponents a petites esmenes o afegitons oblidats al cos del text. Pel que fa al marge dret del document, com a la resta, es limita a especificar les quantitats de cens a satisfer.

DESCRIPCIÓ DEL TERME

Tradicionalment, hom ha identificat el terme de la quadra de Requesens com una unitat compacta a la vora del Francolí. Sense deixar de ser certa aquesta visió, les dades del capbreu permeten observar com aquest territori no formava un tot unitari. Per dimensions, el nucli principal, i creiem que primigeni, es correspon amb l'espai abans esmentat. Fins a l'arribada de la refineria, ocupava les partides del mas de Marquès i bona part de la Cloenda, a la Pobla de Mafumet.

La seva delimitació ha estat una de les més senzilles, car, per l'est delimitava amb el riu Francolí i per l'oest amb el camí ral cap a Montblanc, si bé som de l'opinió que no es tractava del camí Tarragona-Montblanc, sinó, més aviat, del conegut com a camí de l'Alzineta, el qual, procedent també de Constantí, si bé situat més cap a l'oest del camí ral de Tarragona a Montblanc, davallava en diagonal fins a unir-se amb aquest, just sobre el terme de la quadra de Requesens. Pel nord el terme delimitava amb el de la Pobla i pel sud amb el terme de la quadra de Vilar de Baró, seguint el límit meridional del que va ser el mas de Marquès. En total, aquesta part del terme abastava, segons el capbreu, seixanta-tres jornals i mig, unes trenta-vuit hectàrees, les quals s'acosten molt a les quaranta-tres hectàrees (uns setanta jornals) que indica el cadastre de rústica de l'any 1955, la qual cosa mostra un diferencial molt minso entre ambdues fonts.

El següent nucli correspon, segons el capbreu, al mas de Pere Virgili. La seva ubicació se'ns presenta un xic dificultosa, car, a més de no esmentar la superfície de les terres del mas, les diverses afrontacions són massa vagues. Amb tot, una dada ens permet una mínima situació: segons la confessió, el mas limitava pel sud amb el torrent de l'Almatella, actualment conegut com del mas Blanch. Per l'oest limitava amb terres del mas de Mateu Bover i del mas Bellets, ambdós del terme del Codony. El mas Bellets —el qual és dels pocs masos que no ha canviat de denominació des de l'edat mitjana fins a l'actualitat— és situat a l'extrem occidental de l'actual terme municipal de la Pobla de Mafumet, i el mas Bover es localitzava també en aquest sector occidental. Per l'est, el mas de Pere Virgili limitava amb terres dels masos de Guillem Virgili i de Bartomeu Aguiló, del terme del Codony. Aquests masos caldria situar-los dins de l'actual mas Blanch i de la partida del mas de Madró, els quals tindrien com a límit oriental el camí de Constantí a Alcover. Finalment, pel nord, limitava amb terres del mas d'on s'havia segregat cent anys abans, també del terme del Codony.

A partir d'aquestes dades, el paisatge resultant seria el d'una illa, de dimensions desconegudes, dins l'espai del terme del Codony —o, més concretament, de les Franqueses del Codony, malgrat que no ho esmenti el document—, la qual hom podria situar, amb totes les cauteles, dins l'actual partida pobletana del Codony. El fet que aquest mas sigui fruit de la divisió d'un d'anterior en dos fa suposar que, molt possiblement, el segon mas, situat al nord del de Pere Virgili, també formés part del terme de la quadra de Requesens, si bé no fou capbrevat per motius desconeguts. Si acceptem aquesta hipòtesi i la ubicació proposada fos la correcta, llavors aquests dos masos devien tenir una superfície d'unes quaranta hectàrees, quasi bé seixanta-set jornals. Establir quina porció corresponia a cada mas és, amb les dades de què disposem, del tot impossible.

El darrer nucli correspon al format per dues parcel·les petites —de tres i sis jornals, respectivament—, sense contacte l'una amb l'altra. Per les afrontacions que presenten, caldria situar-les al territori de Puigdelfí, a la part dreta del Francolí, a l'actual enclavament que Perafort té a la part esmentada del riu, i a l'est del camí ral de Montblanc, però no podem concretar més.

Ara bé, a la major part de les afrontacions dels tinents d'aquesta àrea, ja fossin del terme de Puigdelfí o de la quadra de Requesens, es fa esment al mas de Francesc Baldrich del Morell.[1] D'aquesta persona sabem que, el 1514, llegà a un dels seus fills una casa i una heretat al Morell i una masia a la quadra del Codony.[2] Per altra part, el tros de terra de Jaume Bellver menor era conegut com «del mas d'Examús», la qual cosa suposava que dit tros s'hauria segregat d'un mas allí existent. Per tant, sembla força plausible que dit mas d'en Baldrich formés part del terme de la quadra de Requesens, si bé no fou capbrevat per motius que desconeixem. Aleshores, tant els trossos dels dos Bellver pobletans com els de Guillem Bellver del Morell i de Pere Virgili del mas, aquests darrers tampoc capbrevats, no eren petites parcel·les incrustades inconnexament dins d'un altre terme, la qual cosa té una difícil explicació, fins i tot en un espai tan atomitzat com aquest, sinó parcel·les segregades d'una de més gran, el mas de Francesc Baldrich, anteriorment tingut per la família Examús del Burgar. Aquest mas es trobava situat gairebé al centre de l'enclavament de Puigdelfí, tot limitant per l'oest amb el camí ral de Montblanc i per l'est amb el Francolí. Amb quasi tota seguretat es corresponia amb el conegut com a mas de Torrents. Cal suposar-li una superfície del voltant d'uns cinquanta jornals.[3]

1. De fet, Francesc Baldrich era veí de Vilallonga, si bé, per les seves confessions en el capbreu de la quadra de Vilar de Baró, sabem que actuava com a representant dels interessos de la seva filla, difunta, aquesta sí, resident al Morell.

2. Dada recollida a Recasens: *El senyoriu del Morell*, pàg. 132.

3. Arribem a aquesta xifra a partir de les dades del cadastre de rústica del 1955 del polígon 11 de Perafort i el polígon 4 del Morell, un cop descomptada la superfície de les parcel·les capbrevades o conegudes dels termes de la Pobla, Puigdelfí i la mateixa quadra de Requesens.

La superfície total de la quadra de Requesens, a partir d'aquests tres nuclis, devia ser del voltant dels cent noranta o dos-cents jornals.

TOPÒNIMS LOCALITZATS

Termes i llocs

1. Terme de Puigdelfí
   El terme de Puigdelfí.
2. Terme del Codony
   L'antic terme del Codony
3. Quadra de Vilar de Baró
   L'antiga quadra de Vilar de Baró, actualment dins del terme de la Pobla de Mafumet.

Camins

4. Camí de Montblanc
   El camí ral que anava de Tarragona a Montblanc.

Cursos d'aigua

5. Francolí
   El riu Francolí
6. Sèquia de l'Horta
   També coneguda com a sèquia de Vilar de Baró.
7. Torrent d'Almatella
   El torrent del Mas Blanc.

Partides de terra

8. Masia del Baldrich del Morell del terme del Codony
   Mas de la quadra de Requesens, enclavada dins del territori que Puigdelfí tenia a la part dreta del riu Francolí.
9. Mas de Guillem Virgili del terme del Codony
   Mas situat a les Franqueses del Codony, dins de l'actual terme de la Pobla de Mafumet. Possiblement estava situat a l'actual partida del mas de Madró.
10. Mas de Martí Bover del terme del Codony
    Mas situat a les Franqueses del Codony, dins de l'actual terme de la Pobla de Mafumet. Possiblement estava situat a l'actual partida de la Garjola.
11. Mas de Bartomeu Aguiló del terme del Codony

Mas situat a les Franqueses del Codony, dins de l'actual terme de la Pobla de Mafumet. Possiblement es corresponia amb l'actual mas Blanc.

ELS CONFESSANTS

Els tinents que confessaren disposar d'alguna tinença a la quadra de Requesens foren cinc. D'aquests, tres provenien de masos situats dins la quadra i els altres dos eren de la Pobla. Cal esmentar que, amb data 31 de maig de 1510, apareix l'inici d'una confessió de Pere Bellver de la Pobla, la qual restà inacabada i amb una nota al marge en què especificava que els béns que es volien capbrevar corresponien de fet a la quadra de Vilar de Baró, per la qual cosa no hem inclòs aquesta confessió en el còmput final.

Els confessants de la quadra de Requesens foren:

Andreu Oliver, marit de Caterina, filla de Bartomeu i Tecla Miró, difunts, del mas, parròquia del Codony. Confessà tenir un mas (*Masia sive hereditatem*), la superfície del qual no indicà, si bé en una nota al marge informa que fa vint jornals, i una barquera d'un jornal.

Sebastià Cases, del mas de la quadra de Requesens, terme del Codony. Declarà un mas, sense indicar tampoc la seva superfície, cinc barqueres amb una superfície total de quatre jornals, i quatre trossos de terra amb un total de setze jornals.

Jaume Bellver menor, de la Pobla de Mafumet. Posseïa un tros de terra al lloc dit «del mas d'Examús» de sis jornals.

Jaume Bellver major, de la Pobla de Mafumet. Confessà un tros de terra de tres jornals.

Pere Virgili, del mas terme i parròquia del Codony. Declarà una masia sense indicar-ne la superfície.

A aquests cal afegir aquells tinents que, per raons desconegudes, no confessaren, com fou el cas del mas de Francesc Baldrich del Morell i el dels fills de Pere Virgili, així com les dues sorts o trossos de Guillem Bellver del Morell i de Pere Virgili del mas.

BÉNS URBANS

La quadra de Requesens es trobava estructurada a partir de diversos masos disseminats, sense cap nucli habitacional comú organitzat. De tots els masos esmentats en el capbreu, els únics que restaren dempeus fins ben entrat el segle XX foren el conegut com a mas de Torrents, situat a l'actual enclavament de Perafort, que corresponia al de Francesc Baldrich, i el mas de Marquès,[4] el qual corresponia al del Sebastià Cases del capbreu. Aquest

4. Per a un major coneixement de l'evolució històrica d'aquest mas, vegeu: [MIR, Hèctor i MORENO, Antoni]: «El Mas de Marquès», a *Butlletí Municipal* de la Pobla de Mafumet núm. 37.

mas cal suposar que es trobava situat al mateix emplaçament en què, a la primera meitat del segle XVIII, els marquesos de Tamarit referen l'antic edifici. La destrucció d'ambdós, a ran de la implantació de la refineria, no permet conèixer la possible existència d'estructures més antigues.

De tots els altres masos, malgrat que puguem identificar i situar les seves terres, no n'ha pervingut cap resta. Val a dir que els molins fariners que es documenten en aquesta àrea (el molí Nou a l'enclavament de Perafort i el molí Tendre o del mas del Dit) i a la contigua quadra de Vilar de Baró (el molí de Mir o de l'Horta) foren construïts al llarg de la primera meitat del segle XIX, anteriorment no existia cap altre molí a la zona que el de la Granja de Santes Creus i el Puigdelfí a l'altra banda del riu.

BÉNS RÚSTICS

Cinc tinents declararen, en total, tres masos, sis barqueres i sis trossos de terra, amb una superfície de cinquanta jornals i mig, car dos dels masos no especificaven les seves dimensions. Un cop conegudes aquestes, més les parcel·les dels qui no capbrevaren, la superfície total s'acosta als cent noranta o dos-cents jornals.

Parcel·les

Per a una millor comprensió global, a tots els efectes, s'han considerat els masos com a parcel·les, independentment de la seva superfície. Al quadre 1 no s'han inclòs la parcel·la de Guillem Bellver i la de Pere Virgili, segregades del mas de Francesc Baldrich, perquè és del tot impossible establir mínimament la seva superfície.

Quadre 1. Nombre de parcel·les segons la superfície unitària

Superf. unitària (jornals)	Parcel·les		Superfície	
	Nombre	%	Total	%
1/2	3	18,75	1,5	0,79
1	4	25	4	2,11
3	1	6,25	3	1,58
5	2	12,5	10	5,28
6	2	12,5	12	6,33
20 o +	2	12,5	42	22,16
50 o +	2*	12,5	117	61,74
Totals	16	100	189,5	100

* Al no poder assenyalar la superfície exacta del mas de Pere Virgili i el dels seus fills, s'ha optat per unificar ambdós, com si fossin el mas originari.

A partir de les dades del quadre 1 es poden observar tres tipus de parcel·les. El primer correspon a les parcel·les amb una superfície no superior al jornal. Percentualment, són les més nombroses, malgrat que la seva superfície no arriba al tres per cent del total. Aquestes petites tinences es corresponen de forma abrumadora amb les barqueres; així, sis de les set peces ho són. La setena peça és un tros de terra de regadiu de mig jornal.

El segon grup correspon a parcel·les, la superfície de les quals es troba entre els tres i els sis jornals. En tots els casos es tracta de trossos de terra, els més, setze jornals de vint-i-cinc, situats al costat del mas d'Andreu Oliver, i la resta, corresponent a dues parcel·les segregades del mas de Francesc Baldrich.

El tercer tipus ocupa les parcel·les amb una superfície igual o major a vint jornals. Es tracta ja d'heretats amb dimensions força importants. En tots els casos documentats aquests es corresponen amb masos. Amb tot, dins d'aquests grup es pot observar una subdivisió. Per una part els dos masos amb una superfície al voltant dels vint jornals, corresponents als masos de Sebastià Cases i Andreu Oliver, amb vint-i-dos i vint jornals respectivament. Per l'altra, dos masos més que, en origen, devien tenir una cabuda del voltant els seixanta jornals: un, el situat a la vora del torrent de l'Almatella, el qual, un cop dividit en dos, donà pas a dos masos d'uns trenta jornals de cabuda, aproximadament; i l'altre, el de Francesc Baldrich, el qual tenia, en el moment del capbreu, una cinquantena de jornals, però que podria superar la seixantena si li afegíssim els trossos de terra que havien estat segregats de la finca.

La diferent procedència dels emfiteutes del terme es reflecteix en el quadre 2. Per a un millor coneixement global, malgrat que en desconeixem la superfície, s'han afegit a aquest quadre els dos trossos de terra de Guillem Bellver i de Pere Virgili, car ens consta la seva procedència.

Quadre 2. Nombre de parcel·les declarades segons procedència dels emfiteutes

Procedència	Emfiteutes	Parcel·les		Superfície		Jornals/emfit.
		Nombre	%	Nombre	%	
Q. Requesens	4*	15	78,95	130,5 + ?	68,86	32,6 + ?
Pobla Maf.	2	2	10,52	9	4,75	4,5
El Morell	2	2	10,52	50 + ?	26,38	25 + ?
Total	8	19	100	189,5 + ?	100	

* En aquest cas, hem cregut convenient presentar per separat el mas de Pere Virgili i el dels seus fills, ja que, malgrat no poder assenyalar la superfície exacta de cada mas, això no altera el resultat final.

Les característiques pròpies d'aquest terme, format, fonamentalment, per la unió de diversos masos, es copsa en els resultats. Així, la meitat dels emfiteutes són pagesos de mas del mateix terme, els quals retenen vora el setanta per cent de la seva superfície. La resta es reparteix a parts iguals entre les dues veïnes poblacions de la Pobla de Mafumet i el Morell. L'alt percentatge de superfície per part dels tinents morellencs, al voltant d'una quarta part del total, està motivada pel fet que una de les dues parcel·les correspon a un mas d'uns cinquanta jornals. Sense aquesta gran heretat, la presència forana seria gairebé insignificant.

La preponderància dels pagesos de mas propis del terme es pot copsar i reforçar tot observant el nombre de parcel·les per tinent.

Quadre 3. Nombre de parcel·les declarades per emfiteuta i freqüència de cada declaració

Parc. / Enfit.	Emfiteutes		Parcel·les		Superfície	
	Nombre	%	Nombre	%	Jornals	%
1	4	57,14	4	22,22	59 + ?	31,13
2	2*	28,57	4	22,22	88 + ?	46,44
10	1	14,29	10	55,55	42,5	22,43
Totals	7	100	18	100	189,5 + ?	100

* Al no poder assenyalar la superfície exacta del mas de Pere Virgili i el dels seus fills, s'ha optat per unificar ambdós, com si fossin el mas originari.

Com es pot observar, la terra apareix molt poc parcel·lada i repartida. La immensa majoria dels emfiteutes (sis de set) tenen un màxim de dues parcel·les, i un de sol en posseeix deu. Els quatre tinents d'una sola parcel·la corresponen als tinents forans. Els dos emfiteutes amb dues parcel·les corresponen al mas d'Andreu Oliver i al mas original de Pere Virgili. De fet, si dividíssim aquest en el mas de Virgili i en el dels seus fills, aquests sense cap altra parcel·la coneguda dins del terme, reforçaria encara més aquesta visió d'emfiteutes amb una o, màxim, dues parcel·les. El darrer cas, amb deu parcel·les, s'allunya d'una manera força remarcable de la tendència general. Sebastià Cases posseïa, a més del seu mas, nou parcel·les més. Ara bé, aquestes, de fet, es trobaven totes agrupades en un mateix indret, colindants les unes amb les altres, de tal manera que, en realitat, es tractava d'una sola finca.

Per tant, la imatge general és la d'un terme format fonamentalment per diversos masos, els tinents dels quals disposaven, a més del mateix mas, d'una altra peça de terra. Els tinents forans disposaven d'una sola parcel·la, normalment de poca entitat, llevat del mas del morellenc / vilallonguí Francesc Baldrich.

Els cultius

A diferència d'altres capbreus, el de la quadra de Requesens se'ns presenta força pobre a l'hora de donar detalls dels tipus de conreus que s'hi desenvolupaven. Com que es tracta d'un terme format bàsicament per masos, cal suposar que, en cada un d'ells, com a unitats productives independents que eren, s'hi donava una certa diversitat de cultius i fins i tot erms. Només ens podrem limitar a apuntar-ne somerament alguns a partir de petits detalls de les confessions i, sobretot, pels censos a satisfer a la senyoria.

Així, als masos de Sebastià Cases i Andreu Oliver, així com a la llenca de terra existent entre aquest mas i el terme de la Pobla, sabem que hi havia terres de regadiu —menys de les que es podria pensar, com es veurà més endavant—; per tant, cal suposar que s'hi produïen cultius d'horta, així com també, molt possiblement, cànem. En una de les parcel·les de Sebastià Cases s'esmenta el pagament del cens pels olivers.

Al nord, a les finques segregades del mas de Francesc Baldrich, els censos fan només referència a cereals, ordi concretament. Mentre que al sud, al mas de Pere Virgili, segons els censos a satisfer, hi havia present tant l'ordi com els olivers.

A nivell general, sembla molt probable que els cultius del terme seguissin la pauta majoritària a la zona, amb una preponderant presència dels cereals. Cal fer esment que en cap cas s'ha localitzat la més mínima referència al cultiu de la vinya.

Una dada que sí que apareix al text, si bé no amb la freqüència amb què es desitjaria, és la del tipus de terra, car en alguns casos es distingeix en la descripció entre terra de secà i de regadiu. El quadre 4 recull les dades només d'aquells espais que podien haver estat irrigats i dels quals tenim dades, això és el mas de Sebastià Cases i el d'Andreu Oliver i l'espai annex a aquest. El mas de Francesc Baldrich sembla que també arribava fins al Francolí, però, com que no tenim la confessió, no s'ha inclòs al quadre.

Quadre 4. Tipologia de terres i la seva extensió

Tipologia	Parcel·les		Superfície (jornals)	
	Nombre	%	Total	%
Regadiu	2*	15,38	1,5	2,36
Secà	2*	15,38	10	15,75
No especificat	9	69,23	52	81,89
Total	13	100	63,5	100

* S'ha desglossat una parcel·la de sis jornals, la qual, en la confessió, s'especifica que cinc jornals són de secà.

Com es pot observar, la presència de terres de regadiu és força minsa. Si bé és cert que a la confessió del mas d'Andreu Oliver els censos especifiquen el pagament del regadiu, sense, malauradament, donar la seva superfície, i que per les terres del mas de Sebastià Cases també hi passava la sèquia de l'Horta de la Pobla, la impressió general és que, malgrat l'ampli front que presenta aquest sector del terme, proporcionalment l'aprofitament del regadiu era molt menor que al veí terme de la Pobla, amb un front molt més petit. Un aspecte que sembla reforçar aquesta idea és el mateix fet de distingir entre terres de secà i de regadiu. Si una peça de terra no pot ser irrigada, ¿quin sentit té especificar que és de secà? Aquest fet s'observa perfectament en una de les peces de terra de Sebastià Cases. Aquesta, de sis jornals, era situada entre el riu i la sèquia, però la confessió especifica que cinc jornals són de secà.

LES SERVITUDS

Tots els emfiteutes del terme, a l'inici de la seva confessió, estaven obligats a reconèixer, mitjançant jurament sobre els quatre Evangelis, al Capítol de la Seu tarragonina com a senyor directe i alodial dels seus béns, el qual disposava del dret de firma, fadiga, lluïsme al terç i empara, així com altres plens drets.

Així mateix, a la darrera part de la confessió, mitjançant l'anterior jurament es reconeixien vassalls del Reverend Capítol.

Censos

Com a la resta de capbreus, el tret definitori és el de l'heterogeneïtat. Malgrat això es poden distingir certes concomitàncies segons el tipus de terra o de conreu. També s'observen diferències segons l'àrea del terme.

Pel que fa a l'àrea central, tinguda per Sebastià Cases i Andreu Oliver, es poden copsar diverses modalitats de pagament. Les barqueres són les que presenten una major uniformitat, car ambdós tinents pagaven un cens amb gallines per Nadal. Tot i així, Andreu Oliver havia de pagar dues gallines per una barquera d'un jornal i Sebastià Cases en pagava nou per cinc barqueres amb una superfície total de quatre jornals.

La resta de terres satisfeien el cens en parts de fruit. Les de regadiu eren les que pagaven proporcionalment un cens més alt. En dos casos es tractava d'una onerosa quarta part de fruits i esplets i en un altre una cinquena part. Pel que fa als quatre trossos de terres de secà o sense especificació, un pagava una quarta part, un altre la cinquena part, un altre la sisena i un altre la setena.

En una de les peces de terra de Sebastià Cases s'especifica que els olivers paguen de cens una desena part. Al mas d'Andreu Oliver, després d'especificar el que paguen les terres de secà i les de regadiu, esmenta una tasca a l'onzena part sense determinar el tipus de fruit. És possible que, per similitud en la proporció, aquesta tasca s'apliqués als olivers o altres arbres fruiters.

Al sector nord, els dos pobletans satisfeien el cens amb quantitats fixes de fruits per Sant Pere i Sant Feliu. Així, Jaume Bellver menor, per una peça de sis jornals, havia de satisfer deu quartans d'ordi, i Jaume Bellver major, per un tros de tres jornals, satisfeia una fanega d'ordi.

Al sector meridional, Pere Virgili no presenta cap tipus de cens pel seu mas, però sí diversos serveis personals i destrets.

Serveis personals

En cap cas, llevat del de Pere Virgili, el capbreu no recull cap tipus de serveis personals. Pel que fa a Virgili, aquests serveis s'havien transformat en un cens fix. Així, per una jova havia de satisfer per Tots Sants sis sous; pel dret de teulatge, el dia de Carnestoltes, mig quartà d'oli; i, pel dret de forn, per Sant Pere i Sant Feliu, mitja quartera d'ordi a mesura de Constantí.

TRANSMISSIÓ DE LES TINENCES

A partir del següent quadre es poden observar les diferents transmissions que es donaren a la quadra de Requesens.

Quadre 5. Tipus de transmissió de les tinences

Tinent	Tinença	Darrera transmissió	Transmissió anterior
Andreu Oliver del mas	Un mas i una barquera	Ho té per la seva dona. Herència de sons pares, Bartomeu Miró i Tecla	—
Sebastià Cases del mas	Un mas, cinc barqueres, quatre trossos	Herència de son pare, Bernat Cases	—
Jaume Bellver menor de la Pobla	Un tros	Herència de son pare, Pere Bellver	Compra de Pere Bellver a Pere i Berenguer Examús del Burgar el 1465

Tinent	Tinença	Darrera transmissió	Transmissió anterior
Jaume Bellver major de la Pobla	Un tros	Compra de Jaume Bellver major a Joan Gondolbeu de la Selva el 1491	—
Pere Virgili del mas	Un mas	Herència de son pare	Divisió d'un mas en dos entre Andreu Olesa i Antònia Olesa, dona de Pasqual Virgili el 1419

La dinàmica que sembla presidir aquesta quadra és la d'una certa estabilitat. Dels cinc confessants, un adquirí la tinença per compra i quatre reberen les seves tinences per herència paterna (en un dels casos, els béns del confessant corresponien a la seva dona). D'aquests, dos masos havien restat en mans de les mateixes famílies i un tercer fou fruit de la divisió entre germans d'un mas en dos. El darrer fou degut a una compra del pare del confessant. Per tant, on més moviment s'observa és en aquelles parcel·les segregades del mas dit d'Examús, mas que, hipotetitzem, devia ser adquirit amb posterioritat al 1465 per Francesc Baldrich del Morell/Vilallonga.

Pel que fa a l'origen dels venedors coneguts, aquests eren força propers entre si, car Joan Gondolbeu era de la Selva i Pere i Berenguer Examús de la contigua quadra del Burgar, però es trobaven relativament allunyats de les tinences que detenien.

Les escriptures presentades tenen una procedència força heterogènia. Així, una fou feta a la rectoria de Constantí, una altra fou redactada per un notari de la Selva i la darrera s'estengué a la rectoria del Codony.

CONCLUSIONS

El territori de la quadra de mossèn Requesens, com s'ha vist, estava format per diversos masos, si bé no constituïen un conjunt homogeni. Si bé podem localitzar el seu nucli a la vora del Francolí, posteriorment s'haurien agregat dos masos més, tots sota la mateixa senyoria, la qual era l'únic nexe d'unió entre entitats tan separades.

El nucli principal estava constituït per dos masos, el de Sebastià Cases i el d'Andreu Oliver, ambdós paral·lels entre si i amb unes mides similars del voltant dels vint jornals cadascun. Al nord, la part restant d'aquest espai formava una llenca també paral·lela i també d'uns vint jornals, però dividida en diverses parcel·les. Aquesta distribució, de tres espais de similar superfície i paral·lels entre si, ens porta a pensar que, originàriament, aquest espai hauria pogut estar dividit en tres masos de similars superfícies, dels quals un, el més septentrional, ja hauria desaparegut, i les seves terres s'haurien repartit en diverses parcel·les. Malgrat que no disposem de cap dada que pugui avalar aquesta hipòtesi, creiem que no és gaire desencertada si tenim en compte que el mas d'Andreu Oliver no sobrevisqué gaire més temps, car ja no apareix en el fogatjament de 1553 ni en el capbreu de 1556. Les terres de l'antic mas quedaren també repartides en diverses parcel·les, de tal manera que, tot resseguint el parcel·lari de 1955, ens és del tot impossible determinar els seus límits exactes, a l'inrevés del que succeeix amb les parcel·les formades al que va ser el mas de Marqués.

Els altres dos nuclis també presenten algunes característiques especials. Així, al sud-oest, al mas de Pere Virgili, el mas originari fou dividit per la mateixa família en dos masos. Pel que fa al situat al nord, de Francesc Baldrich, el mas s'hauria segregat del territori de Puigdelfí, i restava com un enclavament dins de dit espai.

Com a terra formada per masos —i a partir de masos també— els principals receptors de terres foren els mateixos pagesos de mas de la quadra, els quals, a més del mas, tenien alguna peça de terra més. Per contra, els tinents forans només disposaven d'una sola peça, la qual cosa feia que la seva presència al terme fos testimonial, si no és pel fet que un d'aquests forans havia adquirit un extens mas.

El cultiu majoritari i gairebé preponderant era el dels cereals, si bé també hi ha diverses referències a oliveres. Per contra, no ha aparegut cap esment al cultiu de la vinya a cap mas de la quadra. La posició del nucli principal de la quadra i del mas situat al seu nord, a ran de la riba del Francolí, juntament amb el fet que per ambdós espais hi circulés la sèquia de Vilar de Baró, afavorí l'existència de terres de regadiu, si bé en menor nombre del que haurien pogut disposar, atès l'ampli front fluvial de la quadra.

Les diferents modalitats de censos que s'observen en els tres espais de la quadra són una mostra més de la diversitat d'orígens dels seus masos. Així, al sector central, tots els censos eren a parts de fruit, llevat de les barques, el pagament dels quals es feia amb gallines. Pel que fa als cereals, s'havia de satisfer una mitja tasca que oscil·lava entre una quarta part i una setena. Per contra, els olivers satisfeien una tasca al desè o a l'onzè. Pel que fa a l'àrea nord, malgrat que no podem saber quin cens havia de satisfer Francesc Baldrich pel seu mas, els dos tinents que confessaren havien de pagar un cens amb quantitats fixes d'ordi. Per contra, al sector sud, el mas de Pere Virgili no tenia cap tipus de cens, però era l'únic de tota la quadra que estava obligat a realitzar serveis personals i pagar destrets, com eren una jova, el dret de teulatge i el de forn, si bé tots havien estat reduïts a prestacions fixes en diners i en oli i ordi.

Pel que fa a les transmissions, gairebé tots els béns foren heretats dins de la mateixa família. Tan sols s'observa un cert moviment de compravenda al sector nord.

LA QUADRA DE VILAR DE BARÓ

ANÀLISI DEL DOCUMENT

El capbreu de la quadra de Vilar de Baró s'inicia al foli 147 *recto*, si bé, com a la resta de capbreus, la crida es troba a la pàgina anterior, al foli 146 *verso*. Ocupa fins al foli 160 *recto*. A la pàgina següent, foli 161 *recto*, apareix l'inici d'una confessió inacabada. Únicament consta l'encapçalament amb la data —dimecres, 18 de setembre de 1510— i el lloc on es redactà, els Pallaresos. La resta de pàgines apareixen en blanc fins al foli 184 *recto*.

La crida convoca a tots els vassalls emfiteutes i terratinents del terme de la quadra de Vilar de Baró a capbrevar a partir del dissabte 18 de maig de 1510.

Els tinents presentats a capbrevar foren onze, amb un total de dotze confessions. La primera confessió tingué lloc el mateix 18 de maig a Puigdelfí. Tres dies més tard, el dimarts 22, també a Puigdelfí capbrevaren dos tinents més. Les següents confessions foren redactades a la Pobla de Mafumet una setmana més tard; el dimarts 28 de maig confessaren tres tinents i l'endemà ho féu un tinent i un altre que havia confessat el dia abans. El divendres 31 de maig confessà un altre tinent a Vilallonga, i a la mateixa localitat ho féu un altre tinent el dia 19 de juny. El 25 de juny es produí una altra confessió a Tarragona i la darrera, feta als Pallaresos, té data de 18 de setembre de 1510.

Les confessions mostren el mateix esquema general present als altres capbreus. Aquestes es feren en presència del reverend senyor Joan Poblet, canonge i síndic anual d'aquell any del Capítol de la Seu tarragonina. Els testimonis cridats, com a la resta, foren el discret Miquel de Roda, notari públic de la ciutat de Saragossa, i Baltasar de Moncal, habitant de la ciutat de Tarragona. A la penúltima confessió, feta a Tarragona, els testimonis foren Gabriel Moreno, matalasser, i Gabriel Solzina, hostaler, ambdós de Tarragona. Els testimonis presents a la confessió feta als Pallaresos foren Pere Virgili i Bernat Aguader, pagesos del terme i parròquia del Codony.

A l'inrevés que en d'altres, en aquest capbreu no apareix cap anotació dels noms dels tinents al marge esquerre. Tan sols, com a la resta, diverses esmenes o el resum dels censos a satisfer.

DESCRIPCIÓ DEL TERME

El terme de la quadra de Vilar de Baró ha estat un dels més fàcils d'identificar i ubicar. Presenta un perímetre gairebé rectangular. Per l'est limita amb el riu Francolí i per l'oest amb el camí ral de Tarragona a Montblanc. Al nord termena amb el límit meridional del mas de Marquès (el mas de Sebastià Cases en el capbreu), el qual pertanyia a la quadra de Requesens. Una estreta llenca de terra en sentit est-oest al sud del camí del Codony separava la part meridional del terme amb la contigua quadra de la Camareria.

El torrent de Mestres que, procedent del mas de Marquès, davalla fins al Francolí en sentit nord-oest/sud-est i divideix aproximadament una quarta part del terme, la més nord-oriental. Aquest sector correspon a la partida coneguda actualment com de les Hortes del Molí de Mir. La resta del terme s'engloba dins de la partida de les Hortes del Codony o de Sant Joan.

Dins del terme es localitzen diverses sèquies. Per una part, la coneguda com a «sèquia o rec de l'horta», la qual molt possiblement es correspon amb la sèquia de Vilar de Baró; aquesta, que s'inicia al terme de la quadra dels Hospitals, apareix manta vegades referenciada als capbreus dels termes colindants. El capbreu cita també en algun cas el «rec nou», part del qual, creiem, devia discórrer paral·lel al camí ral de Montblanc. Finalment, la coneguda com a «sèquia dels molins de Constantí» o «de l'arquebisbe» té el seu inici vora el límit sud-oriental del terme.

La disposició i forma de les parcel·les permeten distingir tres tipologies diferents. Així, l'espai més proper al Francolí i delimitat a l'oest i sud pel torrent de Mestres, presenta unes finques estretes i allargassades en sentit est-oest, paral·leles entre si i de no gaire grandària. Les parcel·les situades al nord i al sud del camí del Codony presenten una disposició també força regular i majors dimensions. Tota la resta, el sector nord-occidental del terme, per contra, es caracteritza per unes parcel·les totalment irregulars, fet produït, possiblement, per l'adequació d'aquestes al recorregut de les sèquies i els seus diversos ramals.

A partir de les dades provinents del cadastre de rústica de 1955, el terme de la quadra de Vilar de Baró tenia una superfície d'unes cinquanta-nou hectàrees, gairebé cent jornals. Si es té en compte que en el capbreu només hi consten seixanta-dos jornals i quart, més tres parcel·les de dimensions desconegudes, hom pot copsar l'altíssim grau d'ocultació de dades que es produeix en aquesta quadra. Les terres no declarades podrien arribar a representar al voltant del trenta per cent del total.

TOPÒNIMS LOCALITZATS

Termes i llocs

1. *Camereria*
La quadra de la Camareria. El límit meridional de la quadra de Vilar de Baró llindava amb aquella.

Camins

2. *Camino de Coctano; Camino quod itur ad locum de Coctano; Camino publico loci de Coctano; Via publica quod itur al Codony*
El camí del Codony, al sud de la quadra. Naixia al camí ral de Montblanc i arribava fins al riu Francolí.

3. *Camino de Montblanc; Camino publico quod itur ad villam Montisalbi*
El camí ral de Tarragona a Montblanc.

Cursos d'aigua

4. *Rivo Francolini*
El riu Francolí.

5. *Rigo sive rech de l'orta*
El rec o sèquia de l'horta. Correspon a la sèquia coneguda com de Vilar de Baró, la qual prenia les aigües del Francolí al terme de la quadra dels Hospitals.

6. *Rego novo*
Molt possiblement aquesta sèquia nova fos un ramal de la sèquia de Vilar de Baró. Per diverses afrontacions sembla que es trobava a la part occidental de la quadra, essent possible que algun tram anés paral·lel al camí ral de Montblanc.

7. *Sequia molendini loci de Gostantino; Sequia molendini de l'arquebisbe*
La sèquia dels molins. S'inicia a l'extrem sud oriental del terme i, tot travessant la quadra de la Camareria, arriba fins a Centcelles.

Els trossos de terra

8. *Lo sera*
Tros de terra de dos jornals de Sebastià Cases, del mas de la quadra de mossèn Requesens. Es trobava a l'oest del terme, a l'actual partida de les

Hortes del Codony o de Sant Joan, tot vorejant el camí ral de Tarragona a Montblanc.

9. L'albareda

Tros de terra de Jaume Bellver major de la Pobla de Mafumet, situat entre el riu Francolí i la sèquia dels molins de Constantí.

10. Lo clot

Tros de terra de quatre jornals, pertanyent a Bartomeu Aguiló, del mas, terme del Codony. Era situat vora el Francolí, i llindava al nord amb el camí del Codony, a l'actual partida de les Sorts.

11. La sortanella

Tros de terra d'un jornal del mateix Aguiló, situat a l'actual partida de les Hortes de Sant Joan o del Codony, que vorejava pel sud el camí del Codony.

12. La sort d'en Barenys

Era un tros de terra del dit Aguiló. Situada a l'actual partida de les Hortes de Sant Joan o del Codony.

ELS CONFESSANTS

El nombre de tinents que confessaren tenir alguna parcel·la a la quadra de Vilar de Baró fou d'onze, homes i pagesos en la seva totalitat. La procedència d'aquests és força diversa. Predominen els tinents de la Pobla de Mafumet, amb cinc confessants, seguits dels de Puigdelfí, amb dos confessants. Amb un sol confessant trobem tinents procedents de la quadra de la Camareria, de la quadra de Requesens, de Vilallonga i del Codony. En un cas, el tinent de Vilallonga actua com a marmessor de la seva difunta filla, habitant al Morell.

Els tinents de la quadra de Vilar de Baró que confessaren foren:

Bartomeu Bosch, pagès de Puigdelfí. Declarà un tros de terra de tres jornals.

Jaume Gavaldà, pagès del mas de Puigdelfí.[1] Declarà quatre trossos de terra, amb un total d'onze jornals.

Antoni Dalmau, pagès de la quadra del Camarer. Declarà un tros de terra de deu jornals.

Jaume Guardiola, pagès de la Pobla de Mafumet. Declarà cinc trossos de terra, amb un total de tretze jornals.[2]

Joan Magrinyà, de la Pobla de Mafumet. Declarà dos trossos de terra, amb un total de tres jornals.

---

1. El mas en qüestió era situat a l'actual enclavament del Campot, a la riba dreta del Francolí.
2. Jaume Guardiola fou l'únic en fer dues confessions. La primera, el dia 28 de maig, en què declarà quatre parcel·les, i l'endemà en declarà una altra més.

Sebastià Cases, del mas de la quadra de mossèn Requesens. Declarà dos trossos de terra, amb un total de quatre jornals.

Jaume Bellver menor, pagès de la Pobla de Mafumet. Declarà tres trossos de terra, amb un total de quatre jornals i mig.

Pere Bellver, pagès de la Pobla. Declarà tres trossos de terra, amb un total de quatre jornals i quart.

Francesc Baldrich, pagès de Vilallonga. Declarà una sort de terra, sense especificar la seva capacitat.

Jaume Bellver major, habitant de la Pobla. Declarà dos trossos de terra, amb un total de quatre jornals i mig, i un altre tros de terra sense especificar la seva capacitat.

Bartomeu Aguiló, pagès del mas terme del Codony. Declarà dos trossos de terra, amb un total de cinc jornals i un altre tros de terra sense especificar la seva capacitat.

Gràcies a les afrontacions declarades, coneixem l'existència d'altres tinents amb parcel·les a la dita quadra que no capbrevaren per motius desconeguts. A partir del fogatjament de 1515 s'ha pogut determinar la procedència de tots ells.[3] Aquests són Cristòfol Borradà, de Constantí; Bernat Calbó, del Morell; i Bartomeu March, Antoni Cases, Guillem Virgili i en Busquet, tots ells de masos del Codony. Així mateix, apareixen citats a les afrontacions Joan Aguiló i Pere Pastor, els quals no apareixen en el fogatjament de 1515 però sí al del 1496;[4] per tant, havien mort amb anterioritat a la data del capbreu. Així, Joan Aguiló consta com el pare de Bartomeu Aguiló (qui sí que capbrevà) i Pere Pastor ocupava el mateix mas que, posteriorment, posseïa Antoni Cases.

En d'altres casos, com els de Joan Bellver, Bartomeu Cases, Francesc Virgili o Jaume Cases, la identificació ha estat del tot impossible, si bé per la concomitància de cognoms es podria tractar de pares o avantpassats propers d'algun dels tinents abans esmentats. Això no s'ha d'entendre com una anomalia, car el fet d'esmentar a les afrontacions d'una finca no al vigent propietari veí, sinó al seu pare, o fins i tot a l'avi, és una pràctica que, fruit del costum, encara ens podem trobar a l'actualitat.

BÉNS URBANS

A l'inrevés dels altres termes, a la quadra de Vilar de Baró no ha existit mai cap nucli de població, malgrat que la mateixa etimologia del seu nom així ho podria portar a pensar. Tot i ser una notícia força tardana, sabem que,

---

3.   RECASENS: *El senyoriu del Morell*, pàgs. 162-165.
4.   IGLÉSIES: *La població de les vegueries de Tarragona, Montblanc i Tortosa, segons el fogatge de 1496*, pàg. 110.

el 1727, els dos jurats de la Pobla declararen que a dita quadra mai no hi havia existit cap casa habitada.[5]

Amb tot, sí que hem de referenciar l'existència al terme d'una construcció: l'església o ermita de Sant Joan i Santa Maria del Lledó.[6] El seu origen hom l'ha suposat, sense cap base documental, cal dir-ho, en l'església de Sant Joan del Consell, citada a la butlla del papa Anastasi IV el 1154, si bé les primeres referències documentals apareixen a partir de mitjan segle XV.[7] L'ermita estava situada dins la partida de terra a la qual, posteriorment, donà nom, a prop del mas de Jaume Gavaldà del terme de Puigdelfí, i, segurament, a tocar del camí ral de Montblanc. El fet que, a causa del seu precari estat de conservació, l'ermita fos desmuntada i totes les imatges, ornaments i materials constructius traslladats a la Pobla el 1801, fa molt difícil determinar la seva situació exacta.

L'existència d'ermitans es troba documentada durant la segona meitat del segle XVII, però no disposem de dades anteriors. Tot i així, pel que fa al segle XVI, època de redacció del capbreu, sembla que no n'hi hagué cap. No apareix cap ermità (o persona resident a Vilar de Baró) en cap dels fogatjaments existents. Igualment, en cap dels dos capbreus del segle XVI no confessa cap ermità o apareix esmentat a cap de les afrontacions.

BÉNS RÚSTICS

Es declararen un total de vint-i-vuit parcel·les per part d'onze tinents, amb una superfície total de seixanta-dos jornals i tres quartons, si bé en tres de les parcel·les no s'especifica la grandària.

Les parcel·les

La quadra, sense cap nucli, i dedicada íntegrament a l'explotació, presenta una gran fragmentació. Malauradament, l'alt nombre de tinents que no confessà, així com el fet que en tres de les parcel·les no s'esmenten les seves dimensions, distorsionarà forçosament el resultat final.

L'alta fragmentació en parcel·les de desigual tamany es pot observar al quadre 1. En aquest cas, s'han obviat les tres parcel·les de les quals no coneixem la superfície.

---

5.   Cortiella: *Història de la Pobla de Mafumet*, pàg. 54.
6.   [Mir, Hèctor]: «L'ermita de Sant Joan del Lledó». A: *Butlletí Municipal* de la Pobla de Mafumet núm. 45.
7.   Icart: *Ordinacions i crides de la ciutat de Tarragona*, pàg. 88.

Quadre 1. Nombre de parcel·les segons la superfície unitària

Superf. unitària (jornals)	Parcel·les		Superfície	
	Nombre	%	Total	%
9/12	1	4	0,75	1,20
1	4	16	4	6,42
1,5	3	12	4,5	7,23
2	9	36	18	28,92
3	3	12	9	14.46
4	4	16	16	25,71
10	1	4	10	16.06
Totals	25	100	62,25	100

Tal i com s'observa, les parcel·les majoritàries, amb més d'un terç del total capbrevat, són les de dos jornals. Les parcel·les amb una superfície inferior o superior als dos jornals són presents en igual nombre. Aquesta paritat no es reflecteix, però, en les superfícies totals de cada grup. Així, les parcel·les amb una superfície de dos jornals representen vora un terç del total de jornals capbrevats, però les quatre finques de quatre jornals sumen una quarta part del total. Per contra, les menors de dos jornals no arriben ni tan sols al catorze per cent. La quartera i mitja d'una de les parcel·les és gairebé testimonial. A l'altra banda de l'espectre ens trobem amb una finca de deu jornals, la qual, per si sola, amb un setze per cent del total, ja representa un percentatge major que totes les parcel·les inferiors a dos jornals.

El paper d'espai d'explotació buit d'habitants i, per tant, aprofitat per part de tinents amb residència forana al terme es pot copsar al quadre 2, on es reflecteix la procedència de tots els capbrevants. Per a una millor comprensió final, tots els pagesos de mas s'han unificat en un sol grup, car el fet de residir en quatre termes diferents hauria distorsionat força els resultats, ja que, de fet, tres dels masos, el del terme de Puigdelfí, el de la quadra de la Camareria i el de la quadra de Requesens, eren colindants amb el terme de la quadra de Vilar de Baró, i el quart, del terme del Codony, era pràcticament a tocar. També s'han inclòs les parcel·les amb superfície desconeguda però amb procedència de l'emfiteuta ben definida.

Quadre 2. Nombre de parcel·les declarades segons procedència dels emfiteutes

Procedència	Emfiteutes	Parcel·les		Superfície		Jornals/Emfit.
		Nombre	%	Nombre	%	
Puigdelfí	1	1	3,57	3	4,82	3
Masos	4	10	35,71	30 + ?	48,19	7,5

Pobla Maf.	5	16	57,15	29,25 + ?	46.99	5,9
El Morell*	1	1	3,57	?	?	
Total	11	28	100	62,25 + ?	100	

*El confessant, de Vilallonga, actua com a marmessor de la seva filla, resident al Morell.

El major nombre tant de tinents com de parcel·les correspon a la Pobla de Mafumet. Segueixen els tinents dels masos, els quals tot i ser un tinent menys respecte a la Pobla i disposar de menys parcel·les, els superen lleugerament pel que fa a la superfície total de les seves finques. Molt per darrere queden els tinents de Puigdelfí i del Morell, amb un tinent i una parcel·la, respectivament. Per tant, sembla que els principals beneficiaris de les terres de Vilar de Baró foren els pagesos dels masos propers, seguits molt de prop pels habitants de la Pobla.

Aquesta preponderància dels masos quedaria encara més palesa si, al llistat de capbrevants, s'hi afegissin aquells que no confessaren però què coneixem per les diverses afrontacions declarades. El total de tots els emfiteutes coneguts de Vilar de Baró s'observa al quadre 2.1. Atès que es desconeix el nombre de parcel·les (i la seva superfície) dels qui no declararen, s'ha obviat aquesta part. Com en el quadre anterior, tots els pagesos de mas apareixen en un sol grup.

Quadre 2.1 Nombre de parcel·les declarades segons procedència dels emfiteutes

Procedència	Emfiteutes	%
Puigdelfí	1	5,88
Masos	8	47,06
Pobla Maf.	5	29,42
El Morell	2	11,76
Constantí	1	5,88
Total	17	100

Amb aquest nou quadre es referma el fet que els principals beneficiaris foren els veïns més propers, en aquest cas els pagesos dels masos colindants o propers, amb gairebé el cinquanta per cent de tinents coneguts, seguits pels de la Pobla, amb gairebé un trenta per cent. Els tinents procedents de llocs més allunyats —tot i la poca distància existent— els segueixen molt de lluny.

En el quadre 3 es pot observar el nombre de parcel·les que acumula cada emfiteuta i la seva superfície total.

Quadre 3. Nombre de parcel·les declarades per emfiteuta i freqüència de cada declaració

Parc./emfit.	Emfiteutes		Parcel·les		Superfície	
	Nombre	%	Nombre	%	Jornals	%
1	3	27,27	3	10,72	13 + ?	20,88
2	2	18,18	4	14,28	7	11,24
3	4	36,36	12	42,86	18,25 + ?	29,32
4	1	9,09	4	14,28	11	17,68
5	1	9,09	5	17,86	13	20,88
Totals	11	100	28	100	62,25 + ?	100

La terra apareix molt desigualment repartida. El grup majoritari correspon al dels emfiteutes que disposen de tres parcel·les, els quals ocupen més del quaranta per cent d'aquestes, amb una superfície de vora el trenta per cent. A aquest grup el segueixen el dels qui només posseeixen una sola parcel·la i el d'aquells que en tenen dues. En total, aquests dos grups només disposaven del vint-i-cinc per cent de les parcel·les, amb una superfície d'una mica més del trenta per cent (cal remarcar que, dins del grup amb una sola peça, es troba una parcel·la de deu jornals, la més gran de les documentades a la quadra). Per contra, només trobem dos emfiteutes amb més de tres parcel·les, un amb quatre i un altre amb cinc. Ells dos ocupen més d'un trenta per cent de les parcel·les, i disposen de vora el quaranta per cent de totes les terres capbrevades.

La majoritària ocupació de l'espai de Vilar de Baró per part de tinents provinents de termes colindants o molt propers, així com una gran concentració de finques en poques mans es pot corroborar si ens fixem en els principals tinents. Així, el major emfiteuta de Vilar de Baró, amb tretze jornals, seria Jaume Guardiola, de la veïna Pobla de Mafumet, seguit per Jaume Gavaldà, del colindant mas, terme de Puigdelfí, amb onze jornals, i Antoni Dalmau, del també colindant mas de la quadra de la Camareria, amb deu. Ells tres, només, ja ocupaven més de la meitat del total de la superfície capbrevada.

Cal ressenyar el fet que, en cap de les afrontacions de les parcel·les capbrevades, no hi ha cap esment a terres pròpies de les reserva dominical; així, tot l'espai de la quadra restava repartit entre els diversos tinents.

Els cultius

El capbreu de la quadra de Vilar de Baró, és, respecte als cultius que s'hi desenvolupaven, força pobre en dades. A partir dels minsos detalls que proporcionen les confessions, hom pot concloure que el cultiu hegemònic a la quadra de Vilar de Baró era el dels cereals, però sense que se'n pugui especificar el tipus. Amb tot, l'ordi era present amb tota seguretat car diversos censos s'havien de satisfer amb quarteres d'aquest cereal.

L'altre cultiu detectat era el dels àlbers. Una parcel·la de terra, flanquejada a l'est i l'oest pel riu Francolí i per la sèquia dels molins de Constantí respectivament, rebia el gràfic nom de *l'albareda*. Colindant pel nord amb aquesta finca es trobava l'albereda de Francesc Virgili. Aquestes són les dues úniques referències a àlbers a la quadra de Vilar de Baró, per la qual cosa sembla que aquest cultiu es trobava circumscrit al petit espai existent entre la sèquia dels molins i el riu Francolí.

No hi ha cap més notícia d'altres cultius, si bé el cens a satisfer per part d'una parcel·la ens podria obrir el ventall de cultius existents, car especifica que es pagava el quart de fruits i esplets, tant grans com menuts, ja fossin d'arbres com de vinyes. Malgrat això, no disposem de cap dada més al respecte. Pel que fa a la terra erma, només s'ha documentat una parcel·la de tres jornals que reconegui aquesta situació.

El fet que el terme de Vilar de Baró estigués creuat per diverses sèquies, ja que, segons el capbreu, ens trobem d'oest a l'est amb l'anomenat Rec nou, la Sèquia de les Hortes o de Vilar de Baró i la Sèquia dels Molins de Constantí, fa suposar que, si no tota, la immensa majoria de terres del terme serien terres de regadiu. Amb tot, i a diferència d'altres capbreus, com per exemple el de la veïna quadra de Requesens, en cap de les parcel·les capbrevades es fa distinció entre terres de secà i de regadiu, tal vegada perquè al ser de regadiu la pràctica totalitat del terme, això ho feia innecessari.

LES SERVITUDS

Tots els emfiteutes del terme, a l'inici de la seva confessió, estaven obligats a reconèixer, mitjançant jurament sobre els quatre Evangelis, al Capítol de la Seu tarragonina com a senyor directe i alodial dels seus béns, el qual disposava del dret de firma, fadiga, lluïsme al terç i empara, així com altres plens drets. Així mateix, es reconeixien vassalls del Reverend Capítol.

Els censos

Com a la resta de capbreus, la modalitat de censos a satisfer és força àmplia, i la seva quantia, sembla, a priori, tan arbitrària com en els altres. El tipus majoritari documentat era el cens en espècie, a parts de fruit, present en dotze de les vint-i-vuit parcel·les confessades; el segueix el cens en metàl·lic, en deu parcel·les; molt per darrere es documenten quatre parcel·les que paguen un cens fix en quarteres d'ordi; finalment, en una parcel·la s'especifica que està exempta de pagar cens, i en una altra no s'esmenta.

Pel que fa als censos a parts de fruit, en set casos satisfeien una quarta part de la collita. Els segueixen, molt per sota, els censos d'un cinquè i un sisè de la collita, amb dues parcel·les respectivament. Per últim, una parcel·la satisfeia un onerós terç de cens. Malgrat les diferències existents, s'intueix, en només alguns casos, una certa racionalització en el repartiment. Així, les parcel·les més occidentals, les colindants amb el camí ral de Montblanc, i, per tant, en teoria, més allunyades de les zones de rec o de menor productivitat, satisfeien un percentatge més baix; les dues parcel·les que fan un cinquè i una de les d'un sisè es troben en aquesta àrea. Una altra zona homogènia es troba a la llenca de parcel·les situades al sud del camí del Codony. En quatre de les cinc parcel·les es paga una quarta part dels fruits i espelts; la cinquena, la més occidental i colindant amb el camí ral, satisfeia, com ja s'ha vist, un sisè. Pel que fa a la resta del terme, no aconseguim albirar la possible lògica interna —si és que n'hi hagué— utilitzada.

Aquesta mateixa impossibilitat la trobem amb els censos en metàl·lic. Aquests fluctuen entre els vint diners (un sou i vuit diners) pagats per dos jornals i els vint-i-cinc sous (tres-cents diners), també per dos jornals, sense poder copsar cap mena de zonificació. El mateix problema d'interpretació el trobem amb les quatre parcel·les que satisfan una quantitat determinada de quarteres d'ordi. En dos casos, d'un sol jornal de terra es paguen tres quarteres d'ordi, mentre que en un altre per un jornal es paga només una quartera d'ordi. A l'altre extrem trobem una parcel·la de quatre jornals que també paga només una quartera d'ordi de cens.

Tot i aquestes mancances, el que sí que es pot afirmar és que, en comparació amb els d'altres termes veïns capbrevats, els emfiteutes de Vilar de Baró satisfeien un cens més alt. Tal vegada es devia al fet que eren terres de millor qualitat, a la vora del Francolí i ben regades per diverses sèquies.

Pel que fa a les dates de pagament dels censos, la immensa majoria es feien per Sant Pere i Sant Feliu (dotze casos), i per Nadal i la Mare de Déu d'agost, trobem un cas, respectivament. En un altre cas, el pagament es feia dividit: una part per la festa de Sant Pere i Sant Feliu i l'altra per Sant Miquel de setembre. Als dotze restants no s'especifica la data de lliurament.

Serveis personals

Si bé tots els emfiteutes es declaren vassalls del Capítol catedralici, en cap de les confessions s'ha documentat cap esment a l'obligació de prestar cap tipus de servei personal.

TRANSMISSIÓ DE LES TINENCES

A partir del quadre següent es poden observar les diferents transmissions que es donaren a la quadra de Vilar de Baró.

Quadre 4. **Tipus de transmissió de les tinences**

Tinent	Tinença	Darrera transmissió	Transmissió anterior
Bartomeu Bosch de Puigdelfí	Un tros	Compra feta a Llorenç Sedó el 1480	—
Jaume Gavaldà del mas, terme de Puigdelfí	Un tros	Herència de son pare	Compra de Pere Gavaldà a Joan Bellver de la Pobla el 1501
	Un tros	Herència de son pare	Establiment sense data
	Un tros	Herència de son pare	Compra de Pere Gavaldà a Guillem Virgili i Joana de la parròquia del Codony el 1495
	Un tros	Herència de son pare	Canvi fet per Pere Gavaldà amb Bernat Cases del mas de la quadra de Requesens el 1473
Antoni Dalmau del mas de la quadra de la Camareria	Un tros	Herència	Compra de Joan Busquet del mas, parròquia del Codony, a Antoni i Antònia Martorell de Constantí el 1434
Jaume Guardiola de la Pobla de Mafumet	Un tros	Establiment fet el 1472	—
	Tres trossos	Establiment fet el 1503	—
	Un tros	Compra feta a Pere Aguiló el 1470	—

Tinent	Tinença	Darrera transmissió	Transmissió anterior
Joan Magrinyà de la Pobla de Mafumet	Dos trossos	Compra feta a Pere i Joana Gavaldà de la parròquia del Codony el 1482	—
Sebastià Cases del mas de la quadra de Requesens	Un tros	Herència de son pare	Establiment fet a Berenguer Cases de la parròquia del Codony el 1351
	Un tros	Herència de son pare	Canvi fet per Bernat Cases amb Pere Gavaldà de Constantí el 1473
Jaume Bellver menor de la Pobla de Mafumet	Dos trossos	Herència de son pare	Compra feta per Pere Bellver a Llorenç Aguiló del mas del Codony el 1451
	Un tros	Herència de son pare	Compra feta per Pere Bellver a Pere i Raimon Lovera, habitants de Montblanc, el 1428
Pere Bellver de la Pobla de Mafumet	Un tros	Herència	Compra feta per Bernat Montserrat de la Pobla a Bartomeu Montserrat, habitant dels Pallaresos, el 1456
	Un tros	Compra feta a Caterina, vídua de Joan Mestre de Constantí el 1476	—
	Un tros	Compra feta a Bartomeu Cogul de la Selva el 1493	—
Francesc Baldrich de Vilallonga	Una sort	Herència de sa filla	Compra de sa filla Caterina Baldrich a Joan Cerdà de Roda el 1499

Tinent	Tinença	Darrera transmissió	Transmissió anterior
Jaume Bellver major de la Pobla de Mafumet	Dos trossos	Herència de son pare	Compra de Guillem Bellver a Berenguer i Caterina Serra o Ferran, habitants dels Pallaresos, el 1458
	Un tros	Herència de son pare	Establiment fet a Guillem Bellver el 1422
Bartomeu Aguiló del mas, terme del Codony	Un tros	Herència	Establiment fet a Pere Aguiló el 1414
	Un tros	Herència	Compra de Pere Aguiló a Berenguer i Elisenda Capell del Morell el 1419
	Un tros	Herència	Compra d'Antoni Cases del mas, parròquia del Codony, a Mateu i Clara Barenys de Constantí el 1435

Pel que fa a la darrera transmissió de la propietat directa de les parcel·les segons les confessions, sembla, a primera vista, mostrar una certa estabilitat, car la via més àmpliament utilitzada fou la de l'herència. De les vint-i-vuit parcel·les capbrevades, divuit (el seixanta-quatre per cent) varen canviar, així, de titular, sense sortir del patrimoni familiar. Les sis compravendes documentades tan sols representen el vint-i-u per cent, a les quals cal afegir quatre nous establiments, el quinze per cent del total.

Tant les compravendes com els establiments suara esmentats no especifiquen, malauradament, per quin títol de propietat gaudia l'anterior emfiteuta la tinença transmesa. Pel que fa a la resta de parcel·les, dotze d'aquestes (vora el quaranta-tres per cent del total) foren objecte de compra per part de parents dels titulars confessants en el capbreu, quatre foren nous establiments (el quinze per cent), i, finalment dues parcel·les foren bescanviades (el set per cent).

Aquesta estabilitat en la possessió directa de les terres és, però, com es veu, més hipotètica que real. Si ens fixem en les dates de les operacions, catorze de les vint-i-vuit parcel·les (el cinquanta per cent) canviaren de mans en el període d'entre 1470 i 1503, mentre que dotze parcel·les (el quaranta-tres per cent) es transmeteren amb anterioritat al 1470, de les quals només una correspon al segle XIV. D'altres dues peces no s'esmenten dades. Per tant, en un període d'una mica més de trenta anys, la meitat de la terra capbrevada del terme fou objecte de compravenda, i pel que fa a la immensa majoria de la resta, la titularitat en una mateixa família no superava les, com a molt, dues o tres generacions.

Un terç dels venedors documentats, sis dels divuit, procedeixen dels masos del terme del Codony, seguits per tres de Constantí i tres més dels Pallaresos. Per darrere, amb un sol representant, trobem venedors de la Pobla de Mafumet, el Morell, la Selva del Camp, Montblanc i Roda, més un altre del qual no es disposa de dades.

Per tant, sembla que el mercat de la terra s'abastia, sobretot, a partir dels pagesos dels masos del Codony. Aquest no era un fet estrany, car, com s'ha vist, era el col·lectiu que més terres ocupava al terme; per tant, en moments de recessió, els permetria desprendre's de parcel·les sense alterar la unitat de les seves heretats, i, per contra, en moments de bonança, augmentar el patrimoni, tot adquirint altres parcel·les dins del terme. Un altre terç corresponia al grup de pagesos de poblacions més o menys properes però no veïnes, cas de Constantí i dels Pallaresos. Un cas a tenir en compte és el dels venedors de localitats allunyades com Montblanc o Roda. El fet que en un cas s'especifiqui que és «habitant de» i en l'altre que es cognomenti Cerdà (cognom força habitual a la zona d'estudi) podria fer pensar que, possiblement, es tractava de cabalers o de filles dotades amb finques, de la zona, emigrats a d'altres llocs que es desprenen de les tinences pròpies del lloc d'origen per tal d'afiançar la seva situació en el seu nou emplaçament.

Pel que fa als instruments notarials presentats pels emfiteutes, se'n comptabilitzen vint-i-quatre. Com era d'esperar, la immensa majoria de les escriptures, quinze (el seixanta-dos i mig per cent), foren redactades al mateix Codony. A continuació se'n documenten cinc (una mica més del vint per cent) redactades a Constantí, seguides de dues més a Tarragona (el vuit per cent). Finalment, trobem una sola escriptura procedent de Vilallonga i una altra de la Selva del Camp.

CONCLUSIONS

La quadra de Vilar de Baró, amb només uns cent jornals, és un dels termes més petits de tot el Codony. El seu origen, prat i *domenge* dels castlans del Codony, hauria influït en el seu desenvolupament posterior, essent, a inicis del segle XVI, un terme inhabitat (de fet, malgrat el que podria fer pensar el seu nom, no consta que mai hagués estat habitat), dedicat exclusivament a l'explotació agrícola per part de tinents dels termes veïns.

Les terres de la quadra eren regades per la sèquia dita de Vilar de Baró, diversos ramals d'aquesta, com el «rec nou», i per l'inici de la sèquia dels molins de Constantí, la qual cosa permetia que pràcticament tot l'espai pogués ser de regadiu. Aquest fet suposava que les terres de la quadra fossin unes de les de millor qualitat d'entre tots els termes veïns, la qual cosa, creiem, hauria propiciat que el senyor directe de la quadra, per tal d'aconseguir un major aprofitament dels recursos, en lloc d'establir un o més masos, com succeí als termes veïns, hagués optat per dividir-ho en una munió de petites tinences.

Per termes, els principals beneficiaris d'aquest repartiment haurien estat els habitants de la Pobla, fet lògic si pensem que ambdós termes estaven a tocar i aquest era el nucli poblacional més proper. Però a qui beneficià sobretot, tant per nombre de tinents com per superfície ocupada, fou als tinents dels masos colindants, independentment del terme al qual estaven adscrits. El pes del paper dels pagesos de mas és molt gran. Així, malgrat que la quadra de Vilar de Baró és un dels termes amb un grau d'ocultació de dades més alt, amb vora un terç de la superfície no capbrevada —la qual cosa, molt possiblement, també està relacionada amb el fet de trobar tants pagesos de mas al terme i per l'alt grau d'independència amb què semblen actuar— no seria forassenyat pensar que més de la meitat de les terres estaven en les seves mans.

Aquest mateix grup hauria estat també el motor del mercat de la terra, un dels més dinàmics de tota l'àrea estudiada, tant posant parcel·les en circulació com comprant-les. Per les característiques pròpies de la quadra, els tinents veïns tenien una oportunitat d'ampliar el seu patrimoni en un lloc proper i fora de l'estancament i encorsetament de l'estructura parcel·lària que s'observa a la majoria de termes. També a l'inrevés, en moments de conjuntura negativa podien desprendre's de terres sense que en resultés afectat el patrimoni principal al terme d'origen.

No disposem de massa dades respecte dels conreus, si bé sembla hegemònic a tota la quadra el cultiu de cereals. A la part tocant al riu i a l'inici de la sèquia dels molins sembla que hi havia un espai no massa extens dedicat als àlbers. La bona qualitat de les terres s'observa també en els censos a satisfer, els quals, pel que fa als pagaments fixes en espècie, eren en la majoria dels casos a la quarta part, i, fins i tot, es dóna un cas en què havia de pagar un terç de la collita.

EL LLOC I TERME DE VILALLONGA

ANÀLISI DEL DOCUMENT

El capbreu de Vilallonga s'inicia al foli 184 *recto* amb la crida. Al foli següent, 185, comencen les confessions, en primer lloc una de general dels jurats de Vilallonga i a continuació la dels particulars. Ocupa fins al foli 260 *recto*, encara que les confessions acaben al foli 253, amb la qual cosa els folis següents quedaren en blanc.

La crida convoca a tots els vassalls emfiteutes i tinents del lloc i terme de Vilallonga a capbrevar a partir del dimarts 4 de juny de 1510.

Capbrevaren un total de trenta-cinc persones, a les quals cal afegir la confessió d'allò establert a la universitat de Vilallonga, feta pels seus jurats. Aquests i tres vilallonguins més ho feren el mateix dimarts 4 de juny de 1510, a Vilallonga, i dos confessaren l'endemà. Hi hagué un petit parèntesi fins al següent dimarts, 11 de juny, en què confessaren cinc tinents vilallonguins; quatre ho feren el dia 12 de juny; dos més el dia 13; cinc vilallonguins i un tinent provinent de la quadra de l'Hospital confessaren el divendres 14 de juny; tres tinents de Vilallonga capbrevaren l'endemà, dissabte 15; el següent, dilluns 17 de juny, van capbrevar tres tinents de Vilallonga, un del terme de la Granja de Santes Creus i un del Morell; la darrera confessió feta a Vilallonga es produí el dia següent, dimarts 18 de juny, quan capbrevà un vilallonguí, i els amos dels masos dels termes de la Montoliva i del mas de l'Obra. A darreries del mateix mes de juny, el dia 27, capbrevà a Tarragona el tinent del mas d'en Aragall, terme de Puigdelfí. Al mes següent, el 26 de juliol, i també a Tarragona, confessà un tinent del Morell. La darrera confessió trigà a produir-se, car fou feta a Tarragona el dia 16 de novembre del mateix any 1510 per un vilallonguí, el qual ja havia confessat part de les seves tinences anteriorment, el dia 13 de juny.

Les confessions dels particulars fetes a Vilallonga segueixen els paràmetres generals de la resta de confessions d'altres llocs. Tant els jurats com la resta de tinents confessen davant del reverend senyor Joan Poblet, canonge i síndic anual d'aquell any del Capítol de la Seu, i dels testimonis cridats, el discret Miquel de Roda, notari públic de la ciutat de Saragossa i Baltasar de Moncal, habitant de la ciutat de Tarragona. Pel que fa a les tres confessions fetes a Tarragona, la primera, del dijous 27 de juny, tingué com a testimonis als honorables Vicenç Alegre, beneficiat, i Joan Arbós, *dormitorario* (?), ambdós de Tarragona; la segona, de data 26 de juliol, fou feta en presència de Gabriel Solzina, hostaler, i de Marc Guàrdia, boter, ambdós de Tarragona. La darrera confessió, amb data 16 de novembre de 1510, tingué com a testimonis a Gabriel Moreno, matalasser, i al ja referit Gabriel Solzina, hostaler, tots dos de Tarragona.

Com succeix gairebé en la resta de capbreus, en el de Vilallonga les anotacions marginals a la seva part esquerra corresponen a petites esmenes o afegitons oblidats al cos del text, llevat de la confessió general feta pels jurats de Vilallonga. En aquest cas, s'especifica el concepte d'allò confessat, en aquest cas *Molí*, *forn*, *fabrica*, *questia* i *Carxol*. Pel que fa al marge dret del document, com a la resta, es limita a especificar en números romans les quantitats de cens a satisfer. Pel que fa a la còpia del capbreu,[1] segueix els mateixos paràmetres, inclou les mateixes anotacions marginals, però, a més, s'afegeix a la part esquerra de cada bé confessat la fórmula *Es cap.* seguit del nom del titular que confessà al posterior capbreu de 1555.

DESCRIPCIÓ DEL TERME

Si bé l'actual terme de Vilallonga és el fruit de l'afegiment de diversos termes antics al de Vilallonga, aquest, en el moment de redacció del capbreu, tenia, a grans trets, unes delimitacions gairebé iguals a les actuals. I diem a grans trets ja que, per una banda, l'alt grau d'ocultació de parcel·les que es detecta, i per d'altra la poca o nul·la concreció de les superfícies d'algunes de les peces confessades, fa que, en molts casos, els seus perfils se'ns desdibuixin, ino permetin arribar al grau de detall desitjat.

Les dades —forçosament incompletes, com s'ha vist— provinents del capbreu, poden complementar-se amb un altre document gràfic de gran interès. Es tracta de l'aixecament topogràfic del terme de Vilallonga, realitzat per un topògraf dels Baldrich, senyors del Rourell al segle XVIII.[2] Amb tot, malgrat la indubtable importància d'aquest document, cal no oblidar que es va fer més de dos-cents anys després d'haver-se redactat el capbreu de 1510. A això cal unir l'esquematisme amb què es va traçar el plànol. Per tant, en aquest cas, ens trobem també amb certes llacunes a l'hora de poder

1. ACT. Secció D, Armari I, B-60.
2. Aquest plànol, juntament amb d'altres d'aquesta àrea d'estudi, es conserva a l'arxiu dels marquesos de Vallgornera, darrers senyors del Rourell.

definir amb exactitud certs límits del terme de Vilallonga, així com algunes distorsions respecte a les dades aportades pel capbreu, fet, per altra banda, fins a cert punt lògic, car ambdós documents —capbreu i plànol— són el reflex del seu entorn en el moment en què es va realitzar cadascun.

Tenint en compte aquests condicionants previs, amb tot, es pot fer una ràpida descripció esquemàtica dels límits del terme de Vilallonga. Així, començant per l'extrem nord, i deixant de banda els termes de la Font de l'Astor, el Carxol i el mas de l'Obra, els quals disposaven de senyoria pròpia,[3] el terme de Vilallonga s'iniciava a l'est de la carretera d'Alcover, amb una petita feixa de terra a l'oest d'aquesta, dins del terme del mas de l'Obra. Aquesta àrea limitava a ponent amb l'enclavament de Puigdelfí —avui de Perafort—, conegut com les Barraquetes, i a tramuntana amb el riu Glorieta. Seguint cap a l'est, i traspassat el camí de Valls, Vilallonga limitava amb el terme de les Sorts. A partir d'aquí, el terme s'estendria en una estreta llenca de terra, paral·lela a la riera de la Selva (malgrat que el plànol del segle XVIII no és gaire clar en aquest punt, diverses confessions del capbreu així ho semblen indicar), tot vorejant les Sorts fins a arribar al conegut en el capbreu com a camí de Puigdelfí, el qual, amb sengles porcions de terra a banda i banda, davalla vers l'est fins a connectar amb el camí ral de Tarragona a Montblanc, en un estret espai encaixat pel terme del Morell, al sud, i el terme de la Granja, al nord.

A partir d'aquest punt, el terme de Vilallonga s'estén cap a l'oest, tot salvant la riera de la Selva i el torrent del Gemegó, i queda delimitat al sud pels termes del Morell i del mas de Tomanill (o de Romanins, tal i com apareix esmentat en el capbreu) fins a l'actualment conegut com a camí vell de Reus, si bé en el capbreu apareix esmentat com a camí de les Vinyes o camí *de lo mas den Romanins*. Des d'aquest camí i seguint cap a l'oest, el terme limitava pel sud amb el terme del Codony, llevat de l'enclavament del mas de Romanins i del mas d'Eimerich Desprats (ambdós actualment pertanyents al terme del Morell). Per l'oest, el terme limitava amb el camí ral de Reus a Valls i amb el terme de la Montoliva fins a arribar al camí de la Selva. Les poques dades aportades pel capbreu no permeten distingir si l'estreta franja de terreny situada al nord del terme de la Montoliva, entre el camí de la Selva i la riera, formava part d'aquest terme o del de Vilallonga. Únicament es pot afirmar amb seguretat, a partir de les afrontacions confessades, que els Maymó, senyors de la Montoliva, tenien parcel·les en aquesta petita àrea.

---

3. El Carxol, com es veurà més endavant, tot i ser un terme propi, depenia de la universitat de Vilallonga.

Com es pot observar, els límits del terme de Vilallonga —termes anne-xionats al segle XIX a banda— serien gairebé els mateixos que els actuals. Ara bé, amb les dades del capbreu a la mà, cal fer diverses matisacions. Així, començant pel sud-oest del terme, és molt probable que el terme del mas d'Eimerich Desprats (actualment, l'enclavament més occidental del Morell) fos més gran del que avui en resta. Al parcel·lari actual s'observa com la part més sud occidental de les finques del terme de Vilallonga sembla que es desenvolupa a partir de la prolongació dels límits orientals del terme del mas d'Eimerich, tot formant, gairebé, un quadrat d'unes cinc hectàrees. A més, un dels capbrevants confessa un camp d'avellaners de dos jornals, el qual limita pel sud amb el terme del mas d'Eimerich i pel nord amb el camí de Reus. Si els límits del terme del mas d'Eimerich haguessin estat els mateixos existents avui dia, hi hauria una finca de vora mig quilòmetre de llargada per uns pocs metres d'amplada, mentre que si els límits de l'esmentat terme estiguessin, com suggerim, més cap al nord, dita finca hauria pres unes proporcions més normalitzades.

En un cas semblant ens trobem amb l'altre enclavament del Morell (si bé pel capbreu sabem que pertanyia al mas i terme dels Romanins), situat al bell mig de la partida dels Majols. En aquest cas, la disposició de les finques del terme de Vilallonga colindants a aquest semblen una prolongació de la seva amplada, tot formant un altre quadrat. Malgrat això, no disposem de prou dades per poder afirmar que aquest espai formava part, o havia format part del terme del mas dels Romanins.

Pel que fa al petit encaix de terres vilallonguines dins del terme dels Romanins, delimitat al sud i a l'est per aquest, per l'actual camí vell de Reus a l'oest, i pel torrent del Gemegó al nord, no disposem de cap parcel·la confessada que pugui ser ubicable dins d'aquest espai. Atesa la manca de dades amb què treballem, seria possible tant que ja existís aquest encaix vilallonguí en el moment de redacció del capbreu, com que no. Amb tot, som de l'opinió (tot i que, cal dir-ho, sense cap dada objectiva que ho recolzi o ho refusi) que, en aquest moment, el terme dels Romanins encara devia formar un tot compacte.

Potser l'espai més alterat i de més difícil identificació siguin els límits del terme de Vilallonga amb el del Morell. Per norma, un cop concretat i definit un terme, es poden desenvolupar en el si d'aquest espai delimitat diferents parcel·les de terra, moltes o poques, més grans o més petites, però sempre en relació i circumscrites al terme que les acull. Les fites per tal de delimitar un terme poden ser fetes a partir d'elements naturals o de fàcil reconeixement (un barranc, un riu, un camí...), o per una convenció reconeguda entre les parts. Límits del primer tipus es corresponen amb, per exemple, el riu Glorieta, el qual separava els termes de Vilallonga i el Rourell, el camí del Morell a la Selva, el qual feia de partió entre Vilallonga i el Codony, o també la part del torrent de Gemegó que delimitava els termes de Vilallonga i el mas de Romanins. El segon tipus el trobem identificant perfectament els límits entre els termes de Puigdelfí, al seu enclavament de les Barraquetes i Vilallonga, o entre aquest i el terme de la Granja del Codony. Fins i tot, és perfectament observable al veí terme del Rourell respecte als termes colindants de la Masó, el Milà i l'antic terme de Riba-roja.

Però res d'això s'observa respecte als límits entre el terme històric del Morell i Vilallonga. L'actual límit entre ambdues poblacions presenta una forma de rectangle quasi perfecte, desenvolupat al nord del torrent del Gemegó, amb un angle nord-oest situat a la carretera del Morell a Vilallonga, aproximadament, i l'angle nord est al camí ral de Tarragona a Montblanc. Superposant el parcel·lari s'observa que no hi ha cap tipus de concordança; l'orientació de la majoria de les parcel·les divergeix de la dels límits i moltes d'aquestes s'encavalquen desigualment entre ambdós límits. Sembla, per tant, raonable pensar que no es tractaria, doncs, dels límits originals. Llavors, on es devien situar?

Per les dades del capbreu —poques, cal dir-ho— sabem que el límit del Morell no es trobava a la riera de la Selva (almenys en una bona part, com es veurà més endavant), sinó al nord d'aquesta. Per altra part, a la donació del lloc del Morell, feta a Berenguer Desprats el 1173, s'especifica que, a occident, el límit de dit lloc passava per una línia que anava de la Guàrdia de Mahomat «tot dret cap a la serra que es troba damunt de Vilallonga» (es refereix a la primitiva ubicació del lloc de Vilallonga, no a l'actual), fins a la casa de Ubettini (?); a tramuntana amb les parets antigues de Vilallonga, en una línia que anava des de l'esmentada serra fins al camí ral de Tarragona a Montblanc.[4] O sigui, uns límits molt semblants als actuals; per tant, els originals s'haurien de situar molt propers a aquests.

A partir d'aquests paràmetres, i resseguint el parcel·lari de 1955, s'intueix el que podria haver estat la possible delimitació originària d'ambdós termes. Per l'oest, s'iniciava a partir del torrent del Gemegó i discorria vers el nord per l'anomenat al parcel·lari com a camí II, el qual enllaça amb el camí I fins a la carretera de Tarragona a Alcover. Des d'aquest punt, davalla cap a l'est fins a la riera de la Selva, tal vegada al nord de les finques 20 i 22 del parcel·lari. Depassada la riera i seguint vers l'est, el límit podria trobar-se per la rasa i posterior camí IV, fins al final d'aquest, sense arribar però a connectar amb el camí ral de Tarragona a Montblanc.

---

4.   RECASENS: *El senyoriu del Morell*, pàgs. 29 i 159.

Aquest és, també, un altre punt de diferenciació respecte a la delimitació actual. A l'època de redacció del capbreu, tot el front a l'oest del camí ral de Tarragona a Montblanc, entre la riera de la Selva i el terme de la Granja dels Frares o del Codony, sembla que, molt probablement, formava part del terme de Vilallonga. Almenys així es desprèn de les afrontacions d'una parcel·la de dos jornals i mig de Joan Folch, de Vilallonga. Segons confessà el dit Folch, la seva parcel·la afrontava per l'est amb el camí ral de Tarragona a Montblanc, i per l'oest amb la riera de la Selva. A més, pel nord limitava amb el camí dit de les Parellades, el qual es podria correspondre amb el conegut com a camí de la Rula o dels Hospitals, el qual arrenca des del Morell fins a arribar al camí ral de Tarragona a Montblanc. Per tant, independentment de la correcta o no identificació del camí, la situació que ens dóna, entre el camí ral i la riera, només es pot correspondre amb l'espai situat entre ambdós elements, actualment pertanyent al Morell.

Un altre punt de possible distorsió el trobem en altres tres confessions. En dues parcel·les, el seu límit occidental és el camí de Tarragona, i en la tercera apareix limitada a l'est i l'oest pel camí de Tarragona. El camí ral de Tarragona a Montblanc ha estat, i és, el límit oriental de Vilallonga; per tant, se'ns fa difícil ubicar aquestes finques dins d'aquesta àrea. En la carta de població atorgada per Alfons el Cast el 1188, s'ordena que dit camí passi pel nucli de Vilallonga.[5] Atès que és del tot impossible que el poble s'hagués desenvolupat a banda i banda de l'actual camí ral, car a l'est d'aquest ja s'iniciava el terme dels Hospitals, el més probable és que el nucli poblacional s'hagués instal·lat a l'oest de dit camí ral. Si, per tal de donar satisfacció a l'ordre reial de fer passar el camí pel poble, se n'hagués fet una derivació fins a arribar-hi, llavors podria tenir sentit que algunes finques colindessin per est i oest amb dit camí. Malauradament, no s'observa al parcel·lari cap traça d'aquesta hipotètica derivació del camí ral.

El fet que en totes tres parcel·les no es defineixi el camí com a «camino generali» o «camino regali quod itur de Tarragona ad villam Montisalbi», que és com acostuma a ser descrit en altres confessions, sinó com a «camino de Tarragona» o «camino quod itur ad Civitatem Terracone», ens pot ajudar a la seva possible ubicació. Així, el camí de Valls, en el seu tram entre Vilallonga i el Morell, sembla que era conegut com a camí de Tarragona.[6] Dit camí es bifurca amb un altre, el qual, tot discorrent paral·lel arribava fins a la part oest del nucli vilallonguí. Aquest és el conegut actualment com a camí del Morell. Entre ambdós camins quedava una estreta llenca de terra d'unes

5.   Español: «Les cartes de població de Vilallonga», pàgs. 103-104.

6.   Riera i Fortuny, Pilar: *Noms de lloc, cognoms i renoms de Vilallonga del Camp*. Institut Cartogràfic de Catalunya, 2005, pàgs. 60, 124 i 165.

quatre hectàrees. És molt possible que el camí del Morell, com a bifurcació que era del camí de Tarragona a Valls, també pogués ser conegut aleshores com a camí de Tarragona. Per tant sembla del tot correcte situar les tres parcel·les abans esmentades entre ambdós camins.

Finalment, pel que fa al terme de les Sorts, terme propi amb jurisdicció de l'arquebisbe, però confessat conjuntament amb les tinences vilallonguines, els seus límits es trobaven, pel nord, just per sota de l'aiguabarreig del barranc de les Bruixes i el riu Glorieta, a l'anomenat camí vell del Rourell, el qual discorria en sentit sud-oest fins a la confluència dels camins de Valls i de la Granja, a tocar de la riera de la Selva.[7] Des d'aquest punt continuava cap a l'est, primer resseguint el camí de la Granja fins a un revolt molt pronunciat, i a partir d'aquí, en línia recta vers l'est fins a arribar al conegut en el capbreu com a camí de les Sorts, on prenia direcció sud. El límit meridional del terme de les Sorts es trobaria bé a la llenca de terra situada al sud del camí conegut com del Carreró i paral·lela a aquest, si ens guiem per la disposició de les parcel·les que s'observa al plànol cadastral de 1955, bé al mateix camí del carreró, si ens guiem pel plànol del segle XVIII. Els límits més clars són el septentrional, amb el riu Glorieta com a partió, i l'oriental, amb el terme de la Granja dels Frares. Com a curiositat, cal esmentar el fet que, tant el camí de la Granja com el camí de les Sorts, són citats en algunes confessions com a camí de l'*Ermàs*. Aquest Ermàs es trobaria aproximadament a l'actual partida del mas Cremat. No deixa de sorprendre la reiteració del concepte amb dos topònims diferents i allunyats en el temps, la qual cosa ens indicaria la qualitat de la terra o, millor dit, la poca qualitat d'aquest sector oriental, car tant ermàs com mas cremat fan referència a una terra erma o de pobra qualitat i baix rendiment.

En total, el terme de les Sorts tenia una extensió d'uns cent jornals, malgrat que, segons la descripció que del terme va fer el topògraf dels Baldrich, només en tenia cinquanta-set jornals, gairebé la meitat. Aquest diferencial també s'observa a l'extensió que dit topògraf donà per al terme de la Montoliva. Segons ell ocupava noranta-un jornals de terra, mentre que la seva extensió real és de quasi setanta-set hectàrees, uns cent vint-i-sis jornals.

En total, el terme original de Vilallonga, exceptuant els altres termes que se li agregaren al segle XIX i les correccions esmentades anteriorment, tenia una superfície d'uns set-cents vuitanta jornals, unes quatre-centes setanta-quatre hectàrees. Per tal de copsar el grau d'ocultació de dades que s'hagués pogut donar a Vilallonga, cal sumar al total de jornals del terme els del terme de

---

7. Rovira i Soriano, Jordi-Dasca i Roigé, Andreu: *Descripció del Corregiment de Tarragona. Un manuscrit del segle XVIII de la Biblioteca Nacional de Madrid*. Biblioteca Tarraconense 12, Tarragona, 1995, pàg. 58.

les Sorts, car les confessions es van fer indistintament sobre ambdós termes. Així, el total de jornals a computar és de vuit-cents vuitanta-tres. Pel que fa al nombre total de jornals confessats pels tinents vilallonguins, aquest sumen un total de només tres-cents vint-i-sis jornals. Tan sols un trenta-set per cent del total. Amb tot, cal consignar l'existència de disset parcel·les amb superfície desconeguda, alguna de les quals, per les afrontacions que presenta, podria ser de força grandària. Amb tot, malgrat l'obligada vaguetat de dades amb què ens movem, hom podria acceptar un grau d'ocultació d'entre el quaranta i cinquanta per cent, el més alt de tota l'àrea estudiada.

Les partides de terra

En les confessions apareix en gran profusió la identificació de parcel·les concretes amb partides de terra. Els elements singulars —camins, cursos d'aigua, altres termes, etc.— que sovint apareixen a les afrontacions de les parcel·les són dades importantíssimes per tal de fixar amb més precisió sobre el terreny, els límits del terme i la ubicació de les seves partides de terra. Respecte a aquestes partides, cal fer alguna puntualització. El nombre de partides que apareixen a les confessions és, certament, alt. Per volum de finques i extensió, s'observen unes poques partides —els Majols, les Vinyes, el mas d'en Avella, les Comes i la partida del camí de la Selva— a partir de les quals s'estructurava el territori, i sobre les quals s'imbricaven altres partides de terra de molt menor mida. Per contra, ens podem trobar —en cas que haguessin existit realment— micropartides, partides només esmentades en una o molt poques confessions, i amb una extensió de terra gairebé insignificant.

Un bon exemple d'això el trobem a les anomenades partida del camí dels Horts i partida d'en Macià; per les afrontacions confessades, una es trobava al nord de l'anomenat camí dels Horts, i l'altra al sud d'aquest. Ambdues partides només estaven formades per una sola parcel·la d'un jornal d'extensió cadascuna, i totes dues, també, confessades per la mateixa persona. Cal preguntar-se si, en aquests casos, ens trobem davant d'una veritable partida de terra o, més versemblantment, el confessant donà erròniament el tractament de partida a allò que, de fet, només era el nom amb què era coneguda una finca o un petit grup d'aquestes.

Pel que fa a la topografia de les partides de Vilallonga, tota l'extensa àrea al nord i est de la riera de la Selva, per les dades aportades per les confessions, sembla que englobava la partida coneguda com del mas d'en Avella, car la mateixa definició es troba tant a les parcel·les del nord-oest del sector, properes al Glorieta, com a les del sud-est, que llindava amb el Morell. Per les afrontacions d'una confessió sabem que el nucli de dit mas es trobava a la zona circumscrita entre el camí d'Alcover, l'enclavament de les Barraquetes, de Puigdelfí, i el riu Glorieta. Una petita llenca de terra a l'oest del camí d'Alcover, ja dins del terme del mas de l'Obra, sembla per algunes confessions que també pertanyia a la partida del mas d'en Avella.

Per l'est, la partida limitava amb el terme de les Sorts, fins a la confluència, a tocar de la riera, dels camins de Valls, vell del Rourell i de la Granja. A partir d'aquest punt, la partida s'estén cap al sud en una estreta llenca de terra, paral·lela a la riera, fins a enllaçar amb l'altre nucli de la partida, situada entre la riera, el camí ral de Tarragona a Montblanc, i els termes de la Granja i les Sorts.

Dins d'aquesta gran partida de terra, o bé al costat d'aquesta, s'identifiquen altres partides de molt menors dimensions. Així, trobem la partida anomenada de l'Horta Vella, la qual, per les afrontacions, sembla que es correspon amb l'actual partida de l'Horta, si bé no disposem de suficients dades per assegurar que dita partida s'estengués a l'oest del camí de Valls, com en l'actualitat. La contigua partida dels Colls ja existia en aquesta època, si bé circumscrita a l'espai a l'est del camí de Valls, entre el terme de les Sorts, la partida de l'Horta Vella i gairebé la riera. Cap al sud, l'estret espai de terra, paral·lel a la riera, era conegut com a partida de l'Albareda. Finalment, les finques més properes al camí ral de Tarragona a Montblanc eren conegudes indistintament com la partida de la Bardissa o partida del camí de Montblanc. Pel que fa al terme de les Sorts, al seu nord-est s'identifica un espai conegut en el capbreu com a partida de la quadra o terme del mas dels Alimbaus o Arimbaus.

A partir de la riera de la Selva cap a l'oest es desenvolupa una altra de les grans partides de terra de Vilallonga: la partida de les Vinyes. Pel sud, aquesta partida limitava amb els termes del Morell i del mas dels Romanins; un cop depassat el camí vell de Reus, també conegut per algun dels confessants com a camí dels masos Romanins o camí de les Vinyes, el límit meridional continuava pel terme del Codony i per l'enclavament del mas dels Romanins. Pel nord limitava amb el camí de Puigdelfí i amb les hortes properes als murs de Vilallonga. Més difícil és concretar el límit occidental d'aquesta partida. Si bé sembla força clar que el sector nord-occidental de la partida limitaria amb el camí de Reus fins a l'alçada del torrent del Gemegó, la manca de prou dades no permet concretar si el sector sud-occidental limitava amb un camí, continuació del de Reus, conegut per algun confessant com a camí dels masos Aguaders (es refereix als masos Bellets, del Codony, propietat d'uns Aguader), el qual s'endinsava en sentit nord-sud dins de l'enclavament del mas dels Romanins, o, més possiblement, limitava amb la projecció de l'extrem occidental de l'enclavament del mas dels Romanins vers el camí de Reus o dels Majols. Malgrat aquesta obligada indefinició, no creiem, però, que la partida de les Vinyes pogués acabar al camí dit de la Montoliva al Morell.

Dins d'aquesta vasta partida s'han documentat diverses partides més petites. Així, seguint pel sector sud-oest de la riera, l'espai comprès entre aquesta i el camí del Morell a Vilallonga, o camí de Tarragona, es coneix com a partida del camí de Puigdelfí, car aquest era el seu límit septentrional. Més cap a l'oest, llindant amb el torrent del Gemegó, documentem la partida d'en Gebellí o del torrent del Gebellí, nom amb què, possiblement era conegut aleshores dit torrent del Gemegó, si bé en altres confessions també és conegut com a *torrente dicto del forn teuler* o *torrente dicto la Bassa*. Al voltant del camí vell de Reus, esmentat en el capbreu com a *camino mansi den Romanins* o camí de les Vinyes, es localitzen les partides del camí del mas de Tomanill i del camí de les Vinyes, si bé, per l'escàs nombre de parcel·les i superfície documentades, potser caldria plantejar-se el fet que, en realitat, no es tractés de veritables partides si no, més aviat, d'una mera referència topogràfica.

A la part oriental del camí de Reus, a la zona més propera al nucli urbà, es trobaven les partides del camí del Rec i dels Quartons. Finalment, en el capbreu es documenten dues partides més, la ubicació de les quals se'ns presenta més difícil. Es tracta de la partida d'en Macià, ja comentada més amunt, i la partida de l'Horta, una sola parcel·la de mig jornal a l'est de la rasa dita de la Bassa (torrent del Gemegó).

Els Majols era, i encara és, la partida amb major superfície de tot el terme de Vilallonga. Segons el capbreu, dita partida es trobava delimitada al nord pel camí de la Selva; a l'est pel camí de Reus i pel límit occidental de l'enclavament del mas de Tomanill; al sud pels termes del Codony i del mas d'Aimerich Desprats; finalment, a l'oest pel camí vell de Reus a Valls i pel terme de la Montoliva, mitjançant la rasa del Gemegó i el camí de la Montoliva al Morell.

Altres partides de molt menors dimensions que s'han documentat a l'àrea dels Majols són la partida dels Quarts, la qual, si bé no s'ha pogut ubicar amb exactitud, sembla, per alguns dels tinents esmentats a les confessions, que es trobava cap a l'extrem sud del terme, molt a prop del Codony. Un cas semblant és el de la partida de les Serres, la qual, tot i que no podem concretar la seva ubicació i l'homonímia que presenta amb una partida veïna de la Pobla de Mafumet, no sembla que pogués situar-se a prop d'aquesta. En alguna zona indeterminada, però propera o a tocar del torrent del Gemegó, se situaven les partides del Forn Teuler i del Torrent de la Bassa.

Si bé no es tracta de cap partida, cal esmentar l'existència dins de la partida dels Majols d'una masia que antigament havia estat honor del difunt Pere Jover i que, en el moment de redacció del capbreu es trobava dividida entre

Joan i Gabriel Folch. Desconeixem tant la superfície total d'aquest mas com la seva exacta situació, si bé creiem que hauria de trobar-se a l'oest o al nord-oest de l'enclavament del mas de Tomanill. El fet que, encara actualment, existeixi en aquesta àrea un camí conegut com del mas de la Llana podria fer pensar que era una fossilització d'aquest antic mas.

A l'espai comprès entre la riera de la Selva, pel nord i l'est, i el camí de Puigdelfí, el nucli urbà i el camí de la Selva, pel sud i l'oest, s'ubicaven tres partides més força ben delimitades. La partida de les Comes era delimitada pel nord i l'est per la riera de la Selva, al sud pel camí de Puigdelfí i el vall de la muralla de Vilallonga, i per l'oest, amb seguretat, fins al camí de Valls, tot i que molt possiblement arribava fins al camí d'Alcover.

Entre el camí de la Selva, situat extramurs, al sud del nucli urbà, i conegut en el capbreu com a camí dels Horts, i el també camí de la Selva que s'iniciava al portal Nou o portal de Dalt de Vilallonga, es trobava la partida del camí de la Selva. Finalment, la terra situada entre el dit camí de la Selva i la riera corresponia a la partida dels Àlbers d'en Sortós.

TOPÒNIMS LOCALITZATS

Termes i llocs

1. *Termino mansi den Avella*
   En una de les confessions aquesta partida apareix conceptuada com a terme. Si bé es pot tractar d'un error del confessant, desconeixem si anteriorment hauria estat pròpiament un terme.

2. *Termino de les Sorts*
   El terme de les Sorts.

3. *Termino de la Granja; Termino dicto de la Grangia del Codony*
   El terme de la Granja del Codony, de Santes Creus o dels Frares.

4. *Mansi de Aymerich*
   El terme d'Aimeric Desprats.

5. *Termino del Morell*
   El terme del Morell.

6. *Mansi dels Romanins; Honors del mas d'en Ferrer dit dels Romanins; Masia dicta den Antoni Ferrer; Masia dicta den Ferrer*
   El terme del mas del Tomanill, citat en el capbreu com dels Romanins.

7. *Termino dicto del mas de Maymó; Termino mansi dicto de Maymó; Masia dicta den Maymó*
   El terme de la Montoliva.

8. *Termino mansi dicto den Canals*
   El terme del mas de l'Obra.

9. Termino de Coctano
   El terme del Codony.

Espais urbans

10. *Vico dicto de la Presó*
    Es correspon a l'actual carrer de Pau Casals.

11. *Muro dicte ville*
    La muralla que envoltava tot el perímetre de Vilallonga, formada a partir dels murs de tancament de les cases o dels horts existents dins del nucli urbà.

12. *Platea dicti loci*
    El capbreu fa referència a la part més baixa del carrer Major, a tocar del portal d'Avall.

13. *Vico publico*
    El carrer Major.

14. *Vico dicto den Aguader*
    No s'ha pogut localitzar amb exactitud. Era un dels carrers perpendiculars al carrer Major a la seva part septentrional.

15. *Vallo dicte ville*
    El vall de la muralla.

Camins

16. *Camino de Montealbeo; Camino generali quod itur de Tarragona ad villam Montisalbi; Camino generali; Camino Montisalbi; Camino dicto de Montblanc*
    El camí ral de Tarragona a Montblanc.

17. *Camino dicto de larmaz; Camino dicto de larmas*
    Camí de l'Ermàs. En algunes confessions, tant el camí de la Granja com el de les Sorts apareixen esmentats així.

18. *Camino de la Selva; Camino de Silva*
    El camí que sortia del portal Nou o de Dalt en direcció a la Selva del Camp.

19. *Camino mansi den Romanins; Camino de lo mas den Romanins*
    El camí vell de Reus, conegut així perquè passava a tocar de dit mas.

20. *Camino Grange de Coctano; Camino Grangie de Coctano; Camino dicto de la Granja*

El camí que sortia del portal d'Avall en direcció a la Granja del Codony.

21. *Camino de Podiodelfino; Camino quod itur ad locum de Podiodelfino*

El camí que sortia del portal d'Avall en direcció a Puigdelfí.

22. *Camino de Reddis; Camino ville de Reddis; Camino quod itur ad villam de Reddis*

En el capbreu fa referència tant al camí de Reus com a l'actualment conegut com a camí dels Majols.

23. *Camino de las Sorts*

El camí que, sortint del camí de Valls, arriba quasi fins al terme de la Granja, tot creuant el conjunt del terme de les Sorts.

24. *Camino dicto dels Orts; Camino vocato dels Orts*

Tal com és referenciat en el capbreu el camí de la Selva del Camp, situat extramurs, al sud del nucli de Vilallonga.

25. *Camino de Tarragona; Camino quod itur ad Civitatem Terracone*

El tram de camí entre el Morell i Vilallonga, tant el vial principal que passava davant del portal d'Avall, com el vial secundari que portava al portal de Dalt.

26. *Camino dicto de les Perellades*

El camí que sortia del Morell i traspassava la riera de la Selva fins a connectar amb el camí ral de Tarragona a Montblanc.

27. *Camino dicto de les Vinyes*

Una altra denominació amb què era conegut el camí vell de Reus, car passava a tocar de la partida de les Vinyes.

28. *Camino quod itur ad locum de Alcoverio*

El camí d'Alcover.

29. *Camino dicto de la Bassa*

De difícil ubicació, si bé podria ser l'actual camí del Carreró, al terme de les Sorts.

30. *Camino quod itur ad villam de Vallibus*

El camí del Rourell.

31. *Camino dicto del pou*

Camí no localitzat, si bé es trobava ubicat a l'oest del nucli urbà en direcció a la riera.

32. *Camino dicto dels masos Aguaders*

Continuació vers el sud del camí de Reus. Travessava l'enclavament del mas del Tomanill i dels masos Bellets, d'on pren el nom, car dits masos Bellets eren ocupats per una família cognomenada Aguader.

33. *Camino quod itur ad mansum den Aragany*

El mateix camí de l'entrada anterior, si bé segons el capbreu era el camí de la Montoliva al Morell, el qual a l'enclavament del mas de Tomanill es bifurcava i permetia arribar fins al Morell o bé fins al mas d'en Aragall, enclavament de Puigdelfí dins de Constantí, tot passant pels masos Bellets.

Cursos d'aigua

34. *Riaria de la Selva; Rigario sive riera de la Selva; Riaria ville Sive; Riaria dicta de la Selva*

La riera de la Selva.

35. *Rivo de Alcoverio*

El riu Glorieta.

36. *Rasa del mas d'en Avella; Rasa dicta del mas den Avella*

El barranc de les Bruixes.

37. *Torrente; Torrente dicto de la Bassa; Rasa dicta de la Bassa*

Com era conegut també el torrent del Gemegó.

38. *Regario sive rech dicte ville*

El rec de la vila, el qual, venint des d'Alcover, creuava Vilallonga d'oest a est, fins ben bé el portal d'Avall.

39. *Rasa dicta de la Horta Vella*

Una altra denominació del barranc de les Bruixes.

40. *Rigo de les Sorts; Rego sive rech dicto de les Sorts*

El rec de les Sorts. Recull l'aigua del riu Glorieta, per regar bona part del terme de les Sorts.

41. *Torrente dicto del forn teuler*

Una altra denominació del torrent del Gemegó.

42. *Torrente dicto la partida del mas de Maymó*

Una altra denominació del torrent del Gemegó a l'alçada del terme de la Montoliva.

43. *Rigo sive rech dicto del mas den Avella*

El rec de les Sorts a la part sud oriental de la partida del mas d'en Avella.

Partides de terra

44. Partida del camí de Montblanc

Englobava, juntament amb la partida de la Bardissa, les parcel·les situades a tocar del camí ral de Tarragona a Montblanc.

45. Partida dels Majols

La partida més extensa de Vilallonga. Es troba a la part sud-occidental del terme.

46. Partida La Bardissa

Juntament amb la partida del camí de Montblanc, englobava les parcel·les situades a tocar del camí ral de Tarragona a Montblanc.

47. *Partida lo camí de la Selva*

Partida situada entre el camí meridional de la Selva, o camí dels Horts, i el camí de la Selva que sortia de Vilallonga.

48. *Partida los camins dels Massos den Romanins; Partida lo camí del mas de Romanins*

Possible partida situada a tocar del camí vell de Reus.

49. Partida del mas d'en Avella

Partida situada al nord i est de la riera de la Selva. S'estenia des del nord-oest del terme, a tocar del terme del mas de l'Obra, l'enclavament de les Barraquetes i el riu Glorieta, fins al terme de les Sorts i, a partir d'aquí, tot vorejant-lo, fins al terme del Morell.

50. Partida de l'Horta Vella

Partida situada a l'aiguabarreig del riu Glorieta amb el barranc de les Bruixes i zones limítrofes.

51. Partida Les Serres

No ubicada amb exactitud. Formava part de la partida dels Majols.

52. *Partida los Quarts*

No ubicada amb exactitud. Formava part de la partida dels Majols.

53. *Partida lo camí dels Horts*

Possible micropartida situada a tocar del camí de la Selva.

54. Partida d'en Macià

Possible micropartida situada a tocar del camí de la Selva.

55. Partida dels àlbers d'en Sortós

Partida situada entre el camí de la Selva i la riera.

56. Partida de les Comes

Partida situada entre la riera de la Selva, el camí de Puigdelfí i el nucli urbà de Vilallonga.

57. Partida d'en Gebellí; *Partida lo torrent d'en Gebellí*

Partida situada entre el camí de Tarragona, el camí vell de Reus i el terme del Morell.

58. Partida del torrent de la Bassa

No ubicada amb exactitud. Formava part de la partida dels Majols.

59. *Partida lo Forn Tauler*

No ubicada amb exactitud. Formava part de la partida dels Majols.

60. Partida de les Vinyes

Partida situada entre el camí vell de Reus i la partida dels Majols.

61. *Partida als Colls*

Integrada dins de la partida del mas d'en Avella. Situada entre el camí de Valls i el terme de les Sorts.

62. Partida de l'Horta

No ubicada amb exactitud. Formava part de la partida de les Vinyes.

63. Terme del mas *dels armibas* (?) a la quadra de les Sorts; Partida dita la quadra dels Alimbaus (?)

Possible partida dins del terme de les Sorts, se situava vers la part septentrional del terme.

64. *Partida lo camí de les Vinyes*

Possible partida situada a tocar del camí vell de Reus.

65. Partida de l'Albereda

Integrada dins de la partida del mas d'en Avella. Situada entre la riera de la Selva i el terme de les Sorts.

66. *Partida lo camí de rec*

Integrada dins de la partida de les Vinyes. Situada pels encontorns del camí de Reus.

67. Partida dels Quartons

No ubicada amb exactitud. Formava part de la partida de les Vinyes.

68. *Partida lo camí del armaç*

Formava part de la partida del mas d'en Avella. Es trobava rodejada per la riera i els camins del Rourell i de les Sorts.

Els trossos de terra

69. Tros dit *l'Albareda*

Tros de terra de dos jornals de Joan Ferriol, de Vilallonga. Situat al terme de les Sorts.

70. Tros de terra dit *Lo tros de la neu*

Tros de terra d'un jornal de Joan Ferriol, de Vilallonga. Possiblement situat a la partida del camí de la Selva.

71. Tros de terra dit *Las Comas*

Tros de terra de dos jornals de Joan Ferriol, de Vilallonga. Possiblement situat a la partida dels Àlbers d'en Sortós.

72. Sort dita *dels hortets*

Sort de tres jornals de Miquel Vidal, de Vilallonga. Situat al terme de les Sorts.

73. Tros de terra dit *l'Era*

Tros de terra d'un jornal d'Antoni Plana, de Vilallonga. Ubicació desconeguda.

74. Olivar dit *la Devesa*

Parcel·la d'oliveres de quatre jornals de Joan Folch, de Vilallonga. Formava part, possiblement, d'una devesa situada a la partida dels Majols.

75. Vinya *dicta la Devesa*

Vinya d'un quartó i mig de superfície de Damià Mestre, de Vilallonga. Formava part, possiblement, d'una devesa situada a la partida dels Majols.

76. Tros dit *lo Sedoll*

Tros de terra de tres jornals de Guillem Paladella, de Vilallonga. Situat a la partida dels Majols.

77. Tros de terra dit *los Olmarons*

Tros de terra de dos jornals de Joan Soldevila, de Vilallonga. Situació desconeguda.

78. Alzinar dit *los Amellers*

Alzinar d'un jornal de Joan Soldevila, de Vilallonga. Situat a la partida de les Vinyes.

79. Alzinar dit *l'Honor de l'hereu*

Alzinar d'un jornal de Gabriel Folch, de Vilallonga. Ubicació desconeguda.

80. Propietat dita *l'Honor del pou*

Parcel·la d'un jornal i mig de Francesc Baldrich, de Vilallonga. Situada probablement a la partida dels Àlbers d'en Sortós.

81. Tros de terra dit *la Bassa del molí*

Tros de terra d'un jornal del difunt Antoni Figuera, de Vilallonga. Situat a la partida dels Majols.

82. Tros de terra dit *lo Farraginal*

Tros de terra de mig jornal de Joan Soldevila, de Vilallonga. Situat a la partida del camí de la Selva.

ELS CONFESSANTS

Un total de trenta-cinc persones, més la mateixa universitat de Vilallonga, declararen estar en possessió d'alguna tinença dins del terme del lloc de

Vilallonga. Com és habitual, la immensa majoria de confessants eren del mateix terme, vint-i-nou de trenta-cinc (un vuitanta-tres per cent). Els sis restants pertanyien a termes colindants o propers a Vilallonga. Així, dos procedien del Morell, i la resta, amb un sol individu, de la quadra de l'Hospital de Sant Joan de Jerusalem, del terme de la Granja de Santes Creus, i dels termes del mas de la Montoliva i del mas de l'Obra.

En dos casos, les confessions foren realitzades per dones vídues, i en dos casos més les confessions són a càrrec dels curadors o tutors d'orfes menors d'edat. Els trenta-un tinents restants són homes que confessen per si mateixos. Com és habitual, l'ofici majoritari és el de pagès, vint-i-dos de trenta-un, als quals caldria afegir-ne, possiblement, tres més, els quals, malgrat que no indiquen cap ofici, cal conceptuar-los com a tals. El fet de ser el lloc amb més població de tota l'àrea estudiada permet observar l'existència a Vilallonga d'altres oficis no directament relacionats amb el món de la pagesia. Així, es documenten dos paraires, ambdós amb el mateix cognom, dos ferrers, un teixidor de lli i un mestre de cases.

Els confessants de Vilallonga són:

La universitat de Vilallonga, representada pels honorables Berenguer Plana, Guillem Paladella i Joan Riera, jurats d'aquell any. Declaren l'obligació de moldre, enfornar i llossar pel Capítol, així com pagar la qüèstia i un censal mort pel Carxol.

Joan Torrens, major de dies, pagès de Vilallonga. Declara tres trossos de terra i una sort i mitja, amb un total de sis jornals, així com una *ternata* d'aigua.

Joan Fort, pagès de Vilallonga. Declara un pati, dues sorts, tres trossos de terra i una vinya, amb un total de vuit jornals i mig, així com una altra sort de superfície no especificada.

Joan Ferriol, pagès de Vilallonga. Declara dues sorts, quatre trossos i dos camps d'oliveres, amb un total de vint-i-un jornals i un quartó, a més de tres *ternatas* d'aigua.

Joan Ayguader, menor de dies, de Vilallonga. Declara dues sorts, un tros, un alzinar, un camp d'avellaners i un altre d'oliveres, amb un total de catorze jornals, als quals cal afegir una vinya de superfície no especificada i quatre *ternatas* d'aigua.

Miquel Vidal, pagès de Vilallonga. Manifesta posseir dos trossos de terra, dues sorts i una vinya, amb un total de divuit jornals i mig, així com tres *ternatas* d'aigua.

Isabel, vídua de Joan Roig, pagès de Vilallonga. Declara dos trossos de terra d'un jornal cadascun.

Bernat Ferrer, pagès de Vilallonga. Declara un sol tros de terra de tres jornals.

Antoni Plana, pagès de Vilallonga. Declara un tros de terra i un alzinar, amb un total de cinc jornals.

Joan Folch, pagès de Vilallonga. Confessa quatre trossos i un alzinar, amb un total de cinc jornals, així com mitja masia de superfície no especificada i una *ternata* d'aigua.

Damià Mestre, pagès de Vilallonga. Declara dues vinyes, dos trossos i un alzinar, amb un total de deu jornals i un quartó i mig.

Guillem Paladella, pagès de Vilallonga. Declara dos trossos de terra, una vinya, una sort, així com un alzinar, amb un total d'onze jornals.

Joan Mestre, pagès de Vilallonga. Només declara un tros de terra de dos jornals.

Gabriel Aguader, menor de dies, pagès de Vilallonga. Declara tres trossos i tres sorts, amb un total de dotze jornals, a més d'un tros, una vinya i una sort de superfícies no determinades i una *ternata* d'aigua.

Antoni Albinyana, paraire de panys de llana, de Vilallonga. Declara una sort de superfície indeterminada i dos alzinars amb un total de quatre jornals.

Joan Soldevila, ferrer de Vilallonga. Manifesta tenir un pati, un corral i un hort, així com cinc trossos de terra i dos alzinars, amb un total de deu jornals i mig, a més d'un tros de terra de superfície no declarada i mig dia d'aigua. Posteriorment, el 16 de novembre, el mateix confessant declarà tenir la ferreria i casa seva pel Capítol de la Seu.

Bartomeu Albinyana, paraire de panys de llana de Vilallonga. Declara un alzinar d'un jornal i un tros de terra de mitja quartera.

Gabriel Folch, pagès de Vilallonga. Declara un alzinar, un camp d'oliveres i un tros amb un total de cinc jornals, així com una casa, mitja masia de dimensions no declarades i una *ternata* d'aigua.

Pere Joan Moster, teixidor de lli de Vilallonga. Declara una vinya d'un jornal d'extensió.

Bartomeu Lluch, pagès del mas de la quadra de l'Hospital de Sant Joan de Jerusalem. Declara una vinya de quatre jornals i un tros de terra de deu jornals.

Llorenç Soldevila, mestre de cases de Vilallonga. Declara una sort i quatre trossos, amb un total de quaranta-quatre jornals i mig.

Joan Gili, ferrer de Vilallonga. Declara tres mitges sorts, cadascuna d'un jornal.

Joan Riera, pagès de Vilallonga. Confessa dos trossos de terra i un camp d'oliveres, cadascun d'un jornal, així com mig dia d'aigua per regar.

Berenguer Plana, pagès de Vilallonga. Declara un pati, quatre sorts, cinc trossos i una vinya, amb un total de dinou jornals i mig i un quartó, així com mig dia i mitja nit d'aigua.

Joan Plana, fill de Berenguer Plana, de Vilallonga. Només declara una vinya de dos jornals.

Joan Figuerola, pagès de Vilallonga. Declara sis trossos de terra, una vinya, una sort, un hort i un alzinar amb un total de disset jornals i mig i una *ternata* de terra, així com una *ternata* d'aigua per regar.

Damià Figuerola, pagès de Vilallonga. Declara sis trossos de terra, una vinya, una sort, un hort i un alzinar amb un total de setze jornals i dues *ternatas* de terra, així com una *ternata* d'aigua per regar.

Pascasi Figuera, pagès del lloc de la Granja del Codony. Confessa un tros de quatre jornals i mitja nit d'aigua per regar.

Francesc Baldrich, pagès de Vilallonga. Declara un tros i un alzinar, amb un total de tres jornals i mig, així com una vinya de superfície no declarada i dues *ternatas* d'aigua.

Antoni Calbó, pagès del Morell. Només declara un tros de terra de dos jornals.

Joan Ferriol, pagès, i Joan Aguader, com a tutors de Tecla, Esperança i Margarida, filles del difunt Antoni Figuera, de Vilallonga. Manifesten que dites filles tenen dues sorts, sis trossos, una devesa i una vinya, amb un total de disset jornals i un quartó, així com una sort i un tros de terra de superfície indeterminada i mig dia d'aigua.

Honorables Berenguer Plana i Joan Folch, pagesos de Vilallonga, tutors de Lluïsa, Caterina i Margarida, filles del difunt Damià Maymó del mas i terme de la Montoliva. Declaren que les pupil·les Maymó tenen dos trossos de terra i dues vinyes, amb un total de sis jornals, així com un altre tros de terra de cabuda no determinada.

Francina, vídua de Joan Canals, del mas dit de l'Obra. Només confessa una sort de terra de tres jornals.

Joan Aguader, major de dies, pagès de Vilallonga. Declara dos trossos i un alzinar, amb un total de quinze jornals, així com una vinya i una sort de superfície desconeguda i mitja nit i mig dia d'aigua per regar.

Antoni Rosselló, pagès del mas dit d'en Aragall, terme de Puigdelfí, parròquia de Constantí. Només declara una sort de terra de tres jornals.

Bartomeu Maymó del Morell. Únicament confessa una sort de terra de cinc jornals.

Per les afrontacions de les diverses peces confessades es detecta l'existència de diversos tinents que, per motius desconeguts, no confessaren. Una anàlisi acurada dels noms d'aquests tinents ens permet dividir-los en tres grups. Un primer, format pels hereus de Bartomeu Figuera, Pau Maymó i Guillem Aguader, agrupa aquelles persones que consten en el fogatjament del 1496 però que ja no apareixen al del 1515;[8] per tant, cal suposar-les ja mortes en el moment de la confecció del capbreu i, d'aquesta manera, les seves tinences foren confessades pels seus descendents.

Un segon grup, el més nombrós, format per Antoni Ayguader, Bernat Aguader del mas Bellets del terme del Codony, Guillem Bellver del Morell, el donzell Bernat Terrer, senyor del Morell, Joan i Bernat Calbó, ambdós del Morell i Pere Grasses de la Selva, el formen aquelles persones que consten en el fogatjament del 1515, i que, per tant, amb quasi tota seguretat estaven al front de les seves tinences el 1510, malgrat que no confessaren.

El darrer grup és format per Berenguer Ayguader, Gabriel Canals i Jaume Ferrer de Reus, els quals no apareixen esmentats ni en el fogatjament de 1496 ni al del 1515. Pels cognoms que presenten, és possible que, en realitat, es tractés d'un error dels confessants o de l'escrivent a l'hora d'esmentar els noms dels seus veïns, si bé cal reconèixer que Berenguer Ayguader apareix citat manta vegades. Pel que fa a Gabriel Canals, sembla força probable que es referís als canals del mas de l'Obra, així com el referit Berenguer Ayguader podria ser, en realitat, Bernat Aguader del mas Bellets. Respecte a Jaume Ferrer de Reus, caldria suposar-li, tal vegada, alguna relació —si no és que fos la mateixa persona— amb Joan Ferrer, del mas i terme dels Romanins, però, pel que sembla pels fogatjaments, no resident a dit mas o en cap població propera.

Igualment, cal consignar que en el fogatjament de Vilallonga de 1515, el més proper en el temps a la data de redacció del capbreu, apareixen diverses persones no presents en el capbreu, ni com a confessants ni a les afrontacions de les parcel·les. En la majoria dels casos, pel seu cognom, hom podria suposar que es tractaria de descendents o familiars d'aquells que capbrevaren el 1510, però en uns pocs casos —Esteve Bes, Joan Serra, sastre, i Joan Carreres— desconeixem si habitaven en aquell moment a Vilallonga, i per tant no capbrevaren, en cas que tinguessin alguna parcel·la en tinença, o si s'hi instal·laren amb posterioritat al capbreu.

BÉNS DE LA UNIVERSITAT DE VILALLONGA

Pel capbreu sabem que, en les dates de la seva redacció, el contigu terme del Carxol havia estat ja adquirit per la universitat, això és el Comú, de Vilallonga. Així, els tres jurats de Vilallonga confessaren, en nom de la universitat, que aquesta satisfeia anualment al Capítol de la Seu de Tarragona quinze lliures,

---

8.   IGLÉSIES: *La població de les vegueries de Tarragona, Montblanc i Tortosa, segons el fogatge de 1496*, pàg. 162.

a pagar la meitat per Santa Maria d'agost i l'altra meitat al gener, com a censatària d'un censal mort per les terres i possessions del terme del Carxol.

Aquest antic terme del Carxol, esmentat ja al segle XII, era una extensa zona de conreus, d'unes noranta-una hectàrees d'extensió, uns cent cinquanta jornals aproximadament, situat al nord del contigu terme de la Font de l'Astor, al sud i est dels termes del Cogoll Roig i Alcover, i a l'oest dels termes del mas de l'Obra i l'enclavament de Puigdelfí de les Barraquetes, mitjançant el camí ral de Reus a Valls. És probable que la raó per a l'adquisició d'aquest terme per part de Vilallonga tingués a veure amb el control del rec que proveïa d'aigua a Vilallonga i que fou motiu d'un llarg conflicte entre aquesta universitat i la d'Alcover.

BÉNS URBANS

La manca de dades per ocultació o per motius desconeguts que s'ha pogut anar observant fins ara, es fa palmària pel que respecta als béns urbans dels vilallonguins. Tenint en compte que en el fogatjament de 1515 apareixen trenta-quatre caps de casa,[9] no deixa de sobtar que només sis confessessin algun bé urbà. I encara sobta més el fet que, dels vuit béns capbrevats, només un correspongui a una casa, i un altre a la ferreria i casa, mentre que la resta es repartia entre tres patis, dos horts contigus a les cases dels respectius confessants i un corral.

El fet que aparegui capbrevada la ferreria és normal, car és un dels monopolis de la senyoria, tal i com reconeixen en el capbreu els jurats vilallonguins, però desconeixem el perquè del clamorós silenci respecte a la resta de cases. És possible que la resposta es trobi en les àmplies prerrogatives i franqueses rebudes bé a la primera carta de poblament, del 1188, bé a la segona carta, del 1285, la qual fixava el nou emplaçament del nucli.[10] Amb tot, això no explica satisfactòriament que només uns pocs béns urbans haguessin estat confessats, o que, encara que poguessin tenir enfranquits els seus habitatges, els vilallonguins no confessessin tenir-los pel Capítol, el seu senyor.

Malgrat aquesta manca de dades, la primitiva topografia del nucli urbà s'ha conservat suficientment com per poder descriure-la.[11] La urbanització del seu emplaçament definitiu s'inicià a ran de l'ordre de trasllat de 1285. El nou nucli presenta les característiques d'una *vilanova*,[12] amb trets força

9. REQUESENS: *El senyoriu del Morell*, pàg. 162.
10. ESPAÑOL: «Les cartes de població de Vilallonga», pàgs. 96-103.
11. Bona part de les dades han estat recollides de: RIERA FORTUNY, Pilar: «Vilallonga del Camp al segle XVIII». *Quaderns de Vilaniu*, 34, Valls, 1998, pàgs. 87-107, i RIERA: *Noms de lloc, cognoms i renoms*, pàgs. 17-22.
12. BOLÓS: *Els orígens medievals del paisatge català*, pàgs. 221-225.

semblants als que trobem a la propera vila de la Selva del Camp. Així, l'espai s'articula al voltant de l'eix format pel carrer principal, el carrer Major, en sentit est-oest, del qual surten diversos carrers perpendiculars, tres vers el sud i quatre cap al nord.

Pel que fa a les minses dades recollides en el capbreu, s'ha pogut observar com el carrer Major, a la seva part baixa, tocant al portal de Baix, és esmentat com a *platea* i no com a *vicus*. Així mateix, si bé a la majoria de les confessions no es fa cap diferenciació entre el carrer Major i els perpendiculars, car tots ells reben el tractament genèric de *vicus*, en dues confessions es fa esment del *vico dicto de la presó* i del *vico dicto d'en Aguader*. El primer correspon a l'actual carrer de Pau Casals,[13] mentre que el segon no ha pogut ser localitzat, si bé es devia trobar a la part septentrional del poble. Per les característiques de l'illa resultant, dues cases amb els seus respectius horts al seu darrere, situats entre dos carrers, el de l'est especificat com d'en Aguader, dit carrer tal vegada es podria correspondre amb l'actual carrer de la Verge del Pilar.

Pel que fa a les illes de cases, tant per les dades del parcel·lari com del capbreu, s'observen diverses tipologies de finques, sense que en cap cas es visibilitzi cap possible intent d'uniformització. El tipus més estès, cal recordar-ho, dins de les poques dades disponibles, sembla el de la finca que ocupava tota l'amplada de l'illa, això és, amb la façana principal al carrer Major i fins a la muralla. La part posterior de l'habitatge, segons algunes de les confessions, tenia funcions de corral o d'hort. En d'altres casos, ens trobem amb una bateria de cases amb façana i accés des del carrer Major, però al seu darrere s'aixecaven altres cases amb accés des dels carrers perpendiculars.

Cal remarcar, també, el fet que, a inicis del segle XVI, encara no estava ocupat tot el nucli urbà, car existien un mínim de tres patis on no es documenta cap construcció.

Tot el conjunt urbà estava tancat per una muralla, força ben documentada. Aquesta muralla, com en molts d'altres llocs de la contrada, no era res més que els murs de tancament de les cases. Per diverses confessions sabem que aquesta muralla disposava també d'un fossat, si bé desconeixem si circumval·lava completament el clos. Per dades posteriors se sap que el recinte disposava d'almenys dos portals: el portal de Vall, a l'extrem est, i el portal de Dalt o portal Nou, a l'extrem oest.[14]

Malgrat que no disposem de cap dada objectiva, som de la mateixa opinió que P. Riera en pensar que l'amplada del primitiu recinte vilalloguí,

---

13. Riera: *Noms de lloc*, pàg. 142.
14. Riera: «Vilallonga del Camp al segle XVIII», pàg. 91.

un cop efectuat el trasllat, a partir del 1285, quedà reduïda al traçat descrit més amunt, essent l'existent en el moment de redacció del capbreu.[15] El fet que Vilallonga presenti una demografia més o menys estable al llarg del segle XV i primera meitat del XVI, sense cap creixement espectacular, així com el fet, ja comentat, de l'existència de patis no construïts dins del clos urbà semblen corroborar aquesta hipòtesi.

Fora del clos murat es trobaria l'església, l'abadia i el cementiri, que ocupava, aproximadament, part de l'emplaçament de l'actual església.[16] Aquesta ubicació fora muralles és força característica de les *viles noves*, la qual cosa reforça la idea que l'actual Vilallonga és, de fet, un poble construït *ex novo* a les darreries del segle XIII. Durant la guerra civil catalana, el 1465, se sap que l'església fou cremada, així com, possiblement, l'abadia, car l'arxiu parroquial sucumbí també a les flames.[17] Res no sabem de com i en quin grau afectà aquesta acció a la resta del poble, però el fet que només se citi l'església, sembla un bon indicador que aquesta es trobava en aquells moments fora muralles, i per tant més desprotegida.

Tampoc no diu res el capbreu, ni hem localitzat cap notícia, respecte a la possible existència d'una casa del senyor, si és que va existir mai, la qual caldria suposar-la també fora muralles, tal volta a prop de l'actual plaça de l'Església. Igual fortuna ha seguit un altre edifici vilallonguí, tal vegada ja edificat per aquelles dates: l'ermita del Roser, situada al peu del camí de Valls, dins de la partida del mas d'en Avella, o, potser, per la seva situació, dels Colls.

BÉNS RÚSTICS

Com ja s'ha vist, als termes de Vilallonga i de les Sorts el grau d'ocultació de dades fou força important. Respecte del total, només es capbrevaren un total de tres-cents vint-i-sis jornals per part de trenta-sis tinents, distribuïts en cent cinquanta-cinc parcel·les. Cal recordar que, d'aquestes parcel·les, disset no esmenten la seva superfície. Aquesta manca de dades, en un percentatge tan alt, provocarà forçosament que els resultats obtinguts a partir de les dades confessades no tinguin la fiabilitat que desitjaríem, si bé creiem que es podrien acostar força a les dinàmiques de repartiment existents.

Les parcel·les

El quadre 1 ens permet copsar la fragmentació del parcel·lari vilallonguí.

15.   RIERA: *Noms de lloc*, pàg. 22.
16.   RIERA, Pilar: «On es trobava l'església vella de Vilallonga?» A: *Apunts per a la història de Vilallonga del Camp. El Codony: 10 anys (1994-2003)*. Cossetània Edicions, Valls, 2003, pàgs. 49-54.
17.   TRENCHS ÒDENA, Josep: «L'ermita del Roser de Vilallonga del Camp: notes històriques». A: *L'ermita del Roser de Vilallonga del Camp*. Agrupació Cultural de Vilallonga del Camp, 1994, pàg. 16.

Quadre 1. Nombre de parcel·les segons la superfície unitària

Superf. unitària (jornals)	Parcel·les		Superfície	
	Nombre	%	Total	%
<1	14	10,4	4,6	1,4
1	34	25,2	34	10,4
1,5	7	5,2	10,5	3,2
2	38	28,1	76	23,3
2,5	1	0,7	2,5	0,8
3	20	14,8	60	18,4
3,5	1	0,7	3,5	1,1
4	8	5,9	32	9,8
5	3	2,3	15	4,6
6	4	3,0	24	7,4
7	2	1,5	14	4,3
10	2	1,5	20	6,1
30	1	0,7	30	9,2
Totals	135*	100	326,1	100

* Només han estat incloses les parcel·les amb superfície coneguda.

Com es pot observar, les parcel·les amb una superfície declarada de dos jornals són, amb trenta-vuit, el grup majoritari, i ocupen gairebé un quart de la superfície total declarada, seguides de prop per les parcel·les d'un jornal, amb trenta-quatre. Per darrere, amb un nombre ja no tan elevat de parcel·les, apareixen les de tres jornals, vint peces, i les catorze amb superfície inferior a un jornal. La resta de parcel·les tenen una representació variable, però en tots els casos inferior a deu peces.

Per grups, el majoritari amb diferència era el format per parcel·les amb una superfície d'entre dos i quatre jornals, amb seixanta-vuit peces, les quals ocupaven una mica més de la meitat de tota la superfície declarada. El següent grup correspon a les peces amb una superfície inferior als dos jornals, amb cinquanta-cinc parcel·les, si bé tan sols representa un quinze per cent del total de la superfície declarada. Per contra, les finques d'entre cinc i deu jornals sumen un total de només onze, però ocupen més d'un vint per cent de la superfície. Finalment, una sola finca de trenta jornals representa ella sola vora un deu per cent de la superfície.

A aquestes parcel·les cal afegir-hi les disset parcel·les en què no es declara la seva superfície, així com les tres parcel·les en què la seva superfície va ser declarada, però no en jornals sinó en *ternatas*, un tipus de mesura que, com es veurà més endavant, serveix per mesurar tant superfícies com cabals d'aigua. La *ternata* devia ser un tipus de mesura força local, atès que no hem localitzat cap altre paral·lel arreu del Camp de Tarragona o en altres contrades.

Pel que fa al repartiment de la terra segons el lloc de residència dels confessants:

Quadre 2. Nombre de parcel·les declarades segons procedència dels emfiteutes

Procedència	Emfiteutes	Parcel·les		Superfície		Jornals/emfit.
		Nombre	%	Nombre	%	
Vilallonga	30	143	92,8	292,1 + ?	89,6	9,7 + ?
Hospitals	1	2	1,3	14	4,3	14
Granja	1	1	0,6	4	1,2	4
El Morell	2	2	1,3	7	2,1	3,5
Montoliva	1	5	3,2	6 + ?	1,8	6 + ?
Mas de l'Obra	1	1	0,6	3	0,9	3
Total	36	154	100	326,1 + ?	100	

Com acostuma a ser habitual en termes amb hàbitat, els principals tinents de terres són els mateixos vilallonguins, que se situen al voltant del noranta per cent del total, tant pel que fa al nombre de tinents com per nombre de parcel·les i volum de superfície. Els sis tinents restants, com també és dinàmica habitual, es reparteixen pels termes veïns. Si a aquest grup afegíssim el d'aquells possibles tinents que no confessaren, el resultat final a penes variaria: la majoritària representació correspondria als tinents vilallonguins, seguida, molt de lluny, per tinents de termes limítrofs, d'entre els quals sobresortirien els provinents del Morell.

Quadre 3. Nombre de parcel·les declarades per emfiteuta i freqüència de cada declaració

Parc./ emfit.	Emfiteutes		Parcel·les		Superfície	
	Nombre	%	Nombre	%	Jornals	%
1	9	25,0	9	5,8	25	7,7
2	4	11,1	8	5,2	22,2	6,8
3	4	11,1	12	7,8	13,5 + ?	4,1
4	1	2,8	4	2,6	5 + ?	1,5
5	7	19,4	35	22,7	110,1 + ?	33,8
6	1	2,8	6	3,9	13 + ?	4,0
7	2	5,6	14	9,1	22,5 + ?	6,9
8	1	2,8	8	5,2	21,1	6,5

9	4	11,1	36	23,4	56 + ?	17,2
10	1	2,8	10	6,5	20,6	6,3
12	1	2,8	12	7,8	17,1 + ?	5,2
Totals	36	100	154	100	326,1 + ?	100

A partir de les dades del quadre 3 s'observa que una quarta part dels confessants només disposa d'una sola parcel·la. La seva repercussió pel que fa al repartiment global de les terres és molt feble, a penes un vuit per cent. El següent grup correspon al dels tinents amb cinc parcel·les. Si bé, amb gairebé un vint per cent, és percentualment menor que el grup anterior, cal considerar-lo el grup hegemònic, car aquests set tinents ocupen un terç del total de les terres confessades. La resta de grups ja queden per sota, i sobresurten aquells que disposaven de dues, tres i nou parcel·les, amb quatre tinents cadascun. Cal fer esment que els sis tinents amb més parcel·les —un total de cinquanta-vuit, que representa vora el quaranta per cent del total— ocupaven prop del trenta per cent del total de terra confessada. Malgrat tot, aquests resultats, almenys pel que fa al percentatge de terra ocupada, s'han de relativitzar, car el fet que no es declarà la superfície de diverses parcel·les forçosament distorsiona el còmput final.

Quadre 4. Nombre de jornals per emfiteuta

Jornals/ Enfit.	Emfiteutes		Superfície	
	Nombre	%	Jornals	%
0-4,9	15	41,7	37,2	11,4
5-9,9	6	16,7	34,5	10,7
10-14,9	7	19,4	84,7	25,9
15-19,9	5	13,9	83,2	25,5
> 20	3	8,3	86,5	26,5
Totals	36	100	326,1	100

Com es pot observar al quadre 4, la major part dels tinents, el quaranta-u per cent, acumulaven terres amb una superfície total inferior als cinc jornals. Malgrat que era el grup majoritari, amb diferència, només ocupava l'onze per cent del total de les terres confessades. El següent grup, el vint per cent del total de confessants, correspon als que posseïen entre deu i quinze jornals, els quals ocupaven un quart del total de la superfície. Un altre quart era ocupat pels cinc tinents que acumulaven entre quinze i vint jornals. Finalment, només tres tinents disposaven de més de vint jornals de terra cadascun, amb un altre quart del total de la terra confessada.

Pel que fa a la possible existència de terres domanials a Vilallonga, no s'ha localitzat en cap de les afrontacions cap dada que ens ho pogués indicar. Tan sols en un cas s'expressa que una parcel·la limita pel nord amb una «*sorte domini dicti loci quam tenet Joannes Torrens*», si bé desconeixem en quin règim la conreava, si la tenia en règim de lloguer o parceria o bé li havia estat establerta com a la resta de tinents. A la partida dels Majols es documenta, a partir de diverses confessions, l'existència d'una antiga devesa, la qual en el moment de redacció del capbreu es trobava completament repartida entre diversos tinents. No disposem de cap dada que ens permeti conèixer si aquesta devesa tenia un origen senyorial o bé comunal, així com el moment del seu desmembrament.

A nivell general, el paisatge agrari resultant és el d'un terme molt fragmentat, amb predomini de les petites parcel·les d'entre un i dos jornals d'extensió. El repartiment de la terra se'ns presenta molt desigual. Així, més de dues terceres parts dels tinents disposaven d'entre una i cinc parcel·les, però tan sols ocupaven una mica més de la meitat de la superfície total del terme. On es copsa millor aquesta desigualtat, però, és en relació amb els jornals de terra de què disposava cada emfiteuta. Així, vora el seixanta per cent d'aquests disposava de no més de deu jornals de terra, en conjunt no arribava ni a una quarta part del total de la superfície vilallonguina. La meitat d'aquesta era retinguda pels tinents que disposaven d'entre deu i vint jornals, però només tres tinents, el vuit per cent del total, amb superfícies superiors als vint jornals, ocupaven el vint-i-sis per cent de tot el terme. La immensa majoria dels emfiteutes procedien de la mateixa Vilallonga, mentre que els pocs casos restants eren dels termes veïns. La majoria d'aquests tinents forans acostumen a confessar, per terme mig, una sola parcel·la de pocs jornals, la qual cosa encara reforça més la preponderància vilallonguina.

Les diverses partides de terra presenten divergències unes d'altres, en alguns casos força acusats, tant pel que fa al repartiment de la terra com als seus cultius, tal i com es veurà més endavant, amb l'estudi individuat de cada partida.

Els cultius

La varietat i extensió dels cultius vilallonguins es pot copsar al quadre següent:

Quadre 5. Tipologia de cultius i la seva extensió

Tipus cultiu	Parcel·les		Jornals	
	Nombre	%	Nombre	%
Tros o sort de terra	103	66,9	202 + ?	61,9
Vinya	19	12,3	25,1 + ?	7,7
Oliveres	8	5,2	24	7,4
Alzinars	17	11,1	33 + ?	10,2
Avellaners	1	0,6	2	0,6
Devesa	1	0,6	3	0,9
Diversos cultius	5	3,2	36 + ?	11,2
Totals	154	99,9	326,1 + ?	99,9

El cultiu dels cereals sembla respondre a la dinàmica general de tota l'àrea estudiada. La terra campa és l'hegemònica a tot el terme, i ocupa gairebé les dues terceres parts de tota la superfície confessada. Ara bé, pel que fa als percentatges de la resta de cultius, s'observen diverses divergències respecte als cultius dels altres llocs i termes estudiats. Així, el següent grup més nombrós no era el de la vinya sinó els alzinars, amb un deu per cent del total de la superfície, tot desplaçant a aquella a una tercera posició, la qual queda gairebé igualada amb les oliveres.

Molt per darrere apareix un cultiu que no començarà a estendre's pels termes de la riba del Francolí fins força temps més tard: l'avellaner. Malgrat que se'n documenta la presència, sembla que el seu cultiu a Vilallonga no deixava de ser testimonial. Cal apuntar que les dues úniques parcel·les en les quals s'esmenten avellaners es trobaven situades molt a prop del camí ral de Reus a Valls, això és, a tocar del terme de la Selva del Camp, lloc on el cultiu de l'avellana es troba documentat des de força temps abans. Pel que fa a la devesa, esmentada així en la confessió d'una parcel·la, sense cap especificació més, desconeixem quin ús se li donava. En dues parcel·les properes, que haurien format part de la primitiva devesa, el cultiu confessat en ambdues és el de les oliveres («*devesa sive olivare*» i «*olivare dicto la Devesa*»).

Finalment, aquelles parcel·les amb més d'un cultiu han estat incloses al grup de diversos cultius. Es corresponen a una gran sort de terra de trenta jornals, part terra campa i part erma; un tros de terra de cinc jornals, part oliveres i part alzines; una altra sort de dos jornals, part terra campa i part avellaners; per últim, dues parcel·les que haurien format un mas a la partida dels Majols, sense que s'hagi pogut determinar ni la situació ni la seva superfície, ni el que s'hi cultivava, si bé pel tipus de cens a pagar —en blat i ordi—, sembla que els cereals hi tenien un paper important. Malgrat que no podem determinar les superfícies concretes de cada cultiu i la seva heterogeneïtat, aquest grup sembla reforçar els percentatges abans indicats.

Si bé no s'esmenten específicament, sembla força probable l'existència d'alberes, sobretot a la riba de la riera de la Selva. Així, a la partida del mas d'en Avella, a la zona situada entre la riera i el terme de les Sorts, es documenta alguna parcel·la coneguda com «*l'Albareda*». Igualment, l'espai situat entre el camí de la Selva i la riera és esmentat com «*dels àlbers d'en Sortós*».

Les partides de terra

Si bé aquesta és la situació general de Vilallonga, s'observen diferències, a vegades substancials, entre les diverses partides de terra, la qual cosa requereix un mínim estudi individuat.

La partida més gran del terme és la dels Majols. A continuació es mostra el tipus de parcel·les i els cultius documentats en aquesta partida, juntament amb d'altres de menors dimensions o micropartides situades dins dels Majols, com són les partides de les Serres, dels Quarts, del Forn Teuler i del Torrent de la Bassa.

Quadre 6. Nombre de parcel·les segons la superfície unitària

Superf. unitària (jornals)	Parcel·les		Superfície	
	Nombre	%	Total	%
Fins a 1	5	12,2	4,1	3,3
1,5	2	4,9	3	2,4
2	13	31,7	26	20,9
3	9	21,9	27	21,7
3,5	1	2,4	3,5	2,7
4	5	12,2	20	16,1
5	1	2,4	5	4,1
6	2	4,9	12	9,6
7	2	4,9	14	11,1
10	1	2,4	10	8,1
Totals	41*	99,8	124,6	100

* Només han estat incloses les parcel·les amb superfície coneguda.

Quadre 7. Tipologia de cultius i la seva extensió

Tipus cultiu	Parcel·les		Jornals	
	Nombre	%	Nombre	%
Tros o sort de terra	22	48,9	69 + ?	55,4
Vinya	6	13,3	9,1 + ?	7,3
Oliveres	6	13,3	20	16,1
Alzinars	5	11,1	14,5	11,6
Avellaners	1	2,2	2	1,6
Devesa	1	2,2	3	2,4
Diversos cultius	4	8,9	7 + ?	5,6
Totals	45	99,9	124,6 + ?	100

Aquesta extensa partida presenta parcel·les amb un ampli ventall d'extensions, si bé predominen clarament les de dos jornals, seguides de prop per les de tres jornals. Ambdós grups units sumen una mica més de la meitat del total de parcel·les capbrevades. Per sota dels dos jornals, les set parcel·les documentades representen una mínima part del total de superfície. Per contra, les cinc parcel·les amb superfície superior als cinc jornals, juntament amb altres cinc parcel·les de quatre jornals cadascuna, ens mostren la important presència que les finques de més grandària tenen en aquesta partida.

De la mateixa manera, la partida dels Majols és la que presenta una major varietat de cultius, fet normal si tenim en compte que és, amb diferència, la major partida de terra de tot el terme. El cultiu preponderant és, de lluny, el dels cereals, que assoleix el cinquanta per cent tant pel que fa a les parcel·les com als jornals d'extensió. Molt per sota es documenten les oliveres i la vinya, tot i que, si bé ambdues presenten sis parcel·les cadascuna, les primeres doblen en extensió a les segones. Un cas semblant és el de les alzines, amb una parcel·la menys que les anteriors, però el nombre total de jornals és superior al de la vinya. Finalment, la presència d'una devesa i d'avellaners (únic lloc de tot el terme on s'hi ha documentat aquest cultiu) aporta uns índexs gairebé testimonials.

Pel que fa a la partida les Vinyes, juntament amb les partides menors del Torrent d'en Gebellí, dels Quartans, i dels camins del mas de Tomanill, del Rec, de les Vinyes i de Puigdelfí:

Quadre 8. Nombre de parcel·les segons la superfície unitària

Superf. unitària (jornals)	Parcel·les		Superfície	
	Nombre	%	Total	%
Fins a 1	14	60,9	12,5	28,4
1,5	1	4,3	1,5	3,4
2	4	17,4	8	18,2
3	1	4,3	3	6,8
4	1	4,3	4	9,1
5	1	4,3	5	11,4
10	1	4,3	10	22,7
Totals	23*	99,8	44	100

* Només han estat incloses les parcel·les amb superfície coneguda.

Quadre 9. Tipologia de cultius i la seva extensió

Tipus cultiu	Parcel·les		Jornals	
	Nombre	%	Nombre	%
Tros o sort de terra	11	39,3	21 + ?	47,7
Vinya	13	46,4	16 + ?	36,4
Alzinars	4	14,3	7	15,9
Totals	28	100	44 + ?	100

En aquesta àrea s'observa la preponderància de les parcel·les de petites dimensions; gairebé dues terceres parts no superen el jornal. Pel que fa a la resta, llevat d'una parcel·la de deu jornals, tota la resta no supera els cinc jornals d'extensió.

Com era d'esperar, a tenor del nom de la partida, gairebé la meitat de les parcel·les consten com a dedicades a la vinya, però aquesta només assoleix un terç del total de la superfície de la partida, mentre que les terres de cereals, amb un lleu menor nombre de parcel·les, n'ocupava ben bé la meitat. La resta de l'espai estava ocupat per alzinars.

L'espai situat al sud de la riera de la Selva, format per les partides de les Comes, del camí de la Selva i dels Àlbers d'en Sortós, presenta les següents dades:

Quadre 10. Nombre de parcel·les segons la superfície unitària

Superf. unitària (jornals)	Parcel·les		Superfície	
	Nombre	%	Total	%
Fins a 1	8	53,3	6	31,6
1,5	2	13.3	3	15,8

2	5	33,3	10	52,6
Totals	15*	99,9	19	100

* Només han estat incloses les parcel·les amb superfície coneguda.

Quadre 11. Tipologia de cultius i la seva extensió

Tipus cultiu	Parcel·les		Jornals	
	Nombre	%	Nombre	%
Tros o sort de terra	15	88,2	17 + ?	89,5
Alzinars	2	11,8	2	10,5
Totals	17	100	19 + ?	100

Aquesta zona és la que presenta les parcel·les més reduïdes de tot el terme, i no superava en cap cas els dos jornals d'extensió. Com a la partida de les Vinyes, predominen les finques que no superen el jornal, en aquest cas la meitat del total, mentre que les de dos jornals són només un terç. Per contra, pel que fa a les extensions que ocupa cada grup, els valors s'inverteixen.

Aquesta zona se'ns presenta gairebé com de monocultiu, amb un noranta per cent de la terra dedicada als cereals. La resta, pràcticament testimonial, correspon a alzinars.

A la part nord est del terme trobem la partida del mas d'en Avella, juntament amb les subpartides dels Colls, de l'Horta Vella, l'Albareda, del camí de l'Ermàs i les del camí de Montblanc i la Bardissa.

Quadre 12. Nombre de parcel·les segons la superfície unitària

Superf. unitària (jornals)	Parcel·les		Superfície	
	Nombre	%	Total	%
Fins a 1	9	36	5,6	7,1
1,5	1	4	1,5	1,9
2	6	24	12	15,3
2,5	1	4	2,5	3,2
3	4	16	12	15,3
4	1	4	4	5,1
5	1	4	5	6,4
6	1	4	6	7,6
30	1	4	30	38,2
Totals	25*	100	78,6	100

* Només han estat incloses les parcel·les amb superfície coneguda.

Quadre 13. Tipologia de cultius i la seva extensió

Tipus cultiu	Parcel·les		Jornals	
	Nombre	%	Nombre	%
Tros o sort de terra	25	86,2	42,6 + ?	54,2
Alzinars	3	10,3	6 + ?	7,6
Diversos cultius	1	3,4	30	38,2
Totals	29	99,9	78,6 + ?	100

Les parcel·les predominants són aquelles que no superen el jornal d'extensió. Les segueixen les de dos jornals i, per darrere, les de tres jornals. A penes dues finques superen els cinc jornals, si bé cal remarcar que una d'elles, amb trenta jornals, és l'heretat més gran de les confessades en el capbreu de Vilallonga.

Com a la resta de partides, el cultiu hegemònic és el dels cereals, amb el vuitanta-sis per cent de la superfície dedicada. Aquesta preponderància encara es remarcaria més si s'afegís l'heretat de trenta jornals, la qual especifica el confessant que una part és dedicada a terra campa i l'altra a erm (per altra part, l'únic espai erm reconegut en el capbreu). La resta, només el set per cent del total de superfície, és dedicat a l'alzinar.

Pel que fa al terme de les Sorts, terme propi però les parcel·les del qual són confessades conjuntament amb les del terme de Vilallonga, les dades són les següents.

Quadre 14. Nombre de parcel·les segons la superfície unitària

Superf. unitària (jornals)	Parcel·les		Superfície	
	Nombre	%	Total	%
1	7	28	7	12,7
2	10	40	20	36,4
3	6	24	18	32,7
4	1	4	4	7,3
6	1	4	6	10,9
Totals	25*	100	55	100

* Només han estat incloses les parcel·les amb superfície coneguda.

Quadre 15. Tipologia de cultius i la seva extensió

Tipus cultiu	Parcel·les		Jornals	
	Nombre	%	Nombre	%
Tros o sort de terra	25	92,6	51 + ?	92,7
Oliveres	2	7,4	4	7,3
Totals	27	100	55 + ?	100

Gairebé el quaranta per cent de les parcel·les són de dos jornals, seguides per les d'un i les de tres. Només una parcel·la supera els cinc jornals d'extensió. A l'altre extrem, cal ressenyar que les Sorts és l'únic espai on no es documenta cap parcel·la inferior al jornal d'extensió.

Com és tònica habitual, la gairebé totalitat del terme és dedicat als cereals, restant, tan sols, un set per cent dedicat al cultiu de les oliveres.

L'aigua de rec

Gairebé la meitat dels tinents, setze de trenta-cinc, confessen disposar de cabal d'aigua per regar les seves terres. Les dues mesures d'aigua utilitzades en el capbreu de Vilallonga són la *ternata* i el mig dia, o mitja nit. No hem localitzat cap paral·lel d'aquestes mesures; amb tot, pel que fa a la *ternata* —mesura que, com ja s'ha vist anteriorment, també pot fer referència a mesures de superfície—, l'arrel de la paraula podria fer pensar que, tal vegada, es podria correspondre a tres hores d'aigua. A partir d'aquesta proporció, el mig dia d'aigua, o mitja nit, podria ser l'equivalent a dues *ternatas*, o sigui, sis hores d'aigua de rec ininterrompudes.

Llevat d'un cas, totes les confessions especifiquen el dia de rec que els pertoca, i en alguns casos s'esmenta si el torn els toca de dia o de nit. Els torns es troben repartits al llarg de tota la setmana, de dilluns a diumenge, però el dimecres, amb quatre *ternatas*, mig dia i mitja nit, és el dia en què es documenten més torns de rec. Si fossin correctes les equivalències que hem proposat, això cobreix les vint-i-quatre hores del dia. Per altra part, el fet que la resta de dies no apareguin complets ens porta a pensar que, igual que trobem amb la resta de béns, no s'haurien confessat tots els existents.

Pel que fa a l'acumulació d'hores d'aigua per tinent, es documenta des d'una *ternata* compartida entre tres pagesos (la qual cosa equivalia a una hora d'aigua per cap), fins als qui disposaven de mig dia i mitja nit (que equivalia a dotze hores en total) —dos tinents—, o un altre amb quatre *ternatas*, equivalent també a dotze hores, si bé a la confessió especifica que dues *ternatas* són de dia i les altres dues de nit.

En diverses confessions s'especifica que l'aigua prové del mas d'en Avella o que és per regar les seves terres del mas d'en Avella. Això podria fer pensar que l'aigua de rec podria provenir de l'actualment coneguda com a sèquia de les Sorts, que regava les terres de la partida del mas d'en Avella i el terme de les Sorts. Per contra, no hi ha cap referència d'hores d'aigua o de sistemes de rec per a l'àrea situada al sud de la riera de la Selva.

LES SERVITUDS

A l'inici del capbreu, els tres jurats vilallonguins reconeixien, mitjançant jurament sobre els quatre Evangelis, que tots els qui composaven la universitat de Vilallonga eren vassalls del Reverend Capítol de la Seu de Tarragona, i que aquest detentava la senyoria de dit lloc.

Tots els tinents vilallonguins, a l'inici de la seva confessió particular, estaven obligats a reconèixer, mitjançant jurament sobre els quatre Evangelis, al Capítol de la Seu tarragonina com a senyor directe i alodial dels seus béns, el qual disposava del dret de firma, fadiga, lluïsme i empara, així com altres plens drets.[18]

Obligacions de la universitat

Els jurats de Vilallonga reconeixen diverses obligacions que la universitat té amb la seva senyoria, la majoria de les quals estan directament relacionades amb els destrets senyorials. Així, tots els habitants de Vilallonga tenien l'obligació de moldre el blat al molí de Puigdelfí, propietat del Capítol, per la qual cosa havien de satisfer cinc *palmatas* de blat per quartera molta, a mesura de Tarragona. Així mateix, estaven obligats a coure el pa al forn de la vila, propietat del Capítol, amb la condició que, de cada vint-i-cinc pans, en paguessin un. Igualment, estaven obligats de llossar a la ferreria de la vila, propietat del Capítol, tot pagant mitja quartera d'ordi, a mesura de Vilallonga, per cada animal aratori.

A més, la globalitat de la universitat tenia l'obligació de pagar la quèstia, que ascendia a vint-i-quatre lliures barcelonines, a pagar la meitat per Nadal i l'altra meitat per Sant Miquel, al setembre, així com un censal mort per les terres del veí terme del Carxol, pel qual satisfeien quinze lliures barcelonines, la meitat per Santa Maria d'agost i l'altra meitat al gener.

Censos

Entre els censos a satisfer, ja fossin en metàl·lic o en espècie, cal distingir entre aquells que corresponien a béns urbans, béns rústics i l'aigua de rec.

La nota predominant pel que fa als béns urbans sembla que és la del pagament fix en metàl·lic, present en set dels vuit casos documentats. Malgrat la disparitat de quantitats i de tipologies urbanes (corrals, patis, horts…), sembla que el cens dels patis i corrals estava al voltant dels dos sous, mentre que els horts urbans pagaven al voltant dels deu diners. Sobta, per baixa, la quantitat a pagar per l'única casa documentada (*domus*), tan

---

18. «*Sub dominio et alodio prefati Reverendi Capituli et ad ipsius firmam fatigam laudemyum emparam et alium plenum Ius et directum sive emphiteoticum dominium et plenam dominationem*».

sols quatre diners. En un cas, un hort, a més de la quantitat en metàl·lic, s'havia de satisfer mitja gallina. L'únic cas documentat de pagament fix en espècies correspon a la ferreria i casa del ferrer. El cens a pagar era força alt, sis quarteres d'ordi a mesura de Vilallonga, però no ens ha de sobtar, car es tractava de l'establiment d'un dels monopolis senyorials; per tant, d'ús obligat a tots els vilallonguins i a tots els habitants dels termes sota senyoria del Capítol.

La data majoritària de pagament era per Nadal, en tres casos, seguida de Sant Joan, en dos, i amb un sol cas trobem el dia de Rams, Sant Pere i Sant Feliu (correspon a l'únic pagament en espècies) i Santa Maria d'agost.

Les peces corresponents a béns rústics són, de lluny, les més nombroses —cent cinquanta-tres confessades— i també les que presenten una major heterogeneïtat, tant pel que fa al tipus de pagament com en quantia. El tipus de pagament majoritari, amb més del seixanta per cent del total, correspon al de cens fix en diners, present en noranta-set casos. Com acostuma a passar en aquesta modalitat de cens, és del tot impossible intentar establir qualsevol tipus de paràmetre que permeti explicar les diferències, en alguns casos notables, de les quanties a pagar. Amb tot, en termes generals, no sembla que es tractés d'un cens gaire gravós, o, si més no, més gravós que el documentat als altres termes del capbreu.

En quaranta-un casos s'ha documentat un cens fix en espècies. Com en el grup anterior, l'arbitrarietat en les quantitats és la nota dominant. Cal remarcar que tots els pagaments són en cereals, ja sigui en blat, o, principalment, en ordi. El cens en cereals el trobem no tan sols en parcel·les de terra campa sinó també en parcel·les amb altres tipus de cultiu com vinyes, oliverars o alzinars. En els casos en què una mateixa peça paga un cens en blat i ordi, s'observa que, en tots els casos, sempre és major la quantitat d'ordi que la de blat.

En set casos s'observa el pagament d'un cens fix mixt, cinc amb una part en metàl·lic i una altra en cereal. Els altres dos corresponen a una part en metàl·lic i per l'altra un animal, en un cas un capó i en l'altre un conill, el qual s'especifica en el capbreu que ha de ser d'un valor de deu diners. Finalment, en tres ocasions el cens es limita a una simbòlica tassa d'aigua, i en tres més a una tassa de vi. En un altre cas el cens és un capó, i només en un sol cas no hi ha cap esment del cens a pagar.

No s'ha documentat cap parcel·la que estigués enfranquida de cens. Només en un cas s'esmenta que anteriorment era franca i quítia però que, en el moment de redacció del capbreu, pagava un cens d'una quartera d'ordi, un cens força onerós, creiem, si bé desconeixem la superfície d'aquesta parcel·la. Pel que fa a la possibilitat d'associar un tipus de cens amb algun cultiu determinat, això no s'observa a Vilallonga. Els percentatges de tipus de cultiu dels censos en metàl·lic respecte als fets en espècies no presenta cap diferència significativa. També és important ressenyar el fet que, a diferència d'altres termes, no s'ha documentat cap cens a parts de fruit.

On sí que s'observa una certa diferència és en la data de pagament segons de quin tipus sigui aquest. Així, pel que fa al grup dels censos fixos en cereal, en més del vuitanta per cent dels casos la data d'entrega era per la diada de Sant Pere i Sant Feliu, el 29 de juny, o sigui, tot just després de la sega. Per contra, en el grup de censos en metàl·lic els pagaments fets en aquesta diada tot just arriben al cinc per cent. Dins d'aquest segon grup s'observa un major ventall de dates d'entrega, si bé el dia majoritàriament expressat és el de Nadal, present en un vint per cent dels casos. Per darrere, amb el dotze per cent respectivament, apareixen la Pasqua de Resurrecció, Sant Miquel i Sant Maties; amb l'onze per cent es documenta la diada de Sant Joan, i amb el deu per cent, Santa Marta i Sant Andreu.

Pel que fa a l'aigua de rec sembla que era el grup que seguia uns criteris de pagament més homogenis, tant pel que fa als quatre casos documentats de cens fix en metàl·lic, com als dotze amb cens fix en espècies. Així, una sola *ternata* (o l'equivalent a tres hores d'aigua, si la nostra proposta és correcta) sembla que podria tenir un cens de tres quartans d'ordi, tal i com succeeix en dos casos, si bé un altre el cens és de només dos quartans. El seu equivalent en metàl·lic podria ser els quinze diners (o, el que és el mateix, un sou i tres diners) documentats en un cas, si bé en els altres dos només paguen set diners. Les dues *ternatas* (sis hores d'aigua) satisfeien sis quartans d'ordi. Seguint aquesta lògica, veiem com les tres *ternatas* (nou hores d'aigua) tenien un cens de nou quartans d'ordi, tal i com es confirma en un cas, si bé en un altre el cens és de deu quartans. L'únic cas amb quatre *ternatas* (dotze hores d'aigua) també segueix el mateix esquema, i satisfeia una quartera (dotze quartans) d'ordi. Pel que fa a les quatre confessions de mig dia d'aigua (sis hores segons la nostra proposta), cap dels tres que satisfeien cens en espècies sembla seguir l'esquema apuntat, car, en un cas, fa nou quartans de cens, molt per sobre dels hipotètics sis quartans que li correspondria, i en dos casos fan només un quartà d'ordi. Per contra, l'únic pagament en metàl·lic documentat en aquest tram feia un cens de dos sous i sis diners; per tant, el doble dels quinze diners pagats per una *ternata*. Els dos casos que confessen tenir mig dia i mitja nit d'aigua (dotze hores d'aigua), per contra, sí que segueixen l'esquema, ja que satisfeien una quartera d'ordi cadascun.

Pel que respecta a les dates de pagament, la immensa majoria, tretze de setze, eren satisfets la diada de Sant Pere i Sant Feliu, fet normal si tenim en compte que la majoria d'aquests pagaments es feia en ordi. Les altres tres dates presents són per Sant Miquel, Sant Andreu i Nadal.

TRANSMISSIÓ DE LES TINENCES

A partir del següent quadre es poden observar les diferents transmissions que es donaren als termes de Vilallonga i les Sorts.

Quadre 16. Tipus de transmissió de les tinences

Tinent	Tinença	Darrera transmissió	Transmissió anterior
Joan Torrents	Un tros de terra	Compra de Joan Torrents a Antoni Vidal de Vilallonga el 1504	—
	Dos trossos de terra i dues sorts	No presenta cap document	—
	Una *ternata* d'aigua	Compra de Joan Torrents a Bernat i Margarida Ferrer de Vilallonga el 1505	—
Joan Fort	Un corral, quatre sorts, dos trossos	Ho té com a successor dels seus pares. No hi ha cap instrument	—
	Una vinya	Permuta feta amb Joan Figuerola de Vilallonga	—
Joan Ferriol	Una sort	Compra a Jaume Sanz, habitant del mas de la Llacuna, el 1491	—
	Una sort, quatre trossos, un oliverar, una devesa, tres *ternatas* d'aigua	Ho té com a successor dels seus pares. No hi ha cap instrument	—
Joan Ayguader menor	Dues sorts, un tros, un alzinar, una vinya, un avellanar, un oliverar, quatre *ternatas* d'aigua	Ho té com a successor dels seus pares. No hi ha cap instrument	—

Tinent	Tinença	Darrera transmissió	Transmissió anterior
Miquel Vidal	Dos trossos, dues sorts, una vinya, tres *ternatas* d'aigua	Ho té com a successor dels seus pares. No hi ha cap instrument	—
Isabel, vídua de Joan Roig	Dos trossos	Ho té com a successor dels seus pares. No hi ha cap instrument	—
Bernat Ferrer	Un tros	Ho té com a successor dels seus pares. No hi ha cap instrument	—
Antoni Plana	Un tros i un alzinar	Ho té com a successor dels seus pares. No hi ha cap instrument	—
Joan Folch	Quatre trossos, un oliverar, mitja masia, una *ternata* d'aigua	Ho té com a successor dels seus pares. No hi ha cap instrument	—
Damià Mestre	Dues vinyes, dos trossos, un alzinar	Ho té com a successor dels seus pares. No hi ha cap instrument	—
Guillem Paladella	Dos trossos, una vinya, una sort, un alzinar	Ho té com a successor dels seus pares. No hi ha cap instrument	—
Joan Mestre	Un tros	Ho té com a successor dels seus pares. No hi ha cap instrument	—
Gabriel Aguader menor	Quatre trossos, una vinya, una *ternata* d'aigua, quatre sorts	Ho té com a successor dels seus pares. No hi ha cap instrument	—
Antoni Albinyana	Una sort	Compra a Joan i Marianna Aguader, el 1499	—
	Dos alzinars	Ho té com a successor dels seus pares. No hi ha cap instrument	—

Tinent	Tinença	Darrera transmissió	Transmissió anterior
Joan Soldevila	Un tros	Compra a Tecla, vídua de Joan Giner, i Antoni Giner, fill, el 1510	—
	Un tros	Permuta amb Antoni Armengol de Reus, el 1503	—
	Tres trossos, un corral, un pati, un hort	Compra a Joan Fort de Vilallonga, el 1504	—
Joan Soldevila	Dos alzinars, un tros, mig dia d'aigua	Ho té com a successor dels seus pares. No hi ha cap instrument	—
	Una ferreria i casa	Establiment fet a Joan Soldevila, el 1499	—
Bartomeu Albinyana	Un alzinar	No presenta cap document	—
	Un tros	Compra als tutors dels pupils de Damià Maymó, el 1510	—
Gabriel Folch	Un alzinar, un oliverar, un tros, una casa, mitja masia, una *ternata* d'aigua	Ho té com a successor dels seus pares. No hi ha cap instrument	—
Pere Joan Muster	Una vinya	No presenta títol però diu que li fou venut per Antoni Maymó, pagès de la Granja del Codony	—
Bartomeu Lluch	Una vinya	Compra a Joan i Joana Pau de Vilallonga, el 1505	—
	Un tros	Ho té com a successor dels seus pares. No hi ha cap instrument	—
Llorenç Soldevila	Una sort, quatre trossos	Ho té com a successor dels seus pares. No hi ha cap instrument	—

Tinent	Tinença	Darrera transmissió	Transmissió anterior
Joan Gili	Tres mitges sorts	Compra a Damià Torrents del Penedès, el 1494	—
Joan Riera	Dos trossos, mig dia d'aigua i un oliverar	No presenta cap títol	—
Berenguer Plana	Un pati, tres sorts, un tros	Permuta amb Damià Mestre de Vilallonga, el 1503	—
	Un tros	Compra a Antoni i Llorença Soldevila de Vilallonga, el 1497	—
	Una sort	Compra a Antoni i Llorença Soldevila de Vilallonga, el 1499	—
	Tres trossos, una vinya, mig dia i mitja nit d'aigua	Ho té com a successor dels seus pares. No hi ha cap instrument	—
Joan Plana	Una vinya	Ho té com a successor dels seus pares. No hi ha cap instrument	—
Joan Figuerola	Un tros	Establiment fet a Pere Figuerola, el 1428	—
	Cinc trossos, una vinya, una sort, un hort, un alzinar, una *ternata* d'aigua	Ho té com a successor dels seus pares. No hi ha cap instrument	—
Damià Figuerola	Un tros	Establiment fet a Pere Figuerola, el 1428	—
	Cinc trossos, una vinya, una sort, un hort, un alzinar, una *ternata* d'aigua	Ho té com a successor dels seus pares. No hi ha cap instrument	—
Pascasi Figuera	Un tros, mitja nit d'aigua	Ho té com a successor dels seus pares. No hi ha cap instrument	—

Tinent	Tinença	Darrera transmissió	Transmissió anterior
Francesc Baldrich	Un tros	Compra a Joan i Elionor Aguader de Montblanc, el 1501	—
	Un alzinar	Compra a Elionor, vídua de Joan Aguader, habitants de Montblanc, el 1506	—
Francesc Baldrich	Una vinya, dues *ternatas* d'aigua	Ho té com a successor dels seus pares. No hi ha cap instrument	—
Antoni Calbó	Un tros	Ho té com a successor dels seus pares. No hi ha cap instrument	—
Pupils d'Antoni Figuera	Tres sorts, set trossos, una devesa, mig dia d'aigua, una vinya	Ho té com a successor dels seus pares. No hi ha cap instrument	—
Pupils de Damià Maymó	Tres trossos, dues vinyes	Ho té com a successor dels seus pares. No hi ha cap instrument	—
Vídua de Joan Canals	Una sort	Ho té com a successor dels seus pares. No hi ha cap instrument	—
Joan Aguader major	Un tros, una vinya, un alzinar	Establiment fet a Joan Aguader, el 1453	—
	Un tros, una sort, mitja nit i mig dia d'aigua	Ho té com a successor dels seus pares. No hi ha cap instrument	—
Antoni Rosselló	Una sort	Compra a Pere Armengol de Vilallonga. No presenta escriptura	—
Bartomeu Maymó	Una sort	Ho té com a successor dels seus pares. No hi ha cap instrument	—

Les transmissions de béns dels confessants vilallonguins presenten unes característiques pròpies que les diferencien de molt de les de la resta dels termes capbrevats. La transmissió de quasi bé un setanta per cent de tots els béns confessats no es recolza en cap instrument públic. En vint-i-nou dels cinquanta-quatre casos, els confessants es limiten a acreditar la possessió de la tinença com a successors dels seus pares, especificant que no disposen de cap escriptura. En altres tres, malgrat que no presenten títol, s'especifica que tenen la peça per permuta, igual que en dos més, on s'especifica que hi hagué una compra. En altres tres casos simplement es fa constar que no presenten documents.

El trenta per cent restant, aquelles transmissions que sí que disposaven de documents, es desglossen en tretze adquisicions per compra i quatre establiments. Per la data dels instruments s'observa que en només tres casos la seva cronologia és anterior a la guerra civil catalana. Tota la resta posseeix una datació posterior al conflicte.

Se'ns fa difícil entendre aquest enorme buit de documentació. Dues són les hipòtesis més plausibles que poden explicar aquest fet. Per una part, hom podria pensar en algun tipus de resistència pagesa envers la senyoria, resistència que, per altra banda, sembla força representada a Vilallonga, amb la no capbrevació o, més comunament, la confessió parcial i incompleta dels béns dels tinents. Amb tot, aquesta hipòtesi no explicava el fet que, en molts casos, un confessant presentava l'escriptura d'alguna peça, i en d'altres peces es limitava a declarar que ho tenia com a successor dels seus pares.

L'altra possible hipòtesi, potser la més versemblant, té a veure amb el conflicte civil viscut cinquanta anys abans. Com ja s'ha vist anteriorment, els estralls de dit conflicte es van fer sentir a l'església i l'abadia de Vilallonga, les quals foren saquejades i cremades. Si bé ambdós edificis es trobaven fora muralles, el fet que gairebé la totalitat d'escriptures presentades siguin d'una cronologia posterior a la guerra, llevat de tres escriptures que, percentualment, caldria considerar com a gairebé testimonials, ens podria fer pensar que també s'hauria produït algun tipus de saqueig o de destrucció a l'interior del nucli urbà, que hauria portat a la pràctica desaparició de la documentació conservada pels vilallonguins.

Si bé aquesta darrera hipòtesi sembla força versemblant, no deixa de sobtar el fet que, de les set peces confessades per tinents residents a termes veïns de Vilallonga, només en un cas es documenta una escriptura, en un altre s'indica que s'adquirí per compra, però sense presentar cap document, i els altres cinc restants repeteixen l'excusa de la major part dels habitants de Vilallonga, que ho tenen com a successors dels seus pares i que no hi ha cap instrument. Aquesta postura dels forans només ens permet pensar que o bé la possible resistència antisenyorial responia a una estratègia força ben dissenyada, o bé que els estralls de la guerra civil catalana, hauria afectat, no sols a Vilallonga i el seu terme, sinó també als dels seus encontorns.

Pel que fa a la procedència dels venedors i dels permutadors, el grup majoritari correspon al de vilallonguins, presents en nou ocasions. Un venedor i un permutador tenen residència al mas de la Llacuna, de les Franqueses del Codony, i a Reus, respectivament. Dels sis casos restants, un habitant a un poble del Penedès, dos habitants a Montblanc i tres que no indiquen la seva residència, pels cognoms d'aquests, hom podria suposar-los un origen vilallonguí. L'escassa incidència de gent forana en aquestes transmissions reforça encara més allò que ja hem observat anteriorment: l'escassa presència de tinents forasters al terme de Vilallonga.

La rectoria de Vilallonga és el lloc més freqüentat pels tinents del terme. Així, disset de les dinou escriptures documentades foren redactades a l'esmentada rectoria. Els altres dos instruments provenen de la notaria de Bartomeu Carbonell, de Valls, i de la de Joan Pedrolo, de Montblanc.

CONCLUSIONS

El terme de Vilallonga, amb uns set-cents vuitanta jornals, és, juntament amb el del Codony, dels més extensos de tot el territori de l'antic *castrum* del Codony. Els seus límits apareixen ben definits, al sud i al nord amb el barranc i actual camí de la Selva i el riu Glorieta, i a l'est i l'oest amb els camins rals de Tarragona a Montblanc i de Reus a Valls. Tan sols els límits queden una mica desdibuixats respecte al terme de Morell. Tot el territori de Vilallonga es veu esquitxat per enclavaments corresponents a antics termes, com el mas de la Montoliva, el del mas de Tomanill o el d'Eimerich Desprats; així mateix, el seu sector oriental queda encaixonat en un estret passadís, obligat per l'existència dels termes de la Granja del Codony i de les Sorts. Aquest terme, precisament, si bé se li reconeix la seva independència jurisdiccional com a terme propi, estava fortament lligat als habitants de Vilallonga, de tal manera que arribaren a capbrevar indistintament béns del terme de Vilallonga i de les Sorts. Per contra, del terme del Carxol no hi consta cap confessió, a causa, segurament, del fet que ja hauria estat adquirit per la universitat de Vilallonga, ja que els seus jurats confessaren estar obligats a pagar quinze lliures anuals d'un censal mort per dit terme.

El terme de Vilallonga també destaca perquè és el lloc amb més habitants de tot el territori. A partir de les dades del capbreu hem comptabilitzat trenta-sis tinents, trenta dels quals eren de Vilallonga. Els sis restants eren, en tots els casos, dels termes immediatament limítrofs. Malauradament, Vilallonga també destaca negativament (si més no per a nosaltres) per ser el terme amb el major grau d'ocultació de dades. Així, del total de jornals que tenien els termes de Vilallonga i les Sorts (comptats ambdós com un sol espai, car així apareix en el capbreu), tan sols se'n confessà una tercera part, si bé cal sumar-li disset parcel·les de les quals no s'especifica l'extensió. A partir d'aquestes dades creiem que el grau d'ocultació podria situar-se entre el quaranta i el cinquanta per cent respecte del total. Com es pot veure, és un percentatge massa gran com per poder establir una visió general del terme.

Amb tot, a partir de les minses dades obtingudes, la situació que trobem és la d'un terme ocupat majoritàriament per emfiteutes del mateix terme, amb la terra molt fragmentada, sobretot en petites parcel·les d'entre un i dos jornals d'extensió, i molt desigualment repartida, atès que el seixanta per cent dels tinents no disposava de més de deu jornals, i en conjunt ocupaven tan sols una quarta part del total de la superfície confessada. Per la banda alta, trobem que la mateixa superfície és tinguda per només els tres emfiteutes (el vuit per cent) amb més terres. Pel que fa als cultius, com a arreu, l'hegemònic és el dels cereals amb diferència. La resta de cultius palesen un altre punt de diferència respecte d'altres termes. Així, el següent cultiu, amb un significatiu deu per cent, és el dels alzinars, al qual segueixen per sota, gairebé igualats, els de la vinya i les oliveres. Així mateix, es documenta també una devesa i un conreu que, si bé en el capbreu apareix molt localitzat i amb una superfície ínfima, temps més tard fou preponderant en tota aquesta àrea: l'avellaner.

El capbreu també se'ns mostra força gasiu a l'hora d'aportar dades sobre la trama urbana de Vilallonga. Amb tot, es pot observar com la reubicació dels vilallonguins en el seu nou i definitiu emplaçament, a les darreries del segle XIII, va permetre dissenyar un nucli força regular, amb les característiques pròpies d'una vilanova emmurallada. El fet que era el nucli urbà més gran i amb més habitants de tot el Codony permet copsar com el seu teixit socioeconòmic es troba més acostat al propi d'una vila que no pas al dels altres llocs veïns. Així, si bé la immensa majoria dels vilallonguins són conceptuats com a pagesos, documentem l'existència de dos ferrers, dos paraires, un teixidor de lli i un mestre de cases. Tot i això, cal dir que aquests menestrals arrodonien, en tots els casos, la seva economia compatibilitzant el seu ofici amb l'agricultura.

Pel que fa a les servituds que suportaven els vilallonguins, cal dir que aquest és l'únic capbreu que inclou una confessió general per part dels seus jurats. Comparant les obligacions comunitàries i les individuals, sobta el fet que, juntament amb trets propis del que podríem definir com a «feudalisme clàssic», com són el pagament de la questia i el manteniment dels destrets, amb l'obligació de moldre, coure el pa i llossar a les instal·lacions senyorials, trobem que la major part dels censos, tant de béns urbans com rurals, han estat reduïts a un pagament fix en diners, i no es documenta cap tasca ni altre cens a parts de fruit.

Del total d'heretats del terme, al voltant d'una tercera part haurien estat adquirides per compra o per establiment en els darrers vint anys. Tota la resta hauria estat transmesa per herència. Cal ressenyar el fet que, llevat de les darreres compravendes esmentades i de tres establiments efectuats entre el segon quart i meitats del segle XV, tota la resta de transmissions estan mancades de suport escriptural. Aquesta anomalia, creiem, podria ser deguda a algun estrall sofert per Vilallonga durant la guerra civil catalana. El fet que tinents de masos i termes propers al·leguessin les mateixes raons que els vilallonguins pot fer pensar que els efectes de dita contesa (el desenvolupament i conseqüències de la qual, per altra part, són encara força desconegudes fora de la ciutat de Tarragona) podrien haver estat importants en tota aquesta àrea nord-occidental.

ELS ALTRES TERMES DEL CODONY

L'estudi dels diversos capbreus ens permet conèixer una bona part del territori del que fou l'antic *castrum* del Codony. Malgrat això, queden els espais buits corresponents a la resta de termes amb diferent senyoria. Per tal de poder tenir un major coneixement global de tot el territori, a partir de dades provinents dels mateixos capbreus així com d'altres fonts, oferim un esbós de la seva situació i com devien ser a inicis del segle XVI.

LA QUADRA DE LA CAMARERIA

Dins de l'actual terme de la Pobla de Mafumet. De forma gairebé rectangular, limitava per l'est amb el riu Francolí i per l'oest amb el camí ral de Tarragona a Montblanc. Els seus límits meridional i septentrional encara es poden observar al parcel·lari de 1955. Pel sud coincideix pràcticament amb l'actual partió del terme de la Pobla, tot llindant amb el mas de la Ferrerota, mentre que pel nord limitaria amb la franja de terra paral·lela al camí del Codony, que pertanyia al terme de la quadra de Vilar de Baró. En total la quadra de la Camareria tenia una superfície d'unes trenta hectàrees, aproximadament uns cinquanta jornals.

La quadra era sota senyoria directa del cambrer de la Seu tarragonina —d'aquí el seu nom—, si bé fins al 1214 havia format part dels béns del paborde, car aquest, el 8 de gener de dit any, assignava al cambrer, Ramon Guillem, la quadra d'en Dalmau, situada al terme del Codony.[1] Pocs anys més tard, el 1235, «*l'honor del Camarer*» consta com una de les afrontacions del prat i domenge de Ramon de Puig-roig, terres que, posteriorment, constituïren la quadra de Vilar de Baró.[2]

A inicis del segle XVI, segons dades extretes dels capbreus, l'únic mas existent a la quadra era ocupat per Antoni Dalmau. Aquest mas, temps

1. GORT: *La Cambreria de la Seu de Tarragona*, pàg. 97.
2. AHAT. *Índex Vell*, 454v-455r.

després, i fins al seu enderrocament per la construcció de la refineria, fou conegut com a mas Cerdà.

EL MAS DE MOSSÈN EIMERICH DESPRATS

Aquest mas, també conegut com «dels cavallers» (que no ha de ser confós amb el proper mas «del cavaller» situat al terme de Constantí), actualment és en un enclavament del terme del Morell. Es troba limitant amb l'extrem occidental de l'actual terme de la Pobla, i amb els de Constantí, la Selva i Vilallonga. L'enclavament actual té una superfície de poc més de dotze hectàrees, si bé, a partir de les dades del capbreu de Vilallonga, sembla força possible que el mas original s'estengués més cap al nord, dins de l'actual terme de Vilallonga, i ocupés unes cinc hectàrees més, en total unes divuit, quasi bé trenta jornals de terra. El 1293, Eimeric Desprats, fill de Berenguer Desprats, senyor del Morell, va fer quinze establiments i el 1299 dos més, tot repartint quaranta-nou quarteres en total, equivalents a vint-i-quatre jornals i mig, superfície força acostada a la calculada per nosaltres.[3]

Com s'ha vist, la senyoria directa del mas era tinguda pels Desprats, senyors del Morell, o més aviat per una branca d'aquesta, els quals residien en dit mas. Amb tot, el 1510, la pubilla de la família, Felipa Desprats, va vendre el mas i terme als jurats de la universitat de la Selva per tres-centes quaranta lliures barceloneses.[4] En el fogatjament de 1496, al llistat de Vilallonga s'esmenta «*lo mas de mossèn Aymeric en lo qual stà en Befarull*».[5] Malgrat aquesta notícia, propera a la data de redacció del capbreu, ni en aquest ni en el fogatjament de 1515 hem localitzat cap dada que permeti saber si en aquell moment el mas estava ocupat i per qui.

EL MAS DE TOMANILL

Les terres del mas es troben separades en dos espais ben delimitats. El principal, on s'ubica la masia, forma part actualment del cos del terme del Morell, amb el qual limitava per l'est; pel sud limitava amb el terme del Codony, possiblement amb el mas d'en Bover, i al nord i a l'oest amb el terme de Vilallonga, mitjançant el torrent del Gemegó i amb el camí vell de Vilallonga a Reus, també conegut en el capbreu de Vilallonga com a «*camino mansi den Romanins*», respectivament. La delimitació de les terres del mas amb les del terme del Morell se'ns dibuixa amb força precisió en el parcel·lari, car les primeres, presenten una orientació nord-sud, mentre que

---

3. RECASENS: *El senyoriu del Morell*, pàgs. 83-84.
4. PIÉ: *Annals inèdits de la vila de la Selva del Camp*, pàgs. 678-679.
5. IGLÉSIES: *La població de les vegueries de Tarragona, Montblanc i Tortosa, segons el fogatge de 1496*, pàg. 123.

les morellenques ho fan en sentit est-oest. Aquesta àrea tenia una superfície d'unes quaranta-set hectàrees, al voltant dels setanta-vuit jornals.

L'altre espai que conformava el mas del Tomanill és l'actual enclavament del terme del Morell en terres vilallonguines conegut com els Majols. Pel sud limitava amb el terme del Codony, possiblement amb els masos Bellets. La seva superfície és de vint-i-set hectàrees, uns quaranta-quatre jornals. La suma dels dos espais ens dóna un total de setanta-quatre hectàrees, uns cent vint-i-tres jornals de terra.

A inicis del segle XVI, i segons dades extretes dels capbreus, el mas rebia el nom de Romanins, i era d'en Joan Ferrer, el qual amb quasi tota certesa no habitava al mas ni a cap població propera, car el seu nom no consta a cap dels fogatjaments. Desconeixem si aquest tenia la senyoria directa del mas o només la útil.[6] Per coincidència de noms, és possible que es tractés de la mateixa persona —o família— que tenia en aquell moment el mas dit de la Ferrerota a les Franqueses del Codony. Igualment seria prou interessant esbrinar si hi ha cap connexió entre aquests Ferrer i els homònims que, en aquesta època, tenien la senyoria del Rourell.[7]

EL LLOC I TERME DEL MORELL

El terme original del Morell se'ns presenta força més reduït que l'actual. Per l'est limitava amb el camí ral de Tarragona a Montblanc. Pel sud, limitava amb el terme de Puigdelfí, essent els elements de partió, com ja s'ha vist en l'estudi del capbreu de Puigdelfí, d'est a oest, el camí Fondo i la seva prolongació al carrer del Molí. Des d'aquí, i tot vorejant l'era del castell dels senyors del Morell, arribava fins a l'actual carretera a Reus. El límit occidental correspon a les terres del mas del Tomanill, i pel nord les terres morellenques s'estenien més enllà de la riera de la Selva i limitaven amb les de Vilallonga. A partir d'aquestes delimitacions, en total, el terme original del Morell devia tenir una superfície d'unes cent seixanta-una hectàrees, uns dos-cents seixanta-sis jornals.

A inicis del segle XVI la senyoria del Morell era detinguda pel donzell Benet Terré i, segons el fogatjament de 1515, es comptaven catorze focs, a més de la família Terré.[8]

6. De fet, segons una descripció del Corregiment de Tarragona del primer quart del segle XVIII, s'especifica que les jurisdiccions són de l'arquebisbe de Tarragona. ROVIRA-DASCA: *Descripció del Corregiment de Tarragona*, pàg. 60.

7. *Els castells catalans*. Rafael Dalmau. Vol. III. Barcelona, 1969, pàg. 626.

8. RECASENS: *El senyoriu del Morell*, pàg. 164.

EL TERME DE LA GRANJA DELS FRARES DE SANTES CREUS O DEL CODONY

Actualment pertany al terme municipal del Morell. Aquest terme és, possiblement, el més referenciat i més conegut de tot el territori del Codony; amb tot, només ha estat delimitat a grans trets.[9] Dins del terme cal distingir dos espais, separats pel riu Glorieta. Al sud d'aquest se situarien les terres corresponents a la primera donació, les de Sant Joan del Consell, mentre que al nord hi havia les de la segona donació posterior, les de les «Cases Rodones». La delimitació d'aquest segon espai no sembla oferir cap problema, ja que a partir del parcel·lari es presenta com un tot compacte i no sembla que hagi pogut patir gaires alteracions. Pel que fa a les terres santescreuines a Sant Joan del Consell només estan clares les delimitacions a l'est i al nord, amb els rius Francolí i Glorieta, respectivament, així com l'encaix dins de terres de Vilallonga, a l'oest del camí ral de Tarragona a Montblanc, actual partida del mas Cremat. Pel capbreu sabem que aquest espai occidental formava part del terme de la Granja. A partir del parcel·lari de 1955 es pot observar com el límit meridional d'aquesta dent es projecta en línia recta vers l'est, i s'ha fossilitzat el que creiem que seria el límit meridional del terme a les partions de diverses finques. El límit que proposem es troba al sud de les parcel·les 38, 39 i 60 del polígon 3 del Morell i de les parcel·les 6-8 i 38 a 41 del polígon 12.

Si fos correcta la hipòtesi que proposem, el terme podria tenir un total de cent quaranta-dues hectàrees, uns dos-cents trenta-quatre jornals, repartits entre els cinquanta-dos de la part de les Cases Rodones, i els cent vuitanta-dos jornals de la part de Sant Joan del Consell.

Segons el fogatjament de 1515, a inicis del segle XVI es comptabilitzaven a la Granja un total de set focs.[10] Molt a prop d'aquest nucli s'ubicava el molí de Santes Creus, un dels pocs de tota l'àrea del Codony que encara sobrevivia.[11]

LA QUADRA DE L'HOSPITAL DE SANT JOAN DE JERUSALEM

Actualment forma part del terme del Morell. La quadra se situava entre el camí ral de Tarragona a Montblanc i el riu Francolí, mentre que els seus límits meridional i septentrional es corresponien amb el tram final de la riera

9. A part de tot el que representà el seu procés de formació al segle XII, el qual ja ha estat comentat anteriorment, és Fort i Cogul qui més ha estudiat la seva evolució posterior. Vegeu al respecte: FORT: *El senyoriu de Santes Creus*, i FORT: *El Codony del Camp de Tarragona*.

10. RECASENS: *El senyoriu del Morell*, pàg. 164.

11. ESPAÑOL BERTRAN, Francesca: «Els casals de molins medievals a les comarques tarragonines. Contribució a l'estudi de la seva tipologia arquitectònica». A: *Acta Historica et Archaeologica Medievalia*, 1. Universitat de Barcelona, 1980, pàgs. 235-238.

de la Selva i el terme de la Granja de Santes Creus. A partir de les dades del parcel·lari, el terme tenia una superfície d'unes vuitanta-nou hectàrees, uns cent quaranta-sis jornals, la mateixa superfície que l'expressada en un capbreu del 1691.[12]

El terme, com el seu nom indica, era sota senyoria directa dels hospitalers de Sant Joan. La reina Sança, a qui, prèviament, el seu marit, el rei Alfons, li havia fet donació, el novembre de 1187 feia entrega a l'orde hospitaler de «*omnem meam hereditatem, quam habeo in territorio Terrachone, videlicet infra terminum de Chodong*», la donació s'havia de fer efectiva després de la seva mort, llevat de mitja jovada de terra que havia donat a Bernat de Redor.[13] Malgrat aquesta disposició, l'u d'octubre de 1207, Sança bescanvià amb l'orde el «*manso Codong, quod est in territorio Tarraconis*» pel monestir de Sixena i Sena, Urgellet i Santa Lecinia, amb la qual cosa els hospitalers iniciaren en aquesta data el domini efectiu de la quadra.[14]

Amb anterioritat a la donació, el terme apareix repartit en diversos honors. El més antic que coneixem és el de Guerau de Colent, el qual el 1167 sostingué un fort litigi amb el monestir de Santes Creus per la fitació entre ambdós honors.[15] Vers el 1177 trobem dins d'aquesta àrea honors de Bernat de Claramunt, Guillem d'Albinyana, l'honor de Danda de Berenguer de Vilafranca, o el mas dit d'en Figuera.[16] Per l'evolució posterior, és força possible que, a ran de la concòrdia de 1175 entre l'arquebisbe i el rei i els Cardona i Claramunt, aquesta part del territori hagués quedat sota domini eminent del rei. A diferència de la política seguida per Santes Creus, un cop assolit el domini de la quadra per part dels hospitalers no sembla que, de moment, s'haguessin preocupat massa en fer-se amb els diversos drets i honors que comprenia, car el 1248 encara consten, a més de Danda, els honors del mas de Guillem Pere i els de Berenguer i A. de Tamarit.[17]

A inicis del segle XVI a tot el terme només consta l'existència del mas de Bartomeu Lluch, el qual, molt possiblement, es corresponia amb els esmentats masos d'en Figuera i, posteriorment, de Guillem Pere. Per la situació que presenten, tal vegada tenia una continuació amb el mas Girona, existent fins a la construcció de la refineria.

12.   ORTEGA, Pasqual: «El terme dels Hospitals (el Morell, Tarragonès) de l'Orde de Sant Joan de Jerusalem a finals del segle XVII». A: *Universitas Tarraconensis*, IX. Universitat de Barcelona (Tarragona), 1987, pàg. 202.

13.   AHN. Biblioteca. DELAVILLE LE ROULX, J.: *Cartulaire General de l'Ordre des Hospitaliers de S. Jean de Jerusalem*. París, 1894-1897. Vol. I, doc. 837.

14.   AHN. Biblioteca. DELAVILLE: *Cartulaire*. Vol. II, doc. 1272.

15.   PAPELL: *Diplomatari de Santes Creus*, doc. 123.

16.   AHAT. *Índex Vell*, 547v.

17.   AHAT. *Índex Vell*, 547.

LA QUADRA DE DANDA

A l'actual terme del Morell. Es tractava d'una quadra de dues jovades que, per diverses afrontacions, cal situar entre el riu Francolí i el tram final de la riera de la Selva. Malgrat que documentalment coneixem força aquest territori des del 1169, i que és un dels termes específicament annexats al Morell al segle XIX, se'ns fa de difícil ubicació. Com s'ha vist, tot el sector entre el camí ral i el Francolí apareix ocupat pels termes de la Granja i dels Hospitals, i no resta cap espai suficient per a dues parellades de terra, i tot i això la seva ubicació no sembla que ofereixi gaires dubtes. Un establiment del 1177 especifica que el mas Danla o Danda termenava «*a sol ixent amb lo riu Francolí, a migjorn amb la terra d'Arnau de Tamarit*», i en una venda del 1248 una de les afrontacions és amb l'honor de Puigdelfí, el qual no pot ser altre que la part del terme de Puigdelfí «*dellà lo riu*», situat entre la Pobla i el Morell.[18]

Tal vegada la possible explicació es basi en el fet que el senyor d'aquest mas de Danda no tingués la plena senyoria eminent (si és que la podem denominar així, atesa la intrincada cadena de relacions feudovassallàtiques que sovint trobem en tota aquesta àrea del Camp de Tarragona), essent un més dels *honores* ja detectats dins de la quadra dels Hospitals. De fet el còdex santescreuí, estudiat per Fort, només l'esmenta quasi de passada: «*una campania terre, vocatur honor den Danda*».[19] O sigui que per part dels seus senyors estava considerada com una mera finca agrícola, els tinents de la qual havien de satisfer un cens anual de cinc quarteres d'ordi, així com estaven obligats a lluïsme, firma i fadiga.

L'arquebisbe Pere d'Albalat comprà Danda a Guillem de Vilafranca, el 1248, la família del qual l'havia rebut de mans de Guillem de Claramunt, el 1169.[20] En el seu testament deixà la quadra al monestir de Poblet, tot i que poc durà el domini pobletà, car el 2 d'octubre de 1255, Poblet tornava a vendre-la a l'arquebisbe Benet de Rocabertí, tot al·legant que «*dita venda fan per motiu que per pactes fets entre dit senyor arquebisbe i monestir no poden dit abat i convent retenir possessions situades en lo Camp*».[21] Posteriorment, Santes Creus assolí la propietat de Danda en data desconeguda.

A inicis del segle XVI, malgrat que, amb anterioritat, consta l'existència d'un mas, no sembla que residís ningú a Danda.

18. Per a ambdues referències vegeu les notes anteriors.
19. Fort: *El senyoriu de Santes Creus*, pàg. 351.
20. AHAT, *Índex Vell*, 457 i 457v, respectivament.
21. AHAT, *Índex Vell*, 457.

EL MAS DE LA MONTOLIVA

Actualment integrat dins del terme de Vilallonga. Presenta una forma gairebé rectangular, tot limitant per l'oest amb el terme de la Selva, mitjançant el camí ral de Reus a Valls, per sud i est amb el terme de Vilallonga, mitjançant la rasa del Gemegó i el camí conegut com de la Montoliva al Morell, respectivament. No disposem de suficients dades com per poder determinar si el límit septentrional del mas es trobava a la riera de la Selva o al camí de la Selva. En total, segons les fitxes del parcel·lari de rústica de 1955, la Montoliva tenia una superfície de setanta-sis hectàrees, uns cent vint-i-sis jornals.

La senyoria de la Montoliva havia estat en mans dels Vilanova de la Selva, i traspassada a Galceran de Montoliu, fill del senyor de Peralta. El 1422, la seva vídua, Joana de Jorba (la qual motivà que el terme, anteriorment conegut com la Torre, acabés coneixent-se com la Montoliva), en el seu testament ho llegà als seus nebots, fills de Guerau de Guimerà, castlà de Tamarit.[22] Sembla que, en origen, el terme comptava amb dues masies. En una d'elles, des d'antic havia estat establerta la família Maymó, la qual, amb el temps, acabà ocupant també les terres de l'altra masia.[23] Amb tot, aquesta plena ocupació no devia ser completa, atès que el 1429 hom establia a Guim de Figuerola, de Vilallonga, l'altra masia, si bé poc s'hi devia estar, perquè el 1454, Pau de Guimerà, castlà de Tamarit, establí a Pere Guasch, pare i fill, de Puigpelat, dit mas, tot i que, com l'emfiteuta anterior, no sembla que la seva estada hagués estat gaire llarga, i finalment dites terres i mas retornaren als Maymó.[24] Pel capbreu de Vilallonga sabem que el 1510 el titular del mas, Damià Maymó, ja era difunt, i havia deixat tres filles, Lluïsa, Caterina i Margarida, sota la tutoria de Berenguer Plana i Joan Folch de Vilallonga.

EL MAS DE L'OBRA

Actualment forma part del terme de Vilallonga. Les terres del mas, d'unes vint-i-quatre hectàrees d'extensió, uns quaranta jornals, limitaven per l'oest amb el camí ral de Reus a Valls, pel sud amb el terme de la Font de l'Astor, mitjançant una línia recta que arribava del camí ral a la riera de la Selva, la qual li feia de límit oriental amb Vilallonga. Pel nord oest limitava amb l'enclavament puigdelfinenc de les Barraquetes, i pel nord el seu límit es trobava a l'actual carretera d'Alcover a Vilallonga, llevat d'una estreta franja

---

22. PIÉ: *Annals inèdits*, pàgs. 662-665. Pel que fa als castlans de Tamarit: *Els castells catalans*. Vol. IV, pàgs. 72-73.

23. PIÉ: *Annals inèdits*, pàgs. 663-667.

24. AHAT. *Índex Vell*, 210 v-211, i PIÉ: *Annals inèdits*, pàg. 665. Una visió sintetitzada del terme de la Montoliva a: ROVIRA I GÓMEZ, Salvador-J.: «La Baronia de la Montoliva». A: *TAG*. Març 2006, any XI, núm. 41, pàgs. 8-10.

de terra, tocant a la riera i paral·lela a dita carretera, la qual pertanyia al terme de Vilallonga.

Com indica el seu nom, el mas estava sota senyoria de l'obrer de la Seu tarragonina. A inicis del segle XVIII les jurisdiccions eren de l'arquebisbe i de l'ardiaca de Sant Llorenç de Tarragona.[25] A l'època del capbreu el mas consta ocupat per la vídua de Joan Canals.

EL TERME DE LA FONT DE L'ASTOR

Juntament amb el contigu terme del Carxol, formen l'extrem més occidental de l'actual terme de Vilallonga. És un terme força gran. Presenta una forma lleugerament triangular, amb una superfície d'unes cent tres hectàrees, al voltant dels cent setanta jornals. Limitava per l'oest amb el terme de la Selva, al sud i l'est amb la riera de la Selva, i pel nord, des de la riera al camí ral de Reus a Valls amb el mas de l'Obra, i des del camí ral cap a l'oest, mitjançant un camí, amb els termes del Carxol i del Cogoll Roig.

És molt possible que les terres de la Font de l'Astor i del Carxol haguessin format part del primigeni *castrum* del Codony sota senyoria dels Claramunt. El cert és que, a ran de la concòrdia de 1175 entre l'arquebisbe i el rei, per una part, i els Cardona i Claramunt, per l'altra, aquests retingueren dites terres, però en qualitat de feudataris dels primers.[26] El 9 de febrer de 1244, l'arquebisbe Pere d'Albalat va comprar el Codony a Guillema, vídua de Guillem de Claramunt.[27] Cal suposar que dins dita venda —o, tal vegada, en alguna de posterior, de la qual no tenim notícia— estaven compreses les terres de la Font de l'Astor i del Carxol, perquè poc després, el 1248, dit arquebisbe comprà a Guillem d'Aguiló els drets que tenia sobre el Codony, la Secuita, la Font de l'Astor i el Carxol.[28] El terme passà posteriorment al paborde de la Seu, i, amb l'extinció de dita dignitat capitular, passà a mans del Cambrer.[29]

Malgrat que, al llarg del període medieval, sabem de l'existència del voltant d'uns cinc masos al terme, ni pels fogatjaments ni pels capbreus, no disposem de cap dada que ens indiqui qui eren els seus estadants a inicis del segle XVI.

25. Rovira-Dasca: *Descripció del Corregiment de Tarragona*, pàg. 45.
26. AHAT, *Índex Vell*, 452-452v.
27. Hernández Sanahuja: *Cartas pueblas de Tarragona*, pàg. 337. Malauradament, Hernández Sanahuja en aquest article no esmenta les fonts consultades. El canonge Blanch també esmenta aquesta venda, si bé sense incloure data ni font: Blanch: *Arxiepiscopologi*, vol. I, pàg. 153.
28. AHAT, *Índex Vell*, 453v.
29. Informació força completa de l'evolució del terme de la Font de l'Astor, sobretot en època medieval, a: Pié: *Annals inèdits*, pàgs. 667-671.

EL LLOC I TERME DEL ROURELL

El terme del Rourell presenta dues característiques importants. Per una part, fou un dels primers territoris del Codony en ser repartit, o, si més no, un dels més primerencs dels quals es té notícia, car apareix esmentat com una de les afrontacions a l'acta del 17 d'agost de 1160 en què Ramon Berenguer IV feia donació a Berenguer de Monells de la terra de Bellestar (Bellestar, com es veurà, fou el nucli del futur terme de la Masó), la qual limitava per una part amb el mas de Carbonell de Martorell o del Rourell.[30] Per altra part, observant el seu parcel·lari, no sembla que s'hagués produït cap alteració dels seus límits, per la qual cosa, sembla que el terme actual es corresponia amb l'originari.

El Rourell limita per l'est amb el riu Francolí, pel nord amb el terme de la Masó, per l'oest amb l'actual terme d'Alcover i una petita part amb l'enclavament de les Barraquetes, de Puigdelfí. Pel sud limita, mitjançant el riu Glorieta, amb el terme de Vilallonga i amb la Granja dels Frares, si bé una part d'aquest terme, el més proper al Francolí i que es corresponia amb el territori de «les Cases Rodones» entregat a Santes Creus el 1176, se situa al nord del Glorieta, dins ja del que hauria estat territori del Rourell. L'actual terme —i, per tant, cal suposar que també l'originari— té una superfície total d'unes dues-centes vint-i-vuit hectàrees, uns tres-cents setanta-quatre jornals.

Com s'ha vist, el mas del Rourell era de Carbonell de Martorell, possiblement germà o parent de Joan de Martorell, receptor el 1158 de l'Albiol i posteriorment ardiaca de l'Església tarragonina.[31] A partir de la donació a Santes Creus del territori dit de les Cases Rodones sabem que dit Carbonell disposava de molins a prop del terreny donat, i que no mancaren friccions entre el cenobi i el gendre de Carbonell de Martorell, Berenguer de Plegamans.[32] El terme del Rourell va estar sota la senyoria dels Plegamans fins al darrer terç del segle XV, quan la pubilla, Beatriu de Plegamans, es casà, abans del 1474, amb Antoni-Joan Ferrer. L'hereu d'ambdós, Antoni Ferrer de Plegamans, el qual testà el 1527, es casà amb Margarida de Busquets.[33] En el fogatjament de 1515, el Rourell constava amb set focs.[34]

EL LLOC I TERME DE LA MASÓ

Els orígens del terme de la Masó cal cercar-los en el territori de Bellestar. Segons Blanch, l'arquebisbe Bernat de Tort donà aquest territori, el 1158, a Berenguer de Monells. Poc temps més tard, el 17 d'agost de 1160, era el comte

30. SANS: «El Rourell», pàgs. 135-136.
31. MORERA: *Tarragona Cristiana*. Vol. I., pàgs. 449 i 461.
32. PAPELL: *Diplomatari*, docs. 189 i 214.
33. *Els castells catalans*, vol. III, pàg. 626.
34. IGLÉSIES: «Consideracions sobre les dades de poblament», pàg. 205.

Ramon Berenguer IV qui li feia donació de Bellestar. Segons l'acta, la terra de Bellestar, situada al territori de Tarragona, al terme del Codony, limitava per l'est amb l'aigua del Francolí, pel nord amb el mas d'Arnau Pere de Castellnou que era conegut per Riba-roja, pel sud amb el mas de Carbonell de Martorell o del Rourell i per l'oest amb el rec que en temps de pluges corria des del mas de Pere Voltor. A més, facultava a Berenguer de Monells a construir un molí i utilitzar aigua del Francolí per al seu funcionament.

Entre aquesta data i el 1162, Berenguer de Monells ingressà a l'orde del Temple, atès que en data 20 de desembre de 1162, era Guillem de Claramunt qui confirmava la donació de Bellestar, però no a Berenguer de Monells, sinó directament al Temple, al qual aquest havia fet entrega. La confirmació per part dels Aguiló fou feta el 23 de desembre de 1166. Encara el 3 de novembre de 1170, Guillem de Claramunt tornava a confirmar a l'orde del Temple el mas de Bellestar, i li lliurava tots els drets que pogués tenir dins aquelles fites i li confirmava la propietat en alou franc i lliure, si bé aquest cop indicava expressament que els delmes i primícies pertanyien a l'Església de Tarragona, i, per altra part, rebia del Temple cent morabatins.[35] Val a dir que tant la nòmina de donadors, com la forma d'actuar, i, gairebé les dates, coincideixen amb la donació a Santes Creus de les terres a Sant Joan del Consell, també al Codony.

És, per tant, a partir d'aquestes dates que els templers establiren al mas de Bellestar una sotscomanda, que depenia de Barberà, amb una granja o «masó» (*mansio*). Els monjos adquiriren un bon nombre de terres del veí terme de Riba-roja, i, fins i tot, de Vallmoll, fruit de la donació de Guillem de Castellvell, el 1174, i que és l'origen de l'actual enclavament de la Masó a l'altra banda del riu Francolí.[36] Malgrat tot, els templers vengueren el seu domini de Bellestar, el 1248, a Pere de Bordell i als marmessors de Pere Grimau. Per l'instrument d'alienació sabem que el domini templer afrontava amb els honors de Guillem de Plegamans, amb els honors de Vallmoll, situats més enllà del riu Francolí, i amb els honors de Riba-roja, del Milà i d'Alcover, i contenia una torre i una casa, molins, drets d'aigües i conduccions, una albereda, olivars i terres ermes i conreades.[37]

L'actual terme, amb una superfície de tres-centes seixanta-quatre hectàrees, està format per l'antic terme de Bellestar, posteriorment la Masó, i, si no tot, bona part, del terme de Riba-roja. Pel que fa a la delimitació de Bellestar, l'únic dels dos termes que podem identificar amb seguretat com a pertanyent al Codony, a partir del parcel·lari, sembla que per l'est, el sud i l'oest es corresponia amb l'actual, mentre que el límit nord amb Riba-roja

35. Sans: «El Rourell», pàgs. 134-142.
36. Sans: «El Rourell», pàg. 143.
37. Sans: «El Rourell», pàgs. 159-160.

creiem que hom podria situar-lo als camins actualment coneguts com del Calvari i de les Estries. Si aquesta proposta de delimitació fos correcta, el terme original de la Masó assolia una superfície d'unes cent seixanta-cinc hectàrees, uns dos-cents setanta-un jornals.

La senyoria de la Masó hauria recaigut en l'arquebisbe. En el fogatjament de 1515 consta amb sis focs.[38]

LA QUADRA DEL TORRELL

Actualment forma part del terme municipal de Tarragona, en el seu extrem nord, dins del polígon 1 del cadastre de rústica. Aquesta quadra, situada a la part més montuosa i meridional del Codony, limitava per l'est amb el terme del Catllar i pel nord amb el del Codony, mentre que pel sud i l'oest ho feia amb el terme de Tarragona.

En total, la quadra tenia al voltant de les dues-centes hectàrees, uns tres-cents trenta jornals, i era ocupada per diversos masos. Al llarg del segle XVI es documenten els masos d'en Pastor, el d'en Alegre o de Gavaldà i el d'en Cerdà. Aquests últims haurien format posteriorment part del mas d'en Garrot. Per altra part, el mas del Frare també consta com a pertanyent a la quadra del Torrell, si bé la major part de les seves terres es trobaven dins del terme del Codony.[39] Per contra, els veïns masos dels Arcs o d'en Dalmau, de Morató, de Rodolat i d'en Granell ja formaven part del terme de Tarragona.[40]

Fins al 1394, la quadra va estar sota senyoria del paborde o del Capítol. En aquesta data fou adquirida per l'arquebisbe, Ennec de Vallterra.[41] Parroquialment, com el veí lloc dels Pallaresos, depenia de Tarragona i no pas del Codony. Com la resta de llocs i termes propers, el Torrell formava part de les *faldes* de Tarragona, si bé sembla que tenia amb aquesta una relació més estreta que portà, el 1522, a una sentència per la qual es reconeixia als habitants del Torrell com a ciutadans de Tarragona.[42] Aquesta vinculació amb Tarragona culminà el 1839 amb la incorporació de la quadra al terme de la ciutat.

---

38. IGLÉSIES: «Consideracions sobre les dades de poblament», pàg. 205.
39. MUNTANYA-ESCATLLAR: *Tarragona: una passejada pel terme*, vol. I pàgs. 14-15, 173, 290-291, 305, 308-309; vol. II pàgs. 41-42, 287-288.
40. MUNTANYA-ESCATLLAR: *Tarragona: una passejada*. Vol. I pàgs. 34-36, 215-216, 325-326, 482-483; vol. II pàgs. 174.
41. AHAT, *Índex Vell*, 639 i 653v.
42. *Repertori Municipal de Tarragona*. Col·lecció de Documents de l'Àrxiu Històric Municipal de Tarragona, 9. Ajuntament de Tarragona, 1993, pàg. 56.

CONCLUSIONS

El conjunt de l'antic castell termenat del Codony devia tenir una superfície d'uns quaranta-quatre quilòmetres quadrats. És, certament, un ampli territori, més gran, per exemple, que l'actual terme municipal de Constantí, d'uns trenta-un quilòmetres quadrats, un dels més extensos del Tarragonès, si bé dins del conjunt del Camp de Tarragona el Codony representava tan sols una petita porció.

Les característiques que presenten la feudalització i ocupació d'aquest territori i la seva posterior evolució al llarg dels segles medievals acabaren conduint a una gran fragmentació de l'espai en una munió d'alous, molts dels quals de superfície no gaire gran, quan no petita, reduïda, en alguns casos, a un mas i la seva terra. Aquesta dispersió en petites unitats afavorí que alguns aloers engrandissin el seu patrimoni amb l'adquisició d'altres alous, no necessàriament colindants. Amb el temps, en esdevenir els alous termes propis, aquestes adquisicions haurien donat peu a l'existència dels diversos enclavaments que, encara avui, s'observen en molts dels pobles de l'antic Codony.

Per tant, a inicis del segle XVI, a tot el territori del Codony s'observa una gran concentració de petits termes en un poc espai, concentració molt més gran que la que s'observa a la resta del Camp de Tarragona. A tall d'exemple, a la venda que el 1391 va fer el rei Joan I a l'arquebisbe de tots els seus drets i jurisdiccions sobre les viles i llocs del Camp de Tarragona, del llistat de seixanta-un termes aportats per Morera —gairebé tots els existents—, dinou corresponen a l'àrea del Codony; per tant, gairebé la tercera part del total.[1]

Juntament amb les petites i mitjanes dimensions dels seus termes, una altra característica del Codony és la gran dispersió dels nuclis de poblament, provocat per l'alta presència de masos arreu del territori. Aquests, a l'inrevés del que succeeix a termes veïns com Constantí o Tarragona, no

1.   Morera: *Tarragona Cristiana* II, pàgs. 659-660.

es troben a la corona del terme, a les terres més allunyades del nucli urbà, sinó que pràcticament conformen el teixit de tot el territori, trobant-nos termes formats bé únicament per un mas o per diversos, com al terme del mas de Tomanill o Romanins, el de Requesens, l'Hospital, la Montoliva, la part occidental del terme de Puigdelfí o el mas d'Eimerich Desprats. Els masos els trobem també presents en termes on existeix un nucli habitacional concentrat, com a Vilallonga, el mateix Codony o al nord de Puigdelfí, on es documenta un antic mas ja desaparegut el 1510.

La importància dels masos al Codony és encara més important si tenim en compte que alguna concentració urbana sorgí a partir del desenvolupament d'un mas, com succeeix als Pallaresos o al Rourell, mentre que en d'altres casos, com Perafort, fruit de la unió de dos o tres capmasos, i, potser, la Pobla de Mafumet tingueren també els seus orígens en el mas. En un parell de llocs, la Masó i la Granja dels Frares, com gràficament indiquen els seus noms, trobem el seu origen en sengles explotacions agràries d'ordes religiosos, templer el primer i dels monjos santescreuins el segon.

Els llocs creats de bell antuvi com a nuclis concentrats són pocs. Amb una tipologia de poble castral, tan sols trobem el Morell i Puigdelfí. Amb una estructura i planificació de vilanova tenim Vilallonga (el seu segon i definitiu assentament, car desconeixem l'urbanisme del primer assentament) i la Pobla de Mafumet on, a més d'estructurar-se'n la morfologia urbana, també s'haurien planificat les heretats corresponents a cada casa. Pel que fa a la desapareguda vila del Codony, malgrat que no ens ha pervingut cap traça del seu urbanisme, és molt possible que, per la importància que li donaren els seus promotors, s'hagués planificat com una vilanova. A l'època de redacció del capbreu, a inicis del segle XVI, un cop desapareguda la vila del Codony, els nuclis concentrats existents eren els mateixos que trobem en l'actualitat, llevat potser de la Granja dels Frares, tot i que resistí habitada fins entrat el segle XX.

Aquesta gran àrea tan dispersa disposava, però, d'un punt central de trobada: la plaça de la vila del Codony. En aquest lloc se situaven l'església parroquial de Sant Pere del Codony i el *macellum* o carnisseria. En diumenges o en dies de precepte o alguna altra festivitat important, aquest era el lloc que aplegava a tots els parroquians del Codony i, per tant, permetia el contacte relacional o comercial entre ells. No és estrany, doncs, que, un cop desapareguda la vila i transferida la jurisdicció a Penalonga, els únics elements que restessin a l'antic emplaçament del Codony fossin l'església amb la rectoria (amb funcions també de notaria) i la carnisseria.

Demogràficament, l'àrea del Codony presenta una baixa densitat de població. Un factor important hauria estat la presència de força masos, si bé no és l'únic, ja que, per altra banda, els nuclis concentrats presenten un nombre de població també reduït. Un altre factor que podria explicar també aquesta feble ocupació podria ser la poca entitat territorial de la majoria dels termes, atès que, com ja hem vist, no disposaven d'una gran superfície que pogués suportar una gran concentració humana.

Per tal de conèixer el nombre d'habitants existents a l'àrea del Codony a inicis del segle XVI les dades del capbreu de 1510 són de gran ajuda, si bé no les podem prendre com a definitives. El motiu és que, per una part, els diversos capbreus no abasten la totalitat de termes en què es dividí el Codony, i, per l'altra, per les afrontacions dels béns confessats, sabem que no tots els emfiteutes compliren amb l'obligació de capbrevar. Per tant, la millor font serà el fogatjament de 1515, el més proper en el temps a la data del capbreu.[2]

Segons les dades del fogatjament de 1515, de tots els llocs del territori del Codony, tan sols dos superaven els deu focs: el Morell, amb quinze, i Vilallonga, amb trenta-sis.[3] A la major part de la resta de llocs es comptabilitzen set focs, com és el cas de la Pobla, la Granja dels Frares, el Rourell i Puigdelfí.[4] Sis focs es documenten als Pallaresos i a la Masó. Termes com la quadra de Requesens o Perafort, lligats al món dels masos, tan sols presenten tres i dos focs, respectivament. Precisament, l'alta presència de masos a la contrada es constata amb els catorze focs corresponents al Codony i a la seva quadra de les Franqueses. Per contra, altres termes amb masos ocupats en el capbreu de 1510 com l'Hospital, la Montoliva o la Camareria, no semblen constar en el fogatjament. Pel que fa als habitants de la quadra del Torrell, molt possiblement quedaren englobats dins del fogatjament de la ciutat de Tarragona.

Per tant, a partir de les dades d'aquest fogatjament, juntament amb alguna dada auxiliar, provinent del capbreu de 1510, hom pot calcular que, aproximadament, la totalitat de focs existents el 1515 al conjunt de termes en què es dividí l'antic castell termenat del Codony devia ser d'uns cent vint-i-dos.

2.   IGLÉSIES: «Consideracions sobre les dades de poblament», pàgs. 205-207 i RECASENS: *El senyoriu del Morell*, pàgs. 162-165.

3.   Mercès a les dades del capbreu, hem pogut comprovar com, tant en el fogatjament de 1515 com en els del 1496 i el 1553, en els llistats d'habitants d'alguns llocs s'hi afegeixen d'altres noms d'habitants d'algun petit terme proper, com, per exemple, és el cas de part dels habitants de la quadra de Requesens, repartits entre el fogatge de la Pobla i el del Codony. Per tant, a l'hora de comptabilitzar el total de focs de cada terme hem tingut la precaució de situar cada nom dins del seu lloc o terme corresponent. Això, per altra banda, fa que el nombre final de focs de cada lloc no coincideixi necessàriament amb els aportats pel fogatjament.

4.   De fet, el nombre total de focs de Puigdelfí és de nou, si bé set corresponen als habitants del nucli situat a l'esquerra del Francolí i els altres dos a masos situats a la riba dreta. Atesa l'especial idiosincràsia d'aquest terme, amb dues formes molt diferenciades d'hàbitat, hem optat per separar els focs en dos, segons facin referència a hàbitat concentrat o dispers.

A partir del nombre de fogatjaments, per tal d'acostar-nos al nombre d'habitants, utilitzarem el coeficient multiplicador proposat per Gual de cinc habitants per cada foc, tot i les prevencions i reserves que el mateix autor planteja.[5] Aplicant dit coeficient, el nombre d'habitants a l'àrea del Codony el 1515 era d'uns sis-cents deu.

Comparant les dades proporcionades pels fogatjaments de 1497 i de 1515, el panorama general sembla el de l'estabilitat demogràfica, amb una molt lleugera tendència a l'increment en alguns casos. La mateixa situació estable sembla que es repeteix si observem les dades del fogatjament de 1553; només destaquen Perafort, que passa dels dos focs del 1515 a vuit el 1553, i Vilallonga, que de trenta-sis focs passa a cinquanta-tres. Precisament, no sembla pas casual que siguin aquests dos termes els que presentin un major augment demogràfic, ja que, per una banda, Perafort, amb una minsa població el 1515, disposa d'una relativament gran superfície, la qual, a partir de l'erosió de les importants heretats que s'hi concentren, permetria aquest augment poblacional. Per la seva part Vilallonga, amb un extens terme, podria absorbir aquest augment, a més que, per altra part, el desenvolupament d'oficis deslligats de la pagesia que ja s'observa en el capbreu de 1510 permetria aquest augment sense que s'hagués de donar una dependència tan directa sobre el control i explotació de la terra. Per contra, l'única tendència negativa la trobem en els masos del Codony, els quals, entre 1497 i 1553, patiren una lleugera disminució del seu nombre de focs.

Aquesta baixa densitat demogràfica, unida a la gran superfície que representava el territori del Codony, amb terres sovint de gran feracitat, permeté que, si bé amb un repartiment desigual, la gran majoria de nuclis familiars poguessin disposar de suficients terres com per autoabastir-se i generar un excedent que els permetria fruir, en no pocs casos, d'una certa posició socioeconòmica. En aquest sentit, el fet de trobar-nos amb emfiteutes de mas o de poble, indistintament, prestant diners o comprant censals als seus antics senyors laics, o, com en un cas de Puigdelfí, en què trobem a un membre d'una de les famílies casada amb un militar, semblen reforçar aquesta imatge de relativa bona posició.

De fet, encara que no s'especifiqui en el capbreu, pel nombre de béns i la seva superfície creiem que a les terres del Codony, a inicis del segle XVI, existia una forta presència de l'anomenada mà major, essent gairebé arreu el grup majoritari quan no hegemònic. La divisió de la societat codonyenca

5.   GUAL VILA, Valentí: «El punt de partida de l'agricultura moderna. De la sentència arbitral de Guadalupe i les Germanies a la crisi de finals del cinc-cents», pàg. 20. A: GIRALT I RAVENTÓS, Emili (dir.): *Història Agrària dels Països Catalans. III. Edat Moderna.* Fundació Catalana per a la Recerca i la Innovació. Barcelona, 2008.

en diferents mans o grups, de major a menor, segons el seu grau de riquesa, se'ns palesa en la figura del jurat. A cada petit lloc hi consten dos jurats, el major i el menor, mentre que en llocs més grans (com és el cas de Vilallonga) i a les viles els jurats eren tres, cadascun representant la seva mà, i, en tots els casos, amb preeminència per raó de riquesa al jurat primer o major.[6]

Si bé desconeixem els mecanismes que permetien determinar l'adscripció a una mà o a una altra, i, per tant, quina quantitat de terra (en aquest lloc i en aquest moment, la principal font de riquesa i de recursos de la immensa majoria) era necessària per formar part de la mà major, a partir d'algunes dades d'èpoques posteriors creiem que el tall es podria haver situat entre els vint i els vint-i-cinc jornals de terra. Amb tot, val a dir que és força possible que aquest nombre de terres pogués variar d'un terme a un altre en funció de la qualitat i condicions del terreny, ja que no devia tenir el mateix rendiment un jornal de terra situat a la vora o a prop del riu, en terreny pla i amb possibilitats d'irrigació, que un altre situat, per exemple, a la part sud oriental del Codony, amb un terreny irregular i de secà.[7]

Si prenem com a hipotètic topall aquests vint jornals de terra, podem observar que als nuclis concentrats, a Puigdelfí i els Pallaresos la mà major era hegemònica. A Perafort, dels tres confessants (el cent per cent dels caps de casa), dos estaven molt per sobre dels vint jornals, i en ambdós casos depassaven els cent jornals. Pel que fa a la Pobla, dels cinc confessants, tres estaven per sobre dels vint jornals. Per contra, a Vilallonga, dels vint-i-set confessants, tan sols cinc estaven per sobre dels vint jornals, i la xifra es reduïa a només dos emfiteutes si únicament comptéssim les terres situades dins del terme de Vilallonga. Amb tot, val a dir que el cas de Vilallonga es veu molt condicionat per l'alt grau d'ocultació que es detecta, així com per l'important nombre de parcel·les confessades però sense indicar la seva superfície, factors ambdós que distorsionen el resultat final, per la qual cosa cal prendre'l només a tall indicatiu, malgrat que ens permet intuir les tendències existents.

---

6. La relació existent entre la major o menor riquesa d'una casa, la seva pertinença a una de les mans i el seu reflex en els jurats la trobem, per exemple, a Vilallonga. Segons el seu capbreu, el 1510, els tres jurats d'aquell any eren, per aquest ordre, els honorables Berenguer Plana, Guillem Paladella i Joan Riera. Si observem els jornals de terra que cadascú acumulava, veiem que Berenguer Plana tenia gairebé vint jornals de terra a Vilallonga, i quatre més al veí enclavament de Puigdelfí; Guillem Paladella disposava d'onze jornals, mentre que Joan Riera tan sols en disposava de tres.

7. En aquest sentit, és força il·lustratiu, si bé les dades utilitzades són del segle XIX i part del XX, el cas del mas Blanch i el mas de Marquès de la Pobla de Mafumet. El primer situat al sud-oest del terme i amb una superfície del voltant dels vuitanta jornals, i el segon, amb només vint, però situat vora el Francolí. Malgrat la diferència de superfície existent entre ambdós masos, tots dos pagaven de contribució rústica una xifra força igualada, la qual cosa ens mostra el gran rendiment que devien tenir les terres del mas de Marquès.

Per altra part, Vilallonga també ens permet observar com es produeix una major varietat socioeconòmica com més gran és el lloc. Així, en aquest poble és on podríem trobar una major gradació dels nivells d'accés a la terra, si bé tenint en compte les prevencions abans esmentades. Però és també a Vilallonga on documentem els únics oficis no necessàriament relacionats amb l'agricultura. A tots els llocs capbrevats, tots els confessants els podem conceptuar com a pagesos. Vilallonga no n'era una excepció i, així, la gran majoria dels confessants eren també pagesos. Tot i així, en el capbreu comptem dos paraires de panys de llana —Antoni i Bartomeu Albinyana—, dos ferrers —Joan Soldevila i Joan Gili, si bé creiem que el titular de la ferreria devia ser el primer, car és ell qui confessa tenir-la pel Capítol de la Seu—, un teixidor de lli —Pere Joan Moster— i un mestre de cases —Llorenç Soldevila. Malgrat el seu ofici, tots ells disposen de terres, si bé, en la majoria dels casos, amb una superfície testimonial d'entre un i tres jornals. Per contra, el mestre de cases, Llorenç Soldevila, amb quaranta-quatre jornals i mig, acumulava el nombre més alt de terres d'entre tots els confessants de Vilallonga.

El fet de trobar dins d'aquest grup persones amb el mateix cognom, dos Albinyana, paraires, i dos Soldevila, un ferrer i l'altre mestre de cases, ens permet veure com, en aquest moment, existien ja nissagues dedicades a oficis i desvinculades de la terra, si més no com a principal font d'ingressos. En alguns casos, els beneficis del seu treball sembla que haurien estat reinvertits en la compra de terres, si bé creiem que aquesta acumulació de finques cal entendre-la des d'una òptica inversionista i complementària. Fóra interessant poder contrastar amb els manuals notarials quin paper podrien haver tingut també aquestes persones com a creditores de censals, com una altra via de reinversió dels seus beneficis.

Hi ha un aspecte que les dades del capbreu no reflecteixen, si més no directament. El capbreu ens dóna a conèixer únicament aquelles persones que disposaven d'alguna tinença, més gran o més petita, tant s'hi val, però no ens permet saber res, o gairebé res, d'aquelles persones que no gaudien de béns propis. I, malgrat això, existien. Mercès a algunes afrontacions hem pogut conèixer un parell de casos. Així, a la Pobla de Mafumet trobem a Jaume Oriol, el qual vivia en una de les dues cases de Jaume Guardiola i no consta que posseís cap bé a la Pobla. El mateix Oriol, però, apareix en el fogatjament de la Pobla del 1515. Als Pallaresos trobem esmentat Antoni Cases, el qual, pel que sembla, vivia en una de les cases de Joan Bofarull o bé de Pere Torrella, pagès de Perafort.

La presència d'aquestes persones, encara que només mínimament intuïda, ens porta a un altre interrogant. El territori del Codony, com ja hem vist, era força extens i en el seu si hi vivia un nombre no gaire gran de famílies.

Això comportà que un percentatge significatiu d'aquestes disposés d'un bon nombre de jornals de terra. Malgrat que la superfície conreable es devia veure forçosament reduïda pels guarets, garrigues i botjars, possibles zones boscoses, etc., elements, per altra part, difícilment quantificables, en molts casos la superfície útil restant era encara important. Per tant, cal plantejar-se si una sola unitat familiar podria fer front a la seva explotació sense ajut extern. Aquells emfiteutes amb menor extensió de terres podien complementar els seus ingressos llogant-se temporalment com a jornalers, fent de mitgers o masovers, o arrendant alguna parcel·la, si bé, malauradament, el capbreu no aporta cap dada sobre aquest tipus de contractes. És quasi segur que en època de collita o verema no era gens infreqüent la presència de grups de jornalers forasters passavolants. Així mateix, és probable que dins d'algunes cases poguéssim trobar mossos o rabadans. De la mateixa manera, i tal com hem pogut veure als dos exemples anteriors, la cessió o lloguer d'una part de la casa o d'una altra casa del mateix tinent a un tercer, per al qual molt possiblement treballava, no hauria estat pas infreqüent, podent-se tractar de curtes estades o de més llarga durada, com sembla el cas de Jaume Oriol. Una de les causes de la invisibilitat de bona part d'aquest col·lectiu de treballadors domèstics hauria estat pel fet que, al viure a la mateixa casa de qui els lloga, o en alguna altra casa del mateix amo, sovint quedaven inclosos dins del *foc* familiar d'aquest.

Pel que fa al paisatge agrari del territori del Codony a inicis del segle XVI, aquest se'ns presenta com un espai molt fragmentat. La terra apareix molt repartida en un gran nombre de parcel·les. Aquesta dada, important, utilitzada per si sola —com massa sovint s'ha fet— pot arribar a distorsionar la realitat i donar una imatge de poca cohesió i minifundisme. Les parcel·les al territori del Codony presenten una àmplia varietat de superfícies, des de masos i heretats que poden arribar als cent jornals d'extensió, fins a petites parcel·les d'uns pocs quartons de terra. Per tant, atesa aquesta variabilitat de superfícies, tampoc ens serviria de gaire conèixer només quantes parcel·les acumula cada emfiteuta si no podem saber quina superfície té cadascuna d'aquestes o, sobretot, el còmput global de jornals de terra que posseeix cada emfiteuta. El capbreu ens dóna suficients exemples de tinents que, amb una sola parcel·la, disposen d'una extensa heretat, mentre que, a l'altra banda, podem trobar tinents amb un nombre important de parcel·les, però que, globalment, no arriben ni als deu jornals d'extensió.

Per altra part, la mida de les parcel·les sembla que podria venir determinada tant pel que s'hi conreava com per la seva situació. Així, deixant a banda les grans heretats i els masos, en tots els quals s'hi practicava el policultiu, les parcel·les més grans sembla que estaven dedicades majoritàriament al conreu dels cereals, mentre que les més petites acostumaven a ser hortes. Per altra banda, les parcel·les més grans s'ubicaven allí on hi havia una geografia o unes condicions més adverses. Per contra, les parcel·les més petites es concentren, sobretot, a les zones de regadiu així com al voltant dels nuclis concentrats.

A partir d'aquests paràmetres, la radiografia de la tinença de la terra al Codony ens mostra una terra efectivament, com ja hem vist, molt fragmentada per la presència de nombroses parcel·les, però, en còmputs globals, aquesta mateixa terra apareix força ben repartida entre els no gaire nombrosos habitants del territori, a partir, en la gran majoria dels casos, de l'acumulació de diverses parcel·les per part d'un mateix emfiteuta. Aquesta acumulació de terres, per altra part, hauria permès a una majoria important dels pagesos de l'antic territori del Codony, si més no d'aquells que tenien quelcom per capbrevar, de poder gaudir d'una situació força folgada (cal deixar a banda el cas de Vilallonga, car, com ja hem comentat, presenta una situació i una problemàtica particulars).

Per regla general, els emfiteutes acostumen a acumular terres principalment al terme al qual pertanyen. En alguns casos, però, poden arrodonir la seva economia amb alguna tinença en algun terme veí. Per tant, observem com, a cada terme, el gruix de tinents —quan no la totalitat— habita en aquest, essent la presència forana, com ja hem dit gairebé sempre de termes veïns o molt propers, mínima o residual. L'única excepció la trobem a la quadra de Vilar de Baró, la qual mai no va estar habitada i, per tant, de bell antuvi va estar dedicada a l'explotació per part de tinents d'altres termes. Posteriorment, amb el progressiu declivi del sistema de masos, els emfiteutes de la zona pogueren augmentar les seves terres a partir de l'extinció d'algun d'aquests masos, o de l'erosió dels restants.[8] Val a dir, també, que, a diferència d'èpoques anteriors, on es documenten emfiteutes habitants a termes més allunyats, a inicis del segle XVI pràcticament la totalitat dels emfiteutes es corresponen a habitants dels termes integrants del territori del Codony.

Pel que fa als conreus, no descobrim res si diem que el dels cereals fou el predominant arreu del territori del Codony. Malauradament, la vaguetat amb què la majoria d'emfiteutes confessen les dades dels cultius de les seves parcel·les no ens permet disposar d'uns percentatges suficientment fiables, si bé creiem que no menys del cinquanta per cent de tot el territori hauria estat destinat a aquest cultiu. Dins dels cereals, si hem de fer cas a les dades provinents dels censos a satisfer, es cultivava sobretot ordi més que no pas

8. Tal i com es pot constatar, per exemple, en el capbreu de 1691 de la quadra de l'Hospital, on, un cop desaparegut el mas de la família Lluch, els hospitalers cobriren tot el terme amb nous establiments de parcel·les a diversos tinents (ORTEGA: «El terme dels Hospitals», pàgs. 201-228).

blat (si més no aquests són els dos únics cereals que hem pogut documentar en el capbreu), essent present tant a terres de secà com de regadiu.

En percentatges molt inferiors trobaríem la vinya i les oliveres. Se'ns fa difícil escatir quin dels dos cultius predominava sobre l'altre, si bé s'observen certes diferències a una part i a l'altra del Francolí. A la banda occidental del riu sembla que existia certa igualtat entre ambdós cultius, amb, possiblement, un lleuger predomini de la vinya sobre l'olivera. Per contra, a la banda oriental la vinya tan sols és documentada a diversos sectors del terme de Puigdelfí, a una sola parcel·la dels Pallaresos i a l'heretat de Busquets, contigua a l'antiga vila del Codony, mentre que l'olivera tenia aquí una presència fins i tot més gran que a l'altra part de riu.

Fóra molt interessant, si la documentació ens ho permetés, intentar esbrinar quins cultius s'haurien donat a partides de terra o finques que, el 1510, conservaven un topònim amb clares referències al cultiu de la vinya, com la parcel·la dita «lo tros de la vinya» a Puigdelfí, la qual, malgrat el nom, el 1510 era dedicada als cereals, o la partida de terra dels Pallaresos coneguda el 1510 com La Vinyassa, tot i que no hem pogut documentar cap parcel·la amb vinyes. Tal vegada aquests topònims ens mostren que, en èpoques anteriors, la vinya hauria pogut tenir una major presència, si bé pels volts de 1510, la seva producció hauria reculat a favor d'altres cultius com els cereals o les oliveres.

Pel que fa a les terres d'horta, el capbreu no ens aporta cap dada sobre quins cultius s'hi practicaven, si bé sí que sabem que una part important de terres de regadiu haurien estat destinades al cultiu cerealístic. Dins d'aquestes terres irrigades, sobta el fet de la total absència de dades sobre el cultiu del cànem, la presència del qual sembla que hauria estat tradicional en aquestes contrades. Igualment, no documentem cap referència a boscos. Els únics espais forestals que apareixen en el capbreu són algunes alberes circumscrites a un petit focus proper al Francolí, a la quadra de Vilar de Baró, i, possiblement, al voltant de les dues ribes de la riera de la Selva, a Vilallonga. En aquest terme, a més, trobem una presència important d'alzinars, que ocupaven més del deu per cent del total de jornals confessats, un percentatge superior a l'atribuït a vinya i oliveres. També a Vilallonga trobem l'única referència a avellaners, reduïts a només un petitíssim focus situat a l'extrem oest del terme. Tanmateix, el capbreu tampoc no dóna cap mena d'informació sobre la possible ramaderia existent —la qual, per altra part, tenim ben documentada en èpoques posteriors—, malgrat les diverses referències a corrals que es poden observar en el capbreu.

Pel que fa a la possibilitat que existissin terres comunals als termes del Codony, el cert és que, amb les dades del capbreu, no sembla que n'hi haguessin hagut. Tan sols es documenten referències a una quintana a Puigdelfí, que devia estar situada al nord-oest del nucli, i als Pallaresos, a l'est del nucli, entre aquest i el camí. Malgrat això, desconeixem quin status tenien. Per altra part, en ambdós casos, les quintanes devien ser de molt reduïda superfície. També a Vilallonga s'observen les traces d'una antiga devesa, la qual, independentment de l'origen que pogués haver tingut, comunal o senyorial, el 1510 era repartida entre diversos tinents.

Respecte a les terres senyorials, únicament en trobem a Puigdelfí i a Perafort. Pel que fa a aquestes darreres, per la seva situació i concentració, són als peus de la casa forta, es podrien correspondre amb les restes d'una possible reserva dominical. Més difícil és poder-ho establir a Puigdelfí, ja que les terres senyorials apareixen dividides en dos espais prou separats, un a l'est, a tocar del riu, i l'altre entre el camí de Tarragona i el torrent de Maigllong (curiosament, cap d'aquests àmbits no es correspon amb la partida de terra que posteriorment seria coneguda com a «sorts del castell»). Si bé alguna de les dues es podria correspondre amb una possible reserva senyorial, també és cert que podrien haver estat parcel·les adquirides pel senyor a algun dels seus emfiteutes, tal i com s'ha pogut observar al Morell al llarg de tota l'edat moderna. Amb tot, tant a Puigdelfí com a Perafort, l'espai senyorial apareix ja molt reduït, en què cadascun d'aquests àmbits arribaven, com a molt, a no més de deu jornals d'extensió. Aquests espais, a més, es encara es van veure més erosionats per l'establiment en el seu si d'algunes parcel·les a emfiteutes, tal i com es pot observar a Puigdelfí.

La jurisdicció senyorial dels diferents termes de l'antic Codony, ja des de la segona meitat del segle XV, quedà concentrada en mans dels diversos estaments de l'Església tarragonina. Tan sols el Morell i el Rourell conservaren una senyoria laica. Malgrat aquesta unitat de poder, per les dades dels capbreus, es pot observar que, en termes generals, s'haurien respectat la diversitat de relacions senyor-comunitat que es donaven en cada lloc, atès que cadascun d'aquests sembla que presenta algun tret propi. Les relacions resultants eren el fruit de l'especial evolució que va tenir cada lloc, els senyors que hi hagueren i la força que pogués haver tingut la comunitat a l'hora de pactar o d'oferir resistència a noves pretensions senyorials. Malgrat que falten dades que cobreixin tot el segle XV, creiem que la situació jurisdiccional que reflecteix el capbreu de 1510 no devia ser res més que allò ja existent al llarg de tot el segle XV.[9]

Com a servituds dimanants dels drets alodials del senyor, els emfiteutes estaven obligats a complir amb la firma, fadiga, lluïsme al terç, ampara, així

9.   Així, per exemple, a la Pobla de Mafumet no s'observen canvis substancials entre les condicions que tenien els pagesos el 1429, data de la venda de la senyoria, i les que aporta el capbreu de 1510.

com altres obligacions, com capbrevar. A part dels delmes i primícies, el principal cens que observem per a béns rústics és a parts de fruit, seguit de lluny pels censos fixos en fruits i una utilització molt limitada del cens fix en metàl·lic. Malgrat aquesta varietat tipològica, es pot observar una certa lògica força generalitzada. Així, el cens fix en metàl·lic és utilitzat quasi bé sempre per gravar parcel·les d'horta i, també, molt sovint, les de vinya. Pel que fa als censos a parts de fruit, aquests es corresponen majoritàriament amb les parcel·les dedicades al cultiu cerealístic. En aquesta modalitat de cens també s'observen certes pautes generals, de tal manera que, si bé la major part ha de satisfer una tasca d'entre la desena i la dotzena part, també en trobem de més gravoses, de gairebé el doble, d'entre la quarta i la sisena part de tots els fruits. Aquest gravamen especial l'hem localitzat, per una part, en aquelles terres de millor qualitat o de regadiu, per exemple, les més properes al riu o a una sèquia, i per l'altra, en parcel·les de dimensions especialment grans, com per exemple a tot el terme de Perafort. Aquesta diferenciació de percentatges creiem que venia donada tant pel fet que, gravant més aquelles terres que més donen o que són més extenses, el senyor podia extreure una renda molt més alta, així com perquè, d'aquesta manera l'excedent pagès resultant quedava més equilibrat. El fet que, tant als Pallaresos com a les terres de l'antiga vila del Codony, els censos siguin majoritàriament fixos en quarteres d'ordi ens mostra el pes que devien tenir les consuetuds pròpies de cada lloc a que fèiem referència abans. Pel que fa als censos de béns urbans, aquests acostumaven a ser arreu en gallines i pollastres.

Pel que fa als serveis personals que havia de prestar cada emfiteuta, les joves semblen ser generals a tot el territori, seguides per batudes i tragines. En qualsevol de les tres activitats, tan sols variava el nombre de dies, un o màxim dos, el de persones i el d'animals. Només coneixem un sol cas —el del mas de l'Aragall de Puigdelfí— en què l'emfiteuta encara estava sotmès al servei d'host i guaita al castell de Puigdelfí. Als llocs on existia un castell, encara que més aviat hauríem de parlar de cases fortificades, a Puigdelfí i Perafort, els seus habitants estaven obligats a realitzar les obres de manteniment d'aquest, si bé només a les parets foranes i cobertes sobiranes, és a dir, només a l'exterior de l'edifici, tot exercint com a ajudants del mestre d'obres. Així mateix, pel fet que l'únic molí de tota la senyoria del Capítol al Codony es trobava a Puigdelfí, els seus habitants quedaven també obligats a esmerçar dos jornals fent tasques de manteniment a la sèquia del molí, un al mes de maig i l'altre al setembre.

Els destrets o monopolis senyorials, una important font d'ingressos per a aquests, restaren inamovibles en mans del Capítol. L'obligatorietat de moldre a l'únic molí de la senyoria, el de Puigdelfí, estava estesa a tot el territori. Tots els habitants de Vilallonga estaven obligats a llossar a la ferreria situada en aquest lloc. Malgrat que a la resta de termes no s'esmenti, el fet de ser l'única ferreria documentada a tota la senyoria ens fa suposar que aquesta obligatorietat devia ser general per a tot el territori. També a Vilallonga, a més estaven obligats a coure el pa al forn de la vila. A llocs on, potser, no existia un forn comú, i on, per tant, cadascú coïa el pa a casa seva, s'aplicava un gravamen, com pot ser el cas de Puigdelfí, pel qual cada casa havia de pagar divuit diners en concepte de dret de forn (*pro iure furnatico*), o el mas de Pere Virgili, a la quadra de Requesens, el qual, pel mateix concepte, havia de satisfer mitja quartera d'ordi a mesura de Constantí. El *macellum* o carnisseria, situat davant de l'església parroquial de Sant Pere del Codony, a l'emplaçament de l'antiga vila, malgrat que no disposem de dades, seguia en poder directe del Capítol.

La imatge general que ens dóna el capbreu de 1510 és la d'un territori estable, amb una demografia baixa però sostinguda, amb un segment important de la població, creiem, amb accés a suficients recursos com per no veure's gaire ofegada econòmicament, així com una no excessiva pressió senyorial. Aquesta estabilitat es pot constatar també pel que fa a les transmissions del domini útil. En línies generals, es documenten pocs canvis, de tal manera que els mateixos béns acostumen a restar a les mateixes mans, ja que la principal via de transmissió hauria estat bàsicament intrafamiliar, a través d'herència o per dot. Pel que fa a les transaccions de compravenda de béns, semblen obeir a dues úniques tendències força contraposades, de tal manera que, o bé allò venut representa la totalitat d'un patrimoni (incloent-hi casa, diverses peces de terra, etc.), o bé l'ítem venut, generalment una sola peça, es correspon a béns de poca magnitud.

Per últim, no podem acabar sense fer menció a la generalitzada presència d'arxius familiars que es detecta entre els capbrevants. La necessitat de l'emfiteuta de poder demostrar la titularitat del domini útil dels seus béns portà a la conservació dels diversos instruments notarials que pogués tenir, alguns dels quals es remunten al segle XIV. L'absència d'escriptures probatòries que s'observa a Vilallonga i a bona part del sector nord-occidental de l'antic territori del Codony, més que a una descurança o una possible resistència organitzada, és possible que hagués estat deguda als estralls bèllics que haurien pogut patir les cases dels seus habitants durant la guerra civil catalana del segle anterior.

FONS I BIBLIOGRAFIA

ARXIUS CONSULTATS

ACA   Arxiu de la Corona d'Aragó

ACM   Arxiu Familiar Casa Mir de la Pobla de Mafumet

ACT   Arxiu Capitular de Tarragona

AHAT   Arxiu Històric Arxidiocesà de Tarragona

AHN   Archivo Histórico Nacional

AHT   Arxiu Històric de Tarragona

BIBLIOGRAFIA

ALSINA, C.; FELIU, G., i MARQUET, Ll.: *Pesos, mides i mesures dels Països Catalans*. Curial. Barcelona, 1990.

AMO BENITO, Roberto del: *El impacto de la industria petroquimica en el medio rural: transformaciones socio-espaciales en la Pobla de Mafumet*. Pobla de Mafumet. Ajuntament, 1988.

BLANCH, Josep: *Arxiepiscopologi de la Santa Església Metropolitana i Primada de Tarragona*. Institut d'Estudis Tarraconenses Ramon Berenguer IV, 1985, vol. I.

BOLÒS, Jordi: «Els pobles de Catalunya a l'edat mitjana. Aportació a l'estudi de la morfogènesi dels llocs de poblament». A: BOLÒS, Jordi, i BUSQUETA, Joan J. (directors): *Territori i societat a l'edat mitjana. II (1998)*. Edicions de la Universitat de Lleida. Lleida, 1998.

BOLÒS, Jordi: *Els orígens medievals del paisatge català. L'arqueologia del paisatge com a font per a conèixer la història de Catalunya*. Publicacions de l'Abadia de Montserrat, 2004.

BOLÒS I MASCLANS, Jordi; URPÍ I CASALS, Rosa Maria, i RESINA NAVAS, Juan-Antonio: «Castell de Montoliu (o de Santa Margarida)», pàgs. 103-104. A: DD.AA.: *Catalunya Romànica*. Vol. XXI. Enciclopèdia Catalana. Barcelona, 1995.

CAPDEVILA, Sanç: «Sobre la invasió àrab i reconquesta de Tarragona». A: *Boletín Arqueológico de Tarragona* (1964-65).

CARDÓ I SOLER, Josefa: *L'evolució dels conreus del Camp de Tarragona a partir del segle XVIII*. Institut d'Estudis Vallencs, 1983.

Catalunya Romànica. Vol. XIX, Enciclopèdia Catalana, Barcelona, 1992.

Catalunya Romànica. Vol. XXI, Enciclopèdia Catalana, Barcelona, 1995.

Catalunya Romànica. Vol. XXIV, Enciclopèdia Catalana, Barcelona, 1997.

COLOMER I NAVARRO, Joan: «Aproximació aritmològica a les mesures catalanes antigues emprades al Camp de Tarragona». A: *Miscel·lània Ribetana*, 2. El Brugent, 1989, la Riba.

COMPANYS I FARRERONS, Isabel: *Catàleg de la col·lecció de pergamins de l'Ajuntament de Tarragona dipositats a l'Arxiu Històric de Tarragona*. Col·lecció Documents del Fons Municipal de Tarragona, 12. Tarragona, 2009.

CORTIELLA I ÒDENA, Francesc: «Notícies sobre el Codony». A: *Universitas Tarraconensis*, IV. Facultat de Filosofia i Lletres. Divisió Geografia i Història. Tarragona, 1981-1982, pàgs. 145-157.

CORTIELLA I ÒDENA, Francesc: *Guia de Perafort (Tarragonès)*. «Els llibres de la Medusa» núm. 13. Institut d'Estudis Tarraconenses Ramon Berenguer IV. Tarragona, 1982.

CORTIELLA I ÒDENA, Francesc: *Guia de la Secuita (Tarragonès)*. «Els llibres de la Medusa» núm. 14. Institut d'Estudis Tarraconenses Ramon Berenguer IV. Tarragona, 1982.

CORTIELLA I ÒDENA, Francesc: *Història de la Pobla de Mafumet (Amb una informació toponímica original de Josep Veciana i Aguadé)*. Ajuntament de la Pobla de Mafumet, 1986.

DD.AA.: *Terra, treball i propietat. Classes agràries i règim senyorial als Països Catalans*. Barcelona, Crítica, 1986.

DD.AA.: *El castell de Mataplana. L'evolució d'una fortificació senyorial (s. XI-XV) (Gombrèn, Ripollès). Treballs arqueològics entre 1986-1993*. Monografies d'Arqueologia Medieval i Postmedieval núm. 1. Universitat de Barcelona, 1994.

DD.AA.: *Apunts per a la història de Vilallonga del Camp. El Codony 10 anys 1994-2004*. Valls. Cossetània, 2003.

DELAVILLE LE ROULX, J.: *Cartulaire General de l'Ordre des Hospitaliers de S. Jean de Jerusalem*. París, 1894-1897. Vol. I i II.

DIAGO, Francisco: *Historias de los victoriosísimos, antiguos Condes de Barcelona* (edició digital). http://books.google.es/books?id=XOv-mOjaw VsC&printsec=frontcover&dq=Historias+de+los+victoriosísimos, +antiguos+Condes+de+Barcelona&source=gbs_book_similarbook s#v=onepage&q&f=false.

Diplomatari de Poblet. Vol. I. Anys 960-1177. Edició a cura d'Agustí Altisent. Col·lecció Fonts i estudis, núm. 2. Abadia de Poblet-Generalitat de Catalunya. Departament de Cultura, Barcelona, 1993.

DURAN, M.: «Producció i renda agrària a la Catalunya del segle XVI». A: *Terra, treball i propietat. Classes agràries i règim senyorial als Països Catalans*. Barcelona, Crítica, 1986.

Els castells catalans. Vol. III. Rafael Dalmau Editor, Barcelona, 1969.

Els castells catalans. Vol. IV. Rafael Dalmau Editor, Barcelona, 1973.

ESPAÑOL BERTRAN, Francesca: «Els casals de molins medievals a les comarques tarragonines. Contribució a l'estudi de la seva tipologia arquitectònica». A: *Acta Historica et Archaeologica Medievalia*, 1. Universitat de Barcelona, 1980, pàgs. 235-238

ESPAÑOL BERTRAN, Francesca: «Les cartes de població de Vilallonga». A: *Acta Historica et Archaeologica Medievalia*, 4. Universitat de Barcelona, 1983, pàgs. 87-106.

FONT RIUS, José Mª.: *Cartas de población y franquicias de Cataluña*. Madrid-Barcelona, 1969. Vol. II.

FORT I COGUL, Eufemià: *El senyoriu de Santes Creus*. Fundació Salvador Vives Casajuana, Barcelona, 1972.

FORT I COGUL, Eufemià: «Pere i Guillem de Claramunt». A: *Miscel·lània Aqualatensia*, 2. Igualada, 1974, pàgs. 78-108.

FORT I COGUL, Eufemià: *El Codony del Camp de Tarragona. Ubicació, i unes quantes notícies de la Granja de Santes Creus*. AHT. Fons Eufemià Fort i Cogul, Sig. 434.

FREEDMAN, Paul H.: *Els orígens de la servitud pagesa a la Catalunya medieval*. Eumo Editorial, Vic, 1993.

FUENTES I GASÓ, Manuel Maria: *El castell, vila i terme del Catllar. Segles XII-XVIII*. Ajuntament del Catllar, 1999.

GIRALT I RAVENTÓS, Emili (dir.): *Història Agrària dels Països Catalans. III. Edat Moderna*. Fundació Catalana per a la Recerca i la Innovació. Barcelona, 2008.

GORT I JUANPERE, Ezequiel: *La Cambreria de la Seu de Tarragona. Segles XII i XIII*. Associació d'Estudis Reusencs, 1990.

GUAL VILÀ, Valentí: *Poblet, senyor feudal. La documentació de l'armari III*. Valls, Cossetània Edicions, 2007.

GUAL VILA, Valentí: «El punt de partida de l'agricultura moderna. De la sentència arbitral de Guadalupe i les Germanies a la crisi de finals del cinc-cents». A: GIRALT I RAVENTÓS, Emili (dir.): *Història Agrària dels Països Catalans. III. Edat Moderna*. Fundació Catalana per a la Recerca i la Innovació. Barcelona, 2008.

HERNÁNDEZ SANAHUJA, B.: «Cartas pueblas de Tarragona hasta el final del s. XIV». A: *Boletín Arqueológico*, núm. 47. Tarragona, gener-març 1934.

ICART, Joaquim (compilador): *Ordinacions i crides de la Ciutat de Tarragona (segles XIV-XVII)*. Col·lecció de documents de l'Arxiu Històric Municipal de Tarragona, 1. 1982.

IGLÉSIES, J.: «Consideracions sobre les dades de poblament que proporciona la Comuna del Camp de Tarragona entre 1339 i 1563». A: *Miscellània Fort i Cogul. Història monàstica catalana. Història del Camp de Tarragona*. Publicacions de l'Abadia de Montserrat, 1984, pàgs. 189-207.

IGLÉSIES, Josep: *La població de les vegueries de Tarragona, Montblanc i Tortosa, segons el fogatge de 1496*. Associació d'Estudis Reusencs. Reus, 1987.

IGLÉSIES, Josep: *La població de les vegueries de Tarragona, Montblanc i Tortosa, segons el fogatge de 1496*. Associació d'Estudis Reusencs. Reus, 1989.

JMB: «Vila de Montbrió del Camp. A: DD.AA. *Catalunya Romànica*, Vol. XXI. Fundació Enciclopèdia Catalana, Barcelona, 1995.

LÓPEZ, J., i DASCA, A.: «La torre d'Ardenya i la línia fronterera medieval del Baix Gaià». A: XXXV Assemblea Intercomarcal d'Estudiosos de Catalunya. Ponències i comunicacions, I, Valls, 1989, pàgs. 383-394.

LÓPEZ, Jordi; ZARAGOZA, Josep; VERGÈS, Josep Maria, i FONTANALS, Marta: «La torre d'Esblada (Querol, Alt Camp): una nova fortificació medieval a la conca del Gaià». A: IV Congrés d'Arqueologia Medieval i Moderna a Catalunya. Tarragona, 10-13 de juny de 2010. Preactes, pàg. 74.

MACIAS SOLÉ, Josep M., i MENCHON BES, Joan J.: *La vil·la romana dels Hospitals. El Morell, Tarragona. Un assentament de la via De Italia in Hiapanias*. Institut Català d'Arqueologia Clàssica, Tarragona, 2007.

MANENT I SEGIMON, Albert: «Els noms de lloc del terme i poble de la Masó. A: *Treballs de la Secció de Filologia i Història Literària*. Tarragona. Vol. IV (1985); pàgs. 5-36.

MAR, Ricardo; MIR, Hèctor, i Piñol, Lluís: «La formación de la topografía urbana de la Tarragona medieval: Nuevas aportaciones». A: *Archivio Storico del Sannio. Attività economiche e sviluppo urbano nei secoli XIV e XV. Atti dell'Incontro di Studi-Barcellona, 19-21 ottobre 1995*. Edizioni Scientifiche Italiane, Nàpols, s/d.

MARTÍ I ESTRADA, Gerard: «La Barquera, Perafort». A: DD.AA.: *Intervencions arqueològiques a Tarragona i entorn (1993-1999)*. Servei Arqueològic. URV de Tarragona, 2000, pàgs. 183-185.

MASSÓ CARBALLIDO, J.: «Toponimia i arqueologia». A: *Cultura*, núm. 439, Valls, març 1985, pàgs. 21-22.

[Mir, Hèctor, i Moreno, Antoni]: «El castell de la Pobla de Mafumet». A: *Butlletí de la Pobla de Mafumet*. Núm. 33, 2005, pàgs. 18-19.

[Mir i Llorente, Hèctor]: «Casa Mir». A: *Butlletí de la Pobla de Mafumet*. Núm. 34, 2005, pàg. 15.

[Mir, Hèctor, i Moreno, Antoni]: «El Mas de Marquès», a *Butlletí Municipal* de la Pobla de Mafumet núm. 37.

[Mir i Llorente, Hèctor]: «Els plànols antics de la Pobla de Mafumet». A: *Butlletí de la Pobla de Mafumet*. Núm. 38, 2006, pàg. 18.

[Mir i Llorente, Hèctor]: «Pobla de Mafumet». A: *Butlletí de la Pobla de Mafumet*. Núm. 44, 2007, separata.

[Mir, Hèctor]: «L'ermita de Sant Joan del Lledó». A: *Butlletí Municipal* de la Pobla de Mafumet núm. 45.

Miquel i Vives, Marina: «L'ordenació feudal a la marca del comtat de Barcelona». Ponència presentada a: *Les marques a la Catalunya comtal. Curs intensiu universitari. 21 al 22 de novembre. Dossier de documentació*. Museu d'Arqueologia de Catalunya, Barcelona, 1995.

Miquel i Vives, Marina: «Ipsa Marcha Extrema. Les terres del Gaià als segles X-XI». A: *La Resclosa*, 1. Centre d'Estudis del Gaià, Vila-rodona, 1997, pàgs. 27-35.

Moner Codina, Jeroni: «Les cases de Banyoles». Pàgs. 156-158. A: DD.AA.: *L'art gòtic a Catalunya. Arquitectura III. Dels palaus a les masies*. Fundació Enciclopèdia Catalana, Barcelona, 2003.

Morera y Llauradó, Emili: *Geografia General de Catalunya*, dirigida per Francesch Carreras y Candi. *Provincia de Tarragona*. Albert Martín, Barcelona, s/d.

Morera Llauradó, Emilio: *Tarragona Cristiana* I. Institut d'Estudis Tarraconenses Ramon Berenguer IV, 1981.

Morera Llauradó, Emilio: *Tarragona Cristiana* II. Institut d'Estudis Tarraconenses Ramon Berenguer IV, 1982.

Muntanya i Martí, Maria-Teresa, i Escatllar i Torrent, Francesc: *Tarragona: una passejada pel terme, una retrobada amb la gent. Onomàstica tarragonina amb anotacions multidisciplinars*. Arola Editors. Tarragona, 2007, 3 volums.

Ortega, Pasqual: «El terme dels Hospitals (el Morell, Tarragonès) de l'Orde de Sant Joan de Jerusalem a finals del segle XVII». A: *Universitas Tarraconensis*, IX. Universitat de Barcelona (Tarragona), 1987.

Ortega, Pasqual: «Una propuesta metodológica para el estudio de los capbreus en la época moderna». A: Sánchez Martínes, Manuel (comp): *Estudios sobre renta, fiscalidad y finanzas en la Cataluña bajomedieval*. CSIC, Barcelona, 1993, pàgs, 105-131.

PAPELL I TARDIU: Joan: *Diplomatari del monestir de Santa Maria de Santes Creus (975-1225)*. Fundació Noguera. Col·lecció Diplomataris, 2005. Vol. I.

PAPELL TARDIU, Joan: «La participació de la noblesa catalana vinculada i enterrada a Santes Creus en la conquesta de Mallorca». A: *Miscel·lània en homenatge al Dr. Lluís Navarro Miralles, Magister dilectus. Reconeixement al mestratge d'un acadèmic honest i compromès*. Arola Editors, Tarragona, 2009, pàgs. 145-155.

PASTOR I BATALLA, Isidre: «Els dominis occidentals del Castellvell de la Marca». A: *Miscel·lània Penedesenca*, 22. Institut d'Estudis Penedesencs, Vilafranca del Penedès, 1997.

PERE I BUSQUETS, Joan: *Els llocs que formen el poble de Perafort. La seva història fins a la unió 1842-46*. Ajuntament de Perafort, 2006.

PERE I BUSQUETS, Joan: *Miscel·lània de Perafort i Puigdelfí*. Ajuntament de Perafort, 2008

PIÉ FAIDELLA, Joan, pvre.: *Annals inèdits de la vila de la Selva del Camp de Tarragona*. Institut d'Estudis Tarraconenses Ramon Berenguer IV, 1984.

RECASENS I COMES, Josep M.: «El rendiment d'una propietat feudal del Camp de Tarragona a la segona meitat del segle XVII (1652-1688)». A: *Estudis Altafullencs*, 1. Centre d'Estudis d'Altafulla, 1977, pàgs. 49-60.

RECASENS I COMES, Josep M.: «Notes sobre la producció agrària i el rendiment de l'heretat del senyoriu del Morell a l'últim quart del segle XVIII». A: Miscel·lània Fort i Cogul. Història monàstica catalana. Publicacions de l'Abadia de Montserrat, Barcelona, 1984, pàgs. 307-320.

RECASENS I COMES, Josep M.: *El senyoriu del Morell 1173-1835 (Assaig sobre diversos aspectes del seu procés històric)*. Publicacions de la Diputació de Tarragona, 1985.

Repertori Municipal de Tarragona. Col·lecció de Documents de l'Arxiu Històric Municipal de Tarragona, 9. Ajuntament de Tarragona, 1993.

RIERA FORTUNY, Pilar: «Vilallonga del Camp al segle XVIII». *Quaderns de Vilaniu*, 34, Valls, 1998, pàgs. 87-107.

RIERA, Pilar: «On es trobava l'església vella de Vilallonga?» A: *Apunts per a la història de Vilallonga del Camp. El Codony: 10 anys (1994-2003)*. Cossetània Edicions, Valls, 2003, pàgs. 49-54.

RIERA I FORTUNY, Pilar: *Noms de lloc, cognoms i renoms de Vilallonga del Camp*. Institut Cartogràfic de Catalunya, 2005.

RIU-BARRERA, Eduard: «Tipus i evolució de les cases urbanes». Pàgs. 146-151. A: DD.AA.: *L'art gòtic a Catalunya. Arquitectura III. Dels palaus a les masies*. Fundació Enciclopèdia Catalana, Barcelona, 2003.

Rovira i Gómez, Salvador-J.: «La Baronia de la Montoliva». A: *TAG*. Març 2006, any XI, núm. 41, pàgs. 8-10.

Rovira i Gómez, Salvador-J.: *Plàcid-Maria de Montoliu i de Sarriera, primer marquès de Montoliu (1828-1899)*. Arola Editors, Tarragona, 2007.

Rovira i Soriano, Jordi, i Dasca i Roigé, Andreu: *Descripció del Corregiment de Tarragona. Un manuscrit del segle XVIII de la Biblioteca Nacional de Madrid*. Biblioteca Tarraconense 12, Tarragona, 1995.

Sánchez Real, José: «Puigdelfí, Perafort (siglo XV)». A: *Obra menor. Artículos históricos publicados en la prensa de Tarragona 1989-1994*. Vol. IV. Institut d'Estudis Tarraconenses Ramon Berenguer IV, 1997, pàgs. 267-268.

Sans i Travé, J. M.: «El Rourell, una Preceptoria del Temple al Camp de Tarragona (1162?-1248)». A: *Boletín Arqueológico*. Època IV, fasc. 133-140, anys 1976-1977.

Serra i Puig, Eva: *Pagesos i senyors a la Catalunya del segle XVII. Baronia de Sentmenat 1590-1729*. Barcelona, Crítica, 1988.

Serra i Vilaró, Joan: *Els senyors de Cardona*, I. Sugrañes Hnos., Tarragona, 1966.

Trenchs Òdena, Josep: «L'ermita del Roser de Vilallonga del Camp: notes històriques». A: *L'ermita del Roser de Vilallonga del Camp*. Agrupació Cultural de Vilallonga del Camp, 1994.

Urpí i Casals, Rosa M., i Resina Navas, Juan Antonio: *El castell i terme de Banyeres del Penedès. Dels seus orígens al segle XIV*. Ajuntament de Banyeres del Penedès, 1991.

Valldosera i Català, Josep M., i Granell i March, Jordi (coordinadors): *El castell del lloc del Morell. Aspectes històrics i de la restauració del casal dels Montoliu*. Ajuntament del Morell, el Morell, 1994.

Veciana i Aguadé, Josep: «Toponímia de la Pobla de Mafumet». A: Cortiella i Òdena, Francesc: *Història de la Pobla de Mafumet*. Ajuntament de la Pobla de Mafumet, 1986.

Veciana i Aguadé, Josep: «Topònims i antropònims de Perafort i Puigdelfí». A: *Treballs de la Secció de Filologia i Història Literària* VII, Tarragona, 1994, pàgs. 21-110.

Virgili, Antoni: *L'expansió i afermament del feudalisme al Baix Gaià (segles XI i XII)*. Centre d'Estudis d'Altafulla, 1991.

Zurita, Jerónimo: *Anales de Aragón* (edició digital). Biblioteca Virtual de la Institución Fernando el Católico. http://ifc.dpz.es/publicaciones/ver/id/2448.

ANNEXOS PLANIMÈTRICS

ANNEX 1. ELS CASTELLS TERMENATS DE TAMARIT, MONTOLIU I EL CODONY

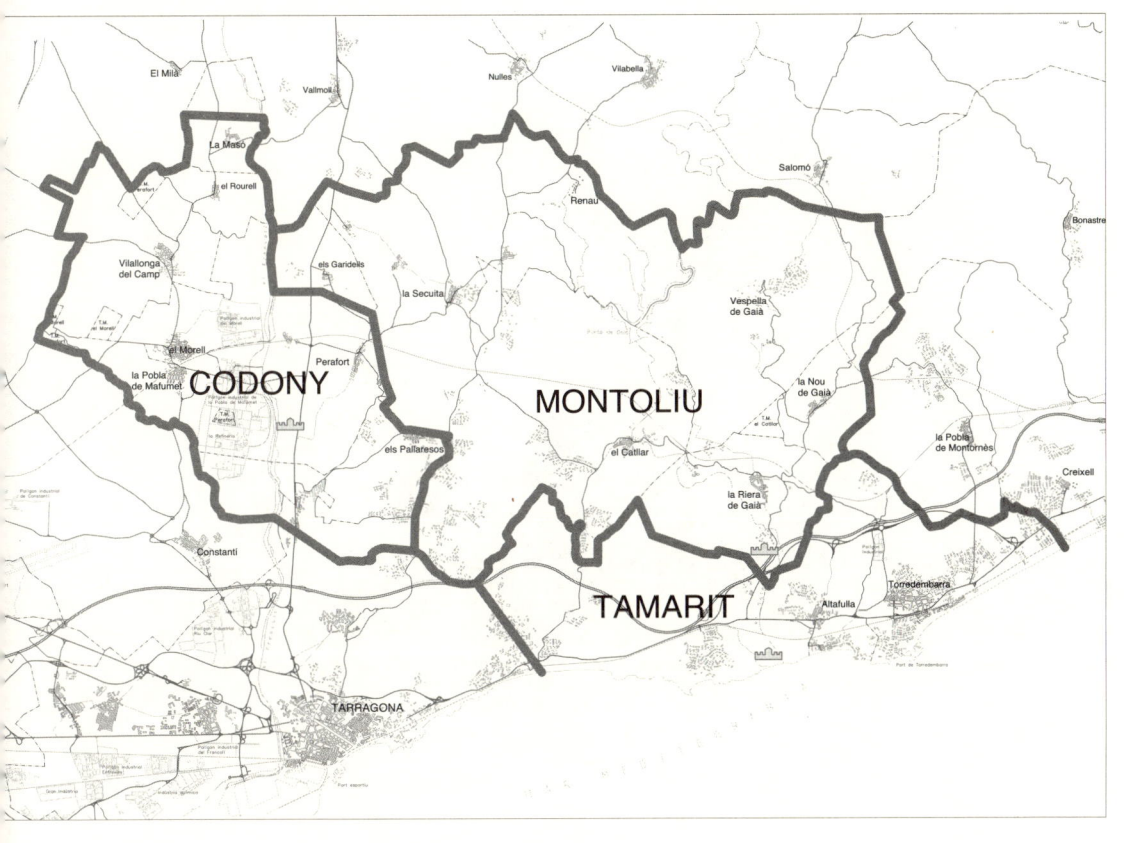

ANNEX 2. PLÀNOL GENERAL DEL CODONY AL TARRAGONÈS

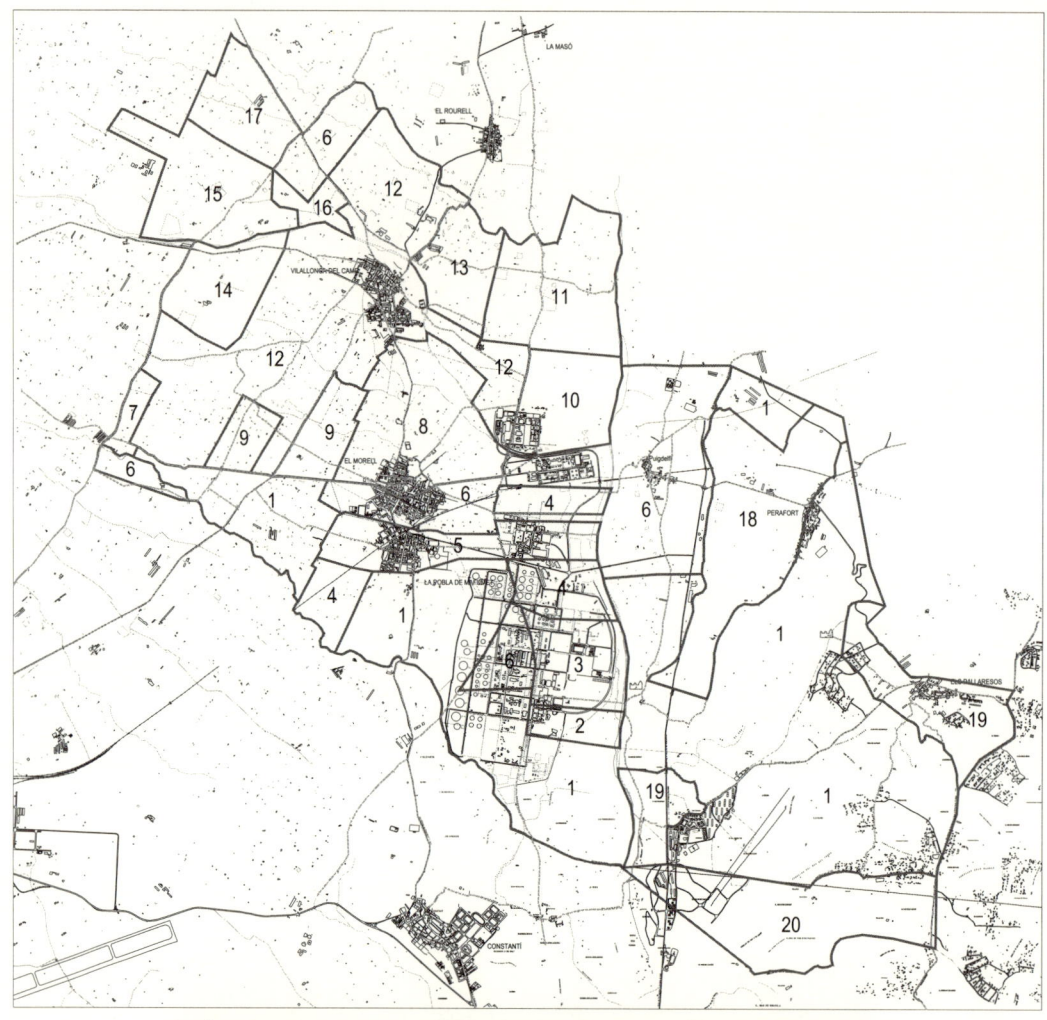

1. El Codony (inclou la quadra de les Franqueses del Codony i Penalonga)
2. La quadra de la Camareria
3. La quadra de Vilar de Baró
4. La quadra de Requesens
5. La Pobla de Mafumet
6. Puigdelfí
7. El mas d'Eimeric
8. El Morell
9. El mas de Tomanill o dels Romanins
10. La quadra dels Hospitals
11. La granja dels Frares
12. Vilallonga
13. Les Sorts
14. La Montoliva
15. La Font de l'Astor
16. El mas de l'Obra
17. El Carxol
18. Perafort
19. Els Pallaresos
20. La quadra del Torrell

ANNEX 3. DETALL DEL SECTOR SUD-OEST DEL CODONY

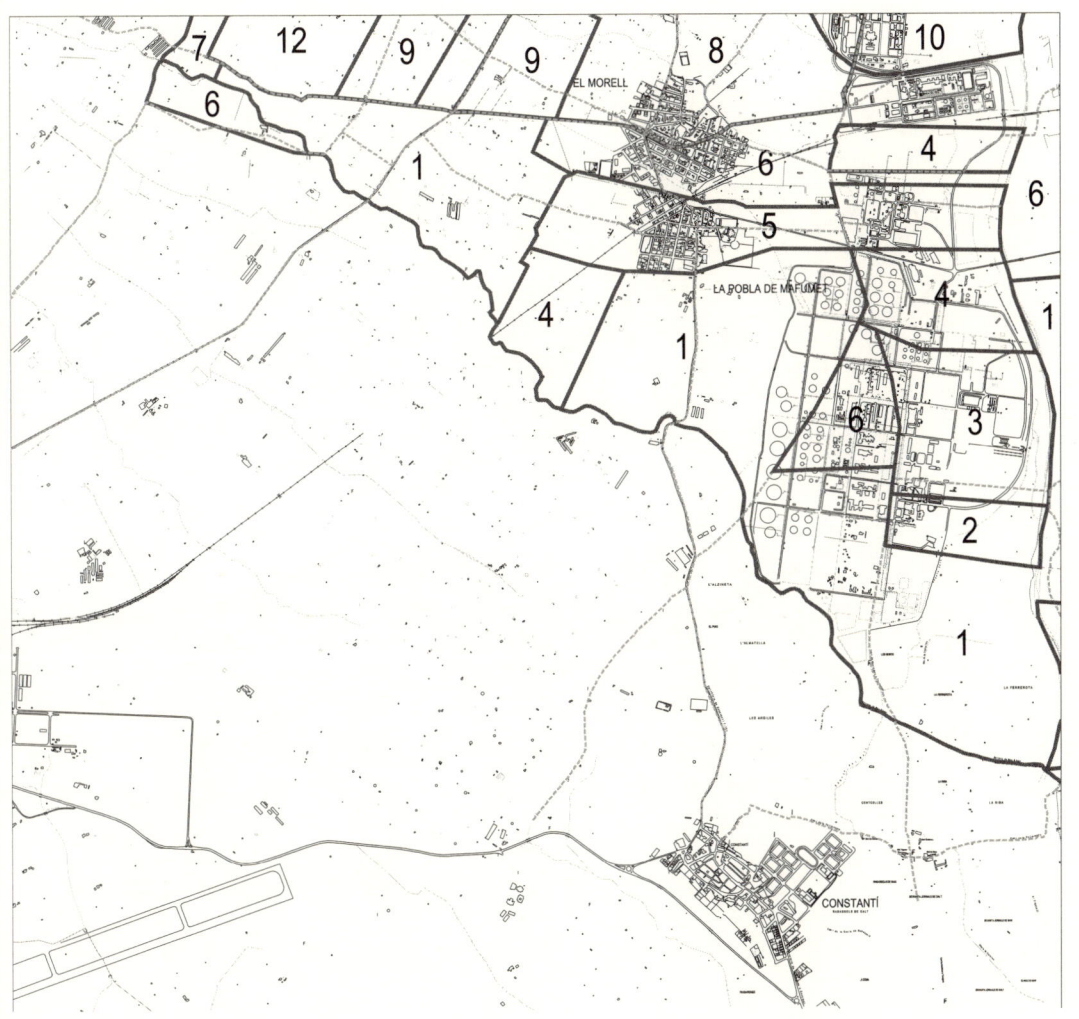

ANNEX 4. DETALL DEL SECTOR NORD-OEST DEL CODONY

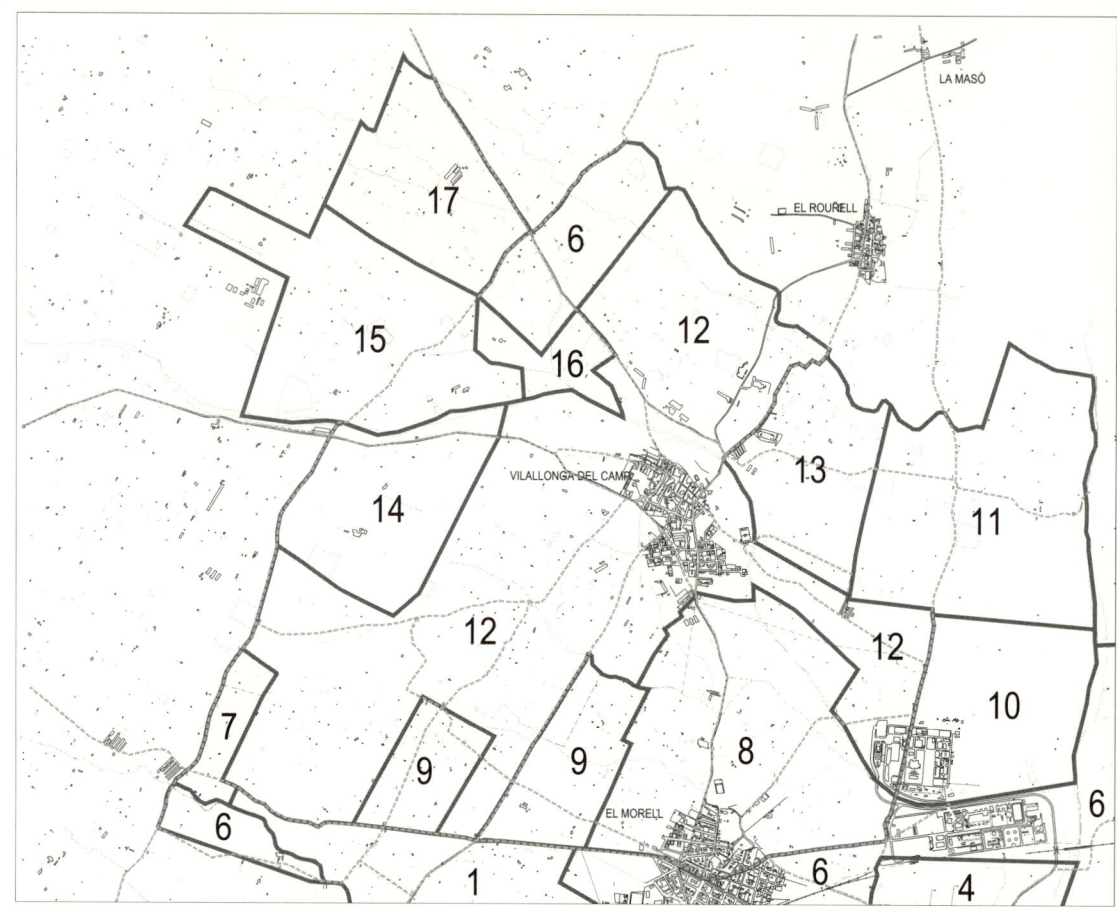

ANNEX 5. DETALL DEL SECTOR EST DEL CODONY

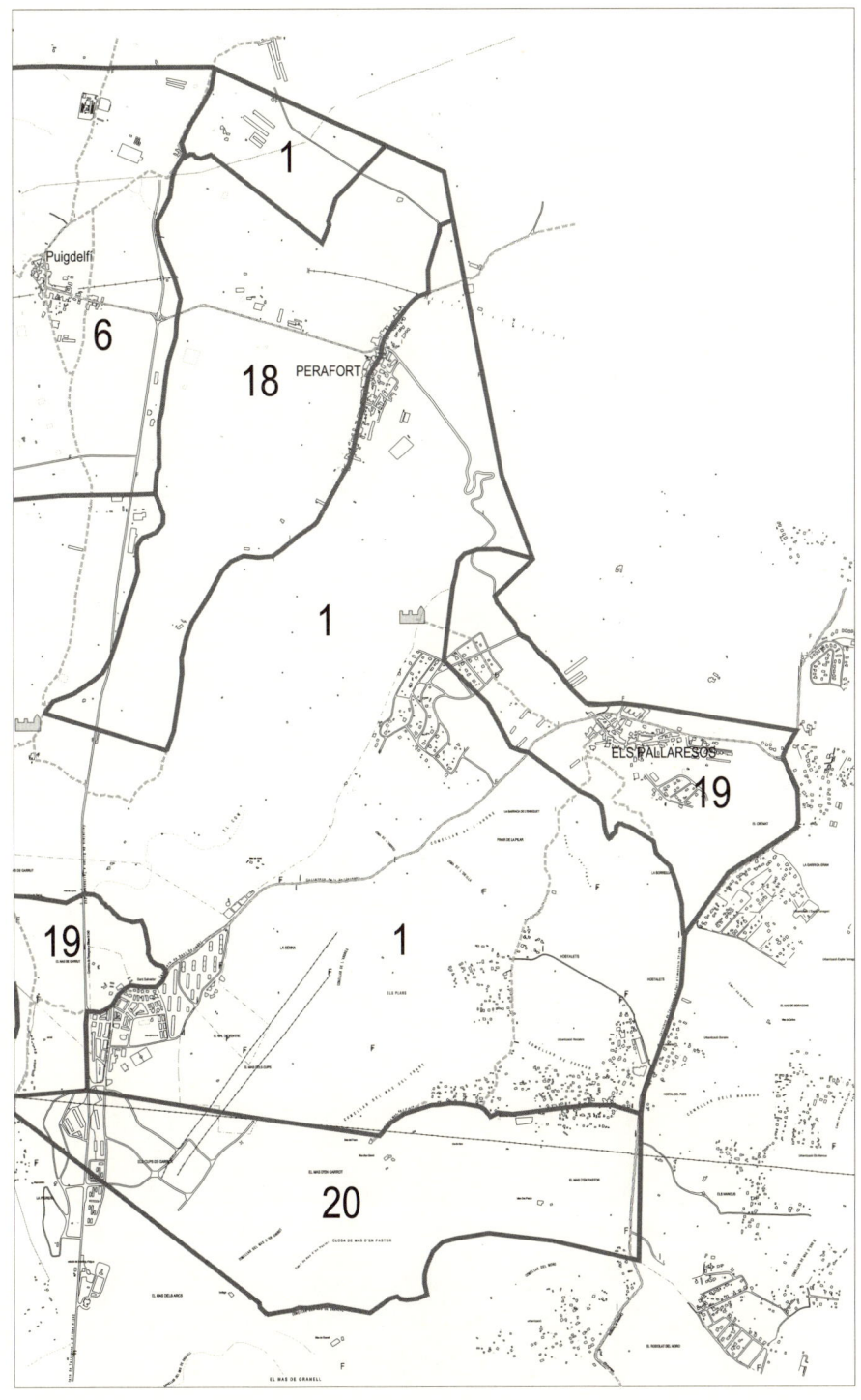

ANNEX 6. EL NUCLI URBÀ DE PUIGDELFÍ

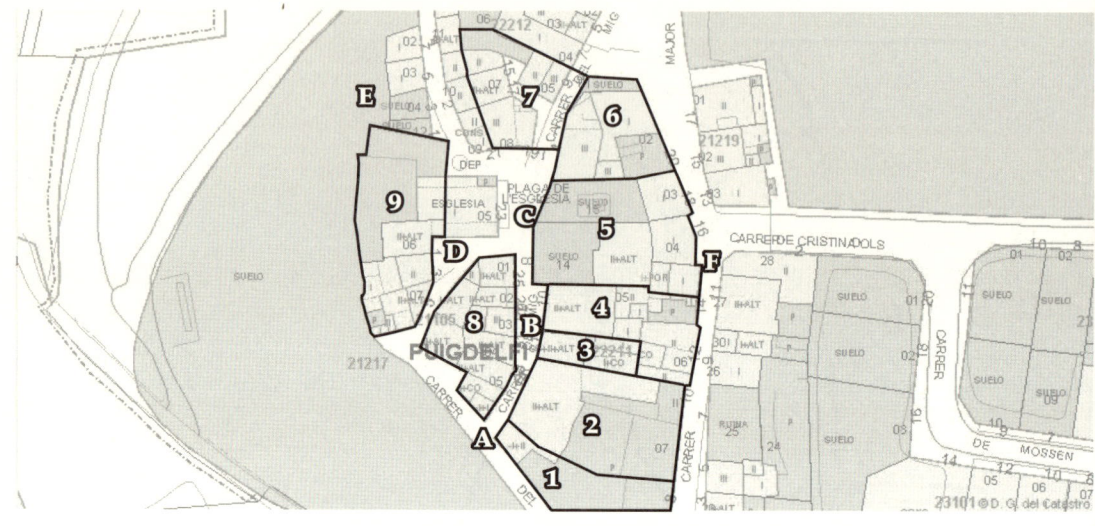

1.	Casa de Joan Bellver	A.	Costa del castell
2.	Casa de Joan Boada	B.	*Vico*
3.	Casa de Joan Boada	C.	*Platea*
4.	Casa de Jaume Bertran	D.	*Vallo*
5.	Casa de Jaume Bertran	E.	*Rocha*
6.	Casa de Joan Mestre	F.	Camí de Tarragona
7.	Casa de Bartomeu Bosch		a Valls
8.	Casa de Bernat Serrà		
9.	Castell		

ANNEX 7. EL NUCLI URBÀ DE LA POBLA DE MAFUMET

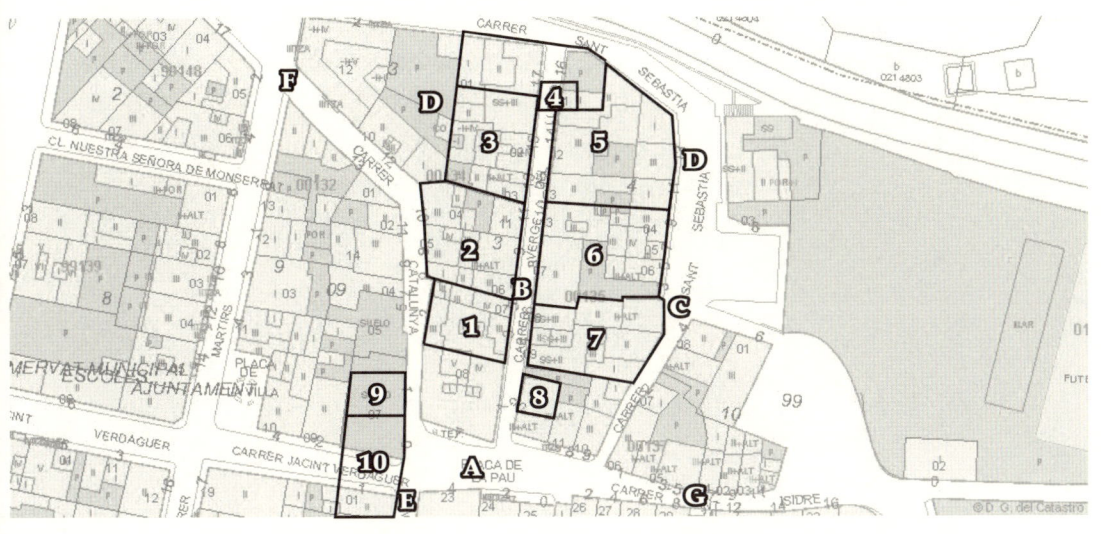

1. Casa de Pere Bellver	A. *Platea*
2. Casa de Jaume Guardiola	B. *Vico*
3. Casa de Jaume Bellver *major*	C. *Curritore*
	D. *Muro*
4. Casa de Jaume Guardiola	E. Camí de Constantí
5. Casa de Jaume Bellver *menor*	F. Camí d'Alcover
	G. Camí de l'Horta
6. Casa de Joan Magrinyà	
7. Casa de Jaume Bellver *menor*	
8. Casa dels senyors	
9. Església	
10. Fossar	

ANNEX 8. EL NUCLI URBÀ DE PERAFORT

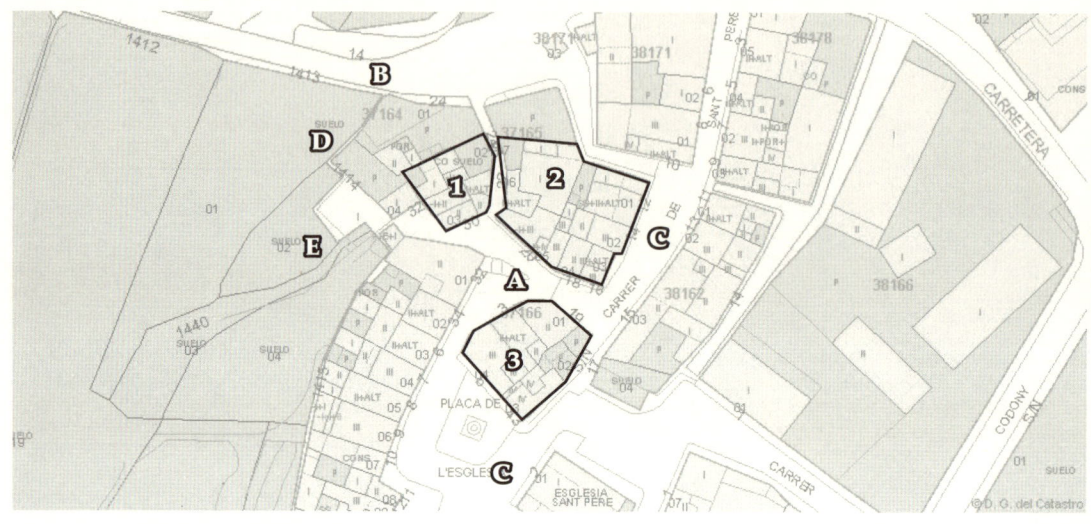

1.	Castell	A.	*Patio dicti loci*
2.	Masia de Bartomeu Serrà	B.	Camí ral
3.	Cases de Pere Torrella, Pere Bertran i Bartomeu Serrà	C.	Camí del Codony a la Secuita
		D.	Camí de la Font
		E.	Bassa (ubicació aproximada)

ANNEX 9. EL NUCLI URBÀ DELS PALLARESOS

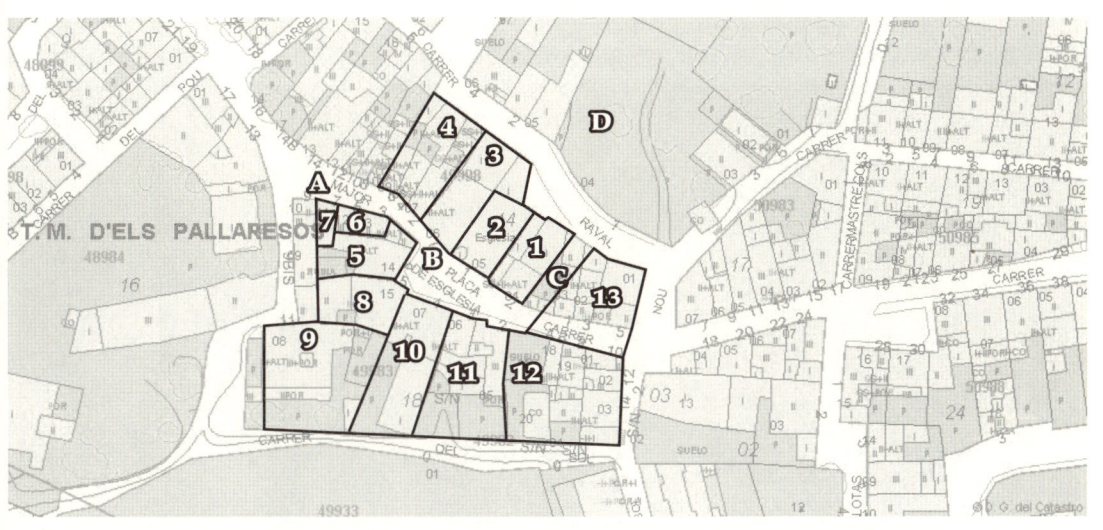

1. *Casaça* de Joan Torrell
2. Casa de Guillem Boada
3. Casa d'Angèlica Cerdà
4. Casa o corral de Joan Bofarull
5. Corral de Guillem Boada
6. Casa de Pere Torrella
7. Obrador de Joan Bofarull
8. Casa de Joan Bofarull
9. Casa de Joan Bofarull
10. Casa de Joan Torrell
11. Casa de Pere Ferran
12. Hort de Pere Ferran
13. Hort de Joan Torrell

A. *Via publica*
B. *Platea*
C. *Entrata dicti loci*
D. Quintana

ANNEX 10. EL NUCLI URBÀ DEL CODONY

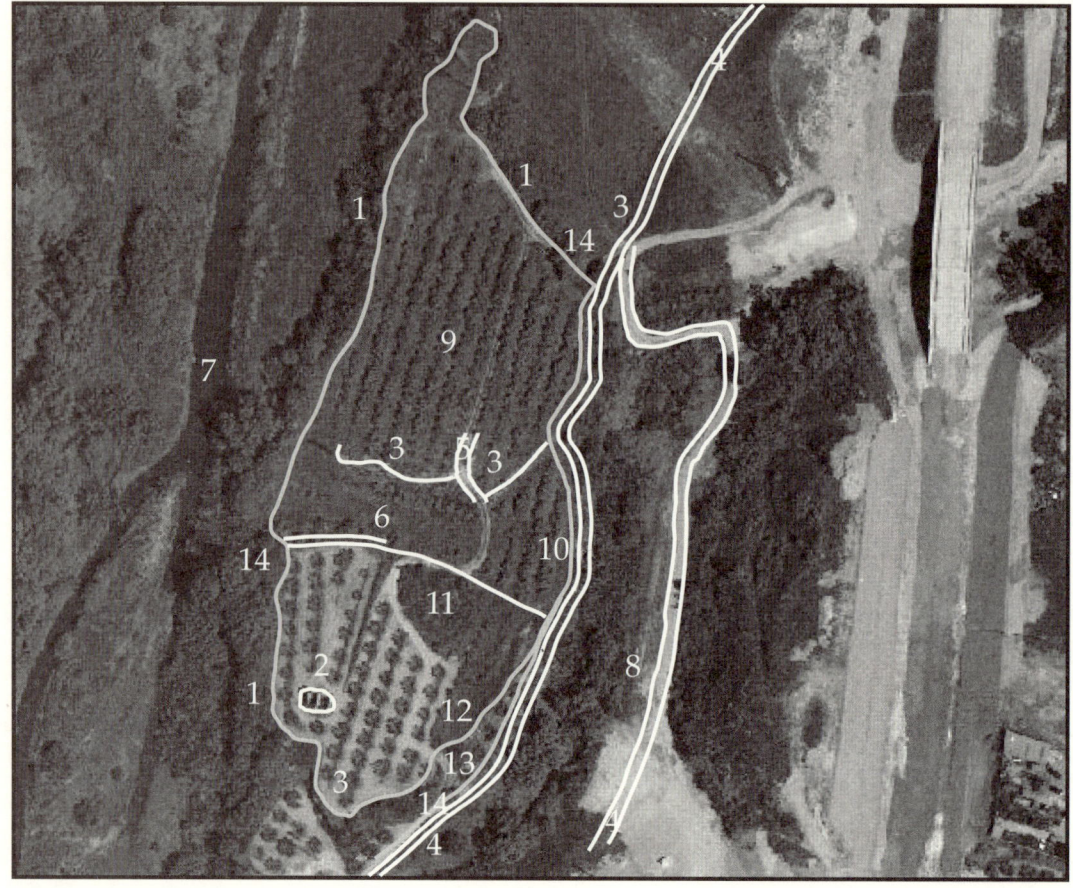

1. Perfil del tossal	10. Plaça de la Carnisseria?
2. Abadia	11. Possible ubicació del castell
3. Murs	12. Possible ubicació de l'església
4. Camí de Tarragona a Valls	13. Fossar
5. Camí de l'abadia	14. Accessos
6. Camí de l'església a les creus	
7. Riu Francolí	
8. Torrent del Maigllong	
9. Possible àrea residencial	

ANNEX 11. EL NUCLI URBÀ DE VILALLONGA

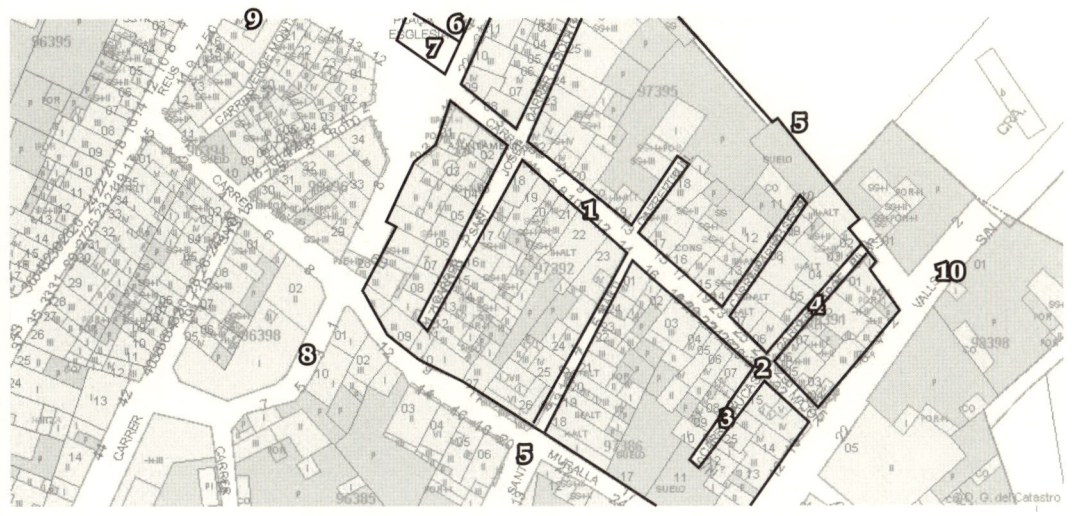

1. *Vico*	6. Església
2. *Platea*	7. Fossar
3. Carrer de la presó	8. Camí de Tarragona
4. Carrer d'en Aguader ?	9. Camí de la Selva
5. Muralla	10. Camí d'Alcover

ARBRES GENEALÒGICS

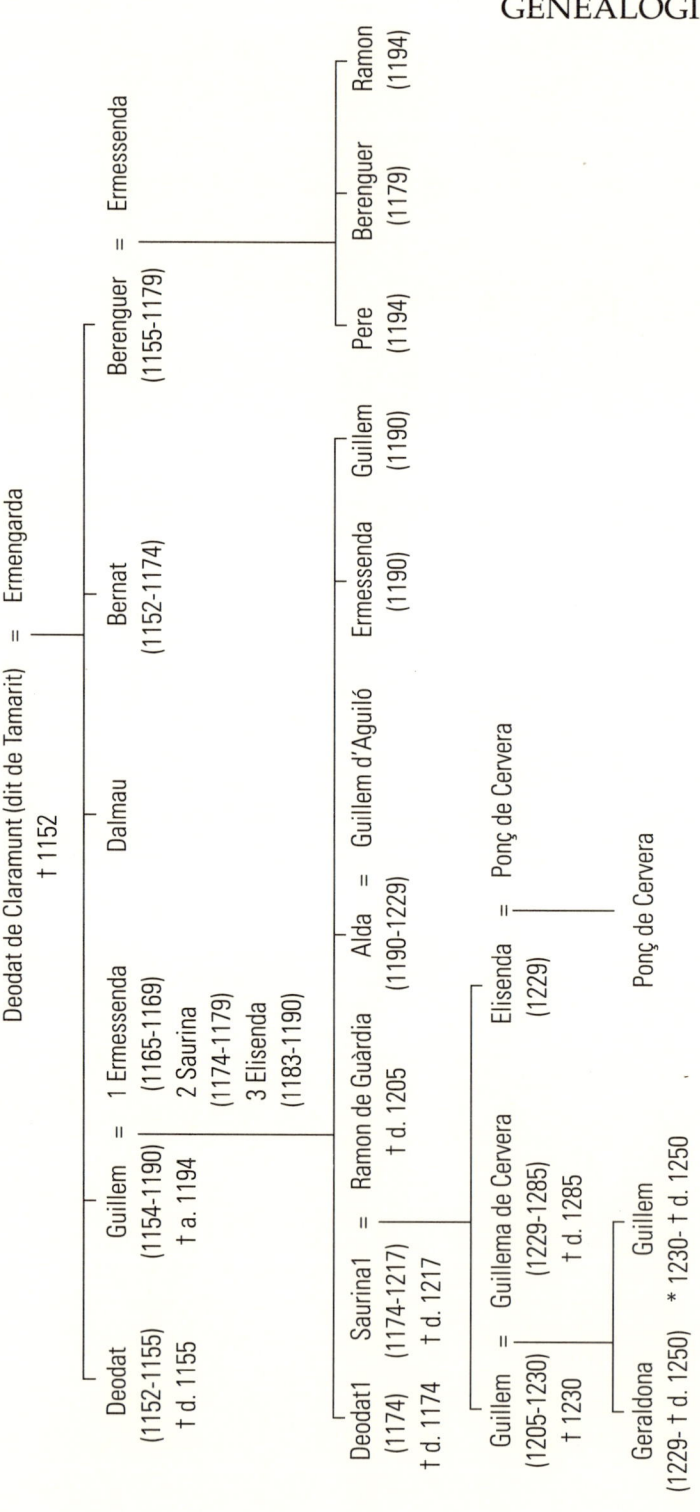

GENEALOGIA CLARAMUNT

Deodat de Claramunt (dit de Tamarit) = Ermengarda
† 1152

Dalmau	Bernat (1152-1174)	Berenguer (1155-1179) = Ermessenda	

Pere (1194)   Berenguer (1179)   Ramon (1194)

Deodat (1152-1155) † d. 1155

Guillem (1154-1190) † a. 1194 = 1 Ermessenda (1165-1169) 2 Saurina (1174-1179) 3 Elisenda (1183-1190)

Ermessenda (1190)   Guillem (1190)

Alda (1190-1229) = Guillem d'Aguiló

Elisenda (1229) = Ponç de Cervera

Ponç de Cervera

Ramon de Guàrdia † d. 1205

Deodat1 (1174) † d. 1174

Saurina1 (1174-1217) † d. 1217 = Ramon de Guàrdia

Guillem (1205-1230) † 1230 = Guillema de Cervera (1229-1285) † d. 1285

Guillem * 1230- † d. 1250

Geraldona (1229- † d. 1250)

GENEALOGIA PUIG-ROIG / RIBES

Pere de Puig-roig   =   Ermessenda (?)
   (1160-1186)   (1198)
    † d. 1186

       Ramon   =   Ferrera
     (1182-1235)
      † d. 1235

Ramon de Ribes   =   Ferrera
             (1235)

      Arnau   =   n.n.
     (1274)

        Arnau   =   n.n.
       (1310)

          Ramon   =   n.n.
        (1341-1351)
         † d. 1351

            Arnau   =   Isabel   =   2 Bernat Barquer   =   1 n.n.
         (1353-1415) (1411-1436)
          † d. 1415   † v. 1436

             Isabel   =   Bernat Pelegrí   Joan Barquer
          (1430-1467)   (1430-1437)   † a. 1482
           † d. 1467   † a. 1467

GENEALOGIA REQUESENS

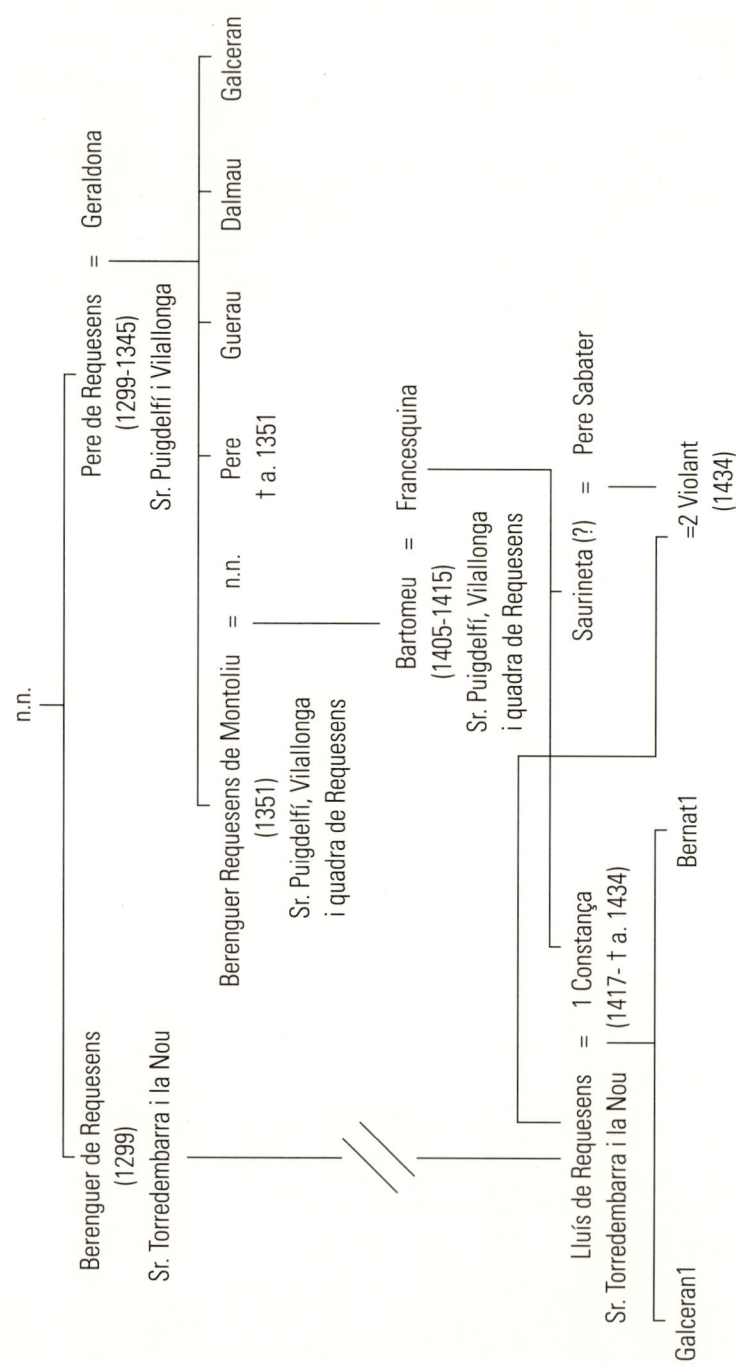

GENEALOGIA MONTOLIU

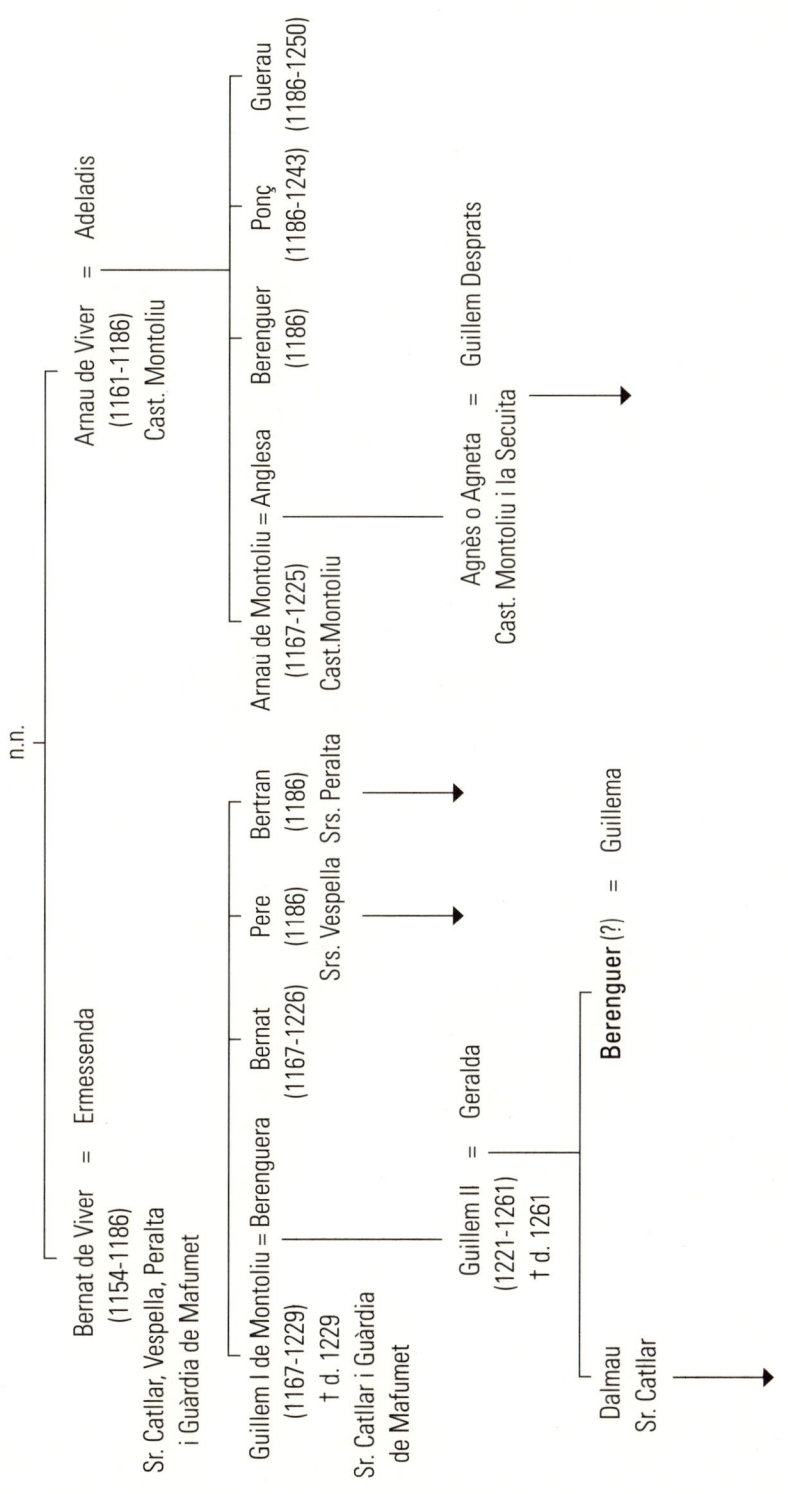

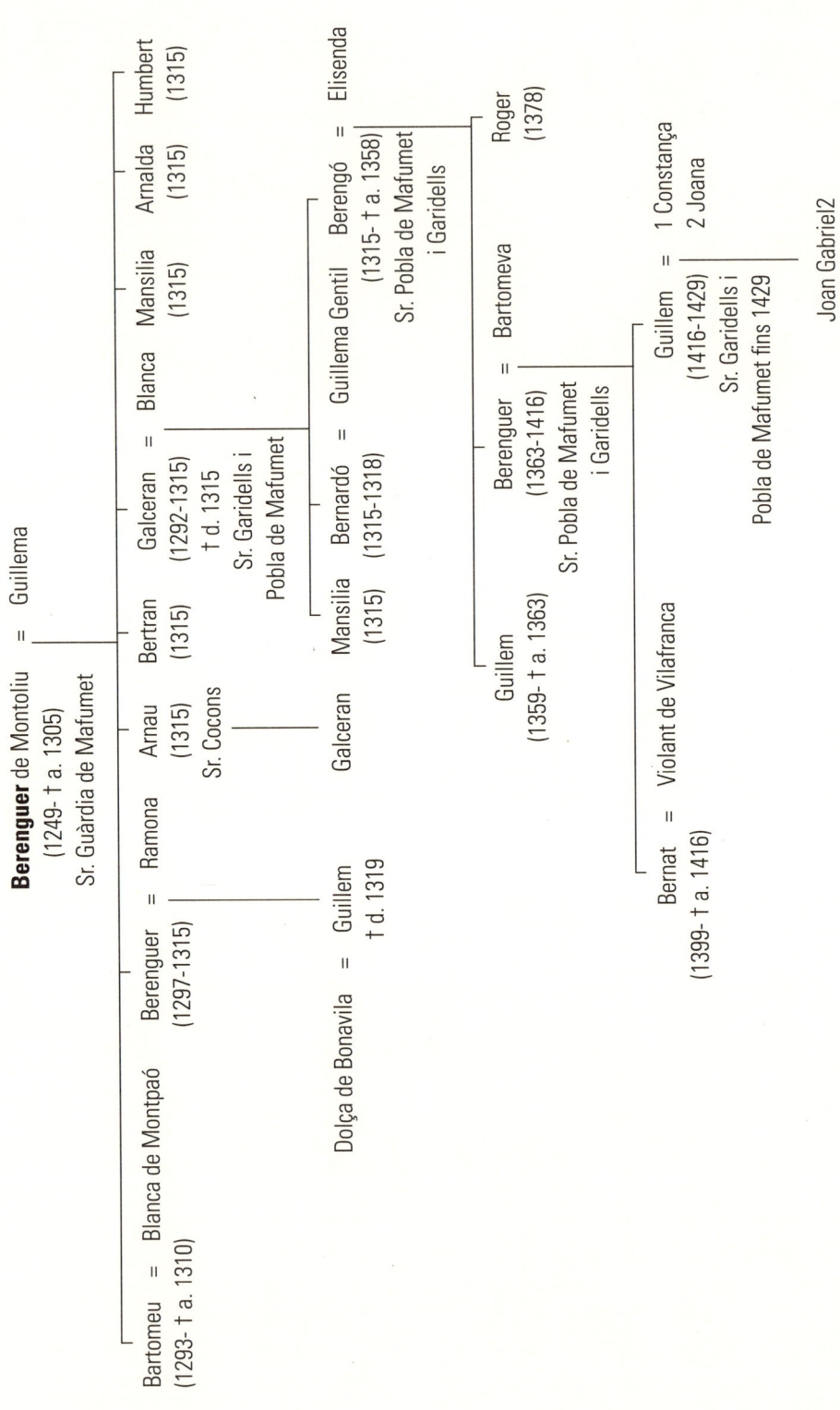

RELACIÓ DE TOTS ELS TINENTS AMB EL TOTAL DE TERRES ALS LLOCS CAPBREVATS (EN JORNALS)

1. Puigdelfí
2. La Pobla de Mafumet
3. Perafort
4. Els Pallaresos i el Codony

5. Quadra de Requesens
6. Quadra de Vilar de Baró
7. Vilallonga
(¿ = superfície desconeguda)

Nom	Residència	1	2	3	4	5	6	7	Total
Joan Boada	Puigdelfí	91,5 + ¿							91,5 + ¿
Joan Serrà	Puigdelfí	33 + ¿							33 + ¿
Joan Bellver	Puigdelfí	49		20					69
Jaume Bertran	Puigdelfí	48 + ¿							48 + ¿
Bartomeu Bosch	Puigdelfí	21,5					3		24,5
Jaume Gavaldà	Puigdelfí	1 mas (60)					11		71
Antoni Rosselló	Puigdelfí	1 mas						3	3 + ¿
Jaume Guardiola	Pobla M.	0,1 + 1 mas	33				13		46,1 + ¿
Joan Magrinyà	Pobla M.	1 mas	25				3		28
Jaume Bellver menor	Pobla M.		53,5			6	4,5		64
Jaume Bellver major	Pobla M.		8,1			3	4,5 + ¿		15,6 + ¿
Pere Bellver	Pobla M.						4,2		4,2
Bartomeu Serrà	Perafort			180,7 + ¿					180,7 + ¿
Pere Bertran	Perafort			13,7					13,7
Pere Torrella	Perafort			100					100
Guillem Boada	Pallaresos				46				46
Pere Ferran	Pallaresos				30,7				30,7
Pere Cerdà	Pallaresos				42,8				42,8
Joan Bofarull	Pallaresos				150,7				150,7
Joan Torrell	Pallaresos				137,1				137,1
Antoni Busquets	Codony				100				100
Andreu Oliver	Requesens					1 mas (21)			21
Sebastià Cases	Requesens					1 mas (20)	4		24
Joan Torrents	Vilallonga							6	6

Nom	Residència	1	2	3	4	5	6	7	Total
Joan Fort	Vilallonga							8,5 + ¿	8,5 + ¿
Joan Ferriol	Vilallonga							21,1	21,1
Joan Ayguader	Vilallonga	20						14 + ¿	34 + ¿
Miquel Vidal	Vilallonga							18,5	18,5
Joan Roig	Vilallonga							2	2
Bernat Ferrer	Vilallonga							3	3
Antoni Plana	Vilallonga							5	5
Joan Folch	Vilallonga	2						5 + ½ mas	7 + ¿
Damià Mestre	Vilallonga							10,1	10,1
Guillem Paladella	Vilallonga							11	11
Joan Mestre	Vilallonga	28						2	30
Gabriel Aguader	Vilallonga							12 + ¿	12 + ¿
Antoni Albinyana	Vilallonga							4 + ¿	4 + ?
Joan Soldevila	Vilallonga							10,5 + ¿	10,5 + ¿
Bartomeu Albinyana	Vilallonga							1,3	1,3
Gabriel Folch	Vilallonga	2						5 + ½ mas	7 + ¿
Pere Joan Moster	Vilallonga							1	1
Llorenç Soldevila	Vilallonga							44,5	44,5
Joan Gili	Vilallonga							3	3
Joan Riera	Vilallonga							3	3
Berenguer Plana	Vilallonga	4						19,6	23,6
Joan Plana	Vilallonga							2	2
Joan Figuerola	Vilallonga							17,5 + ¿	17,5 + ¿
Damià Figuerola	Vilallonga							16 + ¿	16 + ¿

Nom	Residència	1	2	3	4	5	6	7	Total
Francesc Baldrich	Vilallonga							3,5 + ¿	3,5 + ¿
Antoni Figuera	Vilallonga					¿		17,1 + ¿	17,1 + ¿
Damià Maymó	Montoliva							6 + ¿	6 + ¿
Joan Canals	Mas de l'Obra							3	3
Joan Aguader major	Vilallonga							15 + ¿	15 + ¿
Joan Gatell	Franqueses	14							14
Joan Buada	Franqueses		50						50
Pere Virgili	Franqueses				1 mas (¿)				¿
Bartomeu Aguiló	Franqueses					5 + ¿			5 + ¿
Bartomeu Lluch	Hospital	16						14	30
Pere Plana	El Morell	12							12
Antoni Calbó	El Morell						2		2
Bartomeu Maymó	El Morell						5		5
Antoni Dalmau	Camareria					10			10
Pascasi Figuera	Granja							4	4